하고, 충청남도역사박
사건을 통해 본 사회
기층의 정치의식」등의 논문을 썼다. 『화암수록』, 『상두지』
를 공역했다.

왕연 王娟

중국 산동山東 광요현廣饒縣 출생. 한양대 국문과에서 박
사과정을 수료했다. 「18~19세기 북경 유리창 오류거 서
점과 조선 지식인」등의 논문을 썼다.

이패선 李珮瑄

중국 천진天津 출생. 한양대 국문과에서 박사과정을 수료
했다. 논문으로 「『망촉련집』 연구」가 있다. 『상두지』를 공
역했다.

최한영 崔韓煐

한국고전번역원 고전번역교육원 연수과정을 졸업하고, 한
양대 국문과 박사과정에 재학 중이다. 논문으로 「조선 후
기 소품문의 유희성 연구」가 있다. 『화암수록』, 『상두지』를
공역했다.

호
저
집 縞紵集

 ===

2

편
집 編輯

호저집縞紵集
2 편집編輯

엮은이	박장암
옮긴이	정민·강진선·민선홍·손균익·왕연·이패선·최한영
기획총괄	실학박물관
	(12283) 경기도 남양주시 조안면 다산로747번길 16

2022년 11월 14일 초판 1쇄 발행

펴낸이	한철희
펴낸곳	돌베개
등록	1979년 8월 25일 제406-2003-000018호
주소	(10881) 경기도 파주시 회동길 77-20 (문발동)
전화	(031) 955-5020
팩스	(031) 955-5050
홈페이지	www.dolbegae.co.kr
전자우편	book@dolbegae.co.kr
블로그	blog.naver.com/imdol79
트위터	@Dolbegae79
페이스북	/dolbegae

편집	이경아
표지디자인	김민해
본문디자인	이은정·이연경
마케팅	심찬식·고운성·김영수·한광재
제작·관리	윤국중·이수민·한누리
인쇄·제본	영신사

ISBN 979-11-91438-94-9 (94810)
979-11-91438-92-5 (세트)

호저집 縞紵集

2

편집 編輯

박장암 엮음 = 정민·강진선·이패선 외 옮김

돌베개

차 례

권수 卷首

권1 무술년(1778)

다 次六娥韻卽呈貞蕤居士一笑

13

281 경자년(1780) 2월, 진문(津門)에서 북경으로 가면서 즉흥으로 정감을
　　표현하니, 또한 죽지사(竹枝詞)의 나머지이다. 적어서 박정유 검서께
　　드리다 庚子二月, 自津門赴都, 卽事寫情, 亦竹枝之餘. 錄呈朴貞蕤檢
　　書正之

283 노인 그림에 직접 쓰다 自題畫翁

284　장화 蔣和

284 건륭 경술년(1790) 8월, 삼가 만수절(萬壽節)을 맞아 장화가 공경스레
　　『어제제죽시의화책』(御製題竹詩意畫冊)을 그려 바치자 비단을 하사하
　　시는 은혜를 입었다. 삼가 기록하고 아울러 옛일을 서술하고는 문단에
　　서 바로잡아 주기를 청하면서 이와 함께 화답하는 글을 구한다 乾隆庚
　　戌八月, 恭逢萬壽, 和敬模御製題竹詩意畫冊進呈, 蒙恩賜綵緞. 恭紀
　　兼述舊事錄, 請詞壇敎正, 幷索和章

288　장문도 張問陶

288 차수 검서가 하사 받은 그림 부채에 제하다. 이때는 건륭 경술년
　　(1790) 8월 8일이다 題次修檢書內賜畫扇, 卽正乾隆庚戌八月八日

289 단가(短歌) 1수. 초정 박 검서가 조선으로 돌아가는 것을 전송하며,
　　성청(聖淸) 건륭 55년(1790) 8월 24일에 한림서길사(翰林庶吉士) 사
　　천(泗川) 장문도가 초(艸)하다 短歌一首. 送楚亭檢書歸朝鮮, 聖淸乾隆
　　五十五年八月二十四日, 翰林吉士泗川張問陶小艸

291 경술년(1790) 8월, 차수 검서의 시권에 제하다. 이때 장차 조선으로
　　돌아가게 되었으므로 이것으로 송별하다 庚戌八月, 題次修檢書詩卷.
　　時將東歸, 卽以送別

293 부(附) 선공의 원운 − 서길사 선산과 이별하며附 先公元韻 − 別船山
　　吉士

294 차수 박제가 다시 연경으로 들어와 1월 4일에 나의 송균암(松筠菴)
　　을 방문하였다. 술자리가 거나해지자 붓을 휘두르니 문사가 장대하였
　　다. 그가 지은 「출관기회」(出關寄懷)란 작품을 읽고 서둘러 시 2수를
　　읊어 답하였다. 수불(繡佛) 장문도가 초산(椒山) 선생의 옛집에서 쓰
　　다 次修再入京師, 正月四日訪我松筠菴. 酒半揮毫, 文詞娓娓. 讀其出關

권3 신유년(1801)

405　진삼 陳森

405　부족한 시로 정유 대인(大人) 각하(閣下)에게 삼가 드리며 俚句恭呈
　　　貞蕤大人閣下

406　우형 虞衡

406　부족한 시를 정유 선생에게 받들어 드려 송별하다 小詩奉贈貞蕤先生,
　　　卽以送別

407　최기 崔琦

407　시구를 정유 선생께 받들어 드리고 바로잡아 주시기를 청하다 句奉貞
　　　蕤先生斧正

408　정유 선생께 한번 웃으시라고 써서 드리다 書奉貞蕤先生一哂

409　성학도 盛學度

409　신유년에 내가 회시를 치르려고 연경에 들어왔다가, 오류거 서점에서
　　　조선 사신 박제가와 유득공 두 사람을 만났다. 시에 능하고 글씨를 잘
　　　써서 나를 위해 한 폭의 글을 지었는데, 글자가 지극히 날아 춤추는
　　　듯하면서도 속된 기운이 없었다. 이튿날 다시 백의선원(白衣禪院)에
　　　서 만나 하루 종일 필담을 나누니 뜻이 몹시 간절하였다. 귀국할 날이
　　　얼마 남지 않았음을 듣고 이 시를 지어 주며 아울러 작별의 뜻을 표한
　　　다 辛酉余計偕入都, 遇朝鮮使臣朴柳二君於五柳居書肆. 工詩能書, 爲余
　　　作條幅, 字極飛舞, 無庸俗氣. 翌日, 復遇之白衣禪院, 筆譚竟日, 意甚惓
　　　惓. 聞其歸國在卽, 作此贈之, 兼以誌別

410　황비열 黃丕烈

410　내가 오류거 서점의 주인과 막역한 벗이 되어, 도성에 가면 매번 책을
　　　보려고 그 서점에 가곤 하였다. 그때 박정유, 유혜풍 두 분과 만나 기
　　　이한 책을 감상하고 의심나는 것을 풀었으니, 참으로 이번에 북쪽에
　　　온 것이 해외 군자와의 사귐을 얻기 위한 것임을 깨달았다. 떠나는 날
　　　이 가까워 글을 주고 싶은 생각이 있었지만 스스로 재주가 졸렬함이

부끄러워 그렇게 하지는 못하였다. 4월 27일에 숙소에 무료하게 있다가 점심밥을 먹은 뒤에 먹을 갈고 종이를 펼쳐 칠언고시 20운을 얻었다. 가져가서 두 분께 드리니, 마땅히 내가 너무 쉽게 내놓는 것을 웃으며 다듬지 않은 옥을 보여 준다며 나를 비웃음이 있을 것이다 余與五柳居主人爲莫逆交, 至都, 每觀書至其肆. 時遇朴貞蕤柳惠風二公, 賞奇析疑, 眞覺此番北來, 獲交海外君子. 臨行之日, 思有以贈, 自愧才拙, 未能也. 四月二十七日, 在寓無聊, 午飯後磨墨伸紙, 得七言古二十韻, 持贈二公, 當笑我出之太易, 有示璞之譏已

일러두기

- 이 책은 하버드대학교 옌칭도서관 소장 필사본 『호저집』(縞紵集)을 완역한 것이다.
- 번역문의 차례는 원문에 따르되, 일부 제목의 오기를 바로잡고 설명을 붙였다.
- 번역문은 문맥을 고려하여 단락을 구분하였다.
- 중국의 인명과 지명은 한국식 한자음으로 표기하였다.
- 원문 중에 부(附)로 표시된 작품이나, 표시가 없더라도 본문과 구분하여 내려쓰기를 한 경우는 번역에도 들여쓰기를 하여 이를 반영하였다.
- 하버드대학교 옌칭도서관 소장 필사본 『호저집』은 앞서 경성제국대학 교수 후지쓰카 지카시(藤塚隣)가 소장했던 책이다. 도처에 그의 메모가 남아 있는데, 그중 의미 있는 내용은 번역문의 해당 부분에 설명을 붙여 소개하였다.
- 원문의 이체자(異體字)는 따로 표시하지 않고 정자(正字)로 고쳐 입력하였다. 단 인명 등의 고유명사 및 통용하는 글자의 경우 예외로 한다.
- 원문의 오탈자는 『정유각집』(貞蕤閣集)을 비롯한 한국과 중국의 관련 자료를 참조해 바로잡고 각주로 설명을 붙였다.

권수
卷首

조선 박장암 향숙 편집

縞紵集 卷之首[*]

朝鮮 朴長馣 香叔 編輯

---

[*] 卷之首: 『호저집』 원문에는 "卷之一"로 되어 있으나, 『호저집』 찬집과의 호응을 맞추어 "卷之首"로 고쳐 옮겼다.

곽집환[1]

郭執桓, 1746~1775

초정 선생께[2]

上楚亭先生書

대청국(大淸國) 산우(山右)의 요도(堯都)[3]에 사는 거사(居士) 곽동산(郭東山)은 머리를 조아려 글에 절하고 조선 초정 선생 족하께 올립니다. 건륭 38년(1773) 11월 초순에 저의 벗 등문헌(鄧汝軒)[4] 선생을 통해 큰 가르침을 받자옵고, 아울러 제 거친 동산을 노래한 훌륭한 팔경시(八景詩)

---

1 곽집환(郭執桓): 1746~1775. 『호저집』 원문에는 인명으로 제목을 삼지 않았으나, 역자가 임의로 만들어 넣었다. 이하 다른 경우도 그렇게 한다. 곽집환은 자가 봉규(叔圭)·근정(勤庭), 호는 담원(澹園)·반오(半迂)·동산(東山)·회성원(繪聲園)이다. 산서(山西) 분양(汾陽) 사람으로, 부친은 곽태봉(郭泰峯)이다. 시서에 두루 능했다. 1766년 홍대용(洪大容)이 북경에서 돌아오는 길에, 한마을에 사는 등사민(鄧師閔, 1731~?)을 통해 『회성원집』(繪聲園集) 한 권을 부치고 조선 문사들의 서문을 요청했다. 이에 홍대용과 박지원(朴趾源)이 발문을, 이덕무(李德懋)가 서문을 지어 보냈다. 박제가는 박지원, 유득공(柳得恭)과 아울러 곽집환의 「담원팔영」(澹園八詠)에 차운시를 썼다. 곽집환은 박제가와 직접 만난 적이 없으나, 시문과 편지를 통하여 박제가와 교류한 중국 문인 중에는 첫머리의 인물이다. 『호저집』 찬집 권수(卷首) 참조.
2 초정 선생께: 이하의 세 단락이 모두 곽집환이 박제가에게 보낸 답장이다. 박제가의 원서(原書)가 그 아래에 부기되어 있다. 박제가와 곽집환의 이 편지들은 모두 『정유각집』 문집 권4에 「곽 담원 집환에게 주다」(與郭澹園執桓)와 그 부(附)인 「곽집환의 답장」(答書郭執桓)의 제목으로 실려 있다.
3 산우(山右)의 요도(堯都): 곽집환의 고향인 분양, 곧 지금의 산서성 임분시(臨汾市)를 예스럽게 이른 말이다. 우(右)는 서(西)의 뜻으로, 산우란 태행산(太行山)의 서쪽이라는 뜻이다. 요도는 요(堯)임금의 도읍이라는 뜻으로 곧 임분시에 위치했던 평양(平陽)을 가리킨다.
4 등문헌(鄧汝軒): 등사민(鄧師閔). 산서(山西) 태원(太原) 출신의 거인(擧人)으로 삼하(三河)에 거주했다. 북경에서 돌아오던 홍대용과 만나 교유하였다. 귀국 후에도 홍대용과 편지로 교분을 유지하며 조선과 중국 문인 간의 메신저 역할을 했다.

를 받음에 대해 몹시 감사드립니다. 다만 제가 아득히 먼 곳의 심산궁곡(深山窮谷) 가운데에서 그대와 더불어 시문을 지어 교유함을 얻으니 실로 전생(前生)의 인연이라 얼마나 다행스러운지요. 비록 있는 곳이 아득히 멀어 만남을 기약하기는 어렵겠지만, 거룩하신 천자(天子)께서 정사를 펴고 교화를 베푸시어 중외(中外)가 한집이 되었으니, 이 마음의 진실한 사사로움으로 다만 함께 이 중천의 해를 우러르며 촌심(寸心)을 맺었으니 떨어진 거리가 또한 멀리 떨어져 있다고 하지는 않겠습니다. 삼진(三晉)⁵ 땅의 글씨를 찾는 데 이르러서는, 옛사람은 멀어서 찾을 수가 없고 근대(近代)에는 실로 훌륭한 솜씨가 없습니다. 선대부(先大夫)의 유묵(遺墨) 2책과 지명(誌銘) 2벌, 인장(印章) 2개를 받들어 부치니 받아 주시기 바랍니다. 여러분들께도 모두 안부를 여쭙고 아울러 사모하는 정을 말씀드립니다. 만 리 떨어진 곳에서 글을 쓰려니 간절히 바라는 지극함을 어찌 이길 수 있겠습니까?

大淸國山右堯都居士郭東山, 頓首拜書, 奉朝鮮楚亭先生足下. 於乾隆三十八年十一月上浣, 以敝友鄧汶軒先生得接大敎, 幷承製荒園八景佳什, 殊深感荷. 惟是弟遠處遐荒深山窮谷之中, 得與足下作詩文交, 寔前生夙緣, 幸何如之. 雖地處窵遠, 把握難期, 當聖天子敷政宣化, 中外一家, 而此心耿耿之私, 惟共瞻此中天化日, 印結寸心, 所去亦不云遠且隔也. 至索三晉墨法, 在古者遠不可追, 而近代寔乏鉅手. 寄奉先大夫遺墨二冊, 誌

---

5 삼진(三晉): 곽집환이 사는 산서 지역을 이른다. 삼진은 전국시대 조(趙)·한(韓)·위(魏)의 3국을 합친 말로, 지금의 산서성과 하남성 중부·북부, 호북성 남부·중부까지를 가리킨다. 후대에는 산서성의 별칭으로도 썼다.

銘二本, 圖章二枚, 統希朗照. 諸君子悉致問, 倂道企慕. 萬里修書, 何[6]勝
翹切之至.

　　동산은 다시 아룁니다. 우리들이 큰 세계의 커다란 광명[7] 가운데에서
이처럼 큰 인연을 맺은 것은 실로 전생에 이를 심은 것입니다. 다만 한갓
정신의 교유만 나누고 손을 맞잡을 길이 없다 보니, 조선의 풍토와 인물
또한 듣고 볼 길이 없군요. 안타깝고 안타깝습니다! 한 가지 방법을 생
각해 보았는데 바라건대 보내 볼까 합니다. 답장에 조선의 판도(版圖)를
그린 도지(圖誌) 전체와 함께 그대의 작은 초상화를 부치면서 몇 마디
말을 써서 돌려보내 주시기 바랍니다. 이렇게 한다면 비록 아침저녁으로
만나 보는 것처럼 절절하지는 못하더라도 또한 마음으로 그 모습을 떠올
려 볼 수 있을 테니 어떠합니까? 동산 곽집환은 다시 절합니다. 동산거
사의 소상(小像)은 장차 또한 마땅히 부쳐 드리겠습니다. 또 아룁니다.

東山再白. 我輩大世界大光明中, 結此大緣, 寔前生種此. 但徒契神交, 莫
由握手, 卽朝鮮風土人物, 亦無由聆覩. 憾憾! 思得一法, 庶可遣之. 祈便
中寄賜朝鮮版圖圖誌全部, 倂足下小照, 以便題贈數言, 却寄送還. 如此雖
不若把握朝夕爲切切然, 亦可以想像於意中也, 何如何如? 東山桓再頓拜.
東山居士小像, 將來亦當寄奉. 又啓.

6　何: 『호저집』 원문에는 "可"로 되어 있으나, 『정유각집』을 따라 고쳤다.
7　큰…광명: 원문은 "大世界大光明"으로, 불교의 광명세계(光明世界)를 이른 것이다. 광대한
세상과 이를 모두 비추는 부처의 찬란한 지혜를 말한다.

곽집환은 조아려 다시 아룁니다. 제가 사는 집은 분양 땅 동쪽 와호산(臥虎山)[8]의 아래에 있습니다. 세상에서 하는 일이란 밭 갈고 독서하는 것뿐이니, 특별히 높은 벼슬은 없습니다. 지위가 높은 사람은 진실로 알 길이 없고, 또한 알고 싶지도 않습니다. 날마다 성글고 게으름을 일삼으니 필묵이야말로 진실로 좋은 벗[9]이 됩니다. 그대가 버리지 않으심을 입어 인간 세상에서 정신으로 교유하여 좋은 벗이 되었으니 실로 전생의 인연이요 내세의 인연이라 하겠습니다. 원컨대 가끔 좋은 소식을 보내주어서 저의 마음을 달래 주십시오. 생각건대 번거로움을 꺼리지 않고서 편지[10]를 보내 주신다면 그것으로 충분합니다. 또 일본 종이가 몹시 훌륭합니다. 혹 구입할 수 있을 경우, 보내 주시면 고맙겠습니다.

초정 선생 족하께 동산 곽집환이 삼가 두 번 절하고 올립니다. 8월 1일.

桓頓首再啓. 弊居在汾陽東臥虎山下.[11] 世事耕讀, 殊乏顯宦. 顯者固無由而知, 亦不欲其知也. 日事疎慵, 筆墨寔良友. 承足下不棄, 作人間神交良雨, 寔前生緣, 卽來生緣也. 願時寄佳音, 以慰鄙私. 想不憚煩, 以藉鯉腹雁足耳. 再日本紙甚佳, 或可購求, 其惠寄之. 上楚亭先生足下, 東山桓頓首再拜. 八月初一日.

8　와호산(臥虎山): 지금의 산서성 임분시(臨汾市)에 있는 산 이름. 이덕무의 『입연기』(入燕記) 및 박지원의 『열하일기』(熱河日記)에는 '침호산'(枕虎山)으로 되어 있다.
9　좋은 벗: 원문의 "良雨"는 '구우'(舊雨)와 같은 말로, 오랜 벗을 뜻한다. 두보의 시 「추술」(秋述)의 서소(小序)에 "평소 나를 찾아오던 사람들이 옛날에는 비가 와도 오더니, 지금은 비가 오면 오지 않는다"(常時車馬之客, 舊雨來, 今雨不來.)고 한 데서 왔다.
10　편지: 원문의 "鯉腹"과 "雁足"은 편지를 가리킨다. 잉어(鯉)와 기러기(雁)는 모두 전서(傳書)의 상징이다.
11　弊居在汾陽東臥虎山下: 『호저집』 원문에는 "弊居在汾陽東臥虎東山下"로 되어 있으나, 두 개의 '東'자 중에 뒤의 '東'은 연문(衍文)으로 보아 삭제하였다.

부(附) 선공의 원서

附 先公元書

박제가는 담원 족하께 머리를 조아립니다. 제가 족하의 시를 얻어
본 지도 몇 달이 지났습니다. 멀리 신교(神交)를 의탁해 놓고 앞질
러 우도(友道)의 일단을 자처하고 있으니,[12] 이는 마치 매일 무덤
사이를 다니며 제사 음식을 얻어먹으면서도 자기 아내에게는 늘 부
귀한 이들과 어울린다고 말하지만, 정작 부귀한 이들은 무슨 일인
지 전혀 모르는 경우[13]와 같습니다. 족하 또한 저에 대해 전혀 알지
못하니, 원인과 생각[因想]이 맞지 않아 꿈에서도 만날 수가 없습
니다. 이것이 수레를 타고 쥐구멍에 들어가지 못하는 것[14]과 무엇
이 다르겠습니까? 만약 족하께서 뒷날 저를 알게 되신다면 벗이라
고 하셔야 합니다. 그렇지 않다면 자기 혼자 벗으로 삼은 것이니 어
찌 남들의 웃음거리가 되지 않겠습니까?

　이 세상을 함께 살아가는 것만으로도 큰 인연이라 할 수 있습니

12　멀리…있으니: 박제가가 곽집환의 시를 보고 나서 스스로 벗으로 여긴 것이지, 실제 만나
벗이 된 것은 아니라는 의미다.
13　매일…경우: 전국시대 제(齊)나라 사람 중에 외출만 하면 술과 고기를 배불리 먹고 들어
오는 사람이 있어, 아내가 누구와 어울리느냐고 물으면 부귀한 사람들과 만났다고 했다. 하지만
한 번도 부귀한 사람이 찾아오지 않는 것을 의심하여 아내가 뒤를 따라가 보니, 무덤 사이를 다
니며 제사 음식을 얻어먹는 것이었다. 이 모습을 본 아내는 돌아와 첩에게 이야기하고 함께 통
곡하는데, 정작 남편은 아무것도 모르고 돌아와 뽐내더라는 이야기이다. 『맹자』 「이루 하」(離婁
下)에 보인다.
14　수레를…못하는 것: 현실에서 접하지 못한 일은 꿈에도 나오지 않는다는 뜻이다. 『세설신
어』(世說新語) 「문학」(文學)에 "꿈에서 수레를 타고 쥐구멍에 들어가거나 양념을 하여 쇠 절구
를 씹어 먹지 않는 것은 모두 생각도 원인도 없기 때문이다"(未嘗夢乘車入鼠, 擣齏噉鉄杵, 皆
無想無因故也.)라는 구절이 보인다.

다만, 구천의 옛사람들에게 견준다면 외려 미진한 기운이 우리 사이에 있는 듯합니다. 예로부터 같은 시대에도 현인들이 헤아릴 수 없이 많지만, 사람들은 아득히 먼 천년 전 사람들을 돌아보기를 좋아하여 '벗'이라고 합니다.[15] 벗이라 하면 벗이 되는 것이니, 만나고 안 만나고는 따지지 않아도 됨이 분명합니다. 아아! 저의 몸과 마음을 점검해 보면 내세울 만한 게 하나도 없지만, 벗 사귐에 있어서만큼은 유독 애정이 깊습니다. 간혹 친구 생각에 문득 천 리 길을 달려가고,[16] 한마디 말로 의기투합하는 등 옛사람들이 지기(知己)를 가장 중시한 일들을 볼 때마다 감격하여 마음을 가누지 못합니다.

족하의 시를 얻고부터 족하께서 마음속에 답쌓여 닳지 않는 기상을 지녀 한세상을 돌아보며 악착스런 자들과 더불어 노닐기를 즐기지 않으심을 알았습니다. 그래서 그 말한 바를 살피고 그 벗 삼은 바를 생각하느라, 하루 사이에도 정신을 백 번씩 쏟곤 했습니다. 가만히 제 평생을 생각해 보니 중국을 옛사람만큼이나 사모했습니다. 하지만 그 사이에 산하가 만 리나 떨어져 있고 세월은 천년을 사이에 두고 있습니다. 매번 형암(炯菴) 이덕무 등 여러 사람과 이 일을 논할 때마다 크게 탄식하며 눈물이 옷깃을 적시지 않은 적이 없습

---

15 아득히…합니다: 『맹자』「만장 하」(萬章下)에 "천하의 좋은 선비와 벗하는 것을 만족스럽지 못하게 여겨 또다시 위로 올라가서 옛사람을 논하나니, 그 시를 외우며 그 글을 읽으면서도 그 사람을 알지 못한다면 되겠는가. 이 때문에 그 당세를 논하는 것이니, 이는 위로 올라가서 벗하는 것이다"(以友天下之善士爲未足, 又尙論古之人, 頌其詩, 讀其書, 不知其人可乎. 是以論其世也, 是尙友也.)라고 하였다.

16 간혹…달려가고: 교분이 깊다는 뜻이다. 『진서』(晉書)「혜강전」(嵇康傳)에 "동평의 여안은 혜강의 높은 인격에 감복하여 생각날 때마다 바로 수레를 몰아 천 리 길을 찾아갔다"(東平呂安服康高致, 每一相思, 輒千里命駕.)고 하였다.

니다. 그 아쉬움은 날이 갈수록 풀리지 않습니다.

처음엔 『회성원집』에 부칠 서문을 엮고 아울러 저의 시 몇 책을 보내 정표로 삼으려 했습니다만, 집에 아이가 한 달이나 앓고 있어 붓을 잡을 겨를이 없었습니다. 지난번 담헌(湛軒) 홍대용과 함께하는 자리에서 겨우 「담원팔절」(澹園八絶)을 급하게 썼을 뿐입니다. 어제 들으니 이덕무 등 몇 사람은 모두 서문을 지어서 짐에 넣기를 마쳤다고 합니다. 이제 곧 심부름꾼이 떠날 텐데 저의 미진한 성의를 다할 수 없으니 아쉽고 서운하기 그지없습니다.

또 들으니 여러 사람이 혹 당액(堂額)과 기문(記文)을 청하였다고 하더군요. 저 또한 함께 간절히 바라는 바가 있습니다. 원컨대 분수(汾水)와 진수(晉水) 사이[17] 명사의 솜씨로 '상우중원'(尙友中原)과 '와유고인'(臥遊古人)이라고 새긴 인장 하나를 보내 주셔서, 바다 밖 궁벽한 마을의 서질(書帙)이 빛나게 해 주십시오. 한갓 책상에서 아름다움을 살필 뿐 아니라, 또한 죽은 뒤에도 징표로 삼기에 충분할 것입니다. 혹 몇 편 시를 소리 높여 읊으시고 바람결에 그 소리를 부치시어 멀리하지 않은 뜻을 보여 주신다면 그 서로 좋아하는 마음만을 취할 뿐입니다. 어찌 꼭 사적을 기록한 글로써만 먼 데 일을 비슷하게나마 헤아릴 수 있는 것이겠습니까?

아아! 이제부터 나는 그대가 있고, 그대는 내가 있음을 알게 되었으니 수많은 날은 모두 족하와 서로 그리워하는 나날이 될 것입니다. 태어나고 죽는 일이 반복된들 어찌 차마 잊을 수 있겠습니

---

17 분수(汾水)와 진수(晉水) 사이: 산서성 태원(太原) 일대를 이르는 말. 곽집환의 고향인 분양을 이른다.

까? 마음이 가는 대로 쓰다 보니 말에 조리가 없습니다. 너그러이 헤아려 주시기 바랍니다.

계사년(1773) 8월 2일, 조선의 초정비인(楚亭鄙人) 박제가는 씁니다.

齊家頓首澹園足下. 齊家之獲覩足下詩者, 已數閱月矣. 遙托神交, 業已自處于友道之萬一者, 眞如墦間之夫, 每每稱道其顯者, 而顯者反茫然不知爲何狀. 而足下之於我也, 方且冥冥漠漠, 因想無從. 則魂夢之不接, 與乘車不入鼠穴, 奚異哉? 使足下他日而終知有吾, 則固不可不謂之友. 而如或不然, 則其所自友者, 豈不爲人之所笑乎? 然而竝生斯世, 亦可謂之大緣, 比之九原之古人, 猶若有未盡之氣, 存於其間耳. 夫終古賢人, 同時者何限, 而顧好其遙遙千載之上之人焉, 曰友也. 友也則友之, 不可論於面與不面也審矣. 嗟乎! 僕點檢身心, 無一善之可指, 而至於友朋一節, 鍾情獨深. 見古人之最重知己, 或千里命駕, 片言相合者, 輒感激不能自定. 自得足下詩, 知足下胸中有磊落不磨之氣, 環顧一世, 不肯與齷齪者遊. 故觀其所語, 思其所友, 一日之內, 神精[18]百往. 竊念生平, 慕中國如慕古人. 而山河萬里, 日月千古. 則每與炯菴諸人, 論此事, 未嘗不浩歎盈襟. 彌日而不釋也. 初欲搆呈繪聲園集序, 兼寄拙詩數卷,[19] 聊充絎縞, 緣兒憂浹月, 筆硏無暇. 頃於湛軒席上, 只將澹園八絶, 艸草書過. 昨聞炯菴諸人序草, 皆就封裏已訖. 便价將發, 勢不得罄竭愚誠, 歉恨良多. 又

18　精: 『호저집』 원문에는 "情"으로 되어 있으나, 『정유각집』을 따라 수정하였다.
19　卷: 『정유각집』에는 "冊"으로 되어 있다.

聞諸人或有請堂額記文者. 僕亦欲與有所懇, 願得汾晉間名士之手,
刻寄尙友中原·臥遊古人之印章一枚, 使海外窮巷書帙生輝. 則非徒
觀美於硏北, 亦足斷案於身後矣. 如或疊賜高吟, 因風寄音, 永示不
遐, 則只取其相好之意而已. 又何必以記事之文, 髣髴而遙度也哉?
嗟乎嗟乎! 從今以往, 我知有子, 子知有吾, 則百千萬日, 皆與足下
相思之日也. 生生死死, 何忍忘之? 心之所觸, 筆隨而落, 語無倫次,
惟在恕諒. 癸巳中秋二日, 朝鮮楚亭鄙人朴齊家頓首.

권 1

무술년(1778)

김과예[1]

金科豫, ?~?

부족한 시로 초정 음장(吟長)에게 받들어 드리고 아울러 작별의 뜻을
적다

俚句奉贈楚亭吟長, 兼誌別意

좋은 손님 동국에서 찾아왔으니	佳客來東國
맑은 밤에 함께 만나 얘기하누나.	淸宵共接談
샘물처럼 생각이 금세 솟아나	流泉思乍湧
글로 쓰자 흥이 막 거나해지네.	潑墨興初酣
주고받는 그대 정은 넉넉도 한데	縞紵君情洽
문장은 우리들이 부끄럽구나.	文章我輩慙
조천(朝天)하고 돌아가는 그날이 오면	朝天旋有日
우두커니 돌아가는 말을 보겠지.	竚目望歸驂

1　김과예(金科豫): ?~? 자는 선립(先立), 호가 입암(笠庵)이다. 박제가의 무술년 연행 당시 김과예는 심양의 남성 안에 있는 공자 서원에서 수학하고 있었다. 당시 박제가와 동행했던 이덕무의 『입연기』 상(上)에 "김과예는 필세가 나는 듯하고 수창(酬唱)하는 것이 마치 물이 흐르는 듯하여, 순식간에 시 2수를 지어냈는데 매우 거칠었다"(科豫筆勢翩翩, 酬應如流, 頃刻成二詩, 甚疎率.)라고 했다. 유득공의 『연대재유록』(燕臺再遊錄)에는 1801년 신유년에 유득공이 연행 길에서 김과예의 조카 김상경(金尙絅)을 만나 김과예의 안부를 묻자, 사천성 사홍현(射洪縣)의 지현(知縣)으로 있다고 대답한 내용이 보인다. 시집으로 『해탈기행록』(解脫紀行錄)이 있는데, 김육불(金毓黻)이 엮은 『요해총서』(遼海叢書)에 수록되어 있다.

부(附) 동국으로 돌아가는 유혜풍(柳惠風) 진사를 작별하며

附 別柳惠風進士東歸

초정은 풍아(風雅)하고 형암은 온유한데   楚亭風雅炯菴溫

서당(西堂)에서 나란히 책상 맞대 얘기했지.   聯袂西堂對榻論

진작에 영재(泠齋)의 좋은 이름 알았건만   早識泠齋好名字

그댈 만나 예전 글이 남아 있음 생각났지.   得君還憶舊書存

봄에 내가 해동(海東)의 명사(名士)에 대해 묻자, 차수(次修)가 유혜풍의 성
명을 써 주었다. 春時, 余問海東名士, 次修書君姓名.

김과정

金科正, ?~?

초정의 원운에 삼가 차운하여

奉次楚亭元韻

맑은 술잔 애오라지 밤을 새우니   清尊聊卜夜

손뼉 치며 웅장한 얘기 나눴네.   抵掌發雄談

소단(騷壇)에 깃발은 못 세웠지만[2]   未樹騷壇幟

---

2 소단(騷壇)에…세웠지만: '소단적치'(騷壇赤幟)에서 나온 말이다. 군대의 장수가 붉은 기를

퇴고(推敲)만은 두남(斗南)³을 바라본다네.　　　　　推敲望斗南

부(附) 선공의 원운

附 先公元韻

해내(海內)는 모두가 형제인지라　　　　　海內皆兄弟
천애(天涯)에서 자리 합쳐 얘기 나누네.　　　　　天涯合席談
높은 뜻⁴ 참으로 부끄럽구나,　　　　　桑蓬眞愧我
여태껏 강남조차 못 가 봤으니.　　　　　不得到江南

세우는 것처럼 문단(文壇)을 주도하는 우두머리가 됨을 말한다. 본래 한(漢)나라의 장수 한신(韓信)이 조(趙)나라의 군사를 성 밖으로 유인한 뒤 기병(騎兵)을 잠입시켜 성벽에 꽂힌 조나라의 깃발을 뽑고 한나라의 붉은 기를 내걸어 전쟁을 승리로 이끈 고사에서 유래하였다. 『사기』 권92 「회음후열전」(淮陰侯列傳)에 보인다.

3　두남(斗南): 북두(北斗)의 남쪽이라는 뜻으로 '천하제일인'(天下第一人)을 뜻하는 말이다. 당나라 때 적인걸(狄仁傑)이 인인기(藺仁基)로부터 "적공의 어짊은 북두 이남에서 오직 그 한 사람뿐이다"(狄公之賢, 北斗以南, 一人而已.)라는 평을 받았다는 고사에서 유래한 것이다. 『신당서』(新唐書) 「적인걸열전」(狄仁傑列傳)에 보인다.

4　높은 뜻: 원문의 "桑蓬"은 뽕나무와 쑥대로, 천하에 공명을 떨치기를 바라는 마음을 가리킨다. 옛 중국 풍속에 남자아이가 태어나면 장래에 큰 인물이 되길 빌며 뽕나무 활에 쑥대 화살을 당겨 사방에 쏘는 풍습이 있었다.

김정

金淳, ?~?

초정의 원운에 차운하여
次楚亭元韻

여관에서 처음으로 만나 보고는	旅邸初逢面
등불 밝혀 밤에 앉아 얘기 나눴지.	張燈坐夜談
십 년간 감상하며 노닌 곳이라	十年遊賞地
강남 땅 싫증 난 지 이미 오랠세.	久已厭江南

초정이 준 시구에 "여태껏 강남조차 못 가 봤으니"라 하였으므로 이렇게 말한 것이다. 楚亭贈句, 有"弗得到江南", 故云.

이점

李點, ?~?

초정의 원운에 차운하여
次楚亭元韻

취미가 금란보(金蘭譜)[5]에 들어맞으니	味契金蘭譜

흉금 열어 옥 같은 얘기 나눴네.　　　　　　襟開玉屑談

오릉(五陵)엔 좋은 기운 가득하거니　　　　　五陵佳氣滿

빼어난 풍광 강남보다 훨씬 낫다네.　　　　形勝邁江南

위곤
魏錕, ?~?

초정의 원운에 삼가 차운하여
奉次楚亭元韻

만국은 수레 글자[6] 함께 쓰거니　　　　　　萬國車書共

서로 만나 마음껏 담소 나누네.　　　　　　　相逢任接談

향산(香山)[7]은 훌륭한 시 남아 있지만　　　香山佳句在

일찍이 동남쪽도 못 가 봤다네.　　　　　　曾不到東南

5　금란보(金蘭譜): 친구 간에 성명·생년월일·출신지·가계도 등을 기입하고, 영원한 우정을
다짐하는 맹세문을 기입해 서로 나누어 갖는 우정의 증표이다.
6　수레 글자: 원문의 "車書"는 수레바퀴의 궤적과 글자를 이른다. 『중용장구』(中庸章句) 28장
에, "지금 천하에는 수레는 바퀴의 궤도가 같으며, 글은 문자가 같으며, 행동은 차서가 같다"(今
天下, 車同軌, 書同文, 行同倫.)라고 한 말이 있다.
7　향산(香山): 중당(中唐) 시대의 시인 백거이(白居易)를 이른다. 향산은 그의 호이다.

곽유한

郭維翰, ?~?

초정의 원운에 삼가 차운하여
奉次楚亭元韻

만나자 처음부터 마음이 통해	邂逅情初洽
한밤중에 자리 맞대 담소 나누네.	中宵接席談
먼 데 노닒 마땅히 뜻이 있겠지	遠遊應有志
「망강남」(望江南)8 곡 우리 함께 노래해 보세.	同譜望江南

8 「망강남」(望江南): 본래 악곡(樂曲)의 이름으로, 수(隋) 양제(煬帝)가 지은 데서 유래하였다. 후대에 이를 차용하여 지은 백거이의 시구에서 가져와 「강남호」(江南好), 「억강남」(憶江南)이라고도 부른다.

박명[9]

博明, 1718~1788

천수연(千叟宴)[10]의 기은시(紀恩詩), 어제시의 원운에 삼가 화답하다

千叟宴紀恩詩, 恭和御製元韻

계절이 새봄 맞아 경물이 어여쁜데	令入新春景物妍
오색구름 서로 얽혀[11] 연회장을 둘렀도다.	卿雲糾縵繞瓊筵
희화(羲和) 수레[12] 이제 막 중천에 떠 있고	羲輪正值中天日
요삭(堯朔)[13]은 때마침 오십 년에 꼭 맞았네.	堯朔重符大衍年

9 　박명(博明): 1718~1788. 자가 석지(晳之), 호는 서재(西齋)이다. 만주 양람기(鑲藍旗) 출신으로, 건륭 17년(1752) 진사(進士)에 급제하여 한림원편수(翰林院編修)·병부원외랑(兵部員外郞) 등을 지냈다. 시와 서화에 뛰어났다고 전한다. 『호저집』 찬집 권1에는 1778년 심양에 머무르던 때 김과예를 통하여 연락을 넣어 박명이 직접 조선 사신의 숙소로 방문하였으며, 이때 박제가와 짧은 필담을 나누었다고 하였다.

10 　천수연(千叟宴): 건륭 50년(1785) 1월 6일, 북경 건청궁(乾淸宮)에서 열린 건륭제의 75세 생일과 즉위 50주년을 축하하는 연회를 이른다.

11 　오색구름 서로 얽혀: 원문의 "卿雲糾縵"은 「경운가」(卿雲歌)에 나온 말이다. 이 노래는 순임금이 우임금에게 선위하기에 앞서 부른 노래로, "오색구름 찬란함이여 얽히어 늘어졌도다"(卿雲爛兮, 糾縵縵兮.)라는 구절이 있는데, 이로부터 경운은 임금의 덕을 비유하였다. 『상서대전』(尙書大傳)에 보인다. 곧 이 문구는 연회장에 청나라 황제의 덕이 성대히 펼쳐져 있다는 의미로 볼 수 있다.

12 　희화(羲和) 수레: 원문의 "羲輪"은 태양의 별칭이다. 여신이자 태양의 어머니인 희화가 여섯 마리 교룡이 끄는 수레에 태양을 싣고 날마다 동쪽에서 서쪽으로 운행한다는 중국 신화에서 나온 말이다.

13 　요삭(堯朔): 요임금 때의 일력을 가리키는 말이나, 여기서는 일반적인 일력의 의미로 썼다.

5대 이은 선원(仙源)[14]에 좋은 경사 한데 모여　　　　五世仙源嘉慶集

두 조정의 성대한 일 상과 은혜 이어지네.　　　　　　兩朝盛事賞恩延

공을 이뤄 안정되어 기주(箕疇)[15]와 합해지니　　　　功成治定箕疇叶

이제껏 역사에서 그 무엇에 견주리오.　　　　　　　　史冊從來孰比肩

따스한 해 맑은 바람 계절도 어여쁜데　　　　　　　　暖日晴風節序姸

구슬 난간 옥섬돌에 멋진 잔치 열었구나.　　　　　　　珠欄玉扺設芳筵

상서로움 우제(虞帝)[16]께 도서 바친 그때[17] 같고　　瑞逢虞帝呈圖世

전아함은 주왕(周王)께서 호경(鎬京) 잔치[18]한 해일세.

　　　　　　　　　　　　　　　　　　　　　　　　　　典重周王宴鎬年

빛나는 문장 지어 천년토록 아름답고　　　　　　　　摛藻輝煌千載麗

깊고 후한 은택은 만방에 이어지네.　　　　　　　　　湛恩汪濊萬方延

으뜸 경사 함께함을 온 세상[19]이 알지니　　　　　　須知薄海元同慶

14　5대 이은 선원(仙源): 건륭제의 천수연이 열린 자금성의 건청궁을 이른다.

15　기주(箕疇): 은(殷)나라 말기의 현자인 기자(箕子)가 지은 「홍범구주」(洪範九疇)를 이른다. 요순시대 이래 정치사상을 집대성한 글로, 주나라 무왕(武王)이 은나라를 정복하고 찾아오자 기자가 바쳤다고 한다. 여기서는 조선을 기자의 후예로 보아, 기자가 주나라 무왕을 도왔듯 조선도 청나라를 보필하고 있다는 의미로 쓰였다.

16　우제(虞帝): 순임금을 이른다. 우(虞)는 순임금이 다스린 나라의 이름이다.

17　도서(圖書) 바친 그때: 여기서 도서란 〈하도〉(河圖)와 〈낙서〉(洛書)를 가리킨다. 〈하도〉는 복희(伏羲)가 황하(黃河)에서 얻은 그림으로, 이를 바탕으로 역(易)의 팔괘(八卦)를 만들었다고 한다. 〈낙서〉는 하우(夏禹)가 낙수(洛水)에서 얻은 글로, 「홍범구주」의 바탕이 되었다고 한다. 이러한 그림과 글이 바쳐진 때란 곧 태평성대를 의미한다.

18　주왕(周王)께서 호경(鎬京) 잔치: 원문의 "鎬"는 주나라의 수도로, 주(周) 무왕(武王)이 은나라를 정벌하고 돌아와 호경에서 큰 잔치를 베푼 일을 말한다. 큰 연회를 이르는 말로 쓰인다.

19　온 세상: 원문의 "薄海"는 『서경』 「익직」(益稷)의 '외박사해'(外薄四海)의 준말로, 온 세상을 이른다. 공영달(孔穎達)은 이를 경사(京師)로부터 사해에 이르기까지를 말한 것이라고 보았다.

속국의 기신(耆臣)[20]도 나란히 앉았구나.　　　　屬國耆臣坐竝肩

> 조선의 배신(陪臣)인 전 의정(議政) 이휘지(李徽之)는 71세, 예조판서 강세
> 황(姜世晃)은 73세로 모두 연회에 입장하였다.[21] 朝鮮陪臣, 前議政李徽之
> 七十一, 禮曹判書姜世晃年七十三, 皆入宴.

법부(法部)의 노래 기생 자태 몹시 어여쁘고　　　法部聲容極態妍

완양(羱羊)과 문록(文鹿)[22] 긴 자리에 늘어섰네. 羱羊文鹿列長筵

따스한 윤음이 삼천 석에 두루 내려　　　　　溫綸徧錫三千席

남다른 예우 팔십[23] 황제 친히 술을 내리시네.　異數親觴大耋年

채색 비단 반짝반짝 비단 띠로 허리 묶고　　綵綺光華繡束縛

> 여러 종류의 비단을 품계에 따라 등급을 두어 노란색 비단으로 묶었다. 雜錦
> 綺以品爲階, 束以黃縑.

담비 갖옷 두툼한데 끈을 꿰어 이었구나.　　　裁貂深厚貫聯延

> 담비 갖옷은 품계에 따라 등급을 두어 누런 끈으로 꿰었다. 貂以品爲階, 以黃
> 絪貫之.

20　기신(耆臣): 본래 70세가 넘은 정2품 이상의 전·현직 문관으로 기로소(耆老所)에 들어간
신하를 이른다.
21　조선의…입장하였다: 건륭제의 천수연 행사에 70세 이상으로 사신을 보내라는 황제의 명
에 따라, 조선에서는 71세 되는 이휘지(李徽之)와 73세 되는 강세황(姜世晃)이 진하사은겸동
지사행(進賀謝恩兼冬至使行)의 정사(正使)와 부사(副使)로 파견되었다. 이들은 1784년 10월
12일에 한양을 출발하여 12월 8일에 북경에 도착한 후, 1월 6일에 열린 본 행사를 비롯한 각종
연회에 참석하였다. 이후 1월 25일에 북경을 출발하여 2월 14일 한양에 도착하였다.
22　완양(羱羊)과 문록(文鹿): 완양은 몽고와 만주 고원에 야생하는 산양을 말하고, 문록은 매
화록(梅花鹿)으로 불리는 꽃무늬 사슴을 가리킨다. 박지원의 『열하일기』에 만수절에 몽고에서
완양을 가져와 바치자 황제가 이를 판첸라마에게 드렸다는 기록이 보이는 것으로 보아, 각국에
서 진상품으로 가져온 희귀한 동물을 뜻하는 것으로 보인다.
23　팔십: 원문의 "大耋"은 80세를 일컫는다. 여기서는 건륭제가 75세를 맞아 천수연을 베푼
것을 이른다.

늙은이 더욱 아껴 구장(鳩杖)[24]을 내리시어 　　　更憐老骨須鳩杖

고운 경치 곁에 두고 마른 어깨 쉬게 하네. 　　　許傍煙霞倚瘦肩

쇠약한 몸 부끄러워 희고 고움 사양하나 　　　自慙衰質遜霜妍

전례 없는 큰 잔치[25]에 절 올림 기뻐 맞네. 　　　曠典欣逢拜綺筵

융숭한 은혜 입음을 후사에게 전하리니 　　　得沐隆恩傳後嗣

진작 들은 선계(仙界) 음률 올해를 떠올리리. 　　　曾聞仙律憶當年

　　신(臣)이 무인년(1758)에 기거주(起居注)에 뽑혀 벼슬에 있은 것이 7년이었

　　는데, 세시(歲時)의 연회 자리에는 모두 참석하였다. 臣以戊寅充起居注官

　　者七年, 歲時筵宴皆入直.

남은 인생 일마다 양육하심[26] 입었거니 　　　餘生事事蒙亭育

　　신이 근년 들어 잘못을 범함이 잦았는데, 모두 천은을 입어 용서함을 받았다.

　　臣年來愆咎頻仍, 皆荷天恩宥釋.

작은 정성 때때로 축수를 빌어 보네. 　　　寸念時時矢祝延

문채로운 빛 어지러워 놀라움 진정 안 돼 　　　目炫奎光驚未定

몇 번이나 먹물 적셔 두 어깨 솟는구나. 　　　幾回濡墨聳雙肩

24　구장(鳩杖): 비둘기 장식이 붙은 노인의 지팡이를 가리킨다. 임금이 70세 이상의 신하에게
는 옥장(玉杖)을 하사하며 그 끝에 비둘기를 새겨 주었다고 한다. 비둘기는 먹이 먹을 때 목이
메어 체하지 않는 새로, 노인이 먹는 것을 조심하라는 의미를 담고 있다.
25　전례 없는 큰 잔치: 원문의 "曠典"은 광고(曠古)의 성전(盛典), 즉 이전까지 행해지지 않
았던 성대한 전례를 이른다.
26　양육하심: 원문의 "亭育"은 기르고 번성한다는 뜻이다. 『도덕경』(道德經) 51장에 "기르고
자라게 하며, 이루어 주고 익게 한다"(長之育之, 亭之毒之.)는 말이 있다.

이정원[27]

李鼎元, 1749~1812

『춘운출협집』(春雲出硤集)에 제하다

題春雲出硤集

어깨 솟아 읊조리다[28] 짧은 수염 배배 꼬니[29]	高聳吟肩撚短鬚
석양 무렵 나귀 등의 한 미친 사내일세.	夕陽驢背一狂夫
그의 전생 마땅히 왕마힐(王摩詰)[30]이었으리	前身應是王摩詰
춘운출협도(春雲出硤圖) 한 폭 그림 그려 내었구나.	畫出春雲出硤圖

---

27 이정원(李鼎元): 1749~1812. 중국 사천성(泗川省) 나강(羅江) 사람으로, 자가 환기(煥其)·미당(味堂) 또는 화숙(和叔)이며, 호는 묵장(墨莊)이다. 벼슬은 한림원검토(翰林院檢討)·병부주사(兵部主事) 등을 지냈다. 한집안의 이조원(李調元, 1734~1803)·이기원(李驥元, 1755~1799)과 함께 면주삼이(綿州三李)로 불렸다. 저서에 『사유구기』(使琉球記)·『재유기』(再遊記) 등이 있다.

28 어깨 솟아 읊조리다: 원문의 "吟肩"은 시를 읊을 때 어깨를 으쓱거리며 추켜올리는 모습을 말한다. 북송 때 소식(蘇軾)의 시 「증사진하충수재」(贈寫眞何充秀才)에 "그대는 또 못 보았는가 눈 속에 나귀 탄 맹호연을, 시 읊느라 찌푸린 눈썹 산처럼 솟은 두 어깨를"(又不見雪中騎驢孟浩然, 皺眉吟詩肩聳山.)이라는 구절이 있다.

29 짧은…꼬니: 원문의 "撚鬚"는 수염을 꼰다는 뜻으로, 옛 선비들이 시를 지을 때 수염을 비비 꼬면서 고심했다는 데서 '시 짓기'를 의미하게 되었다.

30 왕마힐(王摩詰): 당대의 시인이자 서화가인 왕유(王維, 699~759)를 이른다. 마힐(摩詰)은 그의 자이다. 안록산(安祿山)의 반란 때 절의를 지켰고, 뒤에 벼슬이 상서우승(尙書右丞)에 이르렀다. 저서에 『왕우승집』(王右丞集)·『화학비결』(畫學祕訣) 등이 있다.

『열상주선집』(洌上周旋集)[31]에 제하다
題洌上周旋集

열수(洌水)는 안개인양 푸르게 엉겨 있고	洌水如煙凝一碧
대숲의 풍미는 예나 지금이나 똑같구나.	竹林風味無今昔
은근히 시집 속 사람에게 말 부치니	慇懃寄語集中人
날 위해 서쪽에다 자리 하나 더해 주소.	爲我西隅添一席

부(附) 정 진사가 동쪽으로 돌아가므로 열상의 여러분에게 부치다
附 鄭進士東歸, 寄洌上諸子

한번 헤어진 뒤로 시 짓기도 그만두니	一從別後廢吟哦
열수 가의 노닒은 근래 어떠하신가요.	洌上周旋近若何
꿈속 넋이 동해 너머 몇 번이나 갔다가	幾度夢遊東海外
깨고 나선 오히려 바람 물결 겁냈다오.	醒來猶自㤼風波

글을 다 썼으나 종이가 다 차지 않아, 이 때문에 몇 마디 말을 지어 이를 채웠다. 또한 조금이나마 여러분에 대한 빚을 갚으려는 것일 뿐이다. 書盡而紙未盡, 因作數語以補之, 亦以稍償諸君之債耳.

---

31 『열상주선집』(洌上周旋集): 1778년 박제가와 이덕무가 연행길에 지참하여 청나라 문인들의 비평을 받은 시집으로, 이덕무·유득공·박제가·이서구 네 사람의 시를 수록했다. 현전하지 않으며, 관련 기록으로 축덕린의 「열상주선집서」(洌上周旋集序)와 이정원의 글 두 편만이 남아 있다.

정유서옥(貞蕤書屋)에 제하다. 초정 검서(楚亭檢書)의 부탁에 응하다
題貞蕤書屋, 應楚亭檢書之屬

좋은 나무 어느 해에 심었는지 몰라도 　　　　不知嘉樹植何年
푸른 일산 무성하여 벽옥 안개 둘렀구나. 　　翠蓋葱蘢帶碧煙
몇 번이나 하늘 바람 그치잖고 불어오니 　　幾陣天風吹不定
큰 강물 앞 파도 소리 일어나는 것만 같네. 　濤聲似起大江前

물결이 일지 않아 우물엔 향내 나고 　　　波瀾不起井留芳
으뜸가는 맑은 샘엔 묵은 물풀 향기롭다. 　第一清泉古藻香
어여뻐라 비 개고 바람 가라앉은 뒤에 　　最愛雨餘風定後
잠긴 달이 야광주를 토해 놓은 듯할 때. 　月沈疑吐夜珠光

무성한 나무가 집 둘레에 해맑은데 　　　扶疎樹遶屋邊清
한 이랑 채소밭엔 잡초조차 나지 않네. 　一頃蔬園草不生
몇 떨기 국화꽃에 천 그루 대나무라 　　幾朵黃花千个竹
신선처럼 숨은 사람 왕성(王城)에 살고 있지. 有人仙隱在王城

부(附) 절구 3수를 혜풍(惠風) 유득공 군수에게 받들어 드리다
附 絕句三章奉贈惠風郡守

옛 친구 헤어진 지 열두 해가 되었는데 　故友分離十二年
　　당시에 초정(楚亭)이 함께 왔었다. 時楚亭偕至.

동해의 밝은 달빛 함께 곱고 어여쁘리.　　月明東海共娟娟

가을바람 가을비에 만났던 그날 밤에　　秋風秋雨相逢夜

사람을 놀래켰던 사조(謝朓)[32]의 시 또 읽었지.　又讀驚人謝朓篇

　　이때에 시를 보여 주었다. 時以詩見示.

『이십일도회고시』[33]에 담겨 있는 그 정은　　二十一都懷古情

높은 노래 가던 구름 길 멈출 것 같았지.　　高歌似欲遏雲行

고향 땅 삼천 리를 고개 돌려 바라보니　　故鄉回首三千里

압록강 강 머리에 이별 한이 생겨나네.　　鴨綠江頭別恨生

앵무배(鸚鵡杯)[34] 큰 술잔에 근심을 풀어 보며　鸚鵡杯深且解愁

지난 일들 얘기할 제 흥취도 거나해라.　　高談往事興悠悠

훗날에 밤비 올 때 생각날 것 같으면　　他年夜雨如相憶

내 집은 면주(綿州)[35] 땅 두 번째 고을일세.　家在綿州第二州

　　면주는 신면주와 구면주의 구분이 있는데, 우리 집은 신면주이다. 綿州有新

---

32 사조(謝朓): 464~499. 남조(南朝) 시대 제(齊)나라의 걸출한 산수시인으로, 자가 현휘
(玄暉), 호는 고재(高齋)이다. 역시 유명한 시인인 남조 송(宋)나라의 사영운(謝靈運, 385~
433)은 대사(大謝)로, 사조는 소사(小謝)로 불렸다. 여기서는 유득공을 사조에 견주어 말한 것
이다.

33 『이십일도회고시』(二十一都懷古詩): 유득공(柳得恭, 1749~1807)이 쓴 회고시로, 상고
시대 신화부터 명나라까지의 역사를 낱낱이 밝히고 있다. 1778년 5월 23일에 박제가는 이덕무
(李德懋)와 함께 반정균(潘庭筠)을 방문했고, 반정균의 집에서 이정원을 만났다. 박제가는 챙
겨 간 유득공의 『이십일도회고시』를 반정균과 이정원에게 보여 주었고, 반정균은 「열상주선집
서」(洌上周旋集序)를 써 주었다.

34 앵무배(鸚鵡杯): 앵무조개로 만든 술잔이다. 잔의 미칭으로 썼다.

35 면주(綿州): 이정원의 고향으로, 사천(四川) 면양(綿陽)의 옛 지명이다.

舊之別, 余家新綿州.

초정을 곡하다
哭楚亭

인일(人日)[36]에 동쪽 보며 친구를 곡하노니	人日東望哭故人
이로부터 하늘가엔 소식[37]마저 끊어지리.	天涯從此斷鴻鱗
동오(童烏)가 요절한 뒤 『태현』(太玄)을 뉘 논할까[38]	童烏夭後玄誰與
아! 자상호(子桑戶)여[39] 이미 참됨 꿈꾸었네.	桑戶嗟來夢已眞
귀신조차 울고 갈 기이한 글만 남아	空有奇文神鬼泣
청렴한 관리 자손 가난함이 불쌍하구나.	最憐廉吏子孫貧
정문(程門)의 고제(高弟)[40]가 가법(家法)을 이었으니	程門高弟傳家法

36 인일(人日): 음력 정월 7일을 이른다. 사람을 소중히 여기는 날이라는 뜻으로 '사람날'이라
고도 한다. 이날은 일을 하지 않고 쉰다. 전설에 여와(女媧)가 처음 창세할 때, 닭·개·돼지 등
의 동물을 만든 후, 제7일에 사람을 만들어 냈기 때문이라고 한다. 한나라 때 명절로 삼기 시작
하였다.
37 소식: 원문의 "鴻鱗"은 기러기와 물고기로, 모두 전서(傳書)의 의미다.
38 동오(童烏)가…논할까: 동오는 한나라 양웅(揚雄)의 아들이다. 아홉 살 때 부친과 『태현
경』(太玄經)을 논할 정도로 영특하였으나, 어린 나이에 죽었다. 이로부터 일찍 영특하여 요절한
사람을 가리키게 되었다. 56세의 나이로 사망한 박제가에게 붙이기에는 적절하지 않아 보인다.
39 아! 자상호(子桑戶)여: 원문의 "桑戶嗟來"는 노(魯)나라의 은자 자상호에 관한 고사에서
가져온 말이다. 『장자』(莊子) 「대종사」(大宗師)에 따르면 자상호와 맹자반(孟子反), 자금장(子
琴張) 세 사람이 막역지교였는데, 자상호가 먼저 죽자 친구들이 거문고를 연주하면서 〈상화가〉
(相和歌)로 곡하였다고 한다. 여기서는 박제가의 죽음을 자상호의 죽음에 빗대어 말한 것이다.
40 정문(程門)의 고제(高弟): 정문은 북송의 유학자인 정이(程頤, 1033~1107)의 문하를 가
리킨다. 고제는 '고족제자'(高足弟子)의 준말로, 학식과 품행이 우수한 제자를 말한다. 여기서

또 삼생의 끝없는 인연을 맺었구려.　　　　　　　又結三生未了因

담계(覃溪) 옹방강 선배의 집에서 조선 사람 과산 홍만섭과 얘기를 나누다가, 초정이 이미 고인이 되었음을 알았다. 돌아와 인일(人日)을 맞아 위패를 만들어 그를 곡하였다. 인하여 장차 글을 써서 과산에게 맡겨 가져가서 초정의 무덤에서 태워 달라고 하였다. 다만 유감스러운 것은 시가 서툴러서 내 마음속의 아픔을 능히 표현할 수 없는 것일 뿐이다. 신미년(1811) 인일에 이정원이 초하고 아울러 기록한다. 於覃溪前輩宅, 晤東人顆山, 知楚亭已作古人, 歸直人日, 爲位而哭之. 仍將書付顆山, 寄去焚於楚亭之墓. 尙恨詩拙, 不能道意中之痛楚耳. 時辛未人日, 鼎元草幷識.

이것은 지난해[41] 인일에 쓴 초고로, 베껴서 과산에게 부친 것이 아닌지요. 부칠 수 없었다면 애통하게 보내온 편지를 받고 나서 바로 이 원고를 부쳐 보내려 합니다. 문자는 모두 그다지 훌륭하지 않지만 그 뜻을 중하게 여겨 주면 좋겠군요. 정벽(貞碧) 유최관(柳最寬)[42]이 박제가의 아들 소유(小酉) 박장암에게 전달해 주기를 바랍니다.[43] 此客歲人日初稿也, 是否

는 박제가의 소개를 받고 이정원을 찾아온 과산(顆山) 홍만섭(洪萬燮)을 일컫는다. 홍만섭은 순조 12년(1812)에 함께 연행길에 오른 홍기섭(洪箕燮)과 홍면섭(洪冕燮)의 아우로, 중국 문인들에게 형제가 '삼홍'(三洪)으로 일컬어졌다.

41　지난해: 이 글이 앞글이 쓰인 신미년(1811)의 이듬해인 임신년(1812)에 쓰였음을 알 수 있다.

42　유최관(柳最寬): 1788~1843. 조선의 문인으로 본관은 전주이다. 자가 공율(公栗)이며, 호는 정벽(貞碧)이다. 연경에서 옹수곤(翁樹崑)이 지어 준 계용(季容)이라는 별호가 있으며, 편미산인(編眉山人)이라고도 한다. 서화에 뛰어났으며 특히 대나무를 잘 그렸다. 순조 12년(1812) 연행길에 올라 김정희의 소개로 스승 신위(申緯)와 북경에서 옹방강(翁方綱)·옹수곤 부자를 만나 교유하였다. 당시 옹수곤은 이들을 잊지 않고자 자신의 호 성원(星元)과 김정희의 호 추사(秋史), 신위의 호 자하(紫霞), 유최관의 호 정벽에서 한 글자씩 따 '성추하벽지재'(星秋霞碧之齋)라는 편액을 새겨 집에 걸었다.

43　이것은…바랍니다: 이정원은 1811년에 홍만섭(洪萬燮)을 만나 「곡초정」(哭楚亭)의 초고를 건네주었다. 하지만, 이듬해 박장암에게 보낸 「소유(小酉)에게 답하다」(答小酉)에서는 홍만섭이 이를 박장암에게 잘 전달했는지 잘 모르겠다며, 유최관(柳最寬)을 통해 이를 다시 써서 보냈음을 알 수 있다. 따라서 이 글은 1812년에 부친 두 번째 편지의 수록본으로 여겨진다.

寫付顆山.[44] 已不能寄, 痛承書來, 卽仍將底稿寄去. 文字都不佳, 重其意焉, 可也. 希貞碧轉
致小葆查收.

부(附) 면악(面嶽) 홍기섭(洪箕燮)[45]이 장차 동쪽으로 돌아가므로, 시로써 증별하고 아울러 가르침을 구하였다

附 面嶽將東歸, 詩以贈之, 幷求指政

우리 집은 강수(江水)의 발원지이니[46]	我家江水源
황하와는 십 도의 차이가 나네.	十度黃河次
산하의 두 경계[47]에 족적 두루 미치고	山河兩戎足跡周
사신 부절 손에 쥐고 바닷가를 탐방했지.	手握龍節探海澨
유구 땅은 옛적에 고구려에 속했으니	琉球古屬高句驪
이로부터 동국(東國)이 시가를 잘 알았네.	由來東國解聲詩
유구 땅 남쪽에서 동국을 바라보매	偶從球陽望東國
물기운 아득하고 하늘은 가없었지.	水氣茫茫天無涯
돌아와 박(朴)과 유(柳) 두 검서 만나 보니	歸來洽逢朴與柳
날 위해 중산(中山)의 추함을 다 말했네.	爲余說盡中山醜

44 顆山: 『호저집』 원문에는 "果山"이라 하였으나, 사실관계에 따라 "顆山"으로 고쳤다.
45 홍기섭(洪箕燮): 호가 면악(面嶽)이다. 본서 55면 각주 40번 참조.
46 우리 집은 강수(江水)의 발원지이니: 이정원의 고향인 촉(蜀) 지방을 가리킨다. 강수(江水)는 장강(長江)을 가리키며, 사천(四川) 지역의 민산(岷山)에서 발원한다고 알려져 있다.
47 산하의 두 경계: 이정원은 1800년 유구책봉사(琉球冊封使)의 부사(副使)로 유구국에 다녀와 『사유구기』(使琉球記)를 썼다. 원문의 "山河兩戎"은 북부의 연경을 출발해 남방의 복주를 경유하여 배를 타고 유구로 향했던 사행단의 여정을 일컫는다.

기자의 남은 은택 삼천 년이 되었으니	箕子遺澤三千秋
문교가 어이 다만 외번(外藩)의 으뜸 아니리오.	文教豈惟外藩右
해마다 연경으로 명신(名臣)을 파견하여	歲歲朝京遣名臣
동쪽 선비 관광(觀光)함이 연이어 있었다오.	東士觀光代有人
폐백은 오나라의 계찰(季札)을 뒤따랐고	縞紵直追吳季札
빈공(賓貢)은 송왕빈(宋王彬)[48]을 기꺼이 사양하네.	
	貢擧肯讓宋王彬
지난해엔 두 김씨[49]가 잠깐 동안[50] 머물렀고	去年二金留雪鴻
올해에 만난 것은 세 사람의 홍씨[51]였네.	今年邂逅識三洪
말 잘하는 추연(鄒衍)에다 글 잘하는 추석(騶奭)이니[52]	
	談天口衍雕龍奭
황홀하여 내가 마치 평양 동쪽 앉았는 듯.	恍若坐我平壤東
저자 사람 무리 지어 옛 의관(衣冠)이라 하니	市兒群詫衣冠古

48 송왕빈(宋王彬): 왕빈(王彬)은 중국에서 신라에 귀화한 한인(漢人)의 자손이다. 고려 경종(景宗) 때 18세의 나이로 송나라의 빈공과(賓貢科)에 급제해 태학(太學)에 들어갔다. 순화(淳化) 3년(992) 진사에 급제한 후 중국에 정착하여 하북전운사(河北轉運使)·태상소경(太常小卿) 등의 벼슬을 지냈다.

49 두 김씨: 순조 12년(1812)에 연행사로 온 김노경(金魯敬)·김정희 부자를 이른다.

50 잠깐 동안: 원문은 "雪鴻"으로, '설니홍조'(雪泥鴻爪)의 준말이다. 눈 녹은 진창에 남아 있는 기러기 발자국이라는 뜻이다. 찰나에 금방 그 자국이 지워지고, 또 기러기가 날아간 방향을 알 수 없다는 데서 모호하거나 덧없다는 의미로 사용된다.

51 세 사람의 홍씨: 홍기섭(洪箕燮)·홍면섭(洪冕燮)·홍만섭(洪萬燮) 삼 형제를 이른다. 본서 55면 각주 40번 참조.

52 말 잘하는…추석(騶奭)이니: 전국시대에 제(齊)나라 사람 추연(騶衍)이 의론(議論)이 광대하여 위로는 천문(天文)에서부터 아래로는 조수(鳥獸)의 출산(出産)에 이르기까지 언급하지 않은 것이 없었으므로, 제나라 사람들이 그를 칭찬하여 "담천의 추연"(談天衍)이라 하였다. 또 추석(騶奭)이 추연의 술법을 문식(文飾)하길 잘하였으므로 그를 두고 "조룡의 추석"(雕龍奭)이라고 하였다.

당대에 그 누구가 문단의 주인 되리.　　　當代誰爲騷壇主

당나라 왕양노락(王楊盧駱)[53] 저들도 한때거니　王楊盧駱彼一時

오왕주송(吳王朱宋)[54] 그럭저럭 숫자가 맞는구나.

　　　　　　　　　　　吳梅邨王漁洋朱竹垞宋荔裳差足數

만남 짧고 이별 길어 증언(贈言)을 부탁하니　別長會短索贈言

육가(陸賈)의 『신서』[55]쯤은 전할 게 무에 있나.　陸子新書何可傳

가서 육경(六經) 찾아보면 응당 절로 얻으리니　歸求六經當自得

강하(江河)는 땅 지나고 해는 하늘 지나네.[56]　　江河行地日經天

부(附) 과산 홍만섭 수재(秀才)와 작별하며

附 別顆山秀才

압록강 강 머리에 봄물이 넘실대니　　鴨綠江頭春水平

나그네 백마 타고 돌아가는 짐 챙기네.　行人白馬理歸程

석양에 손을 잡고 차마 이별 못하니　　握手斜陽不忍別

나쁜 시 못난 글자 도리어 증거 되리.　惡詩劣字還見徵

53　왕양노락(王楊盧駱): 초당(初唐) 시기를 대표하는 네 시인, 곧 초당사걸(初唐四傑) 왕발
(王勃)·양형(楊炯)·노조린(盧照隣)·낙빈왕(駱賓王)을 가리킨다.
54　오왕주송(吳王朱宋): 청나라의 대표 문인인 오위업(吳偉業)·왕사정(王士禎)·주이준(朱
彛尊)·송완(宋琬) 네 사람을 가리킨다.
55　육가(陸賈)의 『신서』(新書): 육가는 한나라 고조(高祖)의 신하로, 『신서』는 그가 국가 흥
망의 기미를 논하여 황제에게 문치(文治)에 힘쓸 것을 간언한 글이다.
56　강하(江河)는…지나네: 강하가 땅 위를 흐르고 일월이 하늘을 지나듯 영구불변함을 이
른다.

내 나이 마흔 되어 제경(帝京)에서 노니니	嗟余四十游帝京
천하에 교분 맺음 다 이름난 사람일세.	結交天下皆知名
한집안의 시종이야 어이 족히 말하랴만	一門侍從何足道
늘그막에 도리어 후진(後進)의 미움 받는다네.	老大反爲後進憎
신유년 초정(楚亭)과의 이별을 기억하니	記自辛酉別楚亭
하늘가의 살고 죽음 물을 길이 아예 없네.	天涯無由問死生
어이해 과산자(顆山子)를 만날 줄 알았으리	豈圖邂逅顆山子
정문(程門)의 높은 제자 전형(典型)이 남았구려.	程門高弟有典型
죽음과 가난 슬퍼하니 온갖 느낌 모여들어	傷逝憐貧百感集
소리치며 책상 치자 사방에서 놀라누나.	大呼拍案四隣驚
전송하여 돌아가면 봉영(蓬瀛)[57]에 오르리니	送君歸去登蓬瀛
대장부의 사업은 단청(丹靑)을 기약하리.[58]	丈夫事業須丹靑
마침내 한차례 사문(師門)의 한을 풀어	會當一雪師門恨
기린(麒麟)으로 하여금 하늘 위로 걷게 하소.	要使麒麟天上行

57 봉영(蓬瀛): 신선이 산다는 '봉래'(蓬萊)와 '영주'(瀛州)의 줄임말로, 여기서는 높은 지위에 오르리라는 뜻으로 썼다.
58 단청(丹靑)을 기약하리: 나라에 큰 공을 세워 화상(畫像)이 기린각(麒麟閣)에 내걸리는 것을 말한다.

이정원이 박제가에게 보낸 무제 편지[59]

「석고문」(石鼓文)[60]은 서점에서 두루 찾아보았지만 얻지 못하였고, 우연히 좋은 벗인 심(沈)공, 이름은 심순(心醇), 호가 포준(匏尊)을 만났더니 먹으로 찍은 것을 소장하고 있었습니다. 그에게 까닭을 말하자 흔쾌히 주더군요. 이 같은 정은 잊을 수가 없습니다. 듣자니 귀국의 금석문(金石文)이 가장 훌륭하다고 합니다. 심공은 이러한 종류를 몹시 좋아합니다. 혹시 데려온 인편이 있거든 답례로 할 수 있겠고, 만약 보낼 것이 없다면 마땅히 마음에 두었다가 몇 책을 찾아서 보내 주십시오. 지금은 석고문이 이미 탑본을 금하여서, 이후로는 더욱 얻기가 어려울 것이니, 실로 지극한 보배입니다. 또 조선의 금석문은 혹 구입하기가 쉬우면 다시 손수 탑본하여 한 책을 제게도 보내 주시기를 바랍니다. 그대가 아는 사람 중에 서화(書畫)를 잘하는 자가 있거든 또한 대신 한 책을 찾아보아 주시기를 바랍니다. 정밀함에 달려 있고 많은 것은 중요치가 않으니 그저 하는 말로 여기지 말아 주십시오. 초정은 살펴보십시오.

　　이정원 드림.

石鼓文徧求肆中不得, 偶遇好友沈公, 諱心醇, 字匏尊, 藏有墨本. 語之

59　이정원이…편지: 원문에 제목이 달려 있지 않지만, 별도의 편지이므로 구분하기 위하여 임의로 제목을 붙였다.
60　「석고문」(石鼓文): 석고문(石鼓文)의 탑본(搨本)을 말한다. 「석고문」은 현존하는 중국의 가장 오래된 금석문(金石文)으로, 10개의 석고(石鼓)에 주(周) 선왕(宣王) 때의 것으로 전해지는 엽시(獵詩)가 새겨져 있다. 건륭제 때 석고를 두 벌 복제하고, 또 팽원서(彭元瑞, 1775~1840) 등에게 명하여 마모된 글자를 정리·복원해 새로 새기도록 하였다. 현재는 북경 자금성 내 고궁박물원에 전시되어 있다.

故, 卽慨然相贈. 此情不可忘也. 聞貴國金石最眞, 沈公酷好此類, 如帶來有便, 可作報, 如無歸, 當留心覓數冊以寄. 目下鼓已禁搨, 以後逾覺難得, 寔至寶也. 又貴處金石, 或易購, 更祈手搨一冊寄我. 貴相知中, 有善書畫者, 亦祈代覓一冊, 在精不在多, 毋視爲泛語也. 楚亭鑑之. 鼎白.

차수 선생께

次修先生

차수 선생께 드립니다. 소식을 통하지 못한 것이 여러 해입니다. 제 마음이 그대를 그리워함을 가지고 그대가 저를 늘 생각할 것을 알겠습니다. 각자 우환이야 있겠지만 감히 서로 듣지 않기로 하지요. 어제 십삼(十三) 이희경(李喜經)이 불쑥 방에 들어와서 근래 잘 계시는 줄을 물어서 알았습니다. 십 년이 되도록 승진하지 못했다니, 제가 대신해서 분통을 터뜨렸지요. 그러자 이희경이 그대가 겪은 일을 말해 주었는데, 절대로 빈한한 선비가 감히 잊을 바가 아니었습니다. 인생은 뜻에 맞는 것을 귀하게 여기니, 능히 이와 같다면 이것으로 충분하겠지요. 생각건대 다만 그대의 재주라면 진실로 문학시종(文學侍從)이 되어야 마땅한데 끝내 마침내 능히 소원대로 하지 못하니 운명이라 하겠습니다. 서로 더불어 편안히 여기십시다. 저는 예전과 다름없이 천명을 즐거워하고 운명에 편안해하니, 크게 쾌활함을 느낍니다. 어제 명을 받아 유구(琉球)로 사신을 가게 되었습니다. 내년 봄에 장차 바다로 나가 바람을 타고 물결을 가르게 될 테니, 장쾌한 유람이 아니라고 할 수는 없을 겁니다. 은 원외

(殷員外)의 마음가짐[61]으로 잠깐 자신할 뿐입니다. 큰아이는 이미 효렴(孝廉)에 뽑혀 을묘년(1795) 봄 과거에 응시했는데, 여러 번 천거되었으나 한 번도 자리를 얻지는 못했습니다. 또한 알려 드립니다. 저는 지난해에 또 딸 하나를 얻었고, 재작년에도 또 아들 하나를 얻었으니 늙었어도 부끄러움이 없다고 하겠습니다. 상평(向平)의 바람[62]이 끝날 때가 없을 것만 같군요. 또한 말씀드립니다. 형님 우촌 이조원(李調元)[63] 선생은 고향으로 돌아가 다시는 산을 나오지 않고 계십니다. 저작은 날로 풍부해지고 정신은 나날이 굳세지시니, 제가 볼 때 마침내 용수(用修) 양신(楊愼)[64]의 후신인가 싶습니다. 이 또한 우촌에게는 큰 다행이겠지요. 높은 관직을 하는 것쯤이야 어디에다 쓰겠습니까? 그대는 자녀가 몇이나 되는지 모르겠군요. 틀림없이 이미 장성하였겠지요. 생각건대 다시 아비를

61　은 원외(殷員外)의 마음가짐: 은 원외는 당나라 때 문신인 은유(殷侑)를 가리킨다. 원화(元和) 8년(813) 회골(回鶻)에 사신으로 가서 교만한 회골의 가한(可汗)을 힐책해 오랑캐들의 간담을 서늘하게 하였다. 은유가 사신으로 갈 적에 한유(韓愈)가 「송은원외서」(送殷員外序)를 지어 그 의연한 모습을 칭송하였다.

62　상평(向平)의 바람: 상평은 동한 시대의 문인인 상장(向長)을 가리킨다. 자가 자평(子平)이므로 줄여서 상평이라 불렀다. 『후한서』(後漢書) 「상장」 열전에 따르면, 그는 평생 은거하며 벼슬을 하지 않다가 자녀들을 모두 결혼시킨 뒤에 마음껏 명산대천을 떠돌며 노닐다가 생을 마쳤다고 한다.

63　이조원(李調元): 1734~1803. 사천성 나강(羅江) 사람. 자는 갱당(羹堂)·찬암(贊庵)·학주(鶴洲)이며, 호는 우촌(雨村)·묵장(墨莊)·성원(醒園)·동산노인(童山老人)이다. 1763년(건륭 28) 진사(進士)가 되어 벼슬이 광동제학사(廣東提學使)·직례통수병비도(直隷通水兵備道)·이부주사(吏部主事)·고공원외랑(考工員外郞) 등을 역임했다. 저서에 『동산시문집』(童山詩文集)·『우촌시화』(雨村詩話)·『잠옹사』(蠶翁詞) 등이 있다. 편서로는 『함해』(函海) 등이 있다.

64　양신(楊愼): 1488~1559. 명나라 초기의 학자. 자가 용수(用修), 호는 승암(升菴)이다. 한림학사(翰林學士)를 지냈고, 경연강관(經筵講官)으로 있으면서 1524년 계악(桂萼) 등이 등용될 때 동지 36명과 함께 반대하다가 가정제(嘉靖帝)의 미움을 사, 곤장을 맞고 운남(雲南) 영창위(永昌衛)로 유배되어 그곳에서 죽었다. 유배지에서 30여 년간 학문에 전념하여 방대한 저술을 남겼다. 저서에 『단연총록』(丹鉛總錄)·『승암집』(升菴集) 등이 있다.

소, 말처럼 부릴 일은 없겠습니다. 이번에 호주필(湖州筆)[65] 열 자루와 정연(頂煙) 휘묵(徽墨)[66] 한 갑을 받들어 보냅니다. 이것들은 최상품이지만 거두어 둔 지가 오래되다 보니 아교가 묽어서 깨졌습니다. 보통의 먹으로 보시지 말아 주었으면 다행이겠습니다. 선물은 보잘것없지만 뜻은 두터우니 애오라지 그리는 마음을 달래 봅니다. 마땅한 인편이 있거든 편지 한 통을 부쳐 주시고, 마땅치가 않다면 진실로 생략해도 괜찮습니다. 속된 태도에 얽매이지는 마십시오. 삼가 이렇게 말씀드리옵고 근래 복이 함께하시기를 빕니다. 붓을 들고 마음으로 그려 봅니다.

　가경 4년(1799) 9월 보름, 벗 이정원 돈수(頓首).

　따로 『문창』(文昌)과 『감응편』(感應篇)[67]의 각본(刻本) 한 권씩을 부치니, 이 또한 요즈음의 이름난 솜씨로 만든 것입니다.

次修先生足下. 不通音問有年矣. 以僕心之思足下, 知足下之懸懸於僕也. 各有憂患, 未敢相聞. 昨十三闖然入室, 詢知近況佳勝, 十歲不遷, 僕方代爲扼腕, 而十三云足下所履之境, 大非寒士所敢忘. 人生貴適意, 能如是, 是亦足矣. 竊惟足下之才, 允宜文學侍從, 竟不克如願, 命也, 相與安之. 僕依然故我, 樂天安命, 大覺快活. 昨聞命奉使琉球, 明春便將出海, 乘風破浪, 不得謂非壯遊, 殷員外之胸襟, 差自信耳. 大兒已擧孝廉, 係乙卯科春闈, 屢薦未得一售, 亦聽之. 僕於前年, 又添一女, 於去年, 又添一子, 老

65　호주필(湖州筆): 절강성 호주(湖州)에서 제작된 좋은 붓을 이른다.
66　정연(頂煙) 휘묵(徽墨): 휘묵은 안휘성 휘주(徽州)에서 만든 좋은 먹을 이른다. 정연은 묵에 사용한 연매(煙煤)가 양품이라는 뜻이다.
67　『문창』(文昌)과 『감응편』(感應篇): 『문창제군음즐문』(文昌帝君陰騭文)과 『태상감응편』(太上感應篇)을 말한다. 모두 작자 미상의 도교 서적으로, 선악의 응보에 대한 기록을 엮어 선행을 권유하는 내용이다. 특히 명청 시대에 인기를 끌어, 다양한 필사본과 간각본이 나왔다.

而無恥, 向平之願, 似無了時, 亦聽之. 雨邨歸田, 不復出山, 著作日益富, 精神日以强. 看來竟是用修後身, 此亦雨邨之大幸也. 何用高官爲？未識足下子女幾人, 定已長大, 想不復須乃翁作牛馬矣. 兹奉去湖筆十枝, 頂煙徽墨一匣. 此最上品, 收之久. 因膠淡, 故破碎, 幸勿以常墨視之. 物微意厚, 聊慰相思. 有妥便寄一書, 不妥固可省, 愼勿以俗態拘也. 肅此佈達, 卽候近祉. 臨穎神溯. 嘉慶四年九月望日, 故人李鼎元頓首. 外附上文昌感應篇一刻, 亦時下名手也.

초정도인(楚亭道人)께 드립니다. 지난번 직접 쓰신 편지를 받아 보니 정스런 말이 간절하여, 읽기를 마치자 코끝이 시큰함을 견디지 못하겠습니다. 그대의 뜻이 이와 같을진대, 제 마음을 어이 견디겠습니까. 바다 모서리와 하늘가라. 다만 정신으로 느껴 통해 자나 깨나 혹 다시 만나 이야기할 수 있기를 생각할 뿐입니다. 문자로 왕래하는 것은 자못 자취에 구애되는군요. 봉함을 뜯어 보니 눈물이 흐를 것만 같아 한갓 서글픈 마음만 더할 뿐입니다. 알리지 않으려 해도 그럴 수가 없고, 말을 많이 하려하나 감히 그러질 못하니 어찌한단 말입니까. 그대의 시에 본래 화답하여 올리려 하였지만, 막상 붓을 잡고 보니 마음이 상하여 능히 구절을 이룰 수가 없군요. 마땅히 이어서 보냄을 용납해 주십시오. 이만 줄이고 받들어 보냅니다. 열상의 여러분들에게도 각각 인사를 전해 주십시오.

　이정원 재배(再拜).

楚亭道人足下. 頃接手書, 情詞惻惻, 讀竟不勝酸鼻. 君意如此, 我懷何堪. 海角天涯, 惟憶精神可以感通, 寤寐或再把晤耳. 文字往來, 頗礙形迹. 開緘欲涕, 徒增悽愴. 欲不報而不能, 欲多言而不敢. 奈何奈何！尊作本擬和呈, 而握管心傷, 不能成句. 容當續寄, 耑此奉達. 洌上諸公, 各爲致意.
鼎再拜.

어제 설날을 맞아 온갖 시름이 온통 맺혔습니다. 편지가 오면 답장하기
어려운 것을 근심하였고, 시를 받으면 화답할 수 없을까 걱정하였습니
다. 두 마리 잉어가 물에 잠겨 가다가 중간에서 편지를 잃을까 근심하였
고, 외로운 기러기가 빨리 날다가 엉뚱한 사람에게 전해 줄 것을 염려하
였습니다. 아아! 사람이 살면서 한두 벗을 사귀어 이렇게 날마다 시름의
성에 빠지고 말았으니, 장차 이를 어찌한답니까? 굳이 말하지 않아도 보
내온 편지에 이미 언급되어 있군요. 하지만 이 같은 근심이 있지 않고서
야 또 어찌 교우(交友)의 도리가 소중함을 알겠습니까? 글은 말을 다하
지 못하고, 말은 뜻을 다하지 못하니[68] 이쪽 사람의 말로 "바깥사람에게
는 족히 말할 것이 못 된다"[69]는 것입니다.
　송평거사(松坪居士)[70] 재배.

昨値元旦, 前後愁腸百結. 愁書之來, 而難以爲答也. 愁詩之來, 而無以
爲和也. 愁雙鯉徃沈, 中流失信. 愁孤鴻飄忽, 傳致非人也. 嗟乎! 人生交
一二友朋, 而乃日墮愁城中, 將安用此, 不謂來書已道及也. 然非有此愁,

---

68 글은…못하니: 『주역』 「계사전」(繫辭傳)에 나오는 말이다. 원문은 이렇다. "子曰: '書不盡
言, 言不盡意, 然則聖人之意, 其不可見乎?'"
69 바깥사람에게는…못 된다: 도연명(陶淵明)의 「도화원기」(桃花源記)에 나오는 말이다. 원
문은 이렇다. "余人各復延至其家, 皆出酒食. 停數日, 辭去. 此中人語云: '不足爲外人道也.'"
70 송평거사(松坪居士): 이조원의 『동산시집』(童山詩集) 권24에 실린 「제하화묵장제벽운병
서」(齊河和墨莊題壁韻幷序)에 "송평(松坪)은 내 셋째 아우 검토(檢討) 이정원의 별호이다"(松
坪者, 子三弟, 檢討鼎元別號也.)라고 하였다.

又安知交道之重哉! 書不盡言, 言不盡意. 此中人語云: "未足爲外人道
也." 松坪居士再拜.

부(附) 소유(小蕤)에게 답하다
附 答小蕤

소유 문원(文元)[71] 족하에게. 10월 3일에 손수 쓰신 편지와 시집 1권
을 받았습니다. 정다운 말이 곡진하여 마치 서로 만나 이야기를 나
누는 듯하였습니다. 게다가 입언(立言)이 진지하고 글씨가 단정한
해서(楷書)여서, 보기만 해도 바른 선비임을 알겠더군요. 정유가
죽지 않았다 하겠습니다. 저는 기사년(1749) 2월 16일 인시(寅時)
에 태어나, 그대의 부친과는 나이가 같습니다. 우촌 이조원과 부당
이기원, 치존 홍양길은 혹 나보다 위거나 나보다 아래인데,[72] 앞뒤
로 모두 고인이 되고 말았습니다. 하지만 저는 약한 몸으로 요행히
서리와 눈을 버티며, 이미 가 버린 이를 탄식하다가 홀로 구슬퍼하
고 있습니다. 그대 부친의 문장은 틀림없이 동국의 대가로 추대될
것이니, 부쳐 주신 『경신당집』(竟信堂集)은 다만 그 한 부분일 뿐
입니다. 언제나 모아 새겨 문집으로 만드시렵니까? 눈을 비비며 기

---

71 문원(文元): 명청 시대에 과거 합격자를 지칭하던 말이다. 다만, 박장암은 문과(文科)가
아닌 수령취재(守令取才) 출신이라는 점에서, 이정원이 조선의 과거 시험 제도에 대해 잘 모르
고 붙인 말로 보인다.
72 우촌…아래인데: 이조원은 1734년에 태어나 1803년에 죽었다. 이기원은 1755년에 태어
나 1799년에 죽었다. 홍양길은 1746년에 태어나 1809년에 죽었다.

다리겠습니다.

　정벽(貞碧) 유최관이 와서 저를 찾아온 것이 여러 날인데, 거의 수레가 출발할 때가 다 되어 비로소 연락이 통한지라, 간신히 온종일 이야기를 하였어도 온통 시원스럽지는 않습니다.

　추사(秋史) 김정희가 겨울에 부친 편지는 마침내 부침(浮沈)이 있으니, 대체 누가 홍교(洪喬)[73]인지를 모르겠습니다. 심암(心菴) 이임송(李林松)[74]은 작년 7월에 상을 만나 고향으로 돌아갔으니 제 생각에 또한 먼젓번 편지는 보지 못하였을 것입니다. 관찰(觀察)인 연여 손성연은 부모를 봉양하려고 돌아갔는데 『문자당집』(問字堂集)이 있고, 치존 홍양길 또한 『갱생재집』(更生齋集)이 있습니다. "지금 사람 박대 않고 옛사람도 사랑하네"(不薄今人愛古人.)[75]라고 하지만, 세상에는 두보 같은 사람이 워낙 적어 한창려의 문장조차 200년이 지나서야 비로소 크게 전해졌으니, 이 두 문집이 압록강 동쪽으로 전해지지 않은 것은 당연합니다.

　생각건대 신유년(1801)에 유구의 사행에서 돌아와 유리창에서 그대의 부친과 영재 유득공을 다시 만났을 때부터, 어찌 이 만남이

---

73 홍교(洪喬): 편지가 중간에 분실되어 전해지지 못한 상황을 이른다. 홍교는 원래 진(晉)나라 때 관리인 은선(殷羨)의 자이다. 유의경(劉義慶)의 『세설신어』(世說新語)에 은선이 예장군(預章郡)의 태수가 되어 떠날 때 도하(都下) 사람들이 그에게 100여 통의 편지를 전해 달라고 부탁했으나, 그가 도중에 물에다 던져 버리고는 "가라앉을 것은 가라앉고 뜰 것은 절로 뜰 것이다. 나 은홍교가 우편배달부 노릇을 할 수는 없다"라고 하였다는 데서 비롯되었다. 교침(喬沈)이라고도 한다. 여기서는 작년 겨울 사행 편에 김정희가 부친 편지를 이정원이 아직까지 받아보지 못했다는 의미이다.

74 이임송(李林松): 1770~1827. 자가 심암(心菴), 호는 역완(易园)으로, 민행(閩行) 사람이다. 김정희의 연행 당시 그를 안내하여 옹방강에게 소개하였다.

75 지금…사랑하네: 두보의 시 「희위육절」(戲爲六絶)의 다섯 번째 절구에 나오는 시구이다.

죽어서 작별하는 것이 될 줄 알았겠습니까? 영암은 아직 살아 계신 지요? 앞서 그대 부친을 곡하는 시가 있었는데, 잘 도착하였습니까? 늙은이라 잘 잊어버리니 하물며 예전 비[76]와 새벽별[77]이야 어떻겠습니까? 눈에 닿는 것마다 느낌을 일으키는지라, 인하여 책상머리에 놓였던 초고를 부칩니다.

자식들이 비록 배움을 폐하지는 않았지만, 어떤 일을 이룰지는 알 수가 없습니다. 장자(莊子)가 말한, "그 어찌할 수 없음을 알아 편안히 운명에 맡긴다"[78]는 것입니다.

그래서 전원으로 돌아가려는 바람은 비록 크지만, 끝내 돌아갈 만한 밭이 없는 것은 괴롭습니다. 이후로도 여전히 연경(燕京)에 머물고 있는 것은 혹 서로 만나 볼 기약이 있을까 해서입니다.

그대의 부친께서 대령(大令)[79]이 된 것은 알고 있었지만, 그 뒤 어느 때 귀양을 가게 되었는지요? 생각건대 신유년(1801) 이후의 일과 관련이 있는 듯합니다. 재주 있는 사람이 으레 힘들고 괴로운 것은 우리 촉 땅의 이태백(李太白)과 소동파(蘇東坡), 승암 양신도 이미 겪었던 일입니다. 이제 우촌 이조원과 치존 홍양길 그리고 그대의 부친이 또 그 자취를 이었으니, 훗날 그 이름이 반드시 전해질

---

76 예전 비: 원문은 "舊雨"로, 오랜 벗을 뜻한다. 본서 32면 각주 9번 참조.
77 새벽별: 원문의 "晨星"은 멀리 떨어져 있는 벗에 대한 그리움을 비유한다. 당나라 때 유우석(劉禹錫)의 시 「송장관부거시서」(送張盥赴擧詩序)에 "옛날에 함께 급제했던 벗들과 어울려 노닐 적에는 말고삐를 나란히 하고서 마치 병풍처럼 대로를 휩쓸고 돌아다녔는데, 지금 와서는 마냥 쓸쓸하기가 새벽 별빛이 서로들 멀리서 바라보는 것 같기만 하다"(向所謂同年友, 當其盛時, 聯袂齊鑣, 互絶九衢, 若屛風然, 今來落落, 如晨星之相望.)는 표현이 있다.
78 그 어찌할…맡긴다: 『장자』「인간세」(人間世)에 나오는 말이다.
79 대령(大令): 현령(縣令)을 높이는 말이다. 박제가는 1797년부터 1801년 2월까지 영평(永平) 현령을 지냈다. 영평은 지금의 경기도 포천시 영중면 영평리 일대이다.

것을 어찌 의심하겠습니까? 사람이 나이가 들면 마음을 다치기가 쉽다는데, 편지가 여기에 이르자 눈물이 주르륵 떨어지려 하는군요.

부쳐 보내는 〈행락소상〉(行樂小像)[80]은 제가 35세 되던 해에 그린 것입니다. 지금은 살쩍과 터럭이 허옇지만, 신채(神采)만은 예전과 다름이 없답니다. 제가 근자에 성재(誠齋) 양만리(楊萬里)[81]의 시를 읽었는데, "늙더라도 시는 바로 젊어야만 한다네"(人老正要詩年少.)라고 하였더군요. 이 뜻과 같다 하겠습니다.

『청비록』(淸脾錄)[82]은 마침 책상 위에 없어서 『우촌시화』(雨邨詩話)[83] 1부를 같이 부칩니다. 연일 공무로 몹시 바빠 퇴근해서도 여가가 없다 보니, 정신없이 답장을 드리느라 말에 뜻을 다 담지 못했습니다. 소유 족하께서는 근래 평안하십시오.

올해 나이 64세가 되는 묵장(墨莊) 이정원(李鼎元) 드림. 가경(嘉慶) 17년(1812) 10월 7일.

---

80 〈행락소상〉(行樂小像): 거나하게 놀고 즐기는 모습을 그린 이정원의 초상(肖像)이다. 박장암뿐만 아니라 조선의 다른 문인들도 이 그림의 존재를 알았던 것으로 보인다. 예컨대, 심상규(沈象奎, 1766~1838)의 『두실존고』(斗室存稿) 권2에 「이묵장의 〈행락소상〉에 제하다」(題李墨莊行樂小像) 한 수가 실려 있다.

81 양만리(楊萬里): 1127~1206. 남송의 문인으로, 자가 정수(廷秀), 호는 성재(誠齋)이다. 길주(吉州) 길수(吉水) 사람이다. 고종 28년(1154) 진사가 되어 여러 벼슬을 역임했다. 시를 잘 지어 스스로 성재체(誠齋體)를 만들어 냈다. 경쾌한 필치와 기발한 발상, 자유롭고 활달함이 특징이다. 육유(陸遊)·우무(尤袤)·범성대(範成大)와 함께 '남송사대가'(南宋四大家)로 불린다.

82 『청비록』(淸脾錄): 이덕무가 조선·중국·일본의 시화(詩話)를 모아 엮은 시화집이다. 이덕무는 정조 2년(1778)의 연행 때 『청비록』을 가져가 반정균, 축덕린 등에게 보인 바 있다. 이후 이조원은 자신의 『속함해』(續函海)에 『청비록』을 수록하였다. 『호저집』 찬집 권1 중 박제가와 이정원의 필담에도 이와 관련된 내용이 나온다.

83 『우촌시화』(雨邨詩話): 이조원이 지은 시화집이다. 이 책에도 『청비록』의 일부 내용이 소개되었다.

小葰文元足下. 十月三日, 接手書竝箋一卷, 情詞繾綣, 如相晤語. 且立言眞摯, 書法端楷, 望而知爲正士, 貞葰爲不死矣. 愚生於己巳二月十有六日寅時, 與尊翁同歲. 雨村·梟塘·洪稺存, 或長於余, 或少於余. 先後俱作古人, 而愚以蒲柳之姿, 幸支霜雪. 旣嘆逝者, 行自悲矣. 尊翁文章, 定推東國作手, 所寄竟信堂, 特其一斑, 何時彙刻成集? 拭目俟之. 貞碧至, 訪余數日, 至將發軔, 始得通. 僅作竟日談, 殊未盡暢. 金秋史所寄多信, 竟浮沈. 未知洪喬爲何人. 心菴於客歲七月憂歸, 想亦未見前書. 孫淵如觀察以終養歸, 有問字堂集. 洪稺存亦有更生齋集. 不薄今人愛古人, 世少杜老, 以故昌黎之文, 且二百年後始大傳. 宜二集之未傳鴨東矣. 憶自辛酉, 球陽使旋, 得重遇尊翁泠齋於琉璃廠, 豈知此會, 卽爲死別耶? 泠菴尙存否. 前有哭尊翁詩, 是否寄去. 老人善忘, 況舊雨晨星. 觸目多感, 故仍付案頭草稿. 兒輩雖未廢學, 正未卜成立何事. 莊子云: "知其無可奈何, 而安之若素命[84]"也. 故歸田之願雖殷, 終苦於無田可歸, 此後尙滯京華, 或猶有相見之期. 尊翁前爲大令, 固知之, 此後何時遭謫, 想係辛酉後事. 才人例偃蹇, 卽吾蜀太白東坡升菴, 其已事矣. 今雨村及稚存竝尊翁, 又繼其軌. 其必傳於後何疑. 人老易傷, 書至此, 淚涔涔欲下矣. 附去行樂小像, 乃愚三十五歲時圖者, 今鬢髮雖霜, 神采如故. 愚近有讀楊誠齋詩句云, "人老正要詩年少." 同此意也. 淸脾錄案頭適無, 附寄雨村詩話一部. 連日公事甚忙, 退食少暇. 匆匆奉覆, 言不盡意. 小葰足下近安. 墨莊李鼎元書, 時年六十有四, 嘉慶十七年十月七日.

84　素命: 『장자』에는 "而安之若命"으로 되어 있다. 여기서는 『호저집』원문을 따랐다.

5월 초하루에 손수 쓰신 글을 받아 읽어 보니, 정이 깊고 말이 무거워 특별히 마음을 가누기가 어려웠습니다. 보내 주신 도서(圖書) 등 10여 가지 물건을 모두 잘 받았습니다. 감사하고 감사합니다.

2월 16일은 저의 생일이니, 그대가 탄소(彈素)의 예전 일[85]을 본받으려 하신다니 감격스럽고 또 부끄럽습니다. 저는 우촌 같은 재주가 없는데도, 저를 "독선(獨善)으로 홀로 가며, 세상을 피하여 근심이 없다"고 칭찬한 데 이른 것은 아마도 저를 깊이 아는 것이 아닌 듯합니다. 저는 촌구석에서 거룩하신 임금을 만나 외람되이 문학으로 시종(侍從)의 반열에 선 것이 30여 년입니다. 어찌 감히 독선으로 독행(獨行)하였다 하겠습니까? "홀로 읊는다"(獨吟)고 한 것은 따로 기탁한 바가 있었던 것입니다.[86]

보내 주신 부처 그림은 여러분의 두터운 사랑으로 주신 뜻을 어찌 저버릴 수 있겠습니까? 하지만 제가 가만히 의심이 없을 수가 없군요. 귀국의 왕은 주자를 존숭하여 그의 책을 거의 다 구입하였습니다. 그대들이 서로 함께 실학을 강구하며 치용(致用)으로 입신하려는 바로 이때에, 저를 위해 부처에게 아첨함 같은 것은 저를 무겁게 대우하는 것이 아닐 것입니다.

---

85 탄소(彈素)의 예전 일: 탄소는 유금(柳琴, 1741∼1788)의 자이다. 유금이 1776년 북경에 가서 이조원 등에게 『한객건연집』(韓客巾衍集)의 평비를 받아 오고, 이와 함께 이조원의 소조(小照)를 가져와 이조원의 생일날 벗들과 함께 모여 잔치를 열어 준 일을 말한다.

86 독선(獨善)으로…것입니다: 『경수당전고』(警修堂全藁) 4책에 정축년(1817)에 쓴 「소유박장암이 묵장 이정원의 〈독음소조〉(獨吟小照)에 제를 부탁하므로 묵장이 스스로 제한 원운에 차운함」(朴小蕤屬題李墨莊鼎元獨吟小照, 次墨莊自題原韻)과 이정원의 원운(原韻) 및 심상규(沈象奎)의 화운시, 김정희의 제후(題後)가 나란히 실려 있다. 이상의 언급은 이정원의 시 첫 두 구절에 "홀로 읊고 다시 홀로 읊으니, 온 세상에 날 알아줄 이 누구리오"(獨吟復獨吟, 擧世誰知音.)라 한 말을 두고 주고받은 내용이다.

예전 주자가 남안(南安)에 있을 때에 종소리를 듣고서 두려워하며 "이 마음을 붙든 것이 단단하지 못했음을 깨달았다"고 하였습니다.[87] 『주자어록』에서는 또 한(漢) 명제(明帝)에서 양(梁) 무제(武帝)에 이르기까지 모두 불교의 주장에 대해 밝지 못했다고 했는데,[88] 알기가 어렵다는 말이 아니라 바로 알 만한 것이 못 된다는 뜻으로 말한 것입니다. 다만 바라건대 오로지 한길만을 다하여, 두 갈래 길로 가지 않는 것은 또한 우리 유자(儒者)의 큰 다행일 것입니다.

올봄에 우연히 두실(斗室) 심상규(沈象奎)[89] 상공과 만나 몇 차례 교유하였는데, 문장과 사업에 통달한 유자라 일컫기에 충분하였고, 불교 경전에 대한 공부도 깊어서 또한 큰 지혜를 갖추었더군요. 이야기를 하다가 그대가 대대로 교유한 친구의 아들임을 알게 되었습니다. 바라기는 이 편지를 전달하더라도 문장과 사업을 벗어나지

---

87 예전…하였습니다: 주희가 주부(主簿)로 부임했던 동안현(同安縣)에서 종소리를 듣고 한 번의 종소리가 채 끊기기도 전에 주의가 흐트러진 경험을 통해 학문에 전심치지(專心致志)해야 함을 깨달은 일을 말한다. 『주자어류』(朱子語類) 권104 「자론위학공부」(自論爲學工夫)에 보인다.

88 『주자어록』에서는…했는데: 『주자어류』 권126에 수록된 「석씨」(釋氏)의 아래와 같은 대목을 이른다. "훗날 한 명제 때 불교가 처음 중국에 들어왔다. 당시 초왕 영(英)이 가장 좋아했으나 그 설에 밝지는 못했다."(後漢明帝時, 佛始入中國, 當時楚王英最好之, 然都不曉其說.) "훗날 달마가 와서 양 무제를 처음 만났는데 무제는 그 설에 밝지 못했다."(後來是達磨過來, 初見梁武, 武帝不曉其說.) 두 군주는 모두 불교 중흥에 힘썼다.

89 심상규(沈象奎): 1766~1838. 자가 가권(可權)·치교(穉敎)이고, 호는 두실(斗室)·이하(彛下)이다. 시호는 문숙(文肅)이다. 정조의 총애를 받은 초계문신 출신으로, '상규'라는 이름과 '치교'라는 자 또한 정조가 내린 것이다. 정조 13년(1789) 문과에 급제하여, 순조 연간에는 육조판서와 대제학, 삼정승을 두루 역임하였다. 노론 시파의 거두로, 학문적으로는 이용후생을 강조하였다. 『만기요람』(萬機要覽)을 편찬하였으며, 저서에 『두실존고』(斗室存稿) 16권이 전한다.

는 말았으면 합니다. 다시 다음에 할 말은 올겨울 공사(貢使)가 도
착하는 날을 기다렸다가 자세하게 전부 말씀드리겠습니다. 지금 당
장은 진실로 짬을 낼 수가 없군요. 옥수(玉水) 조강(曹江)은 공사
(公事)로 견책을 받았고,[90] 왕기손(王芑孫)[91]은 효렴 신분으로 늙
고 말았지만 그 사람의 저작만은 틀림없이 전해질 것입니다. 선산
(船山) 장문도(張問陶)는 내주(萊州) 태수가 되어 나갔다가 이미
돌아왔고, 수옥(水屋) 장도악(張道渥)은 지금은 주목(州牧)이 되
었습니다. 중어(仲魚) 진전(陳鱣)은 효렴 신분으로 집에서 지내고
있고,[92] 나윤소(羅允紹)·나윤찬(羅允纘) 형제[93]와 역헌(亦軒) 전동
원(錢東垣)은 은거하여 벼슬하지 않았으니, 이들은 모두 세상을 피
하여 근심이 없기가 저보다 훨씬 뛰어난 사람입니다. 그대가 이 여
러분들을 칭찬해야 할 말로 저를 칭찬하시니 어찌 마음에 부끄럽지
않겠습니까? 일이 바빠 서둘러 답장을 보내옵고 시 한 수도 적지
못하니, 모두 다음 편지를 기다려 봅니다. 바라건대 너그럽게 살펴
주십시오. 다 적지 못합니다.

　　5월 10일, 등불 아래서 65세의 이정원은 소유(小蕤) 수재 족하

90　옥수(玉水)…받았고: 조강은 1812년 대리시평사(大理寺評事)로 있던 중 혁직(革職)되어
우루무치(烏嚕木齊)로 가 6년간 속죄(贖罪)하였다.

91　왕기손(王芑孫): 1755~1817. 자가 염풍(念豐)·구파(漚波)이고, 호는 척보(惕甫)·철부
(鐵夫)·운방(雲房)·능가산인(楞伽山人)이다. 장주(長洲) 사람이다. 건륭 53년(1788)의 거인
으로 뽑혀, 화정교유(華亭敎諭)를 지냈다. 서법(書法)에 능통했으며, 저서에 『비판광례』(碑版
廣例)·『능가산방집』(楞伽山房集)·『연아당집』(淵雅堂集) 등이 있다.

92　중어(仲魚)…있고: 『호저집』 찬집 권3에 수록된 박제가와의 필담에서도 진전은 "요즘은
다만 저서에만 힘을 쏟아 스스로 즐길 뿐, 인간 세상의 작록(爵祿)은 진실로 헤아리는 바가 아
닙니다"라고 한 바 있다.

93　나윤소(羅允紹)·나윤찬(羅允纘) 형제: 원문은 "羅世兄弟"인데, 정황상 나빙(羅聘)의 두
아들을 가리키는 것으로 보인다. 나빙은 이 편지가 쓰이기 14년 전인 1799년에 사망하였다.

께 씁니다.

그 밖에 대신 문안을 전해 주십시오. 두실 심상규 상국(相國)은 근래 편안하신지요? 추사 김정희, 박차산(朴次山),[94] 과산(顆山) 홍만섭(洪萬燮)에게도 똑같이 이 안부를 전해 주십시오.

제 글씨가 본래 졸렬한 데다 지금은 또 늙고 쇠하여서, '사묵재'(師墨齋)[95]의 편액을 분부에 따라 써 보내기는 하지만 중히 여길 만한 것이 못 됩니다. 제 서재의 이름을 '사죽'(師竹)이라 한 것은, 바로 "대나무는 허심 아니 나의 스승일세"(竹解心虛是我師)라는 뜻일 뿐 다른 의미는 없습니다.

仲夏之朔, 接讀手書, 情深語重, 殊難爲懷, 承賜圖書等物十種, 領訖謝謝. 二月十六, 賤辰, 足下欲仿彌素故事, 旣感且愧. 僕無兩邨才也, 至譽僕以獨善獨行, 遯世無悶, 似非深知僕者. 僕以樗村遭遇聖明, 濫列文學侍從三十餘年, 夫安敢獨善獨行哉? 獨吟云者, 意別有所寄也. 所贈畫佛, 蒙諸君厚愛, 相貺意何可負? 而僕竊不能無疑者, 貴國王尊崇朱子, 購其書幾盡, 正足下等相與講求實學, 立身致用之時, 若爲僕而佞佛, 非所以重僕矣. 昔朱子在南安, 聞鍾聲, 悚然

---

94 박차산(朴次山): 미상. 1809년 당시 김정희·홍만섭과 함께 연행을 다녀온 박(朴)씨 성의 차산(次山)이란 자(字)나 호(號)를 가진 사람인데, 누구인지가 분명치 않다. 당시 사행단의 정사 박종래(朴宗來, 1746~1831)는 자가 희보이며, 서열상 김정희의 뒤에 언급되기 어렵다는 점에서 이에 해당하지 않아 보인다.

95 사묵재(師墨齋): 사묵(師墨)은 박장암의 호이다. 김정희의 『완당전집』 권10에 실린 「이묵장의 독행소조에 제하다. 이는 바로 소유 박군에게 기증한 것이다」(題李墨莊獨行小照, 卽寄贈小蕤朴君者也)에 "묵장(墨莊)의 호는 사죽재인데 군은 또 사묵이라고 하였다"(墨莊號師竹齋, 君又號師墨.)는 주석이 보인다. 박장암은 묵장 이정원을 스승으로 삼겠단 의미로 자신의 서재 이름을 사묵재라 이름 짓고, 이정원에게 편액 글씨를 요청한 것이다.

日:"覺此心把握不定."語錄又云:"漢明至梁武, 俱不曉其說." 非
謂其難知, 正謂其不足知也. 惟望專致一道, 勿涉兩岐, 亦吾儒之大
幸也. 今春偶遇沈斗室相公, 接交數次, 不惟文章事業, 足稱通儒, 卽
內典業深, 亦具大智惠. 談次知足下是其世交故人之子, 希以此札轉
達, 幸勿於文章事業外, 再下轉語也. 統俟今冬貢使到日, 細述一切,
刻下實無暇時也. 曹玉水以公事致譴, 王芑孫以孝廉老, 其人之著作
必傳也. 船山出爲萊州太守, 已告歸. 張水屋現爲州牧, 仲魚以孝廉
家居, 羅世兄弟·錢亦軒, 俱隱而未仕. 是皆遯世無悶, 遠勝於僕者.
乃足下以贊諸公者贊僕, 安得不內愧乎? 事忙草草奉覆, 餘無一酬,
統俟後信, 希爲原諒, 不盡. 五月十日燈下, 六十五歲李鼎元書覆小
蕤秀才足下. 外屬代問沈斗室相國近安, 金秋史·朴次山·洪顆山, 同
此致候. 僕書本拙, 今又衰老, 師墨齋額, 應命書去, 無足重也. 至弊
齋名師竹, 卽'竹解心虛是我師'之義, 無他義也.

소유 선생께 드립니다. 사신이 와서 편지를 받고, 두 번 세 번 읽노
라니 소리에 따라 눈물이 함께 흐르는군요. 정스런 문장이 얼마나
진지하면 이와 같이 사람을 감동시킨단 말입니까? 저는 늙어서 이
제 이미 관직에서 물러날 것을 고하고 고향으로 돌아갈 것을 결심
하였습니다. 대략 4~5월 사이에는 도성을 나서게 될 것입니다. 그
대는 나이가 젊고 기운이 좋은 데다 앞길이 원대합니다. 더더욱 바
라건대 경사(經史)에 뜻을 쏟아 옛사람에게 미치기를 구하십시오.
훗날 혹 사신이 되어 북경에 오게 되면 자식들과 더불어 앞선 인연
을 다시 맺을 수 있을 것입니다. 이 늙은이가 혹시 오두막집 안에서
지팡이를 짚은 채 이 좋은 소식을 듣게 된다면 마음에 쌓인 회포를

조금이나마 풀 수 있을 것입니다.

그대가 부탁한 옹담계 선생의 제액(題額)은 그날로 간절하게 부탁드렸지만, 82세나 된 노인[96]이다 보니 갑작스레 재촉하기도 편치가 않군요. 이번 참에는 능히 받을 수 있을지 잘 모르겠습니다. 옹성원(翁星原)[97]은 나이와 힘이 한창인지라 앞으로 만약 편지를 부칠 일이 있을 경우 옹성원에게 보내 전하게 한다면 틀림없이 받을 수 있을 것입니다. 함께 『도덕경주』(道德經註) 1부를 보내니 살펴서 거두어 주시기를 바랍니다. 『사죽재집』(師竹齋集)[98]은 아직 출판을 마치지 못했습니다. 마친 뒤에 1부를 옹성원의 거처에 남겨둘 터이니, 그대가 다음 인편에 가져가십시오. 이렇게 답장 드립니다. 편안하시기를 빌며 다 잘 살펴 주십시오. 이만 줄입니다.

묵장 이정원이 삼가 드립니다. 정월 10일.

앞의 편지를 쓰기를 마쳤을 때, 성원(星原) 옹수곤(翁樹崑)이 마침 와서 이렇게 말하는군요. "사묵재(師墨齋) 편액은 담계 선생께서 반드시 쓰시겠답니다." 그래서 다음 편지를 기다려서 부칠 수 있겠습니다. 인하여 제 일정을 헤아려 보니, 대략 4월쯤 저 혼자 북경을 나설 듯합니다. 가족들은 여전히 전아호동(塼兒胡同)에 머물 테니, 올겨울에 혹 돌아와 연경에 들어오게 된다면 모두 오류거(五柳居) 서점을 통해 옹성원에게 전달하게 하거나 혹은 본댁으로 직

---

96 82세나 된 노인: 『호저집』 원문 상단에 "가경 19년"(嘉慶十九年), 즉 1814년에 쓰인 편지라는 후지쓰카의 메모가 있다.

97 옹성원(翁星原): 옹방강(翁方綱)의 아들 옹수곤(翁樹崑, 1786~1815)을 이른다. 성원(星原)은 옹수곤의 자(字)이다.

98 『사죽재집』(師竹齋集): 이정원의 시집으로 모두 14권 3책이다.

접 보내더라도 모두 틀림없이 전달될 수 있습니다. 그대 아버님의 경설(經說)은 만약 마땅한 인편이 있으면 힘써 부쳐 주십시오. 제가 모아 간행하여 책으로 만들어 널리 전해, 우리가 동갑의 나이로 마음으로 나누었던 아집(雅集)을 증명하려 합니다. 귀국의 금석문(金石文)을 만약 쉬이 얻게 되면 다음 소식 때 부쳐 주시기 바랍니다. 이미 두실(斗室) 심 상서(尙書)에게도 상세하게 부탁해 두었으니, 인편을 얻거든 저를 위해 완곡하게 재촉해 주시기를 바라고 또 바랍니다. 이 편지는 정벽(貞碧) 유최관(柳㝡寬)과 함께 보십시오. 정원의 추신.

小蓬先生足下. 使至辱示書, 捧讀再三, 聲淚俱下, 何情文之眞摯, 感人若是. 僕老矣, 刻己告休, 決志歸田, 大約四五月間卽出都. 惟足下年壯氣强, 前程遠大, 尤望銳意經史, 求至於古人, 將來或奉使北來, 可與兒輩再結前緣. 老人倘於蓬室中, 倚杖聽此佳音, 亦可以少舒積愫耳. 所屬覃溪先生題額, 卽日懇致, 但八十二老人, 未便卒迫, 未識此次能得否. 翁星原年力正壯, 將來如有信寄, 卽交星原處轉寄, 可望必達. 附呈道德經注一部, 希査收. 師竹齋集尙未竣工, 俟竣後留一部在星原處, 唯足下後信取之. 此覆, 順問近祉, 諸惟朗照, 不宣. 墨莊李鼎元頓首. 正月十日.
前書寫畢, 星原適至云:"師墨齋額, 覃溪先生必書." 須後信乃得寄. 因與商僕行止. 大約四月僕孤身出京, 眷口仍留塼兒胡同, 今冬或能返櫂入都, 摠從五柳居, 轉寄星原, 或直送本宅, 俱可必達. 尊翁經說, 如有妥便, 務寄來, 僕意欲彙刻成集, 以廣其傳, 證我同庚心契之雅. 貴邦金石如易得, 望後信寄. 已詳托斗室尙書, 得便爲僕緩頻促之, 佇望佇望. 此書與貞碧同看. 鼎元, 又及.

축지당소조발
祝芷塘小照跋

이것은 우리 좌주(座主)[99]이신 지당(芷塘) 축덕린 선생의 소조(小照)로,
무술년(1778)에 박군 차수에게 준 것이다. 경술년(1790)에 박군이 다시
가지고 북경으로 들어와서 표구를 맡기며 내게 제(題)를 부탁했다. 다만
이때 선생은 언사(言事)로 인해 파직되어 돌아가므로, 동문 밖에서 전별
하였었다. 이것을 보니 서글퍼 문득 즐겁지가 않았다. 오히려 생각나는
것은 선생이 이 소조를 갑오년(1774)에 그리고 스스로 쓰기를 "왕희지
(王羲之)가 〈난정서〉(蘭亭序)를 썼던 나이이고, 가의(賈誼)[100]가 「복조
부」(鵩鳥賦)를 지었던 때이다"[101]라고 하였으니, 어찌 참언(讖言)이 아
니겠는가. 이를 적어 차수에게 부치니, 글을 씀에 차마 붓을 내리지 못하

---

99 좌주(座主): 과거 급제자가 시관(試官)을 일컫는 말이다. 급제자는 좌주의 문생(門生)이
되어 사제 관계를 맺는다.
100 가의(賈誼): 기원전 200~기원전 168. 전한 때의 문인으로, 하남(河南) 낙양(洛陽) 사람
이다. 「복조부」(鵩鳥賦)는 기원전 174년에 그가 조정에서 쫓겨 가는 길에 지은 작품이다.
101 왕희지(王羲之)가…때이다:『호저집』원문 상단에 "모두 39세"(同三十九年)라는 후지쓰
카의 메모가 있으나, '33세'의 오기로 보인다. 축덕린은 1742년에 태어났으므로 소조가 그려진
1774년에는 33세가 된다. 왕희지의 경우 생몰년에 대한 논란이 있으나, 321년에 태어난 것으
로 본다면 「난정서」(蘭亭序)를 지은 353년에는 33세가 된다. 가의의 경우 기원전 200년에 태어
나 기원전 174년, 즉 27세에 「복조부」(鵩鳥賦)를 지었고, 기원전 168년에 33세의 나이로 사망
한 것으로 알려져 있다.

겠다.

경술년 8월 그믐, 수업한 제자 이정원이 삼가 발(跋)하다.

此余座主祝芷塘先生小照. 戊戌歲所贈朴君次修者. 歲庚戌, 朴君重携入都, 付裱屬余題. 惟時先生以言事罷歸, 方祖東門外. 對此悵然, 忽忽不樂. 猶憶先生此照繪於甲午. 自書云:"右軍書蘭亭之歲, 賈傅賦鵩鳥之年.", 豈卽爲讖耶. 誌此以付次修, 題固不忍下筆也. 庚戌八月晦, 受業李鼎元謹跋.

동 문민공(董文敏公)의 「천마부」(天馬賦) 권(券)에 발(跋)하다
董文敏公天馬賦券跋

박군 수기(修其)는 조선의 시백(詩伯)으로, 감식안은 더욱 정미하다. 신유년(1801) 여름에 소장하고 있던 동 문민공의 「천마부」(天馬賦)를 꺼내 글을 써 줄 것을 부탁하며 이렇게 말했다.

"이 두루마리를 일찍이 무림수죽재(茂林修竹齋) 서상수(徐常修, 1735~1793) 군의 거처에서 보았는데, 앞쪽에는 말을 그린 것이 있었고 제영(題詠)이 아주 많았습니다. 20여 년이 훌쩍 흘러 서울 집에서 다시 보았는데, 글씨는 그대로였으나 그림은 이미 없어지고 말았더군요. 급히 이를 구입하여 중국으로 가지고 들어와 표구를 새로 하고, 그림을 잘 그리는 자를 기다려 다시 그림을 채우려 합니다."

가경 6년(1801) 4월 16일, 서촉(西蜀) 이정원 묵장이 보고 아울러 발문을 쓴다.

朴君修其, 朝鮮詩伯也, 鑑賞尤精. 辛酉夏, 出所藏董文敏公天馬賦, 屬題幷云:"此券曾見於茂林修竹齋徐君處, 前有畫馬, 富題詠. 忽忽廿餘年, 重見於京邸, 書猶是而圖已失. 急購得之, 攜入中朝, 重加裝池, 俟有善畫者, 再爲補圖."余存閱數日, 玩其筆, 其爲眞蹟無疑, 可寶也. 嘉慶六年四月旣望, 西蜀李鼎元墨莊觀幷跋.

이기원[102]
李驥元, 1755~1799

정유서옥(貞㽥書屋)에 대해 지은 절구 3수. 고인이 된 초정의 부탁에 응함

題貞㽥書屋三絶. 應楚亭故人之囑

| 소나무 천년 세월 거쳐 온지라 | 樹歷千年古 |
| 푸른 비늘 용으로 변하려 하네. | 蒼鱗欲化龍 |

---

102 이기원(李驥元): 1755~1799. 청나라 면주(綿州) 사람으로, 자는 부당(鳧塘)이다. 이정원의 동생이다. 건륭(乾隆) 연간의 진사로 벼슬은 한림원편수(翰林院編修)·춘방우중윤(春房右中允)을 지냈다.

군자의 집에다 기대었으니 　　　　　　　　　相依君子宅

대부의 봉작(封爵)쯤은 부러워 않네.[103] 　　　不羨大夫封

옛 우물 판 것이 언제였던가 　　　　　　　　古井何時鑿

인간 세상 으뜸가는 샘물이라네. 　　　　　　人間第一泉

바람 멎자 물결 맑음 알아차리니 　　　　　不風知浪淨

잠긴 달이 둥근 구슬인 줄 알았네. 　　　　沈月訝珠圓

도연명 살던 집과 다름없으니 　　　　　　　認作淵明宅

솔바람 밤낮으로 불어온다네. 　　　　　　　松風日夜吹

모름지기 농사일[104]은 안 배웠지만 　　　不須還學圃

단비가 변방까지 적셔 주누나. 　　　　　　霖雨澤邊陲

103　대부의 봉작(封爵)쯤은 부러워 않네: 진시황(秦始皇)이 소나무에 봉작을 준 일을 말한다. 진시황이 태산에서 봉선(封禪)을 하고 내려오다가 비를 만났는데, 근처에 소나무가 있어 비를 피할 수 있었다. 이에 소나무를 오대부(五大夫)에 봉해 주었다. 『사기』 「진시황본기」(秦始皇本紀)에 보인다.

104　농사일: 원문의 "學圃"는 『논어』(論語) 「자로」(子路)에 "번지가 채마밭 가꾸는 법 배우기를 청하니, 공자께서 대답하시길, '나는 노련한 농사꾼만 못하다' 하였다"(請學爲圃, 曰: '吾不如老圃.')라고 한 데서 나온 말이다.

초정이 시를 부쳐 왔으므로 삼가 원운(原韻)에 화운하여 답하다
楚亭以詩見寄, 敬和元韻答之

북풍이 바다에서 불어오면은	北風海上來
아득히 옛 벗을 그리워하네.	曠然思舊好
상자 속의 편지를 부치려 하나	欲寄篋中書
기러기 더디 옴이 괴로움구나.	鴻飛苦不早
머리 들어 동쪽 하늘 올려다보니	翹首望天東
저녁 구름 천 리에 쓸어 놓은 듯.	暮雲千里掃
세 번을 기다려도 그댈 못 보니	三望不見君
방에 들자 공연히 번뇌만 인다.	入室空煩惱
어저께 그대의 시를 접하니	昨者接君詩
설화(薛華)105의 풍격이 노련하였네.	薛華風格老
달빛 아래 한바탕 길게 읊으며	月下一長吟
쓸쓸한 회포를 내보였구려.	落落見懷抱
어이해야 한 쌍 날개 돋아남 얻어	安得生兩翅
동쪽 날아 바다 섬에 갈 수 있을까.	東飛向海島
그대와 함께 안기생(安期生)106을 찾아가서는	與君訪安期

---

105 설화(薛華): 당나라 때 두보가 시재(詩才)를 칭찬했던 벗의 이름이다. 두보의 「소단설복
연간설화취가」(蘇端薛復筵簡薛華醉歌)에 "하·유·심·사는 힘써도 이만큼 잘 짓지 못하고, 재
주는 포조를 겸하니 시름겨워 굴복하리라"(何劉沈謝力未工, 才兼鮑照愁絶倒.)라고 하여 설화
의 시를 하손(何遜)·유효작(劉孝綽)·심약(沈約)·사조(謝眺)·포조(鮑照) 등의 시인들과 대등
하거나 더 윗길이라고 평하였다.
106 안기생(安期生): 신선의 이름으로, 안기생(安其生)이라고도 한다. 유향(劉向)의 『열선
전』(列仙傳)에 보인다.

동자 불러 요초(瑤草)를 줍게 하리라.   呼童拾瑤草

아홉 번 단련한 선단(仙丹)을 이뤄[107]   丹如九轉成

바라건대 백 년간 보전했으면.   百年庶相保

초정 선생 수전(手展)[108]
楚亭先生手展

서로 헤어진 뒤로 그리운 생각이 끝없어도 산천이 가로막힌지라, 서글픔
이 어떠하겠습니까? 어제 직접 쓰신 편지와 시 한 수를 받았습니다. 받
들어 읽고 나니 두 소매에서 바람이 일더군요. 어찌해야 다시 만나 그리
운 마음을 달랠 수 있을는지요? 이 마음과 이 뜻은 그대와 내가 같을 겁
니다. 삼가 원운에 화답하여 받들어 부쳐 안부 전합니다. 근래 평안하시
길 빌며 이만 줄입니다.

    부당(鳧塘) 이기원(李驥元) 드림.

自相別後, 慕想依依, 山川間隔, 恨何如之? 昨接手書, 幷詩一首. 捧讀之
餘, 風生兩袖. 安能聚首, 以慰相思? 此心此志, 君我共之. 僅和元韻, 奉

---

107 아홉 번…이뤄: 원문의 "九轉"은 구전지단(九轉之丹)을 이른다. 아홉 번 제련하여 만든
도가(道家)의 선단(仙丹)으로, 진(晉)나라 때 갈홍(葛洪)의 『포박자』(抱朴子) 「금단」(金丹)에
사흘만 먹으면 곧 신선이 되는 물건이라고 하였다. 구전환(九轉丸)이라고도 한다.
108 수전(手展): 보낸 편지를 손수 펴 보라는 뜻이다.

寄竝候. 近安不一. 梟塘驥書.

이조원

李調元, 1734~1803

초정 선생

楚亭先生

이제껏 세상에 이름난 무리	從來名世輩
오백 년에 한 번씩 나온다는데,	五百年一出
어이 생각했으리, 바다 동쪽서	豈意海之東
군현(群賢)이 한방에 모이게 될 줄.	群賢聚一室
강하(江河)는 만고를 흘러왔으니,	江河萬古流
당사걸(唐四傑)[109]과 다를 게 무엇이리오.	何異唐四傑
금석 같은 소리를 살피어 보니	觀其金石聲
쟁글쟁글 쇳소리[110]와 다름없구나.	殆是錚錚鐵

---

109 당사걸(唐四傑): 당나라 초기에 시단을 대표한 네 명의 시인. 즉 초당사걸(初唐四傑)을 이른다. 본서 59면 각주 53번 참조.

110 쟁글쟁글 쇳소리: 여러 쇠붙이 가운데 유난히 맑은 소리를 낸다는 뜻으로, 같은 무리 중에서 재능이 뛰어난 사람을 가리킨다. 후한(後漢)의 광무제(光武帝)가 서선(徐宣)에게 "경은 이른바 쇠 중에서도 쟁쟁 울리는 그런 사람이다"(卿所謂鐵中錚錚.)라고 한 데서 유래하였다. 『후한서』(後漢書) 「유분자열전」(劉盆子列傳)에 보인다.

조화는 지극히 공정하여서	造化至至公
인재는 지역을 가리지 않네.	人材不擇地
내가 박 선생을 보아 왔거니	我看朴夫子
특히나 세속을 벗어났었지.	尤爲脫俗累
나에게 술회시를 부쳐 왔는데	寄我述懷詩
간소하고 담백해 옛 뜻이 많네.	簡澹多古意
풍아는 무너진 지 이미 오래라	風雅久淪夷
도(陶)와 사(謝)[111] 그 누가 말을 하겠나.	陶謝誰爲道
경전 밭을 완전히 갈지 않으면	經田百不耕
이따금 거칠게 보답한다네.[112]	往往鹵莽報
그대는 경(經)으로 시를 지어서	君以經爲詩
진실로 깊은 조예 얻어 냈구려.	良由得深造
생각하고 찾아도 얻지 못함은	尋思未得故
내 생각에 하늘이 주어서일세.	意者天所付
비유하면 불법을 전하려 할 때	譬如佛法傳
슬기로운 이가 술잔 타고 물 건넘과 같네.[113]	慧者以杯渡
아! 나는 시단을 다만 더럽혀	嗟余忝詞場

---

111 도(陶)와 사(謝): 남조(南朝) 시대를 대표하는 시인인 도연명(陶淵明)과 사영운(謝靈運)의 병칭이다.

112 거칠게 보답한다네: 『장자』 「칙양」(則陽)에 "임금이 정사를 함에 있어서 거칠어서는 안 되고, 백성을 다스림에는 소홀해서는 안 된다. 예전에 내가 벼를 심어 보니, 밭갈이를 대충 거칠게 했더니 벼이삭도 대충 나에게 보답하고, 김매기를 엉성하게 소홀히 했더니 그 벼이삭도 엉성하게 나에게 보답하였다"(君爲政焉勿鹵莽, 治民焉勿滅裂. 昔予爲禾, 耕而鹵莽之, 其實亦鹵莽而報予. 芸而滅裂之, 其實亦滅裂而報予.)라는 구절에서 가져온 말이다.

113 슬기로운…같네: 남조 때 송나라에서 항상 목배(木杯)를 타고 물을 건너 배도화상(杯渡和尙)이라고 불린 승려가 있었다고 전한다.

편집

평이함이 송오(宋五)[114]에게 부끄럽다네.	坦率慙宋五
삼가 홀로 품은 뜻 풀어내어서	祗自抒予懷
어여쁘게 일판향(一瓣香)[115]만 태워 올리네.	嫩爲瓣香炷
하늘가에 마음 알아주는 이 있어	天涯有知心
바람결에 좋은 시구 보내왔구려.	因風吹好句
봉황이 찾아오자 의소(儀韶)가 되고[116]	鳳來爲儀韶
악어가 알아듣고 북에 응하네.[117]	鼉知應鳴鼓
원컨대 한위(漢魏)로 되돌아가서	願從漢魏還
옛것을 배나 익혀 더욱 힘쓰리.	勖哉倍稽古

보내온 시와 비교하면 많게 사운(四韻)을 추가했는데, 『패문운부』(佩文韻府)의 운에
따라 바꿔서 통운(通韻)하였다. 較來韻, 多加四韻, 以從佩文韻轉通也.

부(附) 선공의 원운
附 先公原韻

민산과 아미산은 천하에 높아	岷峨碧天下

---

114 송오(宋五): 송나라의 오대가로 꼽히는 소식(蘇軾)·왕안석(王安石)·황정견(黃庭堅)·진
사도(陳師道)·진여의(陳與義)를 말한다.
115 일판향(一瓣香): 불교에서 설법하기 전 세 조각의 향을 피우면서 "이 도법(道法)을 전수
한 아무개 법사(法師)에게 제일 첫 번째 향을 올립니다"(此一瓣香敬獻於授我道法之某法師.)
라고 하는 데서 유래한 말. 전의되어 스승으로 모셔 공경한다는 뜻이 되었다.
116 봉황이…되고: 『서경』「익직」(益稷)에 "순임금의 음악이 아홉 번 연주되자, 봉황이 와서
거동에 맞춰 춤을 추었다"(簫韶九成, 鳳凰來儀.)라고 하였다.
117 악어가…응하네: 『시경』「영대」(靈臺)에 "악어가죽 북소리가 봉봉하니"(鼉鼓逢逢)라고
하였다.

강수가 여기서 솟아난다네.	江水所自出
장경성(長庚星)[118]이 오얏나무 비추더니만	長庚照李樹
우뚝한 그 기운 호걸이 났네.	間氣挺豪傑
가슴속엔 대와 바위 서려 있고	胸次蟠竹石
문장은 천지를 꿰뚫었구나.	詞源貫天地
언제나 아득한 뜻을 품으니	常存邈擧情
벼슬길 얽매임 어이 즐기리.	肯爲簪組累
지난날 내 벗을 만났을 적엔	前日遇吾友
한마디 한마디가 참된 뜻이라.	片言輸眞意
중원과 외방은 한집안이니	中外卽一家
이런저런 의존이야 말할 게 없다.	群議不足道
계림 땅 한 권의 서책일랑은	鷄林一卷詩
모과로 경요(瓊瑤)에 보답함일세.[119]	木瓜瓊瑤報
시 속에 알아주는 벗 있다 하여	詩中有知己
진중한 한마디로 붙이었구나.	珍重一言付
작은 초상 상쾌하게 이리로 오니	小照來颯爽
아득히 압록강을 건넌 것이라.	迢迢鴨水渡
만 리의 밖에서 태어난 날은	萬里懸孤日

---

118 장경성(長庚星): 금성(金星) 또는 계명성(啓明星)을 가리킨다. 당나라 때 이백(李白)의
모친이 이백을 낳을 때 꿈속에서 장경성을 삼켰다고 한다.

119 모과로 경요(瓊瑤)에 보답함일세: '경요'(瓊瑤)는 아름다운 옥으로, '경거'(瓊琚)와 같다.
남의 선물이나 시문(詩文)을 아름답게 이르는 말이다. 『시경』 「모과」(木瓜) 시에 "나에게 모과
를 보내셨으니, 아름다운 패옥으로 보답하네. 보답이 아니라, 길이 잘 지내자는 뜻일세"(投我以
木瓜, 報之以瓊琚. 匪報也, 永以爲好也.)라 하였다. 마음으로 선물을 주고받으며 우의를 다진
다는 뜻이다.

인간의 섣달 초닷새였네.	人間蜡月五
생사를 촌심에 맺어 두고서	生死結寸心
한잔 술에 향 하나를 사르는구나.	酒一香一炷
청비각(淸閟閣)에 오르진 못하였지만[120]	未登淸閟閣
완릉(宛陵)[121]의 구절은 수놓고 싶네.	欲繡宛陵句
부처에게 절하듯이 절 올리노니	拜像如拜佛
윤집(閏集)으로 천고를 견뎌 내리라.[122]	閏集堪千古

박초정 선생께
朴楚亭先生啓

이조원이 초정 선생 족하께 글을 올립니다. 손수 쓰신 글을 받아 보니 무겁기가 큰 옥과 같습니다. 그 가운데 돌아보아 주시는 정성이 실로 간담에 저며 옴을 이기지 못해, 더더욱 사람으로 하여금 숙연하게 공경하는

---

120 청비각(淸閟閣)에 오르진 못하였지만: 청비각은 원나라 때 문인인 예찬(倪瓚)의 장서각 이름이다. 강소성(江蘇省) 무석현(無錫縣) 동쪽에 있었다. 온갖 기화·괴석·서적·골동품을 갖추어 놓았는데, 아무나 함부로 들어갈 수 없었다고 한다.

121 완릉(宛陵): 송나라 때 문인인 매요신(梅堯臣)을 가리킨다. 자가 성유(聖兪)이며, 사람들은 완릉선생(宛陵先生)이라 불렀다. 지방관을 전전하다가 친구 구양수(歐陽修)의 추천으로 중앙의 국자감직강(國子監直講)에 제수되었다. 소순흠(蘇舜欽)·구양수 등과 함께 성당(盛唐)의 시를 본으로 하여 당시 유행하던 서곤체(西崑體)의 섬교(纖巧)한 폐풍을 일소하고, 송시(宋詩)의 새로운 시풍을 열었다.

122 윤집(閏集)으로 천고를 견뎌 내리라: 윤집은 선집을 엮을 때 정집(正集)의 부록으로 승려나 도사, 규방의 작품을 따로 모아 엮은 것을 말한다. 이조원의 우수한 작품들이 그 낮은 신분으로 인해 윤집에 실릴 수밖에 없기에 이를 이겨 내야 한다는 의미이다.

마음을 일으키게 합니다. 제가 그대와는 손을 잡은 인연조차 없지만, 정으로 서로를 얻어 모름지기 이와 같은 데로 돌아가니 이 또한 인연입니다. 우러르는 마음을 어찌해야 날개를 빌려 직접 달려가겠는지요?

그대의 시문을 비록 전부 얻어서 살펴보지는 못했지만, 부쳐 온 시의 각종 풍격(風格)은 다만 조식(曹植)[123]과 유정(劉楨)[124]을 능가하고, 가까이로는 또한 성당(盛唐)의 위에 있으니, 참으로 무리 중의 학이요, 예원(藝苑)의 봉황이라 하겠습니다. 세상에서 몽둥이질로 남을 해치면서 교만하게 나대는 자를 살핀다면, 어찌 구름과 진흙의 차이에 그치겠습니까?

저는 문사(文詞)에 있어 바탕이 그다지 깊지 못하고, 다만 성품의 가까운 바를 가지고 마치 철벌레나 계절마다 찾아오는 새들이 이따금씩 한 차례 우는 것과 같을 뿐입니다. 그대가 잘못된 견해라 하지 않고 칭찬하여 허락하여 주시니, 어찌 마음으로 아끼는 것은 좋은 점만 보이고 추한 것은 보이지 않는 것이 아닐는지요? 안타까운 것은 각기 하늘 한 귀퉁이에 있어서, 술과 밥을 먹는 모임이나 문자의 즐거움을 함께 나누며 서로 더불어 아래위로 의론하고 금석문과 정이(鼎彝)[125]의 사이에서 참작함을

---

123 조식(曹植): 192~232. 후한 말의 시인으로, 자가 자건(子建)이다. 부친 조조(曹操), 형 조비(曹丕)와 더불어 '삼조'(三曹)라 불렸다. 건안문학(建安文學)을 대표하는 인물로 오언시의 기초를 세웠으며, 당나라의 두보가 등장하기 전까지 이상적인 시인으로 여겨졌다. 육친의 불화를 노래한 「칠보지시」(七步之詩)가 유명하다.

124 유정(劉楨): 186~217. 후한 말의 시인으로, 자가 공간(公幹)이다. 건안칠자(建安七子) 중 한 사람으로 후한 말 조조에게 임용되었다. 이후 그 아들인 조비까지 섬겼으나, 그 재주를 시기한 조비로부터 좌천을 당하고는 전염병으로 사망하였다. 오언시에 능하고 문장에 힘이 넘치되 언어는 소박하여, 문장의 성인(聖人)으로 칭해졌다.

125 정이(鼎彝): 고기(古器)로, 정(鼎)·준(尊)·뇌(罍) 등 제사에 쓰는 솥의 통칭이다. 이정(彝鼎)이라고도 한다.

얻지 못하는 것입니다.

들으니 그대가 초서와 예서를 잘 쓴다고 하였는데, 그대가 직접 쓴 글씨를 보니 과연 이름이 헛되이 전해진 것이 아니더군요. 저의 저서에『금석궐문고』(金石闕文考)가 있으니, 그대와 더불어 이를 보며 한차례 잘못된 곳을 바로잡을 수 없는 것이 애석합니다. 형암(炯菴) 이덕무가 말하기를, 그대의 사람됨이 "키는 작아도 개성이 있고 굳세며, 뜻은 중원을 사모하고, 기특한 기운이 넘쳐흐른다"[126]고 하였습니다. 대저 표범은 죽어서 가죽을 남기지만 사람은 이름이 전해지지 않음을 근심할 뿐입니다. 그대는 나이가 이제 겨우 27세인데 얻은 바가 이미 이와 같으니, 반드시 전해질 것이 의심이 없습니다. 어찌하여 중국과 외국이라고 말한단 말입니까?

대저 천지가 길이 남아 있는 까닭은 그 기운을 가지고서입니다. 글을 짓는 도리 또한 그렇습니다. 생기가 성대하여 그 가운데를 꿰뚫은 것은 그 글이 반드시 천지와 더불어 수명을 같이합니다. 예로부터 충신과 효자가 스러지지 않는 까닭은 또한 그 기운이 없어지지 않아서입니다. 천지는 때때로 기울어져 무너짐이 있지만 이 기운은 반드시 그와 함께 기울어져 무너지지 않으니, 어째서 그럴까요? 형체가 있는 것은 쉬이 망가져도, 형체가 없는 것은 망가지지 않기 때문입니다. 그대는 어찌 생각하시는지요? 시집을 새기는 일은 이미 탄소(彈素) 유금(柳琴)과 더불어 말

---

126 키는…넘쳐흐른다:『청장관전서』권19에 수록된「우촌 이조원에게」(李雨邨[調元])라는 편지에 다음과 같은 전체 평이 실려 있다. "박초정은 키가 단소하나 매우 강직하고 강개한 마음을 가졌으며, 재주와 사상이 풍부하고, 초서와 예서가 출중하며, 중국을 충심으로 사모하고, 비범한 기상이 특출합니다."(朴楚亭短小勁稜, 大有伉慨, 才情蓬勃, 草隸驚座, 志慕中原, 奇氣橫絶.)

하였습니다. 탄소는 조심스러워하며 괴이하게 볼까 염려하였는데, 그대가 보내온 편지에는 '알지 못하는 자는 비록 이를 보게 하더라도 또한 보지 않을 것이다'라고 하였더군요. 이 말은 탄소의 말과 견줘 볼 때 다시금 한 가지 깨달음에 나아간 듯합니다.

보내온 시 한 수는 강락(康樂)[127]의 시와 아주 흡사합니다. 운에 따라 화답하였지만, 가도(賈島)의 삐쩍 마른 모양[128]이라 스스로 부끄럽습니다. 운자 중에 돌려쓰기 어려운 곳은 두세 개의 운자를 더하였으니, 잘못이라 여기지는 않으시겠지요. 존집(尊集)의 서문을 지으려니 스스로 글이 못 됨을 부끄러워합니다. 그대가 이를 보고는 마치 병 있는 사람을 본 듯이 여겨, 흩어 버리지 않는다면 다행이겠습니다. 아울러 안부를 여쭙습니다. 다 적지 못합니다.

초정 선생께. 정유년(1777) 7월 초4일, 이조원 재배(再拜).

調元奉書楚亭先生足下. 自得手書, 重如拱璧. 其中眷歎, 實不任肝胆之切, 尤令人肅然起敬.[129] 僕於君非有握手之緣, 而以情相得, 須歸如此,[130] 此亦有緣焉. 喁喁之心, 何由假翼自馳耶. 足下之詩文, 雖未獲窺全豹, 而卽所寄各種風格, 直駕曹劉, 近亦在盛唐以上, 洵人群之鶴而藝囿之鳳也.

---

127 강락(康樂): 사영운(謝靈運)을 이른다. 그가 조부 사현(謝玄)에 이어 강락공(康樂公)에 습봉되었기 때문에 이렇게 불린다.
128 가도(賈島)의 삐쩍 마른 모양: 원문의 "島瘦"는 소식(蘇軾)의 「제유자옥문」(祭柳子玉文)에서, "맹교(孟郊)의 시는 청한하고, 가도의 시는 수척하다"(郊寒島瘦.)고 평한 데서 따온 말이다.
129 敬: 『정유각집』에는 "驚"으로 되어 있으나, 문맥상 그대로 두었다.
130 以情相得, 須歸如此: 『정유각집』에는 "以情相, 歸如此"로 되어 있으나, 문맥상 그대로 두었다.

편집

以視世之椎剽而驕揚者, 何止雲泥之別耶. 僕於文詞, 本不甚深, 特以性之所近, 如侯虫時鳥之時或一鳴耳. 不謂足下謬見推許, 豈心愛者見其好而不見其醜耶. 所恨天各一方, 未得共酒食之會, 文字之歡. 相[131]與上下議論, 參酌乎金石鼎彝之間耳. 聞足下善草隷, 及見手書, 果名不虛附. 僕所著有金石闕文考, 惜未得與足下見之, 一訂其失也. 炯菴言足下爲人: "短小稜勁,[132] 志慕中原, 奇氣橫絶." 夫豹死留皮, 人患不傳耳. 足下年甫二十七, 而所得已如此, 必傳無疑, 何中外之云. 夫天地之所以長留者, 以其氣也. 爲文之道亦然. 有生氣勃勃, 貫乎其中者, 其文必與天地同壽. 古來忠臣孝子之所以不泯者, 亦其氣之不泯也. 天地有時而傾陷, 而此氣必不與之傾陷, 何者? 有形者易敝, 而無形者不敝也. 足下以爲何如? 刻詩之擧, 已與彈素言之. 彈素兢兢, 以見怪爲懼, 而足下來書有云: '不知者雖使之見, 亦不見也.' 此言似較彈素, 更進一解. 來詩一首, 酷似康樂. 依韻和之, 自慙島瘦.[133] 有韻難轉處, 加二三韻, 想不以爲非也. 擬尊集一序, 自愧不文. 足下見之如見有疾者, 幸勿散之也. 竚候近祉. 不宣. 楚亭先生足下, 丁酉七月初四日, 李調元再拜.

---

131 相: 『호저집』 원문에는 "其"로 되어 있으나, 『정유각집』에 따라 바로잡는다.
132 稜勁: 『청장관전서』에 실린 이덕무의 편지에는 "勁稜"으로 되어 있으나, 문맥상 그대로 두었다.
133 島瘦: 『호저집』 원문에는 "難轉"으로 되어 있으나, 『정유각집』을 따라 고쳤다.

부(附) 선공의 원서

附 先公原書

조선의 기인(畸人)[134] 박제가는 갱당(羹堂) 이조원 선생 문하에 삼가 두 번 절하고 글을 올립니다. 저는 바다 밖의 변변찮은 서생으로 올해 나이가 28세입니다. 집안 식구들이 그 얼굴을 보는 일이 드물고 이웃에서는 그 이름을 알지 못합니다. 그런데도 뜻하지 않게 이번에 제 친구인 탄소 유금이 베껴 간 『건연집』(巾衍集)이 중국의 대인에게 칭찬을 받았다고 하니, 너무 놀라 뒤집어짐이 마치 한 자리에서 얘기를 나누거나 수레를 기울여 만나는 것 정도가 아닙니다. 이는 진실로 필생의 큰 행운이요, 세상에 다시없을 기이한 인연입니다. 처음에 이 말을 들었을 때는 놀라 의심하며 잘못 들었는가 싶어, 이것이 그저 대군자께서 포용해 주시는 성대한 마음일 뿐이라고 여겼습니다. 그 평점한 말을 살펴봄에 깊이 피부에 파고들어 와 역력히 마음에 합당함이 있었으니 결코 그저 보아 지나친 것에 견줄 바가 아니었습니다. 그런 뒤에는 곧장 훨훨 가벼이 날아올라 연경에 있는 댁으로 내려가서 얼굴을 뵙고 향을 사르고는 큰절을 올리고 돌아오고 싶었습니다.

아아! 선비가 자기를 알아주는 자를 위해 죽는 것이 어찌 칭찬을 좋아하고 단점을 지적함을 미워하여 그런 것이겠습니까? 또한 반드시 온 나라가 이를 그르다 해도 두려워하지 않고, 한 사람이 옳다

---

134 기인(畸人): 세속과는 맞지 않지만 하늘과는 화합하는 사람을 이른다. 『장자』「대종사」(大宗師)에 관련 내용이 보인다.

고 해도 과분하게 여기는 것이 있습니다. 왜 그럴까요? 한 치의 마음이 스스로에 대해 아는 것은 진실로 속일 수가 없기 때문입니다. 적이 선생의 저서를 살펴건대 집에 가득하여 아직 보지 못한 것은 잠시 논하지 않더라도, 시험 삼아 『황화집』(皇華集)을 가져다가 한두 번 읽어 보니, 빛을 감추고 채색을 거두어 쪼고 새김이 참됨으로 돌아가, 들떠 과장되게 자랑하는 기색을 짓지 않았습니다. 그 원기가 둥둥 종이 위에서 울리는 것이 보이니, 참으로 대가의 소리였습니다. 하물며 선생은 우뚝하고 웅장하며 풍부한 재주를 가지고 관리를 선발하는 청화(淸華)의 요직에 계시니, 그 한마디의 가부로 천하의 명류를 나아가고 물러나게 하기에 충분합니다. 이러한 때에 저는 속국의 포의로 이름을 상도(上都)의 용문(龍門)에 맡기게 되었으니, 썩지 않을 영광이 다른 사람에 비해 마땅히 더욱 대단하다 하겠습니다.

그러나 저는 하늘이 그 정성을 살피시어 해마다 조공 가는 사신을 따라가게 되기를 바랍니다. 말을 끄는 한 명의 소졸(小卒)이 되어서라도 산천과 인물의 장대함과 궁실과 수레 및 배의 제도, 밭 갈고 농사짓는 온갖 장인과 기예를 마음껏 살펴보아, 배우기를 원하고 보기를 원하던 것을 하나하나 글로 써서 선생의 앞에 마주하여 질문한 뒤에 비록 돌아와 밭 사이에서 죽는다 하더라도 아무런 한이 없겠습니다. 선생은 어찌 생각하시는지요?

언뜻 탄소의 말을 들으니, 선생께서 장차 『건연집』을 간행하려 하신다더군요. 만약 한두 해 안에 그 인쇄본을 얻어 본다면 눈앞의 한 잔 술보다 훨씬 나을 것입니다. 탄소는 우리나라 사람들의 이목에 방해됨이 있을 것으로 여기지만, 제 생각에는 알지 못하는 자는 비록 이를 보더라도 보이지 않을 것으로 생각합니다. 다만 마땅히 책을 전해 줄 때에는 믿을 만한 사람을 가려서 해야 할 것입니다. 마침 저는 대책(對策)으로 선발되어 장차 회시(會試)에 나아가게 되었으므로, 세속의 잡무가 어지러운지라 천언만어(千言萬語)를 어찌 능히 다 말할 수 있겠습니까. 오직 선생께서 가만히 헤아려 주십시오.

朝鮮畸人朴齊家, 謹再拜獻書于薑堂李先生門下. 齊家海外之鯫生也, 年今二十有八歲. 家人罕覯其面, 隣里不聞其名. 不意今者因敝友柳君彈素所抄巾衍集, 見賞於中朝之大人, 傾倒淋漓, 不啻若合席談而傾蓋遇也. 此固畢生之大幸, 不世之奇緣也. 始而聽之, 驚疑失當, 以爲此特大君子包容之盛心耳. 及觀其評點之語, 深入腠理, 歷歷有當于心, 決非尋常過去之比. 然後直欲仙仙輕擧, 飛落燕邸, 望顔燒香, 頂禮而返. 嗟乎! 士爲知己者死. 豈其好譽惡短而然哉? 亦必有擧國非之而不懼, 一人是之而過望者矣. 何則? 寸心之自知, 不可以苟欺也. 竊觀先生著書滿家, 其未見者, 姑不論. 試取其皇華集, 一二讀之, 韜光斂彩,[135] 斲雕歸眞, 不爲浮誇矜止之色, 而渢渢然見其元氣之鳴於紙上也. 信乎大家之音也. 而況先生以卓犖雄贍之才, 處淸華銓選之任, 其一言[136]可否, 足以進退天下之名流. 則于斯時也, 身爲屬國之布衣, 名托上都之龍門, 不朽之榮, 比他尤當萬萬. 雖然齊家庶幾天察其衷, 得隨歲貢, 備馬前一小卒, 使得縱觀山川人物

---

135 彩: 『정유각집』에는 "衫"으로 되어 있으나, 문맥상 그대로 두었다.
136 言: 『정유각집』에는 "言" 뒤에 "之" 한 자가 더 있으나, 문맥상 그대로 두었다.

之壯, 宮室車船之制, 與夫耕農百工技藝之倫, 所以願學而願見者,
一一筆之於書, 面質之於先生之前, 然後雖歸死田間, 不恨也. 先生
以爲如何? 側聞彌素之言曰, 先生將欲刊行巾衍集云. 若於一二年
內, 得見其印本, 則絶勝於眼前之一杯酒矣. 彌素以爲有妨於敝邦之
耳目, 僕則以爲不知者則雖賞之不見也. 但當擇其心腹之人於傳授
之際耳. 適以對策被選, 將赴會闈, 俗務繽紛, 萬語千言, 筆何能達.
惟在先生默諒.

명농초고서[137]
明農初稿序

일월성신(日月星辰)은 하늘의 무늬이니, 깃발[138]에다 장식한다. 곤충과
조수(鳥獸)는 땅에서 나는 것이어서 제기(祭器)에 새긴다. 서주(徐州)
지방의 흙으로 후사(侯社)[139]를 꾸미고, 하적(夏翟)[140]에서 나는 깃으로
정모(旌旄)에 꽂는다. 용이 장(章)에 오르고 옥을 조(藻)에다 올린다.[141]
온갖 공인과 여인네들이 옥에다 아로새기고 옷감에 물을 들여 종묘에 제

---

137 명농초고서: 『정유각집』 문집 권1에 "서"(序)라는 제목으로 수록되어 있다.
138 깃발: 원문은 "旂常". 기(旂)에는 교룡(交龍)이, 상(常)에는 해와 달이 그려져 있다.
139 후사(侯社): 『예기』(禮記)「제법」(祭法)에 제후가 자신을 위해 세운 사(社)를 후사라 한
다고 하였다.
140 하적(夏翟): 청·황·적·백·흑의 오색 깃을 갖춘 꿩을 말한다.
141 용이…올린다: 구장 면복(九章冕服), 즉 제왕의 예복을 말한다. 옷에 용·산·화(火) 등의
무늬를 수놓고, 면류관의 색사(色絲)인 조(藻)에 주옥을 꿰어 장식하였다.

사 지내는 무늬로 바친다.[142] 어째서 그런가? 단맛은 조미를 받아들이고, 흰 바탕은 채색을 수용하기 때문이다.[143]

시문(詩文)의 도(道) 또한 그러하다. 오늘날 육조(六朝)의 글을 비웃는 자들은 대부분 아름답다거나 화려하다고 말하곤 한다. 대저 아름답고 화려함을 미워하는 것은, 음란한 빛깔과 시끄러운 소리가 부드럽기만 하고 떨치는 것이 드물기 때문이다. 만약 아침 꽃을 피우고 저녁 꽃을 열어[144] 말을 가리는 방법에 훌륭한 뼈대를 세울 수만 있다면, 또한 아름답고 화려한 것쯤이야 무슨 해가 되겠는가? 사마천의 문장이 하늘과 같았던 것은 그 정신이 온전했기 때문이고, 반고의 글이 땅과 한가지인 것은 그 기운이 두터웠기 때문이다.

초정 박제가는 동국에서 문장에 뛰어난 자이다. 그는 키는 작아도 굳세고 날카로우며, 재치와 정서가 몹시 풍부하다. 위로는 『이소』(離騷)와 『문선』(文選)을 탐구하였고, 곁으로 백가를 채집하였다. 이 때문에 그가 지은 글은 찬연하기가 별빛 같고, 조개가 뿜어내는 신기루 같으며, 용궁

---

142 일월성신(日月星辰)은…바친다: 유세(劉蛻)의 「재주도솔사문총명 병서」(梓州兜率寺文冡銘幷序)에 "日月星辰, 文乎旗常, 昆蟲鳥獸, 文乎彝器, 徐方之土, 文於侯社, 夏翟之羽, 文於旌旄, 登龍於章, 升玉於藻. 百工婦人, 雕鼛染練, 以供宗廟祭祀之文用. 豈獨蛻也. 生知效用, 不及時文哉"라고 한 대목을 그대로 빌려 왔다. 이조원의 이 글은 전체적으로 유세의 「재주도솔사문총명 병서」의 문장을 짜깁기해서 지은 것이다.

143 단맛은…때문이다: 『논어』 「팔일」(八佾)의 "회사후소"(繪事後素) 소주(小註)에 다음과 같은 말이 보인다. "단맛이 조미를 받아들이고 흰빛이 채색을 받아들이듯, 진실한 사람이 예를 배울 수 있다. 바탕 없이 예가 공허하게 행해지는 법은 없으니, 이것이 그림은 흰 종이에 그릴 수 있다는 말이다."(甘受和, 白受采, 忠信之人, 可以學禮. 苟無其質, 禮不虛行, 此繪事後素之說也.)

144 아침 꽃을…열어: 육기(陸機)의 「문부」(文賦)에, 진부한 표현은 거부하고 새로운 표현을 쓰겠다는 뜻으로, "벌써 피어 버린 아침 꽃은 마다하고, 아직 피지 않은 저녁 꽃봉우리 피우리라"(謝朝華于已披, 啓夕秀于未振.)라 하였다. 여기서는 옛것과 새것을 모두 아우른다는 의미로 썼다.

의 물과 같다. 또 어둡기는 마치 구름이 잔뜩 낀 것 같고, 날이 오래도록 흐린 것 같으며, 바싹 말라 썩은 것도 같고, 불에 타서 그을린 빛깔 같기도 하다. 어떤 때에는 봄볕 같고, 꽃이 피어 있는 시내가 끝없이 구불구불 흐르는 모양 같은 것도 있으며, 출렁이는 성난 파도가 일어나 온갖 괴물들이 튀어나올 것 같기도 하다.[145] 이러니 어찌 천하의 기이한 문장이 아니겠는가? 하지만 홀로 떨쳐 일어난 자는 힘이 없고 보니, 마침내 알아주는 자가 몹시 드물어[146] 만 리의 밖에서 나에게 서문을 구하였다. 어찌 이른바 옛날에서는 도움을 얻으면서, 지금에서는 도움을 얻지 못한다는 것[147]이 아니겠는가?

옛날에 문사를 지었던 사람들은, 천하 사람으로 하여금 들으면 반드시 행하고 보면 틀림없이 실천하게 하려 하였다. 하지만 아마득하게 흩어 놓고는 도라고 하고, 야단스레 부연하여서 사물에 미치게 하여,[148] 은미한 것을 펴서 감춰진 의미를 밝히지 못한다면 뒷날의 배우는 자들이 어디를 좇아 행하고 실천할 수 있단 말인가? 이것이 내가 문장을 그만둘 수 없는 까닭이다. 그래서 그 책머리에 서문으로 써 준다.

나강(羅江) 사람 우촌(雨邨) 이조원(李調元)이 쓰다.

---

145 찬연하기가…같기도 하다: 유세의 「재주도솔사문총명 병서」의 "故有粲, 如星光, 如貝氣, 如蛟宮之水. 又有黯, 如屯雲, 如久陰, 如枯腐, 熬燥之色. 則有如春陽, 如華川, 逶逶迤迤, 則有如海運, 如震怒動蕩."을 그대로 옮겨 왔다.

146 하지만…드물어: 유세의 「재주도솔사문총명 병서」의 "自振者無力, 終知者甚稀"에서 가져온 표현이다.

147 옛날에서는…못한다는 것: 유세의 「재주도솔사문총명 병서」의 "獲助於天, 而不獲助於人."에서 가져온 표현이다.

148 천하 사람으로…하여: 유세의 「재주도솔사문총명 병서」의 "帝欲使天下, 聞之而必行, 睹之而必蹈, 散之茫洋以爲道, 演之浸淫以及物."에서 가져온 표현이다.

日月星辰天文也, 而餙乎旅常, 昆蟲鳥獸地産也, 而上乎彝鼎. 徐方之土于
侯社, 夏翟之羽于旌旄, 登龍于章, 升玉于藻, 百工婦人, 雕罍染練, 以供
宗廟祭祀之文. 何者? 甘受和, 白受采也. 詩文之道亦然, 今之嗤六朝者,
率曰綺曰靡. 夫所惡乎綺靡者, 爲其淫色[149]黿聲, 柔而鮮振也. 若啓朝華
披夕秀, 樹丰骨于選言之路, 亦何害乎其綺靡乎? 司馬之文如天, 以其神
全也. 班固之文如地, 以其氣厚也. 朴楚亭, 東國之麗于文者也. 其人短小
勁棱, 才情蓬勃. 上探騷選, 旁采百家. 故其爲文詞, 有如粲如星光, 如貝
氣, 如蛟宮之水焉. 有如黯如屯雲, 如久陰, 如枯腐, 如熬燥之色焉. 有如
春陽, 如華川者焉, 透透迤迤, 有如海運震怒動蕩,[150] 怪異百出者焉. 豈非
天下之奇文哉? 然而自振者無力, 終知者甚稀. 萬里之外, 以求序于余. 豈
所謂獲助于古, 而不獲助于今乎? 夫古之爲文詞者, 欲使天下, 聞之而必
行, 觀之而必蹈. 散之茫洋以爲道, 演之浸淫以及物. 若不爲之發微而闡
幽, 後之學者, 從何行之而蹈之哉? 此余之所以不能已於文也. 故爲之弁
其首. 羅江李調元雨邨書.

한객건연집서
韓客巾衍集序

금년 봄 정월에 우연히 마음의 병으로 문을 닫아건 채 조용히 정양
하면서 오는 손님도 사절하였다. 문밖을 살피지 않은 것이 보름이

---

149 色:『호저집』원문에는 "也"로 되어 있으나,『정유각집』에 따라 바로잡는다.
150 蕩:『정유각집』에는 "湯"으로 되어 있으나, 문맥을 고려하여『호저집』원문 그대로 두었다.

나 되었다. 또 게을러져서 시조차 짓지 않으니 마침내 한 가지 일도 없었다. 날마다 해 질 녘에는 누워서 덜컹거리는 수레 소리를 들었다. 사람들의 말소리로 시끌벅적했는데, 대부분 모두 도시의 사녀(士女)들이 떠들썩하게 노래에 맞춰 발을 구르고 시끄럽게 유희하면서 앞다투어 불 밝힌 다리와 나뭇가지에 걸린 별빛을 보러 오는 소리였다. 그래서 더욱 피하고픈 생각이 들었다.

문득 문을 두드리는 소리가 있어 열어 보니 정신이 풍부하고 상쾌한 빼어난 어떤 선비가 있었다. 눈썹은 장송(長松) 같고, 눈빛이 초롱초롱한 것이 마치 암벽 아래 번개와 같았다. 머리에는 갓을 썼고 도복을 입었는데 중국 사람 같지가 않았다. 누구냐고 묻자 눈을 멀뚱멀뚱 뜨고서 한마디도 알아듣지 못했다. 인하여 붓으로 말을 대신하고서야, 천자의 신년을 하례하기 위해 조선에서 중국에 온 부사(副使) 예조판서 서호수(徐浩修) 막하의 차비관(差備官)으로, 시집을 구하려 온 것임을 비로소 알았다.

성은 유(柳)이고 이름은 금(琴)으로, 자를 탄소(彈素)라 하고 별호는 기하주인(幾何主人)이라고 하는 사람이었다. 요전에 유리창(琉璃廠) 서점에서 내가 지은 『황화집』(皇華集)을 보고는, 가만히 사모하여 저술이 마땅히 여기에 그치지 않을 것으로 여겨 찾아오게 되었다고 하였다. 내가 갑작스레 이 말을 듣고 놀라는 한편으로 기뻤다. 놀란 것은 그 옷차림과 말과 모습이 중화와는 완전히 달라 마치 가까이할 수 없을 듯해서였고, 기뻤던 것은 우리 천자의 문교(文教)가 먼 데까지 미쳐 비록 속국이라도 또한 문사(文詞)를 좋아했기 때문이었다. 그리고 기자(箕子) 「맥수가」(麥秀歌)[151]의 유풍(遺風)이 여태도 남아 있음에 적이 탄복하였다.

괴이한 바는, 내가 게을러 책도 읽지 않아 비록 중간에 지은 것이 있다고는 하나 계절의 차례에 따라 매미가 울고 벌레가 우는 것과 매한가지일 뿐이었고, 또한 쓰고 나서 남겨 두지도 않았거늘, 어떻게 동국의 여러 군자의 귀에까지 퍼지게 되었는지 모르겠다는 점이다. 길게 이야기를 나눈 뒤에 품속을 더듬어 보자기에 싼 시집을 꺼내는데, 무관(懋官) 이덕무(李德懋)·영재(泠齋) 유득공(柳得恭)·초정(楚亭) 박제가(朴齊家)·강산(薑山) 이서구(李書九) 네 사람의 시로, 탄소가 가려 뽑아 교정한 것이었다. 나에게 비평을 청하므로, 내가 자세히 살펴보고는 시학이 아직 망하지 않았음에 더욱 감탄하였다.

대저 시가 예스러움을 잃은 지 오래되었다. 당나라 사람의 작품은 그 소리가 중정(中正)하고 화평(和平)하였는데, 한(漢)·위(魏)나라와의 거리가 멀지 않았기 때문이었다. 송(宋)·원(元) 이후로 거칠고 사나우며 급박한 소리가 일어나니, 넘침을 좋아하는 것은 음탕하고, 미인에 빠진 것은 정신을 못 차리며, 가락이 급박한 것은 번잡스럽고, 멋대로 치우친 것은 방자하였다. 이로 말미암아 노래에다 가락을 입히자, 높은 것은 둔탁하고 낮은 것은 제멋대로이며, 기운 것은 흩어지고 험한 것은 모여들었으며, 사치한 것은 급촉하고 깊은 것은 답답하여 모두 법도가 옛것과는 맞지 않았다. 명(明)나라의 여러 사람이 스스로 진(秦)나라 이후의 글은 읽지 않겠다고

---

151 「맥수가」(麥秀歌): 원문의 "麥秀"는 기자(箕子)가 은(殷)의 옛 도읍터를 지나다가 궁실이 무너지고 그 자리에 벼와 기장이 난 것을 보고 상심하며 지어 부른 노래의 제목이다. 『사기』 「송미자세가」(宋微子世家)에 보인다.

하면서 조금씩 떨쳐 일어났지만, 우맹(優孟)의 흉내[152]라는 꾸지람을 면하기는 어려웠다. 하지만 지금 사가(四家)의 시를 살펴보니, 무게가 있으면서 웅장한 것은 그 재주이고, 맑게 울리는 것은 그 가락이며, 드넓고 두터운 것은 그 기운이요, 묵직한 것은 그 표현이니, 어느 한 가지라도 앞에서 나무란 것과 비슷한 것이 있단 말인가?

탄소는 기이함을 좋아하는 선비라, 거문고와 서책을 몹시 즐기고, 천문(天文)과 기하학에 특히 정밀하였다. 시는 비루하게 여겨 짓지는 않았지만, 그가 가려 뽑아 교정한 것이 이와 같음을 살펴보니 그 학문이 넓고 깊어 좁은 안목으로 헤아릴 수 있는 것[153]이 아니었다. 인하여 이전에 지은 『간운루집』(看雲樓集)을 주어 그의 요구를 저버리지 않았고, 아울러 사가의 시에 평을 부쳐 그의 요청에 부응하였다. 또한 봄 정월 이래의 번민을 깨뜨려 주고 마음의 병을 낫게 해 준 하나의 아름다운 이야기였다. 그럴진대 이 서문(序文)은 나 자신을 위한 서문이라고 해도 괜찮을 것이다.

건륭 42년 정유년(1777) 1월 16일, 사진사출신(賜進士出身)·이부고공사원외랑(吏部考功司員外郎)·전 한림원서길사(翰林苑庶吉士)·갑오과광동부주고(甲午科廣東副主考), 서촉(西蜀) 사람 우촌 이조원이 쓰다.

---

152 우맹(優孟)의 흉내: 배우의 흉내를 말한다. 우맹은 초나라의 배우로, 죽은 초나라 재상 손숙오(孫叔敖)의 흉내를 잘 내어 초(楚) 장왕(莊王)이 손숙오가 다시 살아온 줄 알았다고 한다. 『사기』 「골계열전」(滑稽列傳)에 보인다.
153 좁은…있는 것: 원문의 "管竊而蠡測"은 대롱 구멍으로 하늘을 보고 조개 껍데기로 바닷물의 양을 헤아린다는 말로, 식견이 좁음을 의미한다.

今年春正, 偶以心疾, 閉門攝靜, 謝絶來客. 不窺戶外者, 十有五日.
又懶不作詩, 遂無一事. 每日暮臥聞轣轣車聲, 人語喧闐, 大都皆都
人士女, 蹋歌鬧戲,[154] 爭看火橋星樹來也. 愈思避之. 偶有剝啄聲,
啓之, 則一秀士, 丰神朗潤. 眉如長松, 眼爛爛若嵒下電. 頭戴笠子,
衣道衣, 不似中國人. 問之則目瞪然, 不解一語. 因以筆代言, 始知爲
朝鮮來中國, 賀聖天子元朝, 副使禮曹判書徐浩修所差幕官, 來求詩
集. 姓柳, 名琴, 字彈素, 以別號幾何主人者也. 爲言向於書肆中, 見
余皇華集, 竊慕著述當不止此, 故以來. 余驟聞之, 驚卽而喜. 驚則以
其衣冠言貌, 迥異中華, 若不見近. 喜則喜吾聖天子文敎遠被, 雖屬
國亦好文詞. 而竊歎箕疇麥秀之遺風, 猶有存也. 所怪者, 鄙人懶不
讀書, 雖間有所著, 亦如蟬鳴蟲咽應時序耳, 然亦過而不留, 不知何
以獲播于東國諸君子之耳也. 延談之餘, 因探懷出其巾衍集, 則爲李
懋官, 柳泠齋, 朴楚亭, 李薑山四家之詩, 而爲彈素所選訂者. 乞余批
定, 余旣細閱之, 而乃益歎詩學之未亡也. 夫詩之失古久矣. 唐人之
作, 其聲中正和平, 去漢魏未遠. 迨宋元而降, 而囂厲噍殺之音起. 好
濫者淫, 燕女者溺, 趨數者煩, 敖辟者喬. 由是被之聲, 高者硜而下者
肆, 陂者散而險者斂, 侈者筦而弇者鬱, 均未可以道古也. 有明諸人,
自言不讀秦以後書, 稍稍振起矣, 而優孟之誚所不免焉. 今觀四家之
詩, 沈雄者其才, 鏗鏘者其節, 渾浩者其氣, 鄭重者其詞, 有一類于前
之所譏者乎? 彈素好奇之士也, 酷嗜琴書, 尤精于天文句股之學, 其
于詩, 應鄙而不爲, 而觀其所選訂如此, 其學問之宏深, 有非管窺而
蠡測者矣. 因以向之所著看雲樓集付之, 以不辜其求, 而幷爲評隲四

---

154 戲:『한객건연집』에는 "哦"로 되어 있으나, 문맥을 고려하여 『호저집』 원문 그대로 두었다.

家之詩, 以重其講. 亦春正來, 破煩悶療心疾之一佳話也. 然則此序
卽爲自序也可.

乾隆四十二年歲在丁酉元夕後一日, 賜進士出身, 吏部考功司員外
郎, 前翰林苑¹⁵⁵庶吉士, 甲午科廣東副主考, 西蜀李調元雨邨書.

건연집평
巾衍集評

『명농초고』(明農初稿)는 칠언율시에 능하다. 몽득(夢得)과 향산(香
山)¹⁵⁶이 그 비조(鼻祖)이다. 하지만 높고 험하고 시원스러운 기상이 두
사람보다 더 나아 미치지 못함이 없는 듯하다.

　검남(劍南) 이조원 이교(二橋)가 평한다.

明農初稿, 工於七律. 夢得香山, 其鼻祖也. 而嶄崎歷落之氣, 則似過之,
無不及焉. 劍南李調元二橋評.

155　苑: 『호저집』 원문에는 "院"으로 되어 있으나, 『한객건연집』에 따라 바로잡는다.
156　몽득(夢得)과 향산(香山): 중당(中唐) 시기를 대표하는 시인인 유우석(劉禹錫, 772~
842)과 백거이(白居易, 772~846)를 이른다. 두 사람을 묶어 '유백'(劉白)이라고 한다.

술회사수평

述懷四首評

초정은 시에 있어서 도잠(陶潛)과 사영운(謝靈運)에게 많이 배웠는데, 사영운에 더욱 가깝다. 이 네 수는 체제가 고상하고 격조는 고아하여, 이른바 문사(文辭)를 펼침이 봄꽃과 같다는 것이다. 속된 안목으로야 어찌 일찍이 이를 보았겠는가.

　오악산인(五嶽山人) 이조원 쓰다.

楚亭於詩, 多學陶謝, 而於謝尤近. 此四首, 體高格古, 所謂摛藻如春華者, 俗眼幾曾見之. 五嶽山人調識.

부(附) 『함해』 1칙

附 函海一則

'만'(卍)자는 경전에는 들어 있지 않고 오직 불경(佛經)에만 있다. 불가에서는 부처가 환생할 때 가슴 앞에 희미하게 만자의 무늬가 생겨났으므로, 후세 사람들이 비로소 알게 되었다고 한다. 이 글자를 선성(宣城) 매씨(梅氏)[157]는 『자휘』(字彙)[158]에 넣지 않았다. 전

157　선성(宣城) 매씨(梅氏): 명나라 때 학자인 선성(宣城) 사람 매응조(梅膺祚). 『주역』과 육서(六書)에 밝았으며, 남경(南京) 국자감(國子監)에 생원(生員)으로 있으면서 『자휘』(字彙)를 지었다고 한다.
158　『자휘』(字彙): 매응조가 편찬한 자서(字書)로, 표제자 검색이 편리하고 설명이 간명하여

당(錢塘) 사람 오임신(吳任臣)[159]이 『원음통운』(元音統韻) 말권(末卷)을 지을 때 처음으로 보충하여 들어갔다. 하지만 후인이 글을 지을 때 이 글자를 사용하는 자가 몹시 드물었다. 오대(五代) 시절 화응(和凝)[160]이 처음으로 시에 넣어 "만자 모양 난간에 국화가 반쯤 폈네"(卍字欄干菊半開.)라고 하였고, 원함(苑咸)[161]의 시에도 또한 "연화 무늬 만자는 하늘에서 온 것일세"(蓮花卍字總由天.)라는 구절이 있다. 근래에 조선 사람의 「촌거」(村居) 시를 보니, "만자 모양 사립문이 완연한 고문일세"(卍字柴門宛古文.)[162]라는 표현이 있었으므로 마음으로 기뻐하였다. 매번 서재를 지을 때마다 문득 만자 모양으로 창틀을 만들고 푸른 비단으로 가리곤 했는데, 그 모양이 완연히 고문과 비슷해서였다. 인하여 서재의 이름으로 삼았다.

대저 고문이 참됨을 잃은 것이 오래되었다. 과두문자(蝌蚪文字)[163]와 전주체(篆籀體)[164]가 급변하여 예서·초서·행서·해서가

많은 사람에게 두루 읽혔고, 후대의 자전에 지대한 영향을 끼쳤다.
159 오임신(吳任臣): 1628~1689. 청대의 학자로, 자가 지이(志伊), 호는 탁원(託園)이다. 강희제(康熙帝) 때에 박학홍사과(博學鴻詞科)에 선발되었다. 저서로 『자휘보』(字彙補), 『십국춘추』(十國春秋) 등이 있다. 본문의 "『원음통운』 말권"은 그가 지은 『자휘보』를 말한다.
160 화응(和凝): 오대(五代) 운주(鄆州)의 사인(詞人)으로, 자는 성적(成績)이다. 양(梁)·당(唐)·진(晉)·한(漢)·주(周)의 다섯 왕조에서 벼슬을 했고, 노국공(魯國公)에 봉해졌다. 문집은 전해지지 않고 시와 사(詞) 약간 수만 남아 있는데, 『전당시』(全唐詩)·『화간집』(花間集)에 실려 있다.
161 원함(苑咸): 당나라 현종(玄宗) 때의 문인이다. 『전당시』에 성도(成都) 사람으로, 시를 잘 지었고 범음(梵音)에 뛰어났다고 하였다.
162 만자…고문일세: 『정유각집』 시집 권1 「처사 이광석의 심계초당에서 이틀을 묵다」(信宿 李處士心溪草堂)에 보인다. 다만, 『정유각집』에 실린 시에는 '만'(卍) 대신 '묘'(卯) 자로 되어 있다.
163 과두문자(蝌蚪文字): 전문(篆文) 이전에 사용되었던 중국의 고대 문자이다. 글자 모양이

되었는데, 옛날로부터의 거리가 멀면 멀수록 자학(字學)이 날로 벗어나게 되어, 속되고 잘못 쓴 글자에 점점 노시(魯豕)를 어해(魚亥)로 잘못 쓰는 착오[165]가 있게 되었다. 『절운』(切韻)[166]은 견계군의(見溪群疑)·단투정니(端透定泥)[167] 등의 자모(字母)로부터 내려와, 또다시 어지러이 논쟁을 벌이며 저마다 일가의 견해를 고집하게 되었다. 하지만 고문의 도리에 비추어 이를 살펴보면 아직 정론은 있지 않다. 대저 옛사람은 비록 멀어도 옛사람의 자서(字書)와 운서(韻書)는 모두 남아 있어 살펴보면 알 수가 있다. 삼대(三代) 이후로 한(漢)나라 허씨(許氏)의 『설문』(說文)이 옛것에 가장 가깝다. 내가 서적을 상고하는 여가에 매번 의심나는 글자가 있는 경우, 문득 『설문』에 근거하여 각각 써서 근래의 착오를 교정하였다. 얻을 때마다 찌를 찔러 기록하고 변정하여 논하여서, 고문을 회복하고 속자(俗字)를 바로잡을 수 있게 되기를 바랐다.

이것이 내가 만든 만자 모양의 창틀이 있는 집에서 지내며 옛것을 바라보아 탄식을 일으킴을 금하지 못하는 까닭이다. 옛날에 창힐(倉頡)[168]이 글자를 만들었을 때 일·십·백·천·만으로부터 많게

마치 올챙이[蝌蚪]처럼 생겼다 하여 붙은 이름이다. 창힐(蒼頡)이 만들었다고 한다.

164 전주체(篆籀體): 중국의 고대 문자로, 전문(篆文)과 주문(籀文)을 이른다. 주(周) 선왕(宣王) 때 태사(太史)가 만들었다고 한다.

165 노시(魯豕)를…착오: 서적의 전사(傳寫)나 간행 과정에서 노(魯)와 어(魚), 해(亥)와 시(豕)처럼 모양이 비슷한 글자를 잘못 쓰는 것을 이른다.

166 『절운』(切韻): 수(隨)나라 때 육법언(陸法言)이 만든 운서(韻書)로, 이전 시대의 여러 운서를 비판하고 타당한 압운 기준을 세우기 위해 편찬한 책이다.

167 견계군의(見溪群疑)·단투정니(端透定泥): 당나라 말기에 승려 수온(守溫)이 전술한 수당의 발음 기준인 '삼십육자모'(三十六字母)를 말한다. '견계군의'와 '단투정니'는 그중 일부이다.

168 창힐(倉頡): 황제(黃帝) 시기의 사관(史官)으로, 과두문자를 발명한 인물로 전한다. 사황(史皇)이라고도 한다.

는 끝을 헤아릴 수 없기에 이르렀다. 이제 내 논의에 바탕을 두더라도 다만 만(卍)이란 글자는 누락되어 빠뜨림을 면치 못하였다. 하지만 일은 일(一)에서 시작되어 만에서 완성되므로, 만자를 가지고 옛것에 통합한 것은 속자의 미비한 점을 바로잡아 보충하려는 것이다. 그래서 만자를 가지고 서재의 이름으로 짓고, 내 책의 이름에 붙였다.

　　동산(童山) 이조원은 쓰다.

卍字不入經傳, 惟釋藏中有之. 釋家謂佛再世生, 胸前隱起卍字文, 後人始識. 此字宣城梅氏不入字彙, 自錢塘吳任臣作元音統韻末卷, 始行補入, 然後人臨文用之者絶尠. 五代和凝始入詩云: "卍字闌干菊半開", 而苑咸詩, 亦有蓮花卍字總由[169]天句. 近見朝鮮人村居詩, 有卍字柴門宛古文之語, 心喜之. 每作書齋, 輒作卍字窓欞, 障以碧紗, 爲其宛似古文, 而因以名齋也. 夫古文之失眞也, 久矣. 自蝌蚪篆籒遞變而爲隷艸行楷, 去古逾遠. 字學日離, 俗書贋筆, 漸有魯豕魚亥之舛, 而切韻, 自見溪群疑端透定泥字母而下, 又復紛紛, 聚訟各執一家. 究之於古文之道, 未有定論也. 夫古人雖遠, 而古人之字書韻書具在, 可考而知也. 三代而後, 漢許氏說文最爲近古.[170] 余於稽籍之餘, 每有疑字, 輒本說文各書, 以訂近時之舛, 隨得隨錄, 劄記辨論, 庶使古文可復, 俗字可正. 此余所爲居卍字窓欞, 所不禁望古而

169　由: 『호저집』 원문에는 "山"으로 되어 있으나, 『전당시』에 따라 바로잡는다.
170　古: 『호저집』 원문에는 "古" 자가 없고, "近" 자 뒤에 탈자 표시만 있다. 이조원의 이 글은 그가 쓴 『만재소록』(卍齋璅錄)의 서문으로, 원문을 따라 "古" 자를 추가하였다.

興歎也. 昔倉頡造字, 自一而十而百而千而萬, 多至不可紀極. 今據
愚論, 但以卍名不免掛漏. 然事始于一, 而成于卍, 以卍統古, 所以補
匡繆正俗字之未備也. 故以卍之名齋者, 名吾書. 童山李調元序.

반정균[171]
潘庭筠, 1743~?

정유 선생께 받들어 답하다
奉答貞蕤先生

예장(豫章)[172]과 단풍나무 바람 안개 접하니 　　豫章楓木接風煙

이날에 가을 소리 산꼭대기 다다랐네. 　　是日秋聲赴嶽巔

남쪽 보니 석양에 강물 빛 어여쁜데 　　南望斜陽江色好

두세 개 안자(雁字)[173]가 푸른 하늘 떠가누나. 　　二三雁字漾靑天

171 반정균(潘庭筠): 1743~? 여기서부터 반정균의 작품이다. 『호저집』편집(編輯)에서는
첫 작품에 작자의 이름을 명시하고 있는데, 이 부분 원문에는 본래 반정균의 이름이 누락되어
있다. 이하 역자가 임의로 추가하였다. 반정균은 청나라 절강성(浙江省) 전당(錢塘) 사람으로,
자는 난공(蘭公), 호는 덕원(德園)이다. 건륭 연간의 거인(擧人)으로 벼슬은 내각중서(內閣中
書)를 지냈다. 이후 진사가 된 뒤 섬서도감찰어사(陝西道監察御史)를 지냈다. 불교에 심취하였
으며 묵화(墨畫)를 즐겨 그렸다. 저서에 『가서당집』(稼書堂集)이 있다.
172 예장(豫章): 침목(枕木)과 장목(樟木)을 아울러 이르는 말. 대들보(棟梁)로 쓰이는 거목
으로, 동량지재(棟梁之材)를 비유하는 말로 쓴다.
173 안자(雁字): 기러기 무리가 여럿이 편대를 이루어 날아가는 모양을 이른다.

초정 선생께 써서 드리다

寫贈楚亭先生

마른 꽃 성근 향기 흥취 맡김 깊으니	痩萼疎香託興深
하늘가서 써서 부친 세한(歲寒)의 마음일세.	天涯寫寄歲寒心
다른 때 외론 언덕 꽃구경 가게 되면	他時孤嶼看花去
그대가 그리워서 나무 돌며 읊조리리.	猶有相思繞樹吟

차수 선생을 다시 만나 얘기하다가 문득 절구 1수를 짓고, 아울러 「존몰구호」(存沒口號)[174] 3수를 받들어 올리다

重晤次修先生, 率成一絕, 幷存沒口號三首, 奉政

십 년간 시명(詩名)이 일하(日下)[175]에 전하더니	十載詩名日下傳
근래에야 사신 뽑혀 다시 조천(朝天) 오셨구려.	近充貢使又朝天
조정의 벼슬아치 많이들 칭송하니	中朝卿士多相譽
그 광채 청음(淸陰)과 앞뒤가 되었다네.	輝映淸陰作後先

청음 김상헌(金尙憲)[176]이 중국에 사신으로 들어와 쓴 시가 어양(漁洋) 왕사정(王士

---

174 「존몰구호」(存沒口號): 당시 살아 있던 이덕무, 세상을 뜬 홍대용(洪大容)과 김재행(金在行)에 대한 그리움을 각각 노래했다는 뜻이다. 『청성잡기』(靑城雜記) 「성언」(醒言)에 시 전문과 함께 전후 사정이 실려 있다.

175 일하(日下): 북경을 가리킨다.

176 김상헌(金尙憲): 1570~1652. 조선 중기의 문신이자 서예가이다. 자가 숙도(叔度), 호는 청음(淸陰)이다. 1626년 성절겸사은진주사(聖節兼謝恩陳奏使)가 되어 명나라에 다녀왔다. 병

禎)의 선본(選本) 『감구집』(感舊集) 가운데 실려 있다. 淸陰入貢詩, 入漁洋選本中.

형암(炯菴)을 못 본 지도 십 년이 넘었는데 　　　　不見炯菴逾十載

그리운 맘 언제나 바다 동쪽 가 있다네. 　　　　懷人常在海東頭

시명(詩名)과 관직이 지금은 어떠한가 　　　　詩名官職今何似

틀림없이 신라 땅의 제일류가 되었으리. 　　　　要是新羅第一流

담헌의 거문고 소리 귓가에 오래 끊겼는데 　　　　耳根久斷湛軒琴

성련(成連)의 바닷가 마음[177] 근심겹기 짝이 없다. 　　　　愁絶成連海上心

그 아들이 능히 글을 잘 짓는다고 하니 　　　　聞有嗣人能述作

거문고도 잘 연주해 맑은 소리 이었으리. 　　　　好將操縵繼淸音

김양허는 호기로 빈한함을 씻어 내니 　　　　金生養虛豪氣洗酸寒

술 취하면 치포관이 언제나 삐딱했네. 　　　　酒後常欹緇布冠

이처럼 펄펄 나는 서기(書記)의 솜씨거늘 　　　　如此翩翩書記手

어이해 장안(長安)에 두 번을 안 보냈나? 　　　　不敎兩度入長安

자호란 당시 숭명배청(崇明排淸)을 주장한 대표적인 척화신으로, 1641년 심양(瀋陽)에 압송되어 4년간 지내면서 많은 시문을 남겼다. 이 일로 그의 문채와 절의(節義)가 중국 문인들에게 널리 알려졌다.

177　성련(成連)의 바닷가 마음: 백아(伯牙)의 스승 성련이 동해로 백아를 데려갔는데 백아만 남기고 성련은 떠나간 뒤 돌아오지 않았다. 혼자 남은 백아가 간절한 마음으로 파도 소리를 듣다가 문득 거문고의 묘리를 깨쳤다는 고사가 있다. 여기서는 담헌이 연주하던 거문고 곡조를 생각하며 시름겨워한다는 뜻으로 쓰였다.

　　　　　　　　　　　　　　　　　　　　　　　　　　　　편집

초정 박제가 선생께

朴楚亭先生書

정균은 머리를 조아려 두 번 절하고 초정 선생께 올립니다. 봄 사이에 『건연집』을 읽고서야 처음으로 선생의 이름을 알았고, 절묘한 시에 깊이 탄복하였습니다. 세 분 군자의 작품에 미쳐서는 눈으로 드물게 본 바가 됨을 한탄하니, 서로 더불어 흉금을 터놓고 시를 짓지 못하는 것[178]이 몹시 유감스럽습니다. 선생의 인품과 덕망을 그려 볼 때 틀림없이 우뚝하고 시원스러워 보통의 부류와는 크게 다르니, 시를 읽어 보면 그 사람을 알 수가 있습니다. 또 시의 주석 가운데 외람되이 제 이름을 언급한 것을 보고, 선생이 저를 알아주심에 감격하고, 제가 선생을 능히 알지 못함을 부끄러워하였습니다. 시권(詩卷)은 아침저녁으로 가져가는 것이 급박한 나머지 서둘러 한 번 읽기만 하고, 또 울타리 안을 전부 살피지 못한 채로 겨우 20, 30수만을 베껴 써서 묶었으니 더욱 심히 부끄럽습니다.

지난번 손수 쓰신 편지를 접하니 우아한 뜻이 은근하고도 정성스러웠지만, 칭찬하고 허락하심은 너무 지나쳤습니다. 또 8년 전에 제게 부치려고 쓴 편지의 원고와 필담의 발어(跋語)를 읽어 보고는 감격스러워 울음이 나올 것 같았습니다. 선생께서 저를 알아주심이 오래되고 또 깊기가 이와 같은데, 저는 어리석게도 알지 못하였습니다. 하루아침에 이를 알았더라면 바로 천 리 길에 수레를 몰아 죽을 때까지 따르더라도 오히려 그 늦음을 한탄하였을 텐데, 하물며 모두 얻을 수가 없군요. 비록 나무와

---

178 서로⋯못하는 것: 원문은 "題襟". 절친한 친구끼리 흉금을 털어놓고 시를 창화하는 것을 말한다.

바위, 사슴과 멧돼지와 어울려 살더라도[179] 또한 마음을 가누기 어려울 터여서, 다만 사람으로 하여금 벗 사귀는 도리의 무거움을 느끼게 할 뿐만이 아닙니다.

선생은 애초에 홍담헌 군을 알지 못했지만, 그가 도성에 들어와 하늘 가에서 만난 해묵은 만남에 대해 정리한다는 말을 듣고 바로 가서 그 사람과 벗이 되었습니다. 또 홍군으로 인하여 사랑이 지붕 위의 까마귀에게까지 미쳐,[180] 그 벗을 가지고 함께 벗으로 삼고자 하였습니다. 비록 옛사람이 사귐의 도리를 중히 여겼다 해도 또한 이 같은 경우는 있지 않았습니다. 곁에서 지켜보는 무리로 하여금 또한 반드시 그 뜻과 기운을 더하게 할 터인데, 하물며 제가 알아줌을 입음이 이미 깊고도 오래되었음에 있어서이겠습니까?

문장의 오묘함에 이르러서는 파란이 일면서도 노련한 것이 마치 봄 구름이 골짜기에서 피어 나와 그 자태가 온화한 듯하니, 서너 차례 읊노라면 간과 비장 속으로 스며드는 것만 같습니다. 이 시문의 사이에 나아가서도 오히려 선생을 앎을 다하지 못하는 것이 부끄러운데, 하물며 사귀어 아는 느낌이 마음속에 가득 차서 능히 스스로 그만둘 수 없는 것이겠습니까? 사람이 죽을 때까지 마주하여 이야기를 나누더라도 종종 사귐

---

179 비록…살더라도: 세속을 잊고 산다는 말. 원문은 "木石鹿豕"로, 『맹자』 「진심 상」(盡心上)의 "순임금이 깊은 산속에 살 때 나무·바위 사이에 거처하고 사슴·멧돼지와 노닐었으니, 깊은 산속의 야인과 다를 바가 없었다"(舜之居深山之中, 與木石居, 與鹿豕遊, 其所以異於深山之野人者, 幾希.)라는 구절에서 따온 것이다.

180 사랑이…미쳐: 어떤 사람을 좋아하면 그와 관련된 모든 것을 좋아하게 된다는 말로, 『상서대전』(尚書大傳) 「대전」(大戰)에 "어떤 이를 좋아하면 지붕 위의 까마귀도 좋아지고, 어떤 이를 좋아하지 않으면 담벼락의 모서리도 미워진다"(愛人者, 兼其屋上之烏, 不愛人者, 及其胥餘.)라고 한 데서 유래했다.

을 말하기에 충분하지 않습니다. 하지만 관하(關河)로 사이가 막혀 한 번 대면함을 꾀하지조차 못하면서도 소문을 듣고 서로를 그리며 정신으로 사귐이 더욱 깊어지는 일은 옛사람 또한 있었습니다. 하지만 선생께서 저에게 하듯 구하심은 앞에서도 들어 본 적이 없습니다. 만 리의 밖과 천년의 아래에서도 또한 다시금 저를 알아줌이 있을 터이니 두 사람의 사귐이 이와 같단 말입니까? 사신이 떠날 기약이 촉박한지라 서둘러 편지를 올립니다. 지으라고 명하신 문집의 서문과 당액(堂額)은 계속해서 부쳐 올리겠습니다. 글을 쓰면서도 여전히 그리워,[181] 내달리는 생각만 끝이 없습니다.

정유년(1777) 7월 4일, 물시계가 30각(刻)을 가리킬 때,[182] 정균은 두 번 절하고 아룁니다.

庭筠頓首再拜, 啓楚亭先生足下. 春間讀巾衍集, 始知先生名, 欽服妙詠. 及三君子之作, 歎爲目中所罕見, 深以未得相與題襟爲憾. 懸擬先生品望, 必嶔崎磊落, 逈異恒流, 讀詩可以知人. 又見詩註中猥及賤名, 感先生之知筠, 而愧筠之不能知先生也. 詩卷迫於朝夕持去, 匆匆一讀, 又未獲盡窺藩籬, 鈔掇僅二三十首, 益滋愧矣. 頃接手書, 雅意懃拳, 奬許逾分. 又讀八年前擬寄筠書稿及筆談跋語, 感且欲泣. 先生之知筠, 久且深如此, 而筠懵然未知. 一朝知之, 卽千里命駕, 終身追隨, 猶恨其晩, 況都不可得. 雖木

---

181 글을…그리워: 원문은 "臨池依溯". 임지(臨池)는 글을 쓰는 것으로, 후한(後漢)의 명필가(名筆家) 장지(張芝)가 못가에서 글씨를 익히고 벼루를 씻어 못이 까맣게 되었다는 고사에서 유래했다. 의소(依溯, 依遡)는 편지를 마무리하는 투식으로, '여전히 그립다'는 뜻이다.
182 물시계가…때: 하루가 96각이고 1각은 15분이니, 30각은 오전 7시 30분경을 가리킨다.

石鹿豕, 亦難爲懷, 不特令人感交道之重也. 先生初未識洪君湛軒, 聞其入都訂天涯舊雨, 而卽往友其人. 又因洪君, 而愛及屋烏, 幷欲以其友爲友. 雖古人之重交道, 亦未有若此者. 卽使旁觀之輩, 亦必增其意氣, 況筠之獲知, 旣深且久乎! 至於文章之妙, 波瀾老成, 又如春雲出峽, 態度藹然, 雜誦數四, 沁入肝脾. 卽此詩文之間, 尙愧知先生未盡, 何況知交之感, 鬱勃於中, 而不能自已耶. 人生終身晤對, 往往不足言交, 而關河間阻, 未謀一面, 聞聲相思, 神交彌摯, 古人亦或有之. 然求如先生之於筠, 未之前聞矣. 萬里而外, 千載而下, 亦復有知筠, 兩人之交, 若此也耶? 使去期促, 悾傯奉簡. 命作集序及堂額, 容續寄上. 臨池依溯, 馳念不盡. 丁酉七月四日漏下三十刻, 庭筠再拜白.

부(附) 선공의 원서[183]

附 先公原書

조선의 기인(畸人)은 두 번 절하고 추루(秋庫) 반정균(潘庭筠) 선생의 문하에 아룁니다. 그대가 저를 안 것은 『건연집』에서 시작되었으나, 제가 그대와 교유한 것은 이미 10년이 되었습니다. 저는 담헌 홍대용과는 애초에 서로 알지 못했는데, 그가 그대 및 철교(鐵橋) 엄성(嚴誠), 소음(篠飮) 육비(陸飛)와 더불어 천애지기(天涯知己)[184]를 맺고서 돌아왔다는 말을 듣고, 마침내 먼저 가서 사귐을

---

183 선공의 원서: 『정유각집』 문집 권4에 「추루 반정균에게 준 편지」(與潘秋庫[庭筠])라는 제목으로 실려 있다.

맺었습니다. 그 필담과 창수한 시문을 모두 얻어 와 읽어 보고는 손으로 어루만지며 놓지 못했고, 그 아래에서 잠잔 것이 여러 날이었습니다. 아! 저는 정이 많은 사람입니다. 눈을 감으면 그대의 모습이 보였고, 꿈에서는 그대의 마을에서 노닐곤 하였습니다. 모의 편지를 써서 직접 전달하려다가 그만두기에 이르렀으니, 살펴보시면 아실 것입니다. 하늘의 인연으로 만나게 된다면 얼마나 다행이겠습니까?

저의 벗 탄소 유금이 우촌 이조원 선생과 사귐을 얻고, 인하여 또 그대와 더불어 은근한 정을 통하여 제 시집을 꺼내 여기에 비평을 하기에 이르렀습니다. 이때 이후로 저의 마음은 진실로 이미 우리 추루의 앞에 마주함을 얻었던 것입니다. 생각건대 정성이 닿은 곳에 귀신이 통하여서 그런 것일까요?『건연집』의 발문은 나는 듯하였고 서문은 간곡하였으니, 각각 일에 따라 뜻을 다하였습니다. 우촌 선생과는 이따금 같지 않은 곳이 있지만, 또한 그 가리키는 뜻의 소재를 알기에는 충분하였으니, 중국의 군자의 혜안이 달빛과 같아 터럭만큼의 속임과 가리움을 용납치 않음을 알 만합니다. 저는 평소에 시 짓기를 즐기지 않는 데다, 그 재주와 품격이『건연집』 가운데 여러 군자 중에 가장 아래입니다. 하지만 중국을 사모하는 고심만큼은 여러 군자가 또한 각각 미치지 못할 것으로 생각합니다. 시가 일컫기에 충분치 않으나 이를 통해 말꼬리에 붙어 가서 천

---

184 천애지기(天涯知己): 멀리 떨어져 있지만 각별한 친구를 말한다. 당나라 때 시인 왕발(王勃)의 시 「두소부지임촉주」(杜少府之任蜀州) 중 "이 세상에 날 알아준 벗 있으면, 하늘 끝도 가까운 이웃 같다네"(海內存知己, 天涯若比鄰.)라는 구절에서 유래했다.

추에 썩지 않기를 바랐으니, 비록 죽는 날이 되더라도 오히려 살아 있는 해일 것입니다.

소음 육비 진사는 무슨 벼슬을 하고 있으며, 언제 북경에 계실는지요? 오늘 이후 다만 추루의 모습을 한차례 보아 내 지닌 것을 다 털어놓아, 마땅히 10년의 독서보다 낫기를 원합니다.[185] 이 뜻을 마침내 이루게 될지는 모르겠군요. 육비 선생의 거처에서도 또한 소식이 있어 뜻을 전할 수 있다면 다행이겠습니다. 산천이 가로놓여 뒷날의 만남을 기약할 수 없는지라, 종이를 앞에 두고 서글퍼져서 혼이 녹고 눈길이 끊기고 마니 어찌하면 좋습니까? 너무 바빠 뜻을 다 적지 못합니다. 살펴 주시기 바랍니다.

朝鮮畸人再拜, 白潘秋庫先生門下. 足下之知吾, 自巾衍集始, 而僕之交於足下者, 蓋已十年矣. 僕與洪湛軒, 初不相識, 聞與足下及鐵橋嚴公篠飮陸公, 結天涯知己而歸, 遂先往納交. 盡得其筆談唱酬詩文讀之, 摩挲不去, 寢息其下者累日. 嗟乎! 僕情人也. 闔眼則見足下之眉宇, 夢寐則遊足下之里閈. 至作擬書, 欲自達而止, 可覽而知也. 何幸天緣湊合? 敝友彌素柳公, 得交於李雨村先生, 因以又與足下, 通其殷勤, 至出敝集而批評之. 自此以往, 僕之心, 固已得接於吾秋庫之前矣. 意者精誠所到, 鬼神通之而然耶? 其跋語之翩翩, 序文之丁寧, 各能隨事而盡意. 其與雨村先生, 時有不同處, 亦足以知其指意之所在, 可知中朝君子之慧眼如月, 無所容其毫髮之欺蔽也. 僕

---

185 오늘…원합니다.: 작자 미상의 유명한 전승구인 "그대와 함께 나눈 하룻밤의 대화가 십년의 독서보다 훨씬 낫구려"(與君一夕話, 勝讀十年書.)에서 따온 표현이다.

素不喜爲詩, 且其才品最下於集中之諸君子, 而若其慕中國之苦心,
則諸君子亦各自以爲不及也. 非詩之足稱, 庶幾因此而附尾, 而得不
朽於千秋. 雖死之日, 猶生之年也. 篠飮之進士見作何官, 何時在京?
從今以後, 惟願一見吾秋庫之顔範, 傾困倒廩, 當勝讀十年書也. 未
知竟成此志否也. 篠飮先生處亦有信息, 幸爲致意. 山川間之, 後會
無期, 臨楮惆悵, 魂銷目斷. 奈何奈何? 忙甚未及盡意. 統希雅照.

반정균이 박제가에게 보낸 무제 편지

5언시 두 장은 말은 간단하나 정경은 다함이 없는데, 바빠서 화답하지 못
하므로 이어서 부치는 것을 양해하여 주십시오. 앞서 『건연집』을 읽을 때
에는 아침저녁으로 바로 가져가는 바람에 전부 찬찬히 살피지 못하였습
니다. 엮은 평어도 아마 모두 합당치는 않을 듯합니다. 아직 생각나는 것
중에 고시(古詩)에 운자를 쓰면서 일곱 번째 우운(虞韻)과 열한 번째 우
운(尤韻)[186]을 통용함이 있었는데, 문득 「맥상상」(陌上桑)[187]에서 일찍이
본 것이 떠올랐지만 당나라 이후로는 본 적이 없고 지금은 우운(尤韻)만
홀로 쓴 지가 오래되었습니다. 또 가운(歌韻)과 마운(麻韻)은 본래는 통
했지만 다만 근체시에는 들어감이 없는 것을 따랐는데, 내 생각에 조선

---

[186] 일곱 번째…우운(尤韻): 우운(虞韻)과 우운(尤韻)은 『평수운』(平水韻)에서 각각 상평성
(上平聲)의 제7운부(韻部), 하평성(下平聲)의 제11운부(韻部)이다.
[187] 「맥상상」(陌上桑): 한(漢)나라 때의 악부시(樂府詩). 이 중 한 구절인 "日出東南隅, 照我
秦氏樓"를 보면 '우'(隅) 자는 우운(虞韻), '누'(樓) 자는 우운(尤韻)에 속한다.

의 운서(韻書)와 조금 차이가 있는 듯합니다. 지난번 홍담헌이 조선의 시를 뽑아서 부친 것을 받아 보니 방대하여 크게 볼만하였고, 여러 사람의 소전(小傳)은 전해 듣던 것의 오류를 바로잡을 수 있었습니다. 생각하기는 『명시종』(明詩綜)[188]과 같은 여러 선집과 『건연집』을 합하여 한 권으로 만들어 영원히 전하고, 아울러 시화도 한 권을 지으려고 합니다. 초고가 어느 정도 정해지기를 기다려 마땅히 부쳐 보내 보여 드리겠습니다.

　정균은 두 번 절하고 말씀드립니다.[189]

五言二章, 語簡而情景無窮, 匆匆未和, 容續寄. 前者讀巾衍集, 朝夕卽持去, 未得盡爲領略, 所綴評語, 疑未盡當. 猶記中有古詩用韻七虞與十一尤通, 忽憶陌上桑曾見之, 唐以來則未之見, 今則尤韻獨用久矣. 又歌麻韻本通, 但從無入近體者, 想海東韻書稍有異也. 曩承湛軒選寄海東詩, 洋洋大觀, 諸家小傳, 可訂傳聞之訛. 擬合詩綜諸選及巾衍集爲一書, 以永其傳, 幷擬作詩話一卷, 俟屬稿稍定, 當以寄覽. 庭筠再拜白.

선생께서 동쪽으로 간 뒤, 저는 바로 어머님의 부음(訃音)을 들었으니 하늘이 끝날 때까지 품은 아픔을 말로 할 수가 없습니다. 이제 정리를 하고 힘을 다해 남쪽으로 왔습니다. 앞서 허락해 주신 대나무 갓은 이제 나양봉이 선생이 준 것을 전하여 저에게 주었으니, 만약 부쳐 온다면 나양봉에게 맡기시면 됩니다. 유교와 불교는 근원은 같은데 각각 길이 나뉘

---

188 『명시종』(明詩綜): 청나라 주이준(朱彝尊)이 찬한 시 선집으로, 명나라 홍무(洪武) 연간에서부터 숭정(崇禎) 연간까지 총 3,400여 시인의 시를 선록하였다.
189 5언시 두 장은…절하고 말씀드립니다: 이 편지는 『정유각집』 문집 권4에 바로 앞 박제가의 편지와 함께 실려 있다.

었고, 또한 모름지기 향하여 나아감이 참되고 간절하니, 참유학과 참불교는 바야흐로 자신에게 절실한 일입니다. 농후한 곳은 쉬이 잊고 크게 통하는 법이니, 남과 나를 서로 존중하고, 또한 분별하는 생각을 굳이 짓지 않기를 바라는 것이 중요합니다. 차수(次修) 선생께 극인(棘人) 반정균이 고개를 조아립니다.[190]

先生東行, 庭筠卽聞先慈訃音, 終天抱痛, 不可言說. 今摒擋匍匐而南矣. 前蒙許竹笠, 今羅兩峯, 先生以所贈者轉贈筠, 若寄來, 兩峯留之可也. 儒釋同源, 卽各分門徑, 亦須趨向眞切, 眞儒眞釋, 方是切己之事. 濃厚處, 容易忘大通, 人我相重, 亦祈不必作分別見爲要. 次修先生, 棘人潘庭筠稽顙.

초정시고서
楚亭詩稿序

천하에서 시에 능한 것은, 만 권의 책을 읽고 만 리의 길을 감이 아니고서는 될 수가 없다. 한 고을이나 한 마을의 사이에서도 우뚝한 선비 중에 능히 1만 권의 책을 두루 읽을 수 있는 자가 적지 않으나, 혹 발자취가 향리(鄕里)를 벗어나지 못해 이따금 강산(江山)의 도움[191]이 적다. 장사꾼

---

190 선생께서 동쪽으로…고개를 조아립니다: 이 편지는 앞의 편지와 달리 『정유각집』에 실려 있지 않다. "대나무 갓"에 대한 언급으로 보아 반정균이 박제가와 실제 만난 이후인 1791~1792년 즈음에 쓴 것으로 보인다. 나빙이 박제가에게 남긴 편지 「박차수 선생께 올림」(朴次修先生座前) 참고.

이나 수자리 사는 사람은 힘들게 고생하며 길을 가지만, 또 필묵(筆墨)에 익숙하지 못해 들르는 명산대천의 기뻐할 만하고 놀랄 만한 광경을 글이나 말로 풀어서 전달하지 못하는 것이 괴롭다. 이 두 가지의 것이 병통이 되니, 시를 잘 짓기 어려움이 심하다 하겠다.

초정 박제가는 해동에서 태어나, 『홍범』(洪範) 이래 그 나라 사람의 저술 읽기에 진실로 익숙하였다. 중국 사부(四部)의 책으로 그 나라에서 쉬이 구입할 수 있는 것은 더욱이 독실히 좋아하여 깊이 생각하였으니, 능히 배우기에 힘쓰는 자라고 할 만하다. 시로 읊조린 내용이 풍부하여 환하게 책을 이룬 것이 또한 마땅하다. 하지만 가만히 생각해 보니, 그가 올라가 눈길이 미친 것은 다만 팔도의 21개 도읍 가운데 있을 뿐이고 역외(域外)의 경관은 미처 내달려 보지 못했을 터이니, 그 시가 비록 아름다워 기뻐할 만하더라도 혹 이 정도에 그치고 말 것을 의심하였다. 이제 사신을 따라 압록강을 건너 봉황성(鳳凰城)을 지나, 공동(崆峒)[192]과 대두(戴斗)[193]의 교외에서 말을 채찍질하고, 황도(皇都)의 장려함을 올려다보며, 도성의 경물을 살펴보아, 아득히 천하의 큰 경관을 다 보고 가슴을 열어젖혀 학식을 더하였으니, 내가 그의 시격(詩格)이 더욱 나아갔음을 알겠다.

객이 말했다.

"박초정은 나이가 아주 젊고 뜻은 몹시 원대하다. 가령 그가 가는 곳

---

191 강산(江山)의 도움: 산천의 유람이나 낯선 산하에서의 유배 생활 등을 통해 시의 내공이 깊어지는 것을 말한다.
192 공동(崆峒): 계주(薊州)의 공동산(崆峒山)을 말한다. 선인(仙人) 광성자가 공동산의 석실에 은거하고 있었는데, 황제(皇帝) 헌원씨(軒轅氏)가 그를 찾아가 도를 물었다고 한다.
193 대두(戴斗): 추운 북방 지역, 북단(北端)을 이른다.

편집

이 다시금 바다의 배에 올라타 남쪽으로 오처도(吾妻島)[194]에 이르고, 서쪽으로 구라파(歐邏巴) 대륙에 이르러, 아득히 자기 멋대로 가고 싶은 곳을 가게 한 뒤에 붓을 흔들어 노래하며, 기이한 기운을 쓰게 한다면 그 시가 더욱 훌륭해지지 않겠는가?"

나는 그렇지 않다고 생각한다. 시학(詩學)은 삼당(三唐)과 양송(兩宋)으로부터 위로 한위(漢魏)를 엿보고, 근원으로 거슬러 올라가 『시경』 300편에 이르러 그친다. 만약 아(雅)와 송(頌)의 밖에서 따로 이른바 황아(皇娥)와 백제(白帝)의 노래[195]를 구하여 마음으로 본뜨고 손으로 따르려 한다면 훌륭하다고 말할 수 있겠는가? "천 리의 나라에 다만 백성이 머물러 산다"[196]고 하였으니, 이제 박초정은 그칠 곳을 알았다 하겠다. 크게 보탬이 되는 것은 다만 시에 능한 것만이 아닐 뿐이니, 또 어찌 먼 곳을 내달림에서 취하겠는가? 객의 말과 같다면 도리어 그 궁리함이 클수록 있을 곳을 잃게 될까 염려스럽다. 박초정의 시집이 이루어지면 곧바로 내 말을 가지고 증거로 삼아도 괜찮을 것이다.

天下之工詩者, 非讀萬卷書, 行萬里路, 不可. 一郡一邑之間, 穎異之士, 能流覽萬卷者不少, 或足跡不出鄉里, 往往少江山之助. 而估客戍人, 間關行役, 又苦未嫺筆墨, 所過名山大川可喜可愕之境, 不解以文言達之. 病此二者, 甚矣, 詩之難工也! 朴子楚亭, 生於海東, 讀書自洪範以下, 凡國人之撰著, 固所素習, 而中國[197]四部之書, 爲其國所易購者, 尤篤好而深思

---

194 오처도(吾妻島): 일본 가나가와현(神奈川県) 요코스카 시(横須賀市)에 있는 섬이다.
195 황아(皇娥)와 백제(白帝)의 노래: 황아(皇娥)는 소호씨(少昊氏)의 어머니이고, 백제(白帝)는 서방(西方)을 관장하는 신이다. 곧 가사가 전하지 않는 상고시대의 노래를 말한다.
196 천 리의…산다: 『시경』 「현조」(玄鳥)의 두 구절을 인용한 것이다.

焉, 可謂能力學者矣. 吟詠之富, 斐然成卷亦宜也. 然竊疑其登覽所及, 惟在八道二十一都之中, 未馳域外之觀, 其詩雖瑰麗可喜, 或者止於此. 于今乃隨使臣, 渡鴨綠江, 過鳳凰城, 策馬於崆峒戴斗之郊, 瞻皇都之壯麗, 覽帝京之景物, 洋洋乎極天下之巨觀, 拓心胸而增學識, 吾知其詩格之益進也. 客曰:"朴子年甚壯, 志甚遠. 使其歸也, 復登海舶, 南至於吾妻之島, 西至於歐邏巴之洲, 汪洋恣肆, 縱其所如, 然後搖筆放歌, 抒寫奇氣, 其詩不更工乎?"余則以爲不然. 詩之學, 自三唐兩宋, 上窺漢魏, 沿流溯源, 至三百篇而止. 若欲於雅頌之外, 別求所謂皇娥白帝之歌, 心摹而手追之, 可以謂之工乎? 邦畿千里, 惟民所止, 今朴子知所止矣. 裨益者大, 非特工於詩而已, 又奚取乎遠驚哉? 如客之說, 轉慮其窮大而失居也. 朴子之集成, 卽以余言爲緣起, 可耳.

한객건연집서
韓客巾衍集序

동방은 군자의 나라이니, 성명(聲名)과 문물이 대략 중국과 같다. 진실로 성조(聖朝) 문교(文敎)의 아득함이 또한 기자(箕子)의 홍범구주(洪範九疇)로 기틀을 열어, 「맥수가」(麥秀歌)의 남은 소리가 이제껏 오히려 남아 있기 때문이다. 돌아보건대 내가 병술년 (1766) 봄에, 담헌 홍대용, 양허(養虛) 김재행(金在行) 두 선생과 사귐을 얻어 먼지 날리는 내 거처에서 필담을 나누며 몹시 즐거워

---

197 國: 『정유각집』에는 "朝"로 되어 있다.

하였다. 담헌은 정주(程朱)의 학문을 독실히 믿어 몸소 실천하였으므로 시로 이름을 울리려 하지 않았다. 양허의 시는 맑고 아득하면서도 여유롭고 분방하여 이따금 전할 만하였고 그 가슴에 품은 것 또한 시원스러워 보통 사람과 달랐다. 작별한 뒤로 죽을 때까지 다시 만나 볼 기약이 없는 데다, 소식마저 통하지 않은 것이 여러 해가 되었으므로 속마음에 담아 둔 것이 오직 서글픈 탄식만 더할 뿐이었다.

어제 이부(吏部) 이조원의 집에서 탄소(彈素) 유금(柳琴)이 적어 온 해동사가(海東四家)의 시를 읽어 보았는데, 경물을 세세히 묘사하고 회포를 그려 낸 것이 아름답고도 묘하여 기뻐할 만한 작품이 많아, 서너 차례 읊어 보며 차마 손에서 놓지 못하였다. 내가 비록 네 사람의 생애에 대해 알지 못하지만, 시를 통해 그 사람됨을 떠올려 보니 대개 모두 고상하고 시원스러우며 조용하고 담백한 선비였다. 나라에 군자가 많고 보니 어찌 그렇지 않겠는가? 유군이 또 이조원을 통해 내게 이 시집을 평하여 주기를 부탁하였다. 나는 시학(詩學)에 대해 거칠고 성글어서 조선에서 중히 여기기에 부족하지만, 다만 하늘가의 옛 벗[198]이 마음에 걸려, 대개 말을 그만둘 수 없는 것이 있었으니, 이 서문을 가지고 네 사람의 시에 나아가도 괜찮겠는가?

또 담헌이 일찍이 내게 그의 아우 홍보광(洪葆光)의 시집 한 권을 보내왔는데, 여러 시체(詩體)가 모두 훌륭하여 네 사람의 아래

---

198 옛 벗: 원문은 "舊雨"이다. 본서 32면 각주 9번 참조. 여기에서는 홍대용과 김재행을 가리킨다.

에 있지 않았다. 하지만 유군이 여기까지는 생각이 미치지 못하였으니, 어찌 그 사람을 몰라서이겠는가? 혹 벼슬길의 출처가 네 사람과 다름이 있어서일까? 내가 유군에게 말했다. "돌아가서 홍보광과 김재행의 작품을 합하여 하나의 시집으로 만들어, 동방(東方)의 죽계육일(竹溪六逸)[199]로 삼는다면 또한 좋지 않겠습니까! 아울러 담헌에게 내 말을 어떻게 생각하는지 물어보아 주십시오."

건륭 42년 정유년(1777) 1월 17일, 문연각검열(文淵閣檢閱)·충방략관총교관(充方略館總校官)·사고전서분교관(四庫全書分校官)·내각중서사인(內閣中書舍人) 항주 사람 반정균은 쓰다.

東方君子之國, 聲名文物, 與華略同. 固聖朝文敎之遠, 亦箕聖以疇範開基, 麥秀之遺音, 至今猶有存焉者也. 憶余丙戌春, 獲交洪湛軒金養虛兩先生, 軟塵寓室, 筆談甚歡. 湛軒篤信程朱之學, 躬行實踐, 不欲以詩鳴. 養虛之詩, 淸遠閑放, 往往可傳, 其胸次亦磊落不群. 判別以來, 畢生無再見之期, 幷息耗未通者數載矣. 藏於中心, 惟增悵歎而已. 昨於李吏部雨邨齋頭, 得讀柳君彈素所錄海東四家之詩, 多刻畫景物, 攄寫襟抱, 姸妙可喜之作, 諷誦數四, 不忍釋手. 余雖未悉四人之生平, 而因詩以想其爲人, 大抵皆高曠恬淡之士也. 國多君子, 豈不然哉? 柳君又囑[200]吏部, 丐余評定此卷. 余詩學疎蕪, 未足

---

199 죽계육일(竹溪六逸): 당나라 때 이백(李白)·공소보(孔巢父)·한준(韓準)·배정(裵政)·장숙명(張叔明)·도면(陶沔) 등 6명 문인의 모임으로, 죽계라는 곳에서 매일 술과 시를 즐기며 세상을 잊었다고 한다. 여기에서는 이덕무·유득공·박제가·이서구·김재행·홍보광 여섯 사람을 일컫는 말이다.

200 囑: 『호저집』 원문에는 "屬"으로 되어 있으나, 『한객건연집』에 따라 바로잡는다.

爲鷄林之重, 而惟是天涯舊雨, 根觸於懷, 蓋有不能已於言者, 卽以
此序四人之詩, 可歟? 又湛軒嘗寄余其弟葆光詩一卷, 諸體幷工, 不
在四人之下, 而柳君未之及, 豈未識其人歟? 抑仕宦出處與四人者,
有異歟? 余告柳君: "歸而合葆光與養虛[201]之作, 都爲一集, 爲東方
竹溪之六逸, 不亦可乎! 幷寄語湛軒, 以余言爲何如也." 乾隆四十二
年歲次丁酉元夕後二日, 文淵閣檢閱·充方略館總校官·四庫全書分
校官·內閣中書舍人, 杭州潘庭筠書.

건연집평
巾衍集評

초정의 시는 손을 뺌이 총알 같아[202] 치우치거나 껄끄러운 소리를 내지
않는다. 이른바 글이 묘한 경지로 들어가 지나치게 익숙한 것이 없을 뿐
이다. 마음에 품은 것이 시원스러워 마치 그 사람을 보는 것만 같으니,
사가(四家)와 맞겨루더라도 왕발(王勃)이나 노조린(盧照隣)의 앞에 둘
지 뒤에 둘지를 쉬이 정하지 못할 것이다.[203]

---

201 虛:『호저집』원문에는 "靈"으로 되어 있으나,『한객건연집』에 따라 바로잡는다.
202 손을 뺌이 총알 같아:『남사』(南史)「왕담수전 부왕균전」(王曇首傳 附王筠傳)에서 사조
(謝朓)가 "좋은 시는 매끄럽고 아름다워서 마치 탄환처럼 유창하다"(好詩圓美, 流轉如彈丸.)고
하였다.
203 사가(四家)와…것이다: 사가는 초당(初唐) 시대의 뛰어난 시인인 초당사걸(初唐四傑)을
말한다. 본서 59면 각주 53번 참조. 박제가의 시가 이들 작품과 우열을 가릴 수 없다는 평이다.
양형이 "나는 노조린의 앞에 있기엔 부끄럽고 왕발의 뒤에 있기엔 수치스럽다"(吾愧在盧前, 恥

서호(西湖) 사람 난타(蘭坨) 반정균 발.

楚亭詩, 脫手如彈丸, 不爲僻澁之音. 所謂文入妙來, 無過熟耳. 襟期磊
落, 如見其人. 頡頑四家, 未易定王盧前後也. 西湖潘庭筠蘭坨氏跋.

술회사수평
述懷四首評

이것은 완화옹(浣花翁)[204] 두보가 말한, '시원스러우면서도 답답함을 품
고 있는 기이한 재주'[205]이다. 서너 차례 읊조리노라니 마치 그 품은 뜻을
보는 것만 같다. 내가 하약(賀若)[206]의 거문고를 연주하여 지은 이를 위
해 한차례 풀어 주고 싶다.

此浣花翁所謂磊落抑塞之奇才也. 諷詠數四, 如見襟期. 吾欲彈賀若之琴,

居王後.)라고 한 데서 가져온 표현이다.
204 완화옹(浣花翁): 두보의 별칭. 그가 성도(成都)의 완화계(浣花溪) 가에 살았으므로, 이
렇게 불렸다.
205 시원스러우면서도…재주: 장부가 포부를 펴지 못해 분개한 듯한 기상을 말한다. 두보의
「단가행증왕랑사직」(短歌行贈王郎司直)에 "왕랑이 술에 취해 칼 뽑아 땅을 치며 노래하매 더
없이 슬프다만, 내 능히 그대의 억눌린 뛰어난 재주를 천거하리"(王郎酒酣拔劍斫地歌莫哀, 我
能拔爾抑塞磊落之奇才.)라고 하였다.
206 하약(賀若): 금곡(琴曲)의 제목. 당나라 금사(琴師)인 하약이(賀若夷) 혹은 수나라의 하
약필(賀若弼)이 지었다고 한다. 송(宋) 주익(朱翌)의 『의각료잡기』(猗覺寮雜記)에 "금곡으로
는 '하약'이 있는데, 가장 고풍스럽다"(琴曲有賀若, 最古淡.)는 언급이 보인다.

爲作者一解之.

축덕린[207]
祝德麟, 1742~1798

경술년(1790) 3월에 교서(校書)의 일로 심양(瀋陽)에 가게 되어, 오고 가는 길에 시 70여 수를 얻었다. 북경에 돌아왔는데 박 비교(秘校)가 찾아왔고 또한 시를 구하는 뜻이 있었으므로, 마침내 고금의 시체를 살펴 기록하여 한 책으로 만들어 받들어 주었다. 돌아가는 길에 경치를 마주하여 사람을 떠올려 본다면, 또한 말고삐를 잡고서 호방하게 읊조리던 내 심정을 떠올려 볼 수 있을 것이다. 이때는 성상의 만수절(萬壽節)이니, 해녕 사람 축덕린이 아울러 적는다

庚戌三月, 以校書于役瀋陽, 往返得詩七十餘首. 還京而朴秘校過訪, 且有意求詩, 遂檢古今體, 錄成一冊, 奉贈. 歸途對景懷人, 亦可想見攬轡豪吟胸次也. 時聖上萬壽之月, 海寧祝德麟幷識

---

207 축덕린(祝德麟): 1742~1798. 자가 지당(芷塘), 호는 묘과산인(妙果山人)·열친루(悅親樓)이다. 절강성 해녕(海寧) 출신으로, 건륭 28년(1763) 진사가 되어 제독섬서학정(提督陝西學政)·호광도감찰어사(湖廣道監察禦史) 등을 역임하였다.

북평영사

北平詠史

노룡현(盧龍縣)[208] 일천 겹 쌓인 묏부리	盧龍千疊山
구불구불 바다 향해 달려가누나.	蜿蜒趨海窄
행인이 난하(灤河)를 건너가서는	行人渡灤水
고삐 잡고 옛 자취를 찾아간다네.	攬轡訪古迹
한나라 적 날렵한 이광(李廣)[209] 장군은	漢家飛將軍
원숭이 팔로 일찍부터 활을 잘 쐈지.	猨臂夙善射
바람 불자 들판 나무 비린내 나니	風吹野樹腥
웅크린 것 범[210]인가 의심하였네.	蹲踞疑白額
활을 잔뜩 당겨서 한 발을 쏘자	引滿遂一發
화살이 깃털까지 돌에 박혔지.	飲羽乃沒石
다음 날 아침 다시 한 번 활을 쐈더니	明朝再注矢
살촉이 바위에서 튕겨 나갔네.	石與鏃相格
신통하고 교묘함이 우연이거니	神巧出偶然
애초에 그 뜻 찾기 어려웁다네.	初難有意索
위대한 자취는 북평(北平)에 있고	偉蹟在北平

---

208 노룡현(盧龍縣): 한(漢)나라 때 우북평(右北平) 관할의 변경 지역이다. 난하(灤河) 하류
의 하북성(河北省)에 있다.

209 이광(李廣): 한나라 때의 명장(名將). 흉노(匈奴)와 70여 차례의 크고 작은 싸움에서 공
을 세웠으며, 무제(武帝) 때에 북평태수(北平太守)가 되었으나 끝내 불우함을 비관하여 자결하
였다. 이하 이광과 관련된 내용은 『사기』 권109 「이장군열전」(李將軍列傳)에 자세하다.

210 범: 원문은 "白額"으로, '백액'은 이마와 눈썹 털이 허옇게 센 호랑이를 말한다. 특히 힘이
세고 사납다고 한다.

위엄 명성 서역(西域)에 드높았다네.	威聲著西域
음산(陰山)[211]으로 가는 길 멋대로 가니	橫行陰山道
초목조차 모두 다 놀라 피했지.	草木皆辟易
노예마저 제후에 다 봉해지자[212]	奴隷盡封侯
운수의 기이함을 탄식했다네.	數奇空歎惜
평소에 역사책 읽을 때에는	平時讀史傳
한 구절도 당할 만한 대목 없었지.	一節我未直
밤길 감은 엄하게 금지하지만	宵行有厲禁
망령되이 예와 지금 견줘 본다네.	妄自較今昔
구차하다, 패릉 땅 정위가 취해	區區灞陵尉
꾸짖음을 어이 족히 나무라겠나.	醉訶安足責
권력 얻곤 마침내 먼저 목 베니	得柄竟先誅
모욕 당함 되갚음에 가깝구나.[213]	僇辱近修隙
째려봄을 원망하여 보복한다면	睚眦怨必報
마침내 사의(私意) 됨을 못 이기리라.	私意終未克
군자는 덕스런 맘 넓게 펴야지,	君子廣德心

211 음산(陰山): 흉노의 지역으로, 현재 내몽고(內蒙古) 자치구 남쪽에서 내흥안령(內興安嶺)까지 뻗어 있는 음산산맥(陰山山脈)이다.
212 노예마저…봉해지자: 그의 휘하에 있었던 편장(偏將)이나 비장(裨將)도 모두 후에 봉해졌으므로 이렇게 말한 것이다.
213 밤길…가까웁구나: 이광이 패전의 죄로 장군직을 삭탈당하고 서인(庶人)으로 강등된 때가 있었다. 어느 밤에 그가 패릉정(霸陵亭)을 지나는데, 그곳의 정위(亭尉)가 술에 취해 이광을 꾸짖으며 통행을 막았다. 시종이 이광의 이름을 밝히며 항의했으나, 정위는 "현직 장군이라도 야간 통행은 할 수 없거늘, 옛 장군이 어떻게 한단 말인가"(今將軍尙不得夜行, 何乃故也.)라고 대꾸했다. 얼마 뒤 이광은 중용되어 우북평군태수로 임명되었다. 그는 한 무제에게 패릉의 정위도 함께 데리고 갈 것을 청하여, 정위가 군영에 이르자마자 곧바로 목을 베어 죽였다.

집안의 화 저자에서 풀면 안 되지.[214]　　　　　　室怒莫市色

문소각을 올라가며
登文溯閣

봉천(奉天)은 진실로 배도(陪都)이거니　　　　　奉天實陪都

온갖 법도 연경과 다름없다네.　　　　　　　　百度規京縣

물과 나무뿌리와 근원이 있어　　　　　　　　水木有本源

본바탕이 점점 더 화려하다네.　　　　　　　　素質漸華絢

열성(列聖)께서 애초에 창업하시어　　　　　　列聖始創業

꾀를 주어 후손을 돌보셨다네.[215]　　　　　　詒謀本翼燕

신통한 후손들이 잘 계승하여　　　　　　　　神孫善繼承

문물이 더 크게 환해졌구나.　　　　　　　　文物乃大煥

삼 층의 누각이 우뚝도 한데　　　　　　　　巍巍三層閣

문연각(文淵閣)을 본떠서 세운 거라네.　　　　　聿倣文淵建

삼만 하고 육천 권의 수많은 책을　　　　　　三萬六千冊

경사자집(經史子集) 나누어 분류하였네.　　　　　經史子集分

지금에 올려보니 책 가득하고　　　　　　　　仰止今棟充

214　집안의…안 되지:『춘추』소공(昭公) 19년 조에 "자기 집안에서 화난 것을 시장 사람에
게 분풀이한다"(室於怒, 市於色.)는 속담이 나온다. 여기서는 사적인 원한을 공적인 일로 보복
했다는 뜻으로 썼다.
215　후손을 돌보셨다네: 원문의 "翼燕"은 자손을 편안하게 해 주는 계책을 이른다.『시경』
「문왕유성」(文王有聲)에 "자손에게 좋은 계책 물려줘 편히 자손을 보호하셨다"(詒厥孫謀, 以燕
翼子.)라고 하였다.

예전에 실어 올 땐 소가 땀을 흘렸지.[216]	輦來昔牛汗
교정하여 기록함도 정심(精審)하지만	校錄必精審
소장된 책 더더욱 훌륭하다네.	儲藏[217]益完善
이내 몸 사관(史官)은 아니거니와	自非載筆臣
뉘 능히 못 본 책 읽을 수 있나.	誰能讀[218]未見
썩은 선비 오래도록 일하다 보면	腐儒從事久
원류를 대략은 가늠한다네.	源流略可按
낭현(嫏嬛)[219]의 훌륭한 복지(福地)인지라	嫏嬛大福地
올라가 봄 해묵은 소원이었네.	攀躋固宿願
일 층부터 층층이 살펴보다가	初桄尋歷級
꼭대기서 장관(壯觀)을 얻어 보았지.	絶頂得壯觀
쌍궐(雙闕)[220]은 청양(靑陽)에 우뚝 솟았고	雙闕起靑陽
십왕정(十王亭)[221]은 강한(絳漢)[222]에 늘어섰다네.	十亭翼絳漢
들쭉날쭉 봉황루(鳳皇樓)는 우뚝 솟았고	玼虒鳳皇樓
관저궁(關雎宮)과 인지궁(麟趾宮)은 늘어섰구나.	旰列雎麟殿
초가집은 질박하게 환히 빛나고	茆茨樸素昭

216 예전에…흘렸지: 원문의 "牛汗"은 수레에 실으면 소가 땀을 흘릴 정도로 책이 많음을 말한다.
217 藏: 『호저집』 원문에는 '作'으로 되어 있으나, 축덕린의 『열친루시집』(悅親樓詩集)에 따라 바로잡는다.
218 讀: 『호저집』 원문에는 "瀆"으로 되어 있으나, 『열친루시집』에 따라 바로잡는다.
219 낭현(嫏嬛): 천제(天帝)의 장서(藏書)가 있는 곳.
220 쌍궐(雙闕): 궁전 앞 양쪽에 높이 세운 누관(樓觀), 또는 궁문을 말한다.
221 십왕정(十王亭): 심양고궁(瀋陽故宮)의 대정전 앞에 10개의 정각이 있는데, 좌우로 5개씩 늘어서 있다.
222 강한(絳漢): 심양고궁에서 십왕정이 늘어서 있는 동로(東路)를 말하는 듯하다.

궁궐의 금벽(金碧)은 찬연도 해라.	舸稜金碧燦[223]
거친 것은 검덕(儉德)을 숭상해서니	作荒崇儉德
종묘 법식 큰 은혜에 부응한다네.	式廟應穹眷

숭정전(崇政殿)에서 관저궁(關雎宮), 인지궁(麟趾宮)에 이르기까지 모두
건륭 초년(1736)에 추가하여 건축한 것이다. 崇政以及關雎麟趾, 皆乾隆初
年增建.

그 너머로 여러 부서 두루 서 있고	其外府署周
조시(朝市)는 그 뒤편에 자리 잡았네.	朝市位背面
큰 거리는 물길[224]로 둘리어 있고	九馗洞經環
여덟 문 웅장하게 막아섰구나.	八門雄衛捍
번화하게 재화가 유통되어서	殷軫通貨貝
수레 소리 온 마을에 가득도 하다.	隱轔鬱里閈
절집은 북쪽에 드높게 솟아	浮圖矗坎方
문소각의 절반 높이 해당하누나.	適當閣之半
들판엔 푸른빛이 자욱도 하여	平疇靑濛濛
가을 기운 제 먼저 띠고 있는 듯.	似挾秋意先
멀리 보면 한 가지 기운 같지만	遠觀雖一氣
물과 나무 차례로 출몰하누나.	水樹遞隱見
창건할 때 첫 자취를 헤아려 보니	緬惟肇迹初
빈(豳) 땅에 터를 잡아[225] 집 지었었네	胥宇豳斯館

---

223 舸稜金碧燦: 『호저집』 원문에는 "金碧舸稜燦"으로 되어 있으나, 『열친루시집』에 따라 고
쳤다.
224 물길: 심양고궁 외곽의 호성하(護城河)를 일컫는 것으로 보인다.
225 빈(豳) 땅에 터를 잡아: 원문의 "胥宇"는 집터를 살핀다는 뜻이다. 주(周)나라 시조 후직

태자하(太子河)에 장성을 높이 쌓아서	築城太子河
요양(遼陽)의 궁실에 제사 지냈지.	遼陽宮室奠
도읍 옮김 거북점[226] 치기도 전에	遷都未墨食
독단으로 뭇 권유를 어기었었지.	獨斷違衆勸
마침내 만세의 기틀을 열어	遂開萬世基
즐풍목우(櫛風沐雨)[227] 온갖 전투 두루 겪었네.	櫛沐經百戰
한가(漢家)에선 상릉(上陵)을 노래 부르며	漢家歌上陵
일곱 차례 향을 살라 제사 드렸네.	七度馨香薦

성조(聖祖)께서 성경(盛京)에 몸소 가서 무덤에 배알한 것이 세 차례였고, 지금 황제께서는 무릇 네 차례였다. 聖祖躬諸盛京, 謁陵三次, 今上凡四次.

행차를 바라보던 부로(父老)가 있어	望幸有父老
고궁(故宮)의 잔치에서 기뻐하였지.	歡洽故宮宴
남양(南陽) 땅 기운은 저절로 좋고[228]	南陽氣自佳
패리(沛里)의 풍속은 건전하였네.	沛里風仍健
예악(禮樂)이 백 년간 흥성하더니	禮樂百年興
지금에 아름다움 그때와 같네.	及玆美無間
관중(關中)에서 도적(圖籍)을 거둬들이니	關中収圖籍

(后稷)의 증손인 공유(公劉)가 서융(西戎)의 땅에서 빈으로 도읍을 옮겨 나라의 기반을 다졌다.

226 거북점: 원문은 "墨食"으로, 고대에 거북점을 칠 때 거북 등에 먹줄을 그어 불에 굽고, 갈라진 금을 보고 길흉을 점친 것을 말한다.

227 즐풍목우(櫛風沐雨): 바람으로 머리를 빗고 빗물로 목욕한다는 뜻으로, 긴 세월을 객지로 떠돌며 갖은 고생을 함을 이른다. 『장자』「천하」(天下)에 나온다.

228 남양(南陽)…좋고: 동한 광무제 유수(劉秀)가 용릉에서 군사를 일으켰을 때 술사(術士)인 소백아(蘇伯阿)가 용릉 땅을 보고 "기운이 훌륭하다"고 한 데서 나온 말이다. 이후 제왕의 기운을 일컫는 표현으로 쓴다.

서권(書卷)을 물어볼 겨를 없었지.　未暇問書卷

오래도록 이끌어 교화 이루어　久道乃化成

앞뒤로 거룩한 자취 이었네.　先後聖揆嬗

요전(堯典)의 일들을 살피다 보니　堯典事粤稽

주원(周原)의 광경이 다 드러나네.[229]　周原景畢獻

사다리 내려오자 석양이 되어　下梯逼斜陽

우러러 애틋한 마음 남았지.　俛仰餘繾綣

발걸음 천하 절반 다니었지만　行踪[230]半天下

고달픈 삶 매번 홀로 탄식한다네.　勞生每自歎

다 늙어 동쪽 땅 유람하려니　垂老作東遊

장쾌하여 내 비루함 모두 잊었네.　壯哉忘冗賤

의무려산[231]을 바라보며

望醫巫閭山

내가 요수(遼水) 따라서 여기에 오니　我從遼水來

갠 하늘 아름답게 드러나누나.　晴空現[232]窈窱

가는 눈썹 뜬 허공을 희롱하더니　纖眉弄虛浮

---

229 요전(堯典)의…드러나네: 원나라 오구연(吾丘衍)의 「동해」(凍解)에 "요전의 문장은 그 대로인데, 주나라 들판에는 봄 초목일세"(堯典文章在, 周原草木春.)라 한 구절이 있다.

230 踪:『호저집』원문에는 "縱"으로 되어 있으나,『열친루시집』에 따라 바로잡는다.

231 의무려산(醫巫閭山): 요하(遼河)의 서북방의 산으로, 만주(滿洲)에서 중국 본토로 가는 길에 자리하고 있다.

232 現: 축덕린의『열친루시집』에는 "見"으로 되어 있으나,『호저집』원문 그대로 두었다.

검푸른 빛 나는 새를 두르고 있네.	黛色帶飛鳥
오늘 아침 바람과 해 너무도 좋아	今朝風日佳
광녕(廣寧)233 길로 달리는 말 채찍질하네.	策馬廣寧道
이내의 빛 짙푸르게 피어나니	嵐光潑翠濃
식사도 하기 전에 배가 부르다.	未食已先飽
이 산은 유주(幽州) 영주(營州) 진산(鎭山)이어서	玆山鎭幽營
우(虞)임금 때 실로 처음 봉하였다네.	虞廷實封肇
지금은 풍패(豊沛) 고장 자리를 잡아	今踞豊沛鄕
기운 얻음 더더욱 기이하구나.	得氣更奇矯
홍몽(鴻濛)234을 가르고 외로이 솟아	鴻濛割孤秀
새겨 그린 것 뭇 기교에 벗어났네.	刻畫出衆巧
만 마리 말 한꺼번에 치달리는 듯	奔騰萬馬驟
돌 모루가 온통 동쪽 끌어안았네.	石角盡東抱
구불구불 한 마리 용 솟아오르며	蜿蜒一龍翔
산꼭대기 서쪽에서 요동치누나.	峯頭又西掉
멀리 보면 깃발이 펄럭이는 듯	遠觀似旆旄
다가서면 도리어 깊고 그윽해.	近睨轉深窅235
위로 상제(上帝) 옥좌와 맞닿아 있어	上與帝座接
구름안개 위에서 호흡하는 듯.	呼噏雲霞表
아래로는 바다와 기운이 통해	下與海氣通

---

233 광녕(廣寧): 의무려산의 동쪽이자 오늘날 요령성 북진(北鎭) 지역이다. 여진과 몽골, 조
선이 만나는 곳인 까닭에 군사적 요충지로 중시되었다.
234 홍몽(鴻濛): 하늘과 땅이 아직 갈라지지 않아 우주가 형성되기 전인 혼돈 상태를 이른다.
235 窅: 『열친루시집』에는 "窊"로 되어 있다.

봉래·영주 섬들이 읍을 하누나.	拱揖蓬瀛島
그 가운데 선인암(仙人巖) 솟아 있으니	中有仙人巖
경연(耕煙) 왕휘(王翬) 기화요초 심어 놓았네.[236]	耕煙種瑤草
천년 세월 옛 자취 여태 남았고	千春遺蛻留
옥동(玉洞)의 도화동(桃花洞)[237]은 작기도 하다.	玉洞桃花小
동란(東丹)씨 공부하던 독서대(讀書臺)[238]에는	東丹讀書臺
옛 자취 여전히 살필 수 있네.	故迹尙可考
숲과 돌산 서로 가려 숨기어 주니	林岨互隱翳
애석하다 올라 보지 못하는 것이.	惜哉闕登眺
묘정(廟廷)에선 밝은 신을 높이 받들고	廟廷奉明神
푸른 집엔 붉은 담장 둘리어 있네.	碧宇朱垣繞[239]
큰 비석엔 흰 이끼 무성도 하고	豐碑白蘚滋
섬돌에는 푸른 솔이 우거졌구나.	釦砌蒼松老
삼공(三公)이 등급의 순서 보이니	三公示[240]等秩
태산의 천자 제사[241] 한 가지라네.	泰岱埒柴燎
나라에서 큰 경사 베풂 만나면	國家遇覃慶

---

236 경연(耕煙)…심어 놓았네: 왕휘(王翬, 1632~1717)는 청나라의 화가로 자가 석곡(石谷)이며, 호는 경연산인(耕煙散人)·청휘주인(淸暉主人)이다. 강희제(康熙帝)의 〈남순도〉(南巡圖) 등 황제의 명으로 그림을 그린 일이 많았으며, 당대의 화성(畫聖)으로 일컬어졌다. 특히 산수화에 능했으므로, 이 표현은 그의 그림과 관련이 있는 듯하다.
237 도화동(桃花洞): 의무려산 계곡에 있는 바위 동굴의 이름이다.
238 동란(東丹)씨 공부하던 독서대(讀書臺): 원(元)나라의 명신 야율초재(耶律楚材)가 이곳에 독서대를 짓고 공부하였다. 야율초재는 후당(後唐)에 귀순한 요(遼)나라 동란왕(東丹王) 돌욕(突欲)의 후손이므로, 동란씨라고 표현한 것이다.
239 繞: 『열친루시집』에는 "繚"로 되어 있다.
240 示: 『열친루시집』에는 "視"로 되어 있다.
241 태산의 천자 제사: 원문은 "柴燎"로, 고대에 천자가 지냈던 제사 중 하나이다.

편집

전관(專官)이 예를 갖춰 찾아온다네. 專官禮敬討

이름난 산과 큰 하천 名山與大川

억조창생 복락이 여기에 있네. 所在福億兆

신령의 영험스런 감응이 빨라 維神夙靈應

청하면 비는 대로 들어준다지. 有請必如禱

이 때문에 시골 농부 달려와서는 以之[242]走村農

삼복(三伏)과 납일(臘日)마다 희생(犧牲) 올리네. 伏臘薦牲醪

신령이 원망 애통 아예 없으니[243] 神罔時怨恫

해마다 어이 장마 안 구하리오. 盍救連年潦

하늘 운행 감히 힐난하지 못하니 天行不敢詰

지나는 객 마음만 근심겹구나. 過客心悄悄

다만 일만 송이 부용꽃 떨기 但覺萬芙蓉

내 소매에 떨어짐만 기분 좋아라. 落我衫袖好

오악(五嶽)의 밖에서 시를 지으매 題詩五嶽外

붓 들어 재주 적음 부끄럽구나. 搖筆愧才少

십삼산(十三山)[244] 이곳에서 산은 다하고 山盡十三山

잇닿은 푸르름만 끝이 없구나. 綿延靑不了

---

242 之: 『열친루시집』에는 "玆"로 되어 있다.
243 신령이…없으니: 『시경』「대아」(大雅)의 "신이 이에 원망함이 없으며, 신이 이에 애통함이 없다"(神罔時怨, 神罔時恫.)는 구절을 줄인 말이다.
244 십삼산(十三山): 의무려산에서 금주(錦州)로 가는 길, 광녕(廣寧)과 소릉하(小凌河) 사이에 있는 산이다.

물에 가로막혀 징해루[245]에 오르지 못하다
水阻不得登澄海樓

내가 들으니 징해루는   我聞澄海樓

진시황제가 쌓은 만리장성의 끝머리에 있다 하네.

乃在秦皇所築萬里長城之盡頭

당시에 채찍질한 돌이 가 닿지 못한 곳[246]   當時鞭石不到處

도도히 땅을 말아 큰 파도 들이치네.   袞袞[247]捲地洪濤流

의무려산 끼고 갈석산(碣石山)[248]에 임하니   挾醫微閭臨[249]碣石

제주(齊州)의 아홉 점 아지랑이[250] 허공 속에 떠 있구나.

齊煙九點空中浮

산을 둘러 성 끊어져 누각이 바다를 눌렀으니   山迴城斷樓壓海

올라 보면 오만하게 쓸데없는 시름 녹일 수 있네.

登之可以嘯傲銷閒愁

지난날 왕의 군사 도적 떼를 멸할 적에   王師昔日殄流寇

---

245 징해루(澄海樓): 하북(河北) 산해관(山海關) 남쪽, 만리장성의 동쪽 끝에 위치한 상하 2층 누각이다. 망해정(望海亭)이라고도 한다. 명나라 말에 처음 지어졌다.

246 당시에…곳: 진시황이 돌다리를 만들어 바다 건너 해가 뜨는 곳에 가려 하였는데, 신인(神人)이 돌을 몰아 바다로 내보내며 채찍질을 하니 돌이 다 피를 흘렸다는 고사가 있다. 『삼제략기』(三齊略記)에 보인다.

247 袞袞: 『호저집』 원문에는 "袞袞"로 되어 있으나, 『열친루시집』에 따라 바로잡는다.

248 갈석산(碣石山): 하북에 있는 산으로, 진시황이 이곳에 자신의 공덕비를 새겨 놓았다고 한다.

249 臨: 『열친루시집』에는 "陵"으로 되어 있다.

250 아홉 점 아지랑이: 당나라 이하(李賀)의 시 「몽해」(夢海)에 "멀리 제주 바라보니 아홉 점 연기이고, 깊고 깊은 바닷물은 잔 그릇에 들어찼네"(遙望齊州九點煙, 一泓海水杯中瀉.)라고 한 데서 가져온 표현이다.

쇠 창과 철마(鐵馬)에다 은제의 투구 썼지.　　金戈鐵馬銀兜鍪

흰 베를 어깨 둘러 잘못 죽이지 않게 하니[251]　　白布識肩勿誤殺

덕의(德意)를 평서후(平西侯)[252]가 가장 먼저 입었다네.

　　　　　　　　　　　　　　　　德意先被平西侯

털북숭이 도적 떼들 간담이 떨어질 듯　　如毛群盜膽頓落

정벌 나가 싸움 없이 살육의 위엄 폈네.　　有征無戰威虔劉

이십만의 목을 벤 피가 바다를 이루었고　　二十萬級血漂杵

반은 몰아 바다에 처넣어 물새가 되었다네.　　半驅入海成鳧鷗

일편석(一片石)[253]이란 지명 이제껏 남아 있어　　一片石至今留

어진 명성 의로운 소문 천추에 환하다네.　　仁聲義聞光照千春秋

수루(戍樓)가 오래 비고 봉화대는 철거되니　　戍樓久空烽堠撤

수레 글씨 같이 쓰는 만국이 황도(皇都)에 조회하네.

　　　　　　　　　　　　　　　　車書萬國朝皇州

그때 일 묻자 해도 고로(故老)는 다 죽었고　　欲問其事故老都已盡

난간 기대 바라보며 유적(遺蹟)에게 물으리라.

　　　　　　　　　　　　憑闌展眺遺蹟應堪求

---

251 흰…않게 하니: 청나라 군대가 명나라 장수 오삼계(吳三桂)의 군대와 연합하여 이자성(李自成)의 군대를 대패시킨 산해관(山海關) 전투에서, 섭정왕(攝政王) 도르곤(多爾袞, 1612~1651)이 흰 천을 오삼계군의 어깨에 묶어 표식으로 삼게 한 일을 이른다. 이자성의 군대와 오삼계의 군대가 같은 한인(漢人)이어서 피아의 구분이 어려웠기 때문이다.

252 평서후(平西侯): 오삼계를 이른다. 이자성이 1644년 명을 멸망시키고 산해관의 오삼계를 쳤으나, 산해관을 열어 청군과 연합한 오삼계군에 패했다. 오삼계는 청군을 입성시킨 공로로 평서왕(平西王)에 봉해졌다.

253 일편석(一片石): 만리장성 구문구(九門口)의 별칭. 구문구 다리 아래 네모난 돌을 촘촘하게 깔아서 하상(河床)을 만들었는데, 다리 전체가 한 덩어리 바위 위에 세워진 것 같다 하여 붙은 이름이다.

토인(土人)이 고하기를 흙탕물에 막혔다고　土人告我泥潦隔

말에 올라 가려다가 도중에 멈췄다네.　上馬欲去還中休

예전 살던 내 집은 감저(龕赭) 땅²⁵⁴ 모퉁이라　吾家舊居龕赭陬

삼미(三亹)의 조수 물결 우레 치듯 몰려왔지.²⁵⁵ 三亹潮汐奔雷收

규룡의 굴택(窟宅)이요 인봉(麟鳳)의 물가이니

蚪龍²⁵⁶窟宅麟²⁵⁷鳳洲

난간에 바싹 붙어 용의 두 눈 맞이하네.　近在檻楯迎雙眸

진해탑(鎭海塔)²⁵⁸ 탑 이름 높이 솟아 은하수를 올라탄 듯한데

鎭海塔名高標跨霄漢

부상(扶桑)²⁵⁹의 해그림자 이따금 어두운 용궁을 먼저 밝히네.

扶²⁶⁰桑旭影往往先²⁶¹爛鮫宮幽

건곤이 비록 지극히 크다 하나　乾坤雖至大

하나의 물거품과 다름없다네.　同此一泡漚

뗏목을 타고 가서 고향 마을 돌아가　逝將乘槎返故里

---

254 감저(龕赭) 땅: 감산(龕山)과 저산(赭山). 두 산 모두 현 절강성(浙江省) 소산시(蕭山市) 동북편에 있는데, 예전 전당강(錢塘江)의 양옆을 끼고 마주 서 있었다.

255 삼미(三亹)의…몰려왔지: 삼미는 전당강 하구의 조수를 막기 위해 만든 수문이다. 전당강에는 1년에 한 번씩 엄청난 높이의 파도가 밀려들어 이른바 '전당관조'(錢塘觀潮)의 장관을 연출한다. 여기서는 축덕린이 자신의 고향인 전당강의 파도에 빗대어 징해루의 장관을 설명한 것이다.

256 龍: 『호저집』 원문에는 "然"으로 되어 있으나, 『열친루시집』에 따라 바로잡는다.

257 麟: 『호저집』 원문에는 "獜"으로 되어 있으나, 『열친루시집』에 따라 바로잡는다.

258 진해탑(鎭海塔): 전당강 육화탑(六和塔)의 별칭. 성난 파도를 진압한다 하여 진해루라고도 불렸다.

259 부상(扶桑): 동쪽 바다에 있다는 전설 속의 나무로, 해가 이 나무 아래에서 솟아나 나무를 스치고 떠오른다고 한다.

260 扶: 『호저집』 원문에는 "榑"으로 되어 있으나, 『열친루시집』에 따라 바로잡는다.

261 先: 『호저집』 원문에는 "光"으로 되어 있으나, 『열친루시집』에 따라 바로잡는다.

왼손으론 홍애(洪崖)의 어깨를 치면서	左拍洪崖之肩
오른손으론 부구(浮邱) 선인 옷소매를 당기리라.262	右袂携浮邱
옷을 털고 발을 씻어	振衣濯足
날마다 드넓은 기운 서로 찾으니	日與灝氣相冥搜
저 멀리 바닷물은 텅 비어 아득하다.	邈哉海水空悠悠

노군둔263
老君屯

진짜 용이 산맥 줄기 내달려 와서264	眞龍趨幹脈
아스라한 원기의 사이에 있네.	元氣混茫間
흰 모래 바다와 분간 안 되고	沙白不分海
푸른 산은 산해관에 곧장 닿았지.	山靑直到關
땅은 안팎 경계가 아예 없건만	地無中外界
나는 속된 티끌의 모습 지녔네.	我有俗塵顔
여행길에 가을장마 만나고 보니	行役逢秋潦
고개 돌려 험난한 길 두려워한다.	回頭怯險艱

---

262 왼손으론…당기리라: 진(晉)나라 곽박(郭璞)의 「유선시」(遊仙詩) 제3수에 "왼손으로 부
구 소매를 부여잡고, 오른손으로 홍애 어깨 토닥인다"(左挹浮丘袖, 右拍洪崖肩.)라는 구절이
나온다. 부구공(浮丘公)과 홍애(洪崖)는 전설 속 선인(仙人)의 이름이다.
263 노군둔(老君屯): 지금의 요령성 노군둔(老軍屯) 촌으로, 청나라 때는 봉천부(奉天府)에
속했다.
264 진짜…내달려 와서: 기복이 심한 산맥을 용의 모습에 빗댄 것이다.

영평²⁶⁵의 청절묘²⁶⁶를 배알하고

永平謁淸節廟

백세토록 다만 두 형제 있고	百世此兄弟
천추에 겁쟁이와 완악한 자뿐.	千秋多懦頑
사당이 북호(北戶)에 자리한 것은	祠堂仍北戶

고죽(孤竹)과 북호(北戶)는 『이아』(爾雅)에 보인다.²⁶⁷ 孤竹北戶, 見爾雅.

서산(西山)²⁶⁸에서 고사리를 캐어서라네.	薇蕨自西山
조상(彫像)은 면류관(冕旒冠)을 쓰고 있지만	像有冕旒設
마음에는 작록(爵祿)의 자리 없었지.	心無爵祿班
문 앞의 솔바람이 예스러운데	門前松韻古
난수(灤水)²⁶⁹는 찰랑찰랑 흘러가누나.	灤水共潺潺

265 영평(永平): 지금의 진황도(秦皇島)와 당산(唐山) 지역이다.
266 청절묘(淸節廟): 백이(伯夷)와 숙제(叔齊)를 기리는 사당이다. 이제묘(夷齊廟), 청절사
(淸節祠), 청성묘(淸聖廟)라고도 한다.
267 고죽(孤竹)과…보인다: 고죽과 북호는 중국 변방에 있었던 나라의 이름으로, 『이아』에
"고죽, 북호, 서왕모, 일하를 사황이라고 한다"(觚竹, 北戶, 西王母, 日下謂之四荒.)라는 설명
이 나온다. 여기서 고죽은 백이·숙제의 출신 지역을, 북호는 단순히 북쪽이라는 방위를 가리킨
다. 실제 북호국은 『이아』의 주석에 따르면 남쪽에 있었다고 한다.
268 서산(西山): 백이·숙제가 은거했던 수양산(首陽山)이다.
269 난수(灤水): 난하(灤河). 청절묘가 난하의 서안에 있다.

산해관 2수

山海關二首

산에 기댄 바닷가로 만상(萬象)이 내달으니	表海依山萬象奔
당당하다 험한 고을 관문을 지켜 섰네.	堂堂巖邑鎭關門
대문과 뜨락이 대궐과 한가지라	戶庭直是同閨闥
물과 나무 근원을 거슬러 감 없겠는가?[270]	水木能無溯本源
한 시대의 풍운이 초매(草昧)[271]를 열어젖혀	一代風雲開草昧
빼어난 두 도성[272]이 웅장함을 제어했네.	兩都形勝控雄繁
밝은 달빛 아래서 출렁이는 파도 소리	月明衮衮濤聲壯
당시에 주둔하던 군사와 말 떠오른다.	想像當年士馬屯

신무(神武)로 하늘 열어 만세의 공 세우니	神武開天萬世功
진인(眞人)이 부린 이들 필시 모두 영웅이라.[273]	眞人駕馭必英雄
종신(宗臣)과 곤수(袞繡)가 주공(周公)을 찾아오니[274]	
	宗臣袞繡来姬旦

---

270 물과…없겠는가?: 당나라 고영(高郢, 740~811)의 작품에 「수목유본원부」(水木有本源賦)가 있는데, 이 제목에서 취한 표현이다.

271 초매(草昧): 나라나 질서가 창조되기 이전의 혼란한 상태를 뜻한다.

272 두 도성: 심양(瀋陽)과 북경(北京)을 가리킨다.

273 필시 모두 영웅이라: 두보의 「투증가서개부한」(投贈哥舒開府翰) 시에 "군왕께서 스스로 신무이시니, 부린 이 필시 모두 영웅이라네"(君王自神武, 駕馭必英雄.)라고 한 데서 가져온 말이다.

274 종신(宗臣) 과…찾아오니: 도르곤은 죽은 형의 아들인 순치제(順治帝)를 보좌하여 산해관 전투를 벌였는데, 이 일을 마찬가지로 주 성왕을 보좌하여 동쪽을 정벌한 주공에 빗댄 것이다. 원문의 '희단'(姬旦)은 주공의 본명, '곤수'(袞繡)는 곤의수상(袞衣繡裳), 즉 왕의 복장이다.

항복하는 문서의 글 두융(竇融)[275]을 얻었다네.　　降表書辭得竇融

바닷가서 황건(黃巾)[276]을 벼락 치듯 쓸어 버려　　電掃黃巾滄海畔

산해관 가운데서 갑옷 입고 내달렸지.　　星馳金甲玉關中

돌아갈 맘 어이해 몰아낼 힘 빌렸으리　　歸心豈假[277]驅除力

드날리는 구름 기운 풍패(豐沛)에 가득 찼네.　　雲氣飛揚滿沛豐

다시 산해관의 일을 읊다 1수

又詠事 一首

길손이 관문 임해 긴 탄식 자주 하니　　過客臨關太息頻

대의가 군친(君親)을 알아본 것 몇 번인가?　　幾曾大義識君親

박랑사(博浪沙) 원수[278]를 갚아야 함 다 알지만　　共知博浪讐當復

진정(秦庭)의 통곡[279]이 참 아닐까 염려하네.　　直恐秦庭哭未眞

고국의 강산은 온통 붉은 화약이요　　故國江山一紅粉

만년에는 성사(城社)조차 또한 황건이었다네.　　晚年城社亦黃巾

---

275 두융(竇融): 한나라 때의 권신으로, 서쪽 변방에서 세력을 키우다가 광무제에게 복속되었다. 명나라 장수 오삼계가 청나라 군대에 투항한 것을 비유한 표현이다.

276 황건(黃巾): 황건군은 동한(東漢) 말 일어난 농민 봉기군으로, 여기서는 명말에 일어난 이자성의 농민군을 가리킨다.

277 假: 『호저집』 원문에는 "惟"로 되어 있으나, 『열친루시집』에 따라 바로잡는다.

278 박랑사(博浪沙) 원수: 망국의 원수를 말한다. 박랑사는 장량(張良)이 한(韓)나라의 원수를 갚고자 진시황을 죽이려 했으나 실패한 곳이다.

279 진정(秦庭)의 통곡: 춘추시대 오나라가 초나라를 공격하자, 신포서(申包胥)가 진(秦)나라에 가서 군사를 요청하였지만 진왕이 들어주지 않았다. 이에 밤낮으로 7일 동안 통곡을 하자 왕이 감격하여 초나라를 구제해 주었던 고사가 있다.

다만 이제 「원원곡」(圓圓曲)[280] 그 노래가 남았으니

祗[281]今剩有圓圓曲

시인에게 자세히 논해 보라 부탁하네.　　　付與詩人仔細論

송산 2수. 태종문황제께서 명나라 병사 13만을 격파하고 홍승주[282]를 사로잡은 곳이다
松山二首. 太宗文皇帝破明兵十三萬, 擒洪承疇處

원수 원한 설욕함을 군대와 맹세하니[283]　　雪恨同仇此誓師

날랜 군사 사방에 맹수처럼 늘어섰네.　　桓桓四面列熊羆

교산(橋山)에 묻힌 궁검(弓劍) 오늘에 우러르며

橋[284]山弓劍瞻今日

탁록(涿鹿)의 수레 깃발 지난날을 슬퍼하네.[285]

---

280 「원원곡」(圓圓曲): 청나라 문인 오위업(吳偉業, 1609~1670)이 지은 시로, 오삼계가 산해관을 열고 청군과 결탁하여 이자성을 격퇴하고 이자성의 부관에게 잡힌 애첩 진원원(陳圓圓)을 되찾았다는 내용이다.

281 祗:『호저집』원문에는 "而"로 되어 있으나,『열친루시집』에 따라 바로잡는다.

282 홍승주(洪承疇): 1593~1665. 명말청초(明末淸初)의 문인이자 관료로, 자가 언연(彦演), 호는 형구(亨九)이다. 명나라 말기에 총독군문(總督軍門)이 되어 13만 병력을 이끌고 송산 전투에 임하였으나 크게 패하였다. 이후 청나라에 투항하여 무영전대학사(武英殿大學士)·태부(太傅)·태자태사(太子太師) 등을 지냈다.

283 원수…맹세하니:『열친루시집』(悅親樓詩集)에는 첫 구가 "일산(日傘)에 서린 구름 출정을 선포하니"(華蓋蟠雲此誓師)로 되어 있다.

284 橋:『호저집』원문에는 "喬"로 되어 있으나,『열친루시집』에 따라 바로잡는다.

285 교산(橋山)에…슬퍼하네: 청(淸) 태종(太宗)을 전설상의 임금인 황제(黃帝)에 빗댄 것이다. 교산(喬山)은 황제(黃帝)의 장지(葬地)인데, 나중에 산이 무너지고 보니 관 속이 비어 시신은 없고 부장했던 궁과 검 등만 남아 있었다는 고사가 있다. 탁록(涿鹿) 또한 황제의 전투지이다.

涿鹿車旗愴²⁸⁶往時

새 천명은 본래부터 창재(蒼縡)²⁸⁷에서 받는 법　新命本由蒼縡授

신묘한 꾀 백모(白旄) 깃발 친히 잡고 지휘했지.

神機親秉白旄麾

십삼만의 군사가 충사(蟲沙)²⁸⁸로 화했으니　十三萬衆蟲沙化

묻노라 바로 그때 주장(主將)이 누구였나.　爲問當年主將誰

책략과 뛰어난 인재 누가 더 많았던가　策力群賢較孰多

하늘 그물 높이 펼쳐 그물에 다 거두셨네.　高張天網盡收羅

바뀐 이름 전조(前朝) 제향 헛되이 흠향하고　易名虛享前朝祭

천명을 도와 용사 노래 인하여 화답했네.²⁸⁹　佐命仍賡²⁹⁰猛士歌

조련함에 정성 다함 수나라 굴돌(屈突)이요　組練輸誠隋屈突

군수물자 책임 맡음 한나라 소하(蕭何)라네.²⁹¹金笯²⁹²主餉漢蕭何

---

286 愴: 『열친루시집』에는 "億"으로 되어 있다.

287 창재(蒼縡): 하늘의 사정(事情), 즉 천명(天命)을 뜻한다.

288 충사(蟲沙): 벌레와 모래. 전쟁에서 죽은 군졸들을 빗댄 말이다. 갈홍(葛洪)의 『포박자』(抱朴子)에 "주나라 목왕이 남방을 정벌함에, 일군이 모두 변화하여 군자는 원숭이와 학이 되고 소인은 벌레와 모래가 되었다"(周穆王南征, 一軍盡化, 君子爲猿爲鶴, 小人爲蟲爲沙.)라고 하였다.

289 천명을…화답했네: 원문의 "賡"은 잇는다는 뜻으로, 갱가(賡歌)란 본래 순(舜)임금이 노래를 짓자 고요(皐陶)가 이어서 노래를 지어 부른 일을 말한다. 이후 다른 사람의 뒤를 이어서 시가를 부르거나 왕을 칭송하는 노래를 가리키게 되었는데, 여기서는 홍승주가 청 태종을 섬기게 됨을 말하였다.

290 賡: 『호저집』 원문에는 "聽"으로 되어 있으나, 『열친루시집』에 따라 바로잡는다.

291 조련함에…소하(蕭何)라네: 홍승주가 명나라를 배신하고 청나라에 군공을 세운 일을, 수나라 관리였다가 당나라를 섬긴 굴돌통(屈突通)과 진나라에서 벼슬하다 한나라의 모신(謀臣)이 된 소하의 고사에 빗대었다. 『열친루시집』에는 이 뒤에 「어제전운시」(御製全韻詩)의 주가 협주(夾注)로 달려 있는데, "경략(經略) 홍승주가 비록 명나라의 이신(貳臣)이기는 하지만, 우리 청나라 조정이 강남 등지를 평정할 수 있었던 것은 실로 그의 전략과 군수(軍需)의 힘에 말

시무(時務) 알아 이따금 호걸을 불렀으니[293]　識時務或呼豪傑
청사(靑史)의 평론을 없애지는 못하리라.　靑史評論未可磨

고교[294]에서 감흥이 일어
高橋感興

저 흰 구름 타고서 제향(帝鄉)에 올라 보니[295]　乘彼白雲之帝鄉
금주(錦州) 땅 비단 같다 병풍을 펼친 듯해.　錦州似錦屏風張
송산(松山)과 행산(杏山)엔 봉우리들 솟아 있고　松山杏山峯屴崱
요수(遼水)와 심수(瀋水)는 물결만 아득하다.　遼水瀋水波微茫
나는 새가 가는 새의 빠름만은 못하거니　飛鳥不如歸鳥速
가는 길이 다만 그저 시정(詩情)처럼 유장하다.　去程直與詩情長
나의 벗이 수령 되니 그 무엇과 비슷한고　故人作宰定何似
소마(疏麻)[296] 꺾어 주며 멀리 서로 바라보네.　疏[297]麻折贈遙相望

미암았다"(御製全韻詩注謂: 經略洪承疇, 雖爲明貳臣, 而我朝平江南等處, 實資其運籌轉餉之力.)라고 하였다.
292　函:『호저집』원문에는 "函"으로 되어 있으나,『열천루시집』에 따라 바로잡는다.
293　시무(時務)…불렀으니: 사마휘(司馬徽)가 유비(劉備)에게 제갈량(諸葛亮)과 방통(龐統)을 추천하면서 "유생과 속사가 어찌 시무를 알겠는가. 시무를 아는 것은 준걸에게 달려 있다"(儒生俗士, 豈識時務. 識時務者, 在乎俊傑.)라고 한 말을 가져온 것이다.
294　고교(高橋): 지금의 요령성 호로도시(葫蘆島市) 고교진(高橋鎭)이다.
295　저…올라 보니:『장자』「천지」(天地)에 "저 흰 구름을 타고 천제의 고향에 이른다"(乘彼白雲, 至於帝鄉.)고 하였다.
296　소마(疏麻): 이별할 때 증표로 건네주는 식물의 이름.『초사』(楚辭)「대사명」(大司命)에 보인다.
297　疏:『호저집』원문에는 "流"로 되어 있으나, 오기로 보아 바로잡는다.

같은 해 과거에 급제한 서춘곡이 원풍(元豐) 연간에 금주현령(錦州縣令)이
되었다. 同年舒春谷, 元豐爲錦縣令.

유하구에서. 말 위에서 짓다
柳河溝. 馬上作

음침한 장맛비가 석 자나 쌓여	淫潦積三尺
길 무서워 20리를 겨우 갔다네.	畏途行廿里
서쪽에서 오는 사람 만나자마자	但逢西來人
앞머리의 강물 형편 급히 묻는다.	急問前頭水

뒤쪽의 험한 길은 벗어났지만	後險幸已出
앞쪽의 어려움에 걱정만 많다.	前艱方慮多
어찌해야 받은 몸 고이 간직해	奈何奉遺體
이 평지의 풍파를 건너가려나.	試此平地波

유관의 달밤
楡關月夜

산 가운데 물이 있어 물속에 산 어리니	山中有水水中山
여관의 맑은 달빛 손님 얼굴 비추누나.	旅館淸輝照客顏
오늘 밤 장안의 어린 딸아이는	今夜長安小兒女

정기(征騎)[298]가 유관에 이른 것을 모르겠지.   不知征騎到楡關

여양역[299]에서 십삼산을 바라보며

閭陽驛望十三山

하늘이 조물주를 동명에 남겨 두어	天留眞宰在東溟
의무려산 산빛이 일백 리에 푸르다네.	山色巫閭百里青
행인이 충분히 못 볼까 염려하여	猶恐行人看未足
십삼산 병풍에다 그림 펼쳐 놓았구나.	畫圖全展十三屛

열상주선집서

洌上周旋集序

우리나라는 안팎이 한집안인지라 문교(文敎)가 점차 베풀어졌다. 조선의 공사(貢使)가 올 적에, 그 나라의 배우기를 좋아하고 생각을 깊이 하는 인사가 이따금 따라서 연경으로 들어온다. 나아가 올려다보는 소원을 이루고 나서는 서적을 찾아보고, 또 해박한 군자를 널리 구하여 교유하곤 한다. 아! 또한 부지런하다 하겠다.

---

298 정기(征騎): 전마(戰馬). 출정하는 기마를 가리킨다.
299 여양역(閭陽驛): 지금의 요령성 북진시(北鎭市)에 있는 여양진(閭陽鎭)이다. 여양은 역참이 의무려산의 남쪽에 있어서 붙은 이름이다.

정유년(1777) 4월에, 나와 같은 해에 급제한 우촌 이조원 이부(吏部)가 탄소(彈素) 유금(柳琴)이 편찬한 『한객건연집』을 가져와 나에게 보여 주었다. 얻어서 모두 읽어 보니, 형암 이덕무, 초정 박제가, 혜풍 유득공, 강산 이서구 등 네 사람의 시였다. 때마침 민(閩) 땅으로 사신 가는 일을 맡게 되어 서문을 쓰지는 못하였다. 해를 넘겨 박제가와 이덕무가 북경에 와서는, 이조원의 아우인 묵장 이정원 서상(庶常)을 통하여 다시 『열상주선집』(洌上周旋集)으로 질정하였다. 내가 받아서 읽어 보니, 『한객건연집』과 더불어 일가(一家)의 말을 이루었다.

네 사람은 나란히 맹주(盟主)를 다투어, 깃발과 북이 서로 맞겨룰 만하였다.[300] 형암 이덕무는 풍부하면서도 거침이 없고, 초정 박제가는 굳세면서도 윤택하였다. 혜풍 유득공은 빼어나면서도 고왔고, 강산 이서구는 가락이 조화롭고 시원스러웠다. 그 시의 연원은 멀리는 산곡(山谷) 황정견(黃庭堅)과 석호(石湖) 범성대(范成大)[301]에 있었고, 가까이로는 공동(空同) 이몽양(李夢陽)과 어양(漁洋) 왕사정(王士禎)[302]에 있었다. 성정(性情)은 저마다 달랐으나 종파(宗派)는 대략 같았다. 시야를 활짝 열고 쓸개와 간을 새겨

---

300 네 사람은…만하였다: 우열을 다툰다는 뜻이다. 원문의 "旗鼓相當"은, 깃발과 북소리를 가지고 적과 승패를 결정함을 말한다.

301 산곡(山谷) 황정견(黃庭堅)과 석호(石湖) 범성대(范成大): 송나라의 대시인들이다. 황정견은 북송의 시인으로, 강서시파의 비조이다. 두보를 배울 것을 주장하였다. 범성대는 남송대의 시인으로, 청신한 필치로 남송사대가로 꼽힌다.

302 공동(空同) 이몽양(李夢陽)과 어양(漁洋) 왕사정(王士禎): 명청 시기의 문장가들이다. 이몽양은 명나라 십재자(十才子) 중 으뜸으로 꼽히고, 왕사정은 당시 시단의 정종(正宗)으로 칭해졌다.

넣으니, 능히 저마다 성령(性靈)을 드러내어 글에다 표현하였다. 비(鞞)를 흔들고 탁(鐸)을 울리며 모래를 뭉쳐 진흙 놀이하는 습속이 없어서,[303] 세상의 화려한 수식을 뽐내고 산호(珊瑚)를 다투는 자에 견주어 본다면 진실로 아득히 멀다 하겠다. 비바람이 몰아치는 처마 아래서, 점건(墊巾)과 절극(折屐)[304]으로 가락이 흐트러짐 없이 다시금 창화하며 차례로 화답하였으니, 그 벗들 사이의 문자의 즐거움은 피일휴(皮日休)와 육구몽(陸龜夢)의 풍류[305]요, 유종원(柳宗元)과 유우석(劉禹錫)의 유운(遺韻)이었다.

　살피건대 고려의 시는 죽타(竹坨) 주이준(朱彝尊)[306]이 기록한 『명시종』(明詩綜)보다 자세한 것이 없다. 문집 중의 여러 사람은 그 발자취가 혹 패수(浿水)의 서쪽을 건너지 못함이 있었다.[307] 이제 형암과 초정은 압록강에 배를 띄우고 산해관으로 들어와, 황제께서 거처하시는 궁궐의 웅장하고 화려함을 우러러보고 민물(民

303　비(鞞)를…없어서: 실속은 없이 꾸미기만을 좋아하여 재주를 부린 글을 말한다. 왕세정(王世貞)의 『예원치언』(藝苑卮言)에 "李之馭何則曰: '如搏沙弄泥, 散而不瑩, 闊大者鮮把持, 文又無針線.'"이라는 말이 있다.

304　점건(墊巾)과 절극(折屐): 한쪽 모서리가 접힌 각건과 굽이 부러진 나막신. 각각 고아한 풍치와 기쁜 마음을 뜻한다. 후한의 명사(名士) 곽태(郭泰)가 비를 맞아 각건(角巾)의 한쪽 모서리가 접혔는데 사람들이 그를 흠모하였다는 고사와 진(晉)나라 사안(謝安)이 군대의 승전 소식을 듣고 기뻐하여 나막신 굽이 꺾이는 줄도 모르고 내실로 들어갔다는 고사가 전한다.

305　피일휴(皮日休)와 육구몽(陸龜夢)의 풍류: 두 사람은 문장이 뛰어났던 데도 녹문산(鹿門山)에 은거하며 세상을 잊고 서로 친하게 지냈다고 한다. 당시 사람들이 그 두 사람을 합쳐서 '피육'(皮陸)으로 일컬었다.

306　주이준(朱彝尊): 1629~1709. 청나라 절강(浙江) 수수(秀水) 출신의 문인학자. 자가 석창(錫鬯)이고, 호는 죽타(竹坨) 또는 행십(行十)·소장로조어사(小長蘆釣魚師)·금풍정장(金風亭長)이다. 시와 고증학에 능하여 왕사정과 함께 당대의 정종으로 꼽혔으며, 자신의 시문집 『폭서정』(曝書亭) 외에도 다양한 백과전서류 저서를 남겼다.

307　패수(浿水)의…있었다: 중국으로 건너간 경우가 없었다는 뜻이다.

物)의 성대함을 살펴보았다. 명산대천을 얻어 그 가슴속의 기이한 기운을 펼쳤으니, 바로 태사공(太史公) 사마천(司馬遷)과 소철(蘇轍)308이 말한 바와 같다 하겠다.

돌아가 등불 심지를 자르며 술동이를 열고서, 강산과 혜풍을 초대하여 즐겁게 손가락으로 짚어 가며, 또 상자 속에 든 구입해 온 기이한 책을 모두 꺼내서 서로 함께 기뻐하며 감상할 것이다. 인하여 곰곰이 생각하고 곁가지를 물어보아, 물결을 따라 근원을 토론하여,309 대력(大曆) 연간의 금단(金丹)310을 회복하고, 초당 두보의 해묵은 바다를 거슬러 올라간다면, 훗날 지은 바가 반드시 이것보다 더욱 나은 점이 있을 것이다. 강산과 혜풍이 혹 스스로 협애하다 하지 않고 난새와 학을 타고 상경(上京)을 관광하게 된다면 내가 또 마땅히 그 시를 얻어서 서문을 지어 남기성과 북두성 같은 허명(虛名)이 바다 밖에까지 어지러이 전해질 것이다.

두 사람이 여러 번 만나기를 청하여 묵장 이정원을 통해 전달하니 정성스런 뜻이 몹시 은근하였다. 하지만 내가 바야흐로 상(喪)을 만나 여막에 엎드려 지내며 부모 잃은 백성으로 애통함을 품은 지라 상복을 입은 채로 만나고 싶지 않은 데다, 또 상중에는 시를 짓지 않는다는 계율을 굳게 지켜 한마디도 받들어 수창하지 못하였

---

308 소철(蘇轍): 1039~1112. 원문은 "蘇欒城"인데, 난성(欒城)은 바로 소철의 고향이다.
309 곰곰이…토론하여: 사고의 본말을 궁구한다는 뜻으로, 원문의 "耽思傍訊"·"沿波討源"은 모두 육기(陸機)의 『문부』(文賦)에서 가져온 표현이다.
310 대력(大曆) 연간의 금단(金丹): 당 대종(代宗) 대력 연간에 명성을 떨친 전기(錢起), 이단(李端), 노윤(盧綸) 등 대력십재자(大曆十才子)의 정수(精髓)를 말한다. 이들의 시는 주로 산수전원(山水田園)의 정태를 묘사하는 데 치력하였는데, 이러한 시풍을 일러 대력체(大曆體)라 한다.

다. 이에 그 시집에 평을 달고 이와 같이 서문을 써 준다. 이때는 대청(大淸) 건륭 43년(1778) 무술년 6월 8일이다.

진사 출신으로 봉직대부에 올랐고, 삼통관·사고전서관·한림원의 찬변직을 거쳐, 제독섬감학정을 지낸 해녕 사람 축덕린이 짓는다.

我朝中外一家, 文敎漸被. 朝鮮貢使之來也. 其國之好學深思之士, 往往隨入京師, 旣遂就瞻之願. 因以搜訪圖籍, 且廣求博物君子, 而縞紵焉. 烏虖亦勤矣哉. 丁酉四月, 同年李雨邨吏部, 携柳彈素所纂韓客巾衍集示予, 旣得盡讀, 李炯菴, 朴楚亭, 柳惠風, 李薑山四家之詩矣. 適有使閩之役, 未及序也. 逾年朴李來京師, 回雨邨之弟墨莊庶常. 復以洌上周旋集相質, 余受而讀之. 則與巾衍集爲一家言. 四君者, 齊盟押主, 旗鼓相當. 炯菴贍而肆, 楚亭蒼而潤, 惠風逸而姸, 薑山諧而暢. 其瓣香遠在山谷石湖, 近在空同漁洋. 性情各異, 宗派略同. 放開眼界, 雕鏤腎肝, 而能各出性靈, 以爲陶寫. 無搖鞕振鐸, 搏沙弄泥之習, 以視世之誇鏊帨而鬪珊瑚者, 固倜乎遠矣. 風雨茅檐, 墊巾折屐, 魚魚雅雅, 更唱迭和, 其友朋文字之樂, 則皮陸之風流, 元劉之遺韻也. 考高麗詩, 莫詳於朱竹垞所錄之明詩綜. 集中諸老, 其足迹或有未涉浿水以西者. 今炯菴楚亭浮鴨綠之江, 入山海之關. 瞻皇居之壯麗, 攬民物之阜昌. 得名山大川, 以發攄其胸中之奇氣, 正如太史公蘇欒城所云者. 歸而剪燭開樽, 招薑山惠風, 軒渠指畫, 且盡出其篋中所購異書, 以相與欣賞. 因而耽思傍訊, 沿波討源, 返大曆[311]之金丹, 溯艸堂之宿海, 則他日所著, 必有更進乎此者. 而薑山惠風, 或不自陋隘,

---

311 曆: 『호저집』 원문에는 "歷"으로 되어 있으나 "曆"으로 바로잡는다.

驂鸞駕鶴, 觀光上京, 余又當得其詩而序之, 箕斗虛名, 浪傳海外. 二
君數數請見, 墨莊代達, 誠意甚殷, 余方跧伏苫廬, 鮮民抱痛, 不欲以
衰服見, 又堅持詩戒, 未得以一言奉酬. 爰評騭其集而序之如此. 時
大淸乾隆四十三年, 歲在戊戌六月八日. 賜進士出身·奉直大夫·纂辨
三³¹²通·四庫·翰林·提督陝甘學政, 海寧祝德麟譔.

소조(小照)에 스스로 제하다
自題小照

이는 갑오년(1774)에 그린 것이니, 우군(右軍) 왕희지(王羲之)가 「난정
서」(蘭亭序)를 썼던 나이이고, 가의(賈誼)가 「복조부」(鵩鳥賦)를 지었
던 때이다.³¹³ 이제 4년이 지났어도 풍모는 자못 비슷하다. 너무 다급하
여 표구〔裝潢〕를 할 겨를도 없었으니, 가지고 돌아가 따로 표구를 맡기
는 것이 어떻겠는가?

此甲午所製, 乃右軍書蘭亭之年, 賈傳賦鵩鳥之歲也. 越今四載, 神骨頗
肖, 匆迫不及裝潢, 携歸另付裱背, 何如.

---

312 三:『호저집』원문에는 "二"로 되어 있으나, 해당 부분에 "三"의 오기임을 알리는 후지쓰
카의 메모가 달려 있다. '삼통관'(三通館)의 오기가 분명하므로 "三"으로 바로잡는다.
313 이는…때이다: 이 내용은 이정원이 지은 「축지당소조발」(祝芷塘小照跋)에 나와 있다. 본
서 79면 「축지당소조발」 참조.

열상주선집평

洌上周旋集評

고체(古體)는 재기가 드넓고 시원스러우며 붓의 변화가 훌륭하다. 다만 글자나 구절에서 가끔씩 깔끔하지 못한 곳이 있다. 근체시 또한 자못 풍격이 있다.

　지당(止堂)이 적는다.

古體才氣浩瀚, 筆善變化, 惟字句偶有未揀淨處, 近體亦頗有風格. 止堂識.

당낙우

唐樂宇, ?~?

동쪽으로 돌아가는 이형암, 박초정과 이별하며

別李炯菴朴楚亭東歸

　하루에도 몇 번씩 희창(羲窓)[314]에서 잠을 자니　　　睡足羲窓日幾回

314　희창(羲窓): 맑은 바람이 불어오는 창가. 도연명이 벼슬을 버리고 고향에 돌아가 지은 시 「여자엄등소」(與子儼等疏)에, "오뉴월 중에 북창 아래 누워 있네. 서늘한 바람 이따금씩 불어

취중에 꿈속 날아 봉래산에 이르렀지.	醉中飛夢到蓬萊
갈매기와 맹세한[315] 바다 위 삼신산은 아득한데	鷗盟海上三山逈
요동 땅 학이 변한 두 나그네[316] 만나 보리.	鶴化遼東二客來
마주 앉자 고류(古柳)에선 맑은 바람 일어나고	坐對淸風生古柳
담소 깊어 햇빛은 높은 회목 내리쬐네.	談深白日下高槐
만나서는 뜬 세상일 말하지 아니하고	相逢莫話浮塵事
하늘가의 한 잔 술을 다 마시어 보리라.	且盡天涯酒一杯

높은 누각 구름 멎고[317] 날은 한창 더딘데	高閣停雲日正遲
하교(河橋)[318]엔 안개비가 실실이 내리누나.	河橋煙雨又絲絲
잠깐 멈춰 수고로이 시를 새로 짓고는	暫勞少駐親風雅
마침내 먼 길 나서 이별을 노래하네.	竟作長程賦別離
푸른 나귀 흰옷 입고 그대가 떠나간 뒤	白袷靑驢人去後
붉은 정자 푸른 술에 기러기 날아올 때,	紅亭綠酒雁來時
마음이 쏠리는 곳 다함 없음 알겠거니	懸知不盡關心處

오니, 스스로 복희 시대 사람인가 한다지"(五六月中, 北窗下臥, 遇涼風暫至, 自謂是羲皇上人.)라고 한 데서 온 표현이다.

315 갈매기와 맹세한: 갈매기와 짝하여 자연에 은거하겠다는 뜻이다. 송(宋)나라 육유(陸游)의 「숙흥」(夙興) 시에 "학 원망 누굴 의지해 풀 수 있나, 갈매기 맹세 식었을까 근심하네"(鶴怨憑誰解, 鷗盟恐已寒.)라는 구절이 있다.

316 학이 변한 두 나그네: 『세설신어』(世說新語) 「현원」(賢媛)에 나오는 고사로, 도간(陶侃)이 어머니의 상(喪)에 특이한 의복의 객 둘이 찾아와서 뒤를 따라갔더니, 학 두 마리가 먼 하늘로 날아가는 것만 보았다고 한다. 여기서는 이덕무와 박제가를 두 마리 학에 비유하였다.

317 구름 멎고: 원문은 "停雲"으로, 진(晉)나라 도잠(陶潛)의 시 「정운」(停雲)에서 따온 말이다. 그 자서(自序)에 "정운이란 친구를 그리워하는 것이다"(停雲, 思親友也.)라고 하였다.

318 하교(河橋): 이별을 상징하는 공간. 송지문(宋之問)의 「송두심언」(送杜審言)에 "하교에서 잡은 손 놓지 못하니, 강가 나무 아쉬움 머금었도다"(河橋不相送, 江樹遠含情.)라는 구절이 있다.

코를 잡고 읊조리며[319] 먼 그리움 부치노라.　　　擁鼻長吟寄遠思

부(附) 선공의 차운시[320]

附 先公次韻

연산(燕山)[321]에서 보낸 여름 가만히 떠올리니　燕山消夏憶遲遲

어느덧 가을바람 버들가지 흔드누나.　　　　翻見西風撼柳絲

오늘의 만 리 길은 짧은 이별 아니거니　　　萬里如今非小別

예부터 구가(九歌)[322]에선 생이별을 원망했네.　九歌終古怨生離

하늘 높고 바다 넓어 곰곰이 시 짓던 곳　　　天高海闊裁詩處

달빛에 벌레 소리 먼 곳을 바라볼 제.　　　　月色蟲聲望遠時

주렴 밖의 꽃밭은 지금도 여전한지　　　　　簾外花棚無恙否

짝지어 놀던 아이들 너무도 보고 싶네.　　　雙雙兒戲總堪思

319　코를 잡고 읊조리며: 원문의 "擁鼻長吟"은 시를 읊조리는 모습을 뜻한다. 옹비(擁鼻)는 코를 쥐거나 코 위에 손을 얹는 것이다. 진(晉)나라의 문인 사안(謝安)이 코에 병이 있어 시를 읊조릴 때 탁저음이 났는데, 당대 명류들이 그 소리를 사랑하여 일부러 손으로 코를 잡고 소리를 냈다고 한다.

320　선공의 차운시: 『정유각집』 시집 권2의 「당 원외랑 원항의 증별시에 차운하다」(次韻唐員外鵞港贈別)이다.

321　연산(燕山): 하북성 계현(薊縣) 동남쪽에 있는 산. 동쪽으로 옥전(玉田), 풍윤(豊潤)을 거쳐 바닷가로 이어진다.

322　구가(九歌): 굴원이 지은 『초사』(楚辭)의 작품명이다. "슬픔은 생이별보다 더 슬픈 일 없으며, 즐거움 처음 만나 알게 됨이 제일이네"(悲莫悲兮生別離, 樂莫樂兮新相知.)라고 한 대목이 있다.

채증원

蔡曾源, ?~?

무술년(1778) 인일(人日)에 도성의 동락산방(東絡山房)에 제하다[323]

戊戌人日題於都門之東絡山房

고당(高堂)의 흰 벽으로 바람이 불어오니	高堂素壁風颼颼
성난 파도 내뿜는 듯 다시금 잦아든다.	怒濤欲噴還復收
들어서자 눈에 가득 숲 언덕 쌓여 있고	入來滿眼堆林邱
소나무와 마주 앉아 금구(金甌)를 기울이네.	蒼髯坐對傾金甌
송천(松川) 선생[324]께서는 군자의 무리시니	松川先生君子儔
오악을 신유(神遊)하고 창주(滄洲)를 넘놀았지.	神遊五嶽凌滄洲
누굴 시켜 손을 당겨 굽은 가지 만들었나	儔誰手挽生蟉虯
이 해묵은 줄기에는 둥근 옹이[325] 드리웠네.	須此古幹垂癭瘤
위에는 한 조각 달이 떠 있어	上有月一片
푸른 가지 끝을 향해 걸리어 있고,	掛向靑稍頭
밑에는 한 줄기 샘물이 있어	下有泉一泓

---

323 무술년(1778)···제하다: 동락산방(東絡山房)은 당낙우(唐樂宇)의 당호이다. 이 시는 박제가와 이덕무가 입연하기 이전에 채증원이 당낙우의 동락산방에 들렀다가 써 준 시인데, 뒤에 이곳에서 박제가의 전별연이 열렸다.
324 송천(松川) 선생: 물가에 선 소나무를 의인화한 것으로 보인다.
325 옹이: 원문은 "癭瘤". 소나무의 중간에 혹처럼 뭉친 부분을 가리킨다.

흰 돌이 깔린 곳을 가로지르네.　　　　　　　横穿白石流

쟁글쟁글 샘물 소리 달빛은 해맑은데　　　　泉聲韃韃月光瀏

옥토끼 비친 그림자에 물고기 노니누나.　　玉兔倒影紫鱗遊

한 소리 늙은 학이 날아와서 깃들더니　　　一聲老鶴飛來投

밟은 가지 뜨지 않고 오래도록 머무르네.　　踏枝不著多遲留

묻노라, 이 가운데 동자 스승 계신지를　　試問此中童子師在否

나도 따라 남산에서 약초를 캐고 싶네.　　我欲從之朵藥南山幽

권 2

경술년(1790), 신해년(1791)

기윤[1]
紀昀, 1724~1805

귀국하는 이후(而后) 검리(檢理)를 전송함

送而后檢理歸國

조공하려 왕회(王會)에 달려와서는	貢篚趨王會
수레에다 시 주머니 쌓아 두었네.	詩囊貯使車
맑은 자태 참으로 바다 학이요	清姿眞海鶴
빼어난 말 모두 다 하늘 꽃일세.	秀語揔天葩
귀국하는 조감(晁監)[2]을 사랑하노니	歸國憐晁監
시 지으매 조화(趙驊)[3]의 감회가 드네.	題詩感趙驊
훗날에 서로를 생각하는 곳	他年相憶處
동쪽 향해 붉은 노을 바라보겠지.	東向望丹霞

1 기윤(紀昀): 1724~1805. 자는 효람(曉嵐)이다. 하북(河北) 헌현(獻縣) 출신으로, 1754년
에 진사가 되어 한림원편수·예부시랑(禮部侍郞)·병부상서(兵部尙書) 등을 역임하였다. 1773년
건륭제의 칙명으로『사고전서』편찬 사업의 총찬수관으로 10여 년간 종사하였으며,『사고전서
총목제요』(四庫全書總目提要) 200권을 집필하였다. 기윤에 관한 내용은『호저집』찬집 권2에
자세하다.
2 조감(晁監): 당나라 현종(玄宗) 때 비서감(祕書監)을 지낸 일본인 아베 나카마로(阿倍仲
麿)의 중국 이름. 혹은 조경(晁卿)이라고도 한다. 여기서는 박제가를 가리킨다.
3 조화(趙驊): 당나라 등주(鄧州) 출신의 문인으로 자는 운경(雲卿)이다. 은인(殷寅)·안진경
(顏眞卿)·유방(柳芳)·육거(陸據)·소영사(蕭穎士)·이화(李華)·소진(邵軫)과 교유하였는데,
이들 성을 따서 은안유육소이소조(殷顏柳陸蕭李邵趙)라고 불렸다. 위의 조감이 일본으로 돌아
갈 때「송조보궐귀일본국」(送晁補闕歸日本國)이란 시를 지어 전송했다. 여기서는 기윤 자신을
이르는 말로 썼다.

부(附) 선공의 차운시[4]

附 先公次韻

우승유(牛僧孺)[5]의 집에서 시를 지으니	辱題僧孺館
이응(李膺) 수레 몬 것보다[6] 훨씬 낫도다.	勝御李膺車
부채 펴곤 글솜씨에 깜짝 놀라니	披扇驚文藻
진부한 시 정파(正葩)[7]에 부끄러워라.	陳詩愧正葩
벌레 마음 고니를 사모하지만	蟲心猶慕鵠
둔마가 천리마를 감히 앞서랴.	駑足敢先驊
내 서재 윤택해짐 기뻐하노니	喜我書廚潤
돌아가 옥정(玉井) 벼루 적셔 보리라.	歸沾玉井霞

선생에게 옥정연(玉井硯)이라 새겨진 벼루가 있었는데, 지금은 학산(鶴山)

서호수(徐浩修) 부사께로 돌아갔다.[8] 先生有玉井硯銘硯. 今歸鶴山副使.

---

4 선공의 차운시: 이 시와 위 기윤의 시는 『정유각집』 시집 권3에 「예부상서 기효람 윤공이 선물한 부채의 시에 차운하다」(次韻禮部尙書曉嵐紀公昀詩扇見贈) 및 그 원운으로 함께 실려 있다.

5 우승유(牛僧孺): 당나라 문종(文宗) 때의 관료로, 진사에 급제하고 조정에 들어 관각의 교감(校勘)이 되었다. 여기서는 『사고전서』 편찬의 중책을 맡았던 기윤에 대한 미칭으로 썼다.

6 이응(李膺) 수레 몬 것보다: 이응은 후한 말의 명신으로, 사람들이 그를 접견하기만 해도 "용문에 올랐다"(登龍門)고 기뻐할 정도로 명망이 높았다. 순상(荀爽)이 이응을 찾아 만나서 그의 수레를 몰게 되었는데, "내가 오늘에야 이응의 수레를 몰게 되었다"라며 자랑했다는 고사가 전한다.

7 정파(正葩): 『시경』의 시를 가리킨다. 당나라 한유(韓愈)의 「진학해」(進學解)에 "『시경』의 시야말로 바르면서도 아름답다"(詩正而葩)라고 한 데서 나왔다.

8 지금은…돌아갔다: 박제가와 유득공이 함께 간 1790년 5월 진하겸사은사(進賀兼謝恩使)의 부사(副使)가 서호수(徐浩修, 1736~1799)였다.

이후 선생을 그리며 부치다

寄懷而后先生

박장암의 안설(案說): 기윤 상서가 이 시를 짓고, 선공을 사신으로 보내 달라는 뜻의 편지로 우리 선대왕께 청하였다. 임금께서 즉시 선공에게 입시할 것을 명하시고는, 면대하여 이 시를 내리셨는데, 용안이 온화하셨다. 시종신들을 돌아보며 말씀하시기를, "이것으로 본다면, 박제가는 나라를 빛낸 인재가 아니겠는가!"라고 하셨으니, 대개 특별한 예우였다. 하지만 논하는 자들은 혹 도리어 허물하신 것으로 여겼다 하니, 어찌 개연히 울음을 삼키지 않을 수 있겠는가?

長菴案: 尙書作此詩, 以送致先公之意書, 請于我先大王. 上卽命先公入侍, 面賜此詩, 天顔和霽. 顧諭侍臣曰: "以此觀之, 朴齊家非華國之才歟!" 蓋異數也. 而論者或反以爲咎云, 寧不慨然飮泣者乎?

우연히 서로 만나 막바로 친해지니	偶然相見卽相親
헤어진 뒤 하릴없이 또 몇 봄이 지났던가.	別後恩恩又9幾春
거꾸로 신 신고서 천하 선비 맞았지만	倒屣常迎天下士
시 읊을 젠 해동 사람 가장 많이 생각나네.	吟詩最憶海東人
관하(關河)의 두 곳에선 편지 소식 아예 없어	關河兩地無書札
여러 해를 사신에게 그대 이름 물었었지.	名姓頻年問使臣
날 그려 새로 지은 시편이 있었던가?	可有新篇懷我未
노부의 귀밑털은 점차 은빛 되어 가네.	老夫雙鬢漸如銀

---

9 又: 『정유각집』에는 "度"로 되어 있으나, 『호저집』 원문 그대로 두었다.

부(附) 선공의 차운시[10] 선공께서 종성(鍾城)으로 귀양 가 계실 적에 추가로 차운하신 것이다.

附 先公次韻 公謫居鍾城時, 追次.

흰 갈매기 어이해 멀어졌다 친해져서	白鷗何意絶還親
『추가집』(秋笳集)[11] 속 봄 풍경 익숙히 보내 주나.	慣遺秋笳集裏春
멋진 시구 서리 온 뒤 빼어남 없건마는	佳句自無霜後傑
좋은 소리 북경 사람 치우쳐 향한다네.	好音偏向日邊人
구름 산 일만 곡은 새로 칠한 눈썹[12]인데	雲山萬斛新螺子
푸른 바다 천추에 옛 사신[13]은 늙어 간다.	滄海千秋古雁臣
꿈에 문득 훤칠한 멋진 노인 뵈었는데	忽夢頎然觀奕叟
침상 앞 달빛이 은빛처럼 환했었지.	牀前月色爛如銀

---

10 선공의 차운시: 이 시와 위 기윤의 시는 『정유각집』 시집 권3에 「추차효람견기시운」(追次曉嵐見寄詩韻)과 기윤의 원운시로 함께 실려 있다.

11 『추가집』(秋笳集): 청대의 시인 오조건(吳兆騫, 1631~1684)의 문집이다. 오조건은 1657년 과장(科場)에서 일어난 사건에 연루되어 영고탑(寧古塔)에서 23년간 유배 생활을 하였는데, 이 때문에 '변새시인'(邊塞詩人)으로도 불린다. 그 시에는 비분강개한 심정을 드러낸 것이 많다.

12 새로 칠한 눈썹: 원문 "螺子"는 눈썹을 그릴 때 쓰는 푸른색 물감인 나자대(螺子黛)를 가리킨다. 여기서는 마치 눈썹을 그린 것처럼 먼 데 산의 그림자가 어린 모습을 표현한 것이다.

13 옛 사신: 원문은 "雁臣"으로, 고대에, 중국 수도로 가을에 사신 갔다가 이듬해 봄에 돌아가곤 했던 북방 국가의 수령을 일컫던 말이다. 여기서는 북경에 사신 갔던 박제가 자신을 지칭한다.

건륭 을묘년(1795) 정월 24일에 기윤이 시를 지어 부쳐 왔다. 그의 나
이 72세이다

乾隆乙卯正月廿四日, 紀昀寄題詩, 年七十有二

박이후 그대에게 문안하노니	爲問朴而后
근래에 자취는 어떠하신가?	行蹤近若何
글과 술의 옛 노닒 그리워해도	舊遊憶文酒
먼 길은 풍파에 가로막혔네.	遠道阻風波
구슬피 바라보니 정만 끝없고	悵望情無極
소식 실로 거짓일까 염려스럽네.	傳聞信恐譌
육기(陸機)의 재주는 바다 같거니	陸機才似海
혹시나 재주 많음 근심한다네.[14]	無乃患才多

이후 선생께

而后先生啓

어제 맑은 말씀을 나누며 전에 없던 신의를 얻었습니다. 해외에 큰 포부
를 지닌 분이 있었군요. 공사 간에 경황이 없어 하고 싶은 얘기를 다하지

---

14 육기(陸機)의⋯근심한다네: 육기는 서진(西晉) 때 명사로, 뛰어난 문재(文才)로 일시에
명성을 떨치고 천거를 받아 높은 벼슬에 올랐는데, 정국이 어려운 시기에 참소를 받아 죽었다.
여기서는 육기에 박제가를 빗대어 그의 빼어난 재주를 칭찬한 한편 근심한 것이다.

못하였으니 마땅히 다시 만나 얘기할 날을 기다릴 뿐입니다. 여도(輿圖)
는 견문을 넓히기에 족한데, 이미 잘 받았습니다. 표범 가죽도 받았습니
다. 맑은 우의가 은은하여 본래는 물리치고 싶지 않았지만 제가 예관(禮
官)인 데다 직분이 나라에 속해 있어, 국법상 외국의 물건은 하나도 취
할 수가 없습니다. 그래서 삼가 돌려보내 남들이 알게끔 하였으니 능히
살펴 헤아려 주십시오. 이로써 답장 드립니다. 잘 지내시기를 빌며, 이만
줄입니다.

　　이후 검서께 올립니다. 기윤 드림. 8월 6일 삼가.

昨挹淸言, 得未曾有信. 海外大有人在也. 公私鹿鹿, 未罄欲[15]談, 當再卜
良晤耳. 輿圖足拓見聞, 已拜領矣. 豹皮承. 雅誼殷殷, 本不欲却, 然昀禮
官也, 職典屬國, 於法不得取外藩一物. 是以謹還付, 使人知, 能諒鑒. 敬
此奉復. 順候日佳, 不備. 上而后檢書侍史, 紀昀頓首. 八月六日, 敬沖.

15　欲: 『호저집』 원문에는 "欲"으로 되어 있으나, 해당 부분 상단에 "'욕'(欲) 자는 아마도 '관
담'(款談)의 오기일 것이다"(欲恐款談之誤)라는 후지쓰카의 메모가 있다. 문맥상 큰 문제가 없
다고 보아 『호저집』 원문 그대로 두었다.

옹방강[16]
翁方綱, 1733~1818

〈노주설안도〉(蘆洲雪雁圖) 권(卷)에 쓰다[17]

題蘆洲雪雁圖卷

구름 그림자 아스라이 해동의 저 끝인데 　　　　雲影滄茫極海東

가을이라 시사(詩思) 일어 허공에 담백하다. 　　　秋生詩思澹空濛

인위 아예 없는 모습 뉘 전해 얻었던고 　　　　最無人態誰傳得

요홍(蓼紅)[18] 빛에 물든 듯한 석양 그늘뿐이로다. 　只有昏陰襯蓼紅

화지사(花之寺)의 늙은 스님 그림으로 참선하니 　花之老衲墨參禪

물가의 뜻 헤아려서 먼 하늘과 맞닿았네. 　　　渚意料量接遠天

성 남쪽 조그만 방[19] 떠올려 보노라니 　　　　記取城南齋十笏

16　옹방강(翁方綱): 1733~1818. 청조 고증학을 집대성한 석학. 자가 정삼(正三), 호는 담계 (覃溪)·시경(詩境)·소재(蘇齋)·소미재(蘇米齋)·복초재(復初齋) 등이다. 순천부(順天府) 대 흥(大興) 사람이다. 1752년에 과거에 급제하여 한림원편수에 임명되고 내각학사(內閣學士)가 되었다. 벼슬은 예부시랑(禮部侍郎)을 지냈다. 학문이 깊고 서법(書法)에 능하였다. 필의(筆 意)가 거침이 없는 데다 바른 법도를 깨달아 얻었다. 경학(經學)에 정통하고 금석(金石)·보록 (譜錄)·서화(書畵)·사장(詞章)에 두루 뛰어났다. 소동파를 애호하여 스스로 소재학인(蘇齋學 人)이라고 일컬었다. 추사(秋史) 김정희(金正喜, 1786~1856)의 스승이다.
17　〈노주설안도〉(蘆洲雪雁圖) 권(卷)에 쓰다: 원본에 후지쓰카가 〈노주설안도〉(蘆洲雪雁圖)와 관련하여 쓴 신위의 시를 옮겨 적은 원고지 메모가 들어 있다. 시의 내용은 따로 소개하지 않는다.
18　요홍(蓼紅): 붉은빛의 여뀌 꽃을 말한다.
19　조그만 방: 원문은 "十笏"로, 사방일장(四方一丈)의 좁은 방을 말한다. 홀은 척(尺)과 같 은 뜻이다.

창문 빛에 해태전(海苔箋)²⁰을 눈 비비며 마주했지.　　牕光對拭海苔箋

기유년(1789) 12월 19일에 제공(諸公)이 소재(蘇齋)에 모여 소동파의 생일잔치를 했다. 만당(漫堂) 송락(宋犖)²¹의 소상(小像)과 〈서파초당도〉(西坡艸堂圖)를 보고, 『서피집』(西陂集)에 있는 「제파공시」(祭坡公詩)²²의 운자로 똑같이 썼다²³

己酉十二月十九日, 諸公集蘇齋, 作坡公生日. 觀宋漫堂小像及西坡艸堂圖, 同用西陂集中祭坡公詩韻

십 년 전 집 편액을 '보소'(寶蘇)라 이름 짓고　　十年屋扁題寶蘇
주워 모아 주를 다니 공부가 부끄럽다.　　掇拾補注慙工夫

20　해태전(海苔箋): 가는 머리카락 같은 바다 이끼를 풀어 종이 위에 문양처럼 얹은 시전지(詩箋紙)를 말한다.

21　송락(宋犖): 1634~1714. 명말청초의 시인이자 서화가이다. 자가 목중(牧仲), 호는 만당(漫堂)·서피(西陂)·면진산인(綿津山人)이며, 만호(晚號)는 서피노인(西陂老人)·서피방압옹(西陂放鴨翁)이었다. 벼슬이 이부상서에 이르렀으며, 청백리로 이름 높았다. 편저로 『서피유고』(西陂類稿)·『만당설시』(漫堂說詩)·『강좌십오자시선』(江左十五子詩選) 등이 있다. 송나라 소식(蘇軾)의 시를 높이 평가하였다.

22　「제파공시」(祭坡公詩): 송락의 『서피유고』(西陂類稿) 권16에 실린 「시주소시」(施註蘇詩)를 간보(刊補)하고, 12월 19일 파공의 생일에 여러 사람과 함께 제사를 지내다」(刊補施註蘇詩, 竟於臘月十九坡公生日, 率諸生致祭)를 말한다. 『간보시주소시』(刊補施註蘇詩)는 송락이 송나라 시원지(施元之)와 그의 아들 시숙(施宿)이 편찬한 『시고주소시』(施顧注蘇詩)에 빠진 내용이 많다고 여겨 소장형(邵長蘅), 고사립(顧嗣立), 풍경(馮景, 1652~1715) 및 자신의 맏아들 송지(宋至, 1655~1725) 등을 시켜 교감·보완한 것이다. 1699년 완성되었다.

23　기유년(1789)…썼다: 이 시는 옹방강이 『시고주소시』를 소장하고 나서 자신의 장서루를 '보소재'(寶蘇齋)라 이름하고, 소식의 생일마다 여러 명사들과 함께 이 책에 제사를 지내고 글을 짓는 '제소회'(祭蘇會) 모임을 가졌던 일을 소재로 쓴 것이다. 『호저집』 찬집 '옹방강' 항목 참조.

날마다 부질없이 입극상(笠屐像)을 보게 하니	空敎日對笠屐像
시원스런 천 길의 푸른 눈썹 수염일세.	軒軒千仞蒼眉鬚
내 교만한 붓 몹시도 비쩍 마름 사랑하니	憐余驕筆苦枯澁
단지 공의 손길 빌려 은혜 젖음 생각하네.	但丐公蹟思沾濡
시고주본(施顧注本)을 소·풍(邵馮)이 보완하니	施顧注本邵馮補
가는 물결 흙과 같아 진실로 구차하다.[24]	細流土壤誠區區
일백여 년 이전에 택남(澤南)[25]을 꿈꾸면서	百餘年前澤南夢
향 사르며 땅을 쓸어 도화(圖畫)를 갖췄었지.	焚香掃地圖畫俱

만당 송락이 젊었을 때 소동파의 초상화를 그리고서 이후에 그 곁에서 모셨는데, 나중에 과연 황주(黃州)에서 벼슬자리를 얻었다.[26] 漫堂早歲畫坡像, 而已侍其旁, 後果得官黃州.

아까워라! 이 그림 지금은 안 보여도	惜哉此圖今不見
해마다 죽순 안주 즐겁던 일 추억하네.	歲歲筍脯徒追娛
이천의 긴 대나무 물가 남쪽에 심었으니	伊川脩竹水南卜
여기 가면 〈서피도〉[27]와 똑같지 않겠는가?	然否卽此西陂圖
명가의 자제들이 즐겨 집을 지어 놓고	名家子弟肯堂構
수택(手澤)을 상상하며 술잔을 두었다네.	手澤想像存杯盂

---

24 시고주본(施顧注本)…구차하다: 시고주본은 남송(南宋) 시기 시원지(施元之), 고희(顧禧), 시숙(施宿)이 소동파의 시를 해석한 『주동파선생시』(註東坡先生詩)를 가리킨다. 소풍(邵馮)은 소장형(邵長蘅)과 풍응류(馮應榴)이다. 청초 송락이 중간한 송본 『시고주소시』를 소장형이 개정했고, 이후 풍응류(馮應榴)가 『소문충시합주』(蘇文忠詩合註) 50권을 펴냈다. 옹방강이 이들의 작업 결과를 흡족해하지 않았다는 뜻이다.
25 택남(澤南): 운몽택(雲夢澤)의 남쪽을 말하는데, 여기서는 황주 땅을 가리킨다.
26 나중에…얻었다: 송락은 강희 3년(1664) 호광황주통판(湖廣黃州通判)에 제수되었다.
27 서피도(西陂圖): 제목에는 서파(西坡)라고 하였으나, 본래 〈서피초당도〉가 맞다. 오인하여 '서파'라 한 듯하다.

그림은 난휘(蘭暉) 송균(宋筠)[28]의 물건이 되었다. 圖爲宋蘭暉物.

상구(商邱)의 학사[29]가 낚시하며 노닐던 곳	商邱學士釣遊處
그 물과 그 나무에 마을과 도로일세.	某水某樹村與衢
향을 피워[30] 소재 문하 제자라 일컬으니	瓣香蘇門稱弟子
남은 기름 남은 향기 지금은 있나 없나.	殘膏賸馥今有無
내 집으로 달려와 한차례 웃으면서[31]	來就吾齋拈一笑
옛 종이 굳이 찾음 우활하지 아니한가.	苦覓故紙無乃迂
제호와 술이 비록 두 가지가 아니지만	醍醐與酒雖不二
어찌 법유[32] 향하여 문수(文殊)께 예 올리리.	那向法乳叅文殊
숭양거사(嵩陽居士)께옵서 청안으로 계시거니[33]	嵩陽居士靑眼在
그대 장차 한 모서리 고집 말라 권하노라.	勸君且勿執一隅
왕승건(王僧虔)의 의주법(倚柱法)[34]을 마음으로 가늠하여	
	料量僧虔倚柱法
계첩(稧帖)을 쓰고 나서 관노첩(官奴帖)을 휘갈기네.[35]	

28　송균(宋筠): 송락의 아들이다.

29　상구(商邱)의 학사: 송락을 이른다. 하남(河南) 상구는 바로 송락의 출신지이다.

30　향을 피워: 원문의 "瓣香"은 도가(道家)의 말로, 다른 사람을 흠앙한다는 의미이다.

31　한차례 웃으면서: 깨달음의 웃음, 즉 '염화일소(拈花一笑)'를 이른다. 석존(釋尊)이 어느 때 영산회상(靈山會上) 법좌(法坐)에 올라 한 가지의 꽃을 들고서 말없이 대중을 보았는데, 아무도 이 뜻을 이해하는 자가 없었고 마하가섭(摩訶迦葉)만이 참뜻을 깨닫고 빙긋이 웃었다는 선(禪)의 고사가 있다.

32　법유(法乳): 스승에게 불법(佛法)을 받았다는 말로, 어린애가 어머니의 젖을 먹는 것에 빗댄 단어이다.

33　숭양거사(嵩陽居士)…계시거니: 숭양거사는 소동파를 가리킨다. 청안은 반가운 눈빛을 짓는다는 말이다. 여기서는 벽에 걸린 소동파의 초상화를 두고 하는 말이다.

34　왕승건(王僧虔)의 의주법(倚柱法): 기둥에 기대어 붓대를 꽉 잡고 글씨를 쓰는 필법으로, 남제(南齊) 때의 명필인 왕승건(425~485)이 이 방법을 써서 필체가 남달랐다고 한다.

35　계첩(稧帖)을…휘갈기네: 계첩과 관노첩은 모두 왕희지의 서첩으로, 계첩은 난정첩의 별

이때 신안(新安)의 정(程) 사인(舍人)이 판각한 소동파가 쓴 『천제오운첩』
(天際烏雲帖) 모본(摹本)을 가지고 내가 소장한 진본과 함께 살펴보았으므
로 작품 끝에 이에 대해 언급하였다. 時以新安程舍人所刻坡書天際烏雲帖
摹本, 與予所藏眞本同審定, 故篇末及之.

박 검서가 요청한 전설(箋說) 몇 줄을 써서 이제 보내니, 전해
주기를 바랍니다. 이만 줄이며, 옹방강이 돈수하나이다. 박 군이
여러 번 찾아왔으니 이것으로 문안에 대신하기를 바랍니다. 문
안에 대신하기를 바랍니다.[36]
朴檢書所要題其箋說數行, 今送, 求轉致. 不備, 方綱頓首. 朴君
屢屢枉顧, 乞代致候, 乞代致候.

칭이다.
36 박 검서가…바랍니다: 위 시에 붙은 추신 내용이다.

철보[37]

鐵保, 1752~1824

박제가와 유득공 두 군이 내가 어릴 적에 지은『허한당시』(虛閒堂詩)
에 대해 말하므로, 감회가 있어 율시 2수를 짓다[38]

朴柳二君, 述予童時所作虛閒堂詩, 感賦二律

어릴 적에 지었던 한 권 초고로	一卷童時草
미친 이름 해동에 알려졌다네.	狂名落海東
20년 전 옛날의 나를 만나고 보니	廿年逢故我
만 리 길에 쑥대로 머물고 있네.	萬里駐飛蓬
사귐은 먼 데 사람 중히 여기고	交道遠人重
문장은 약관에 우뚝하였지.	文章弱冠雄
산방에 '석모'(席帽)라고 글씨를 써서[39]	山房書席帽

---

37 철보(鐵保): 1752~1824. 자가 야정(冶亭)이다. 시에 능하고 특히 글씨를 잘 써 유용(劉墉)·옹방강(翁方剛)과 나란히 이름이 높았다. 저서에 『유청재전집』(惟淸齋全集)·『백산시개』(白山詩介)·『회상제금집』(淮上題襟集)·『유청재첩』(惟淸齋帖)·『예림소중』(藝林所重) 등이 전한다.

38 박제가와…짓다: 이 시는 『매암시초』(梅菴詩鈔) 권3에 「조선 사신이 내가 어릴 적 지은 『허한당시』를 이야기하기에 감회가 있어 읊다」(朝鮮使臣, 述予童時所作虛閒堂詩, 感賦)라는 제목으로 실려 있다. 첫 수는 박제가, 두 번째 수는 유득공에 초점을 맞추었다. 『허한당시』는 철보가 약관 무렵에 지은 『허한당집』(虛閒堂集)으로, 허한당은 철보의 별호이다. 이 책이 박제가와 유득공 등 조선의 문인들에게 전해진 계기는 분명치 않다. 이와 관련하여 유득공의 『열하기행시주』(熱河紀行詩註) 「철야정시랑」(鐵冶亭侍郎) 조에 "내가 일찍이 그의 『허한당집』을 보았는데, 철보 또한 내 이름을 알고 있었다"(余曾見其虛閒堂集, 冶亭亦聞余名.)라는 언급이 있다.

39 산방에…써서: '석모산인'(席帽山人)은 이서구(李書九)의 별호이다. 앞서 『호저집』 찬집 권1에 실린 박제가가 이조원에게 부친 편지에 철보의 글씨를 이서구에게 보내 달라고 부탁하는

주몽(朱蒙)[40]에게 부쳤던 일 기억하는지.　　　　　　憶否寄朱蒙

　　20년 전[41] 일찍이 귀국 사람을 위해 '석모산방'(席帽山房) 네 글자를 써 주었다. 廿年

　　前曾爲貴國人, 書席帽山房四字.

유기경(柳耆卿)[42]의 이름을 진작에 듣고　　　　　　厪耳耆卿號

유유주(柳柳州)[43]께 마음을 기울였었지.　　　　　　心傾柳柳州

벼슬은 주객사(主客司)를 맡고 있으나[44]　　　　　　官宜司主客

자취는 매양 산림에 합당하다네.　　　　　　迹每合林邱

공식 잔치 사적 만남 잇달아 가져　　　　　　公讌聯私覿

새 친구를 옛 벗처럼 알게 되었지.　　　　　　新交識舊遊

해방(海邦)[45]에 네 사람[46]이 살아 있어서　　　　　　海邦存四子

내용이 보인다. 『호저집』 찬집 '이조원' 항목 참조.

40　주몽(朱蒙): 여기서는 이서구를 가리키는 것으로 보이나 주몽이라 칭한 까닭은 분명치 않다.

41　20년 전: 실제로는 약 10년 전이 맞다. 뒤의 시에도 철보가 '20년 전에 박제가 등이 『허한
당집』을 보았다'고 적은 대목이 있는데, 그의 착각 또는 오기로 보인다. 20년 전인 1770년은 박
제가와 유득공이 철보를 알기 이전인 데다 이서구의 나이가 17세에 불과하다. 앞서 『호저집』 찬
집 권1에 실린 박제가의 회인시에서 그가 1780년 무렵에 철보를 알게 되었음을 알 수 있으며,
유득공 또한 『영재집』(泠齋集) 「열하관중화증야정시랑」(熱河館中和贈冶亭侍郎)에서 1790년
에 철보를 만나 보며 "10년을 지기로 알고 지냈고"(十年知己在)라고 하였다. 박제가와 유득공
은 이조원의 소개로 철보를 알게 된 듯한데, 이조원과의 교류가 『한객건연집』을 통해서 시작되
었으므로 이들의 교류는 1777년 이전으로 거슬러 올라갈 수 없다. 『매암시초』에는 해당 부분에
20년 전이라 특정하지 않고 "예전에 동국의 사신을 위해 석모산방 편액을 써 주었다"(昔年曾爲
東國使臣, 書席帽山房額.)라는 주석을 달아 놓았다.

42　유기경(柳耆卿): 기경은 북송의 문인인 유영(柳永)의 자로, 성씨의 글자가 같은 유득공을
추켜 말한 것이다.

43　유유주(柳柳州): 당나라의 문인 유종원(柳宗元, 773~819)으로, 위와 마찬가지로 유득공
을 빗댄 것이다. 『매암시초』(楳葊詩鈔)에는 해당 원문에 "사신 유씨이다"(使臣柳姓.)라는 주석
이 달려 있다.

44　벼슬은…있으나: 당시 철보는 주객사(主客司)를 관장하는 예부시랑 벼슬에 있었다.

45　해방(海邦): 해동(海東)과 마찬가지로 중국 입장에서 본 조선을 이른다.

해후하여 우리들과 만남 얻으리.　　　　　　　邂逅得吾儕

부(附) 선공의 차운[47]

附 先公次韻

만리장성 북쪽으로 돌아 나와서　　　　　　繞出秦城背

동국에서 온 나와 서로 만났지.　　　　　　相逢我自東

예물도 나누기 전 사귐 맺으니　　　　　　契曾先縞紵

천하 사방 노니는 뜻[48] 이루었도다.　　　　遊不負桑蓬

거침없는 시 이야기 통쾌하였고　　　　　　落落談詩快

나는 듯 말 오를 젠 씩씩하였네,　　　　　　翩翩上馬雄

헤어진 후 스무 해가 지나갔지만　　　　　　別來逾廿載

붓 잡자 오몽(吳蒙)[49]에게 부끄럽구나.　　　援筆愧吳蒙

46　네 사람:『한객건연집』의 저자인 이덕무·유득공·박제가·이서구를 이른다.

47　선공의 차운:『정유각집』시집 권3에 「열하에서 시랑 철보가 보내온 시에 차운하다」(熱河
次鐵侍郞寄示韵)라는 제목으로 실려 있다.

48　천하 사방 노니는 뜻: 원문은 "桑蓬", 즉 '상호봉시'(桑弧蓬矢)로, 천하를 위해 일해서 공명
을 세우고자 하는 포부를 말한다. 옛날에 남아가 출생하면 뽕나무 활에 쑥대 화살을 당기어 장
래에 천하를 위하여 큰 공을 세우기를 빌며 천지 사방에 쏘았던 데서 나온 표현이다.

49　오몽(吳蒙): 후한(後漢) 말 삼국시대 오(吳)나라의 명장 여몽(呂蒙)으로, 여몽은 뛰어난
무예에 비해 식견이 부족하였는데, 독서를 통해 학식을 몰라보게 진전시켰다. 나중에 노숙(魯
肅)이 그를 만나 대화를 나누어 보고 그 발전에 감탄하였다는 고사가 있다. 여기서는 오몽 같은
진전이 없는 자신의 솜씨가 부끄럽다는 뜻이다.

조선 사신의 시책(詩冊)에 제(題)하고, 정유거사(貞蕤居士)에게 함께
부치다 정유는 성이 박이고, 이름은 제가이니, 조선 사람이다.[50]

題朝鮮貢使詩冊, 並寄貞蕤居士 貞蕤, 朴姓, 名齊家, 朝鮮人.

동해에서 왕회(王會)[51]에 참석하려고	東海乘王會
사신의 수레가 건너왔다네.[52]	星傳使者車
도서(圖書)가 속국과 연계되어서	圖書聯屬國
풍물이 중화를 법도 삼았네.	風物紀中華
좋은 시구 해낭(奚囊)[53]에 너무 많은데	好句奚囊富
아득한 정 나그넷길 멀기도 하다.	遙情客路賒
먼 길임을 마음에 품지 않으리	不須懷遠道
중외(中外)는 오래도록 한집안인걸.	中外久同家

천 리 길에 취두선(聚頭扇)[54] 귀한 부채를	千里聚頭扇
저 멀리 예신(禮臣)[55]에게 보내 주셨네.	遙遙贈禮臣
문자의 말석임이 부끄럽지만	自慙文字末
성정 참됨 그대는 기뻐해 주네.	君喜性情眞

50 조선 사람이다: 해당 시 끝에 "『매암시초』 권5"(梅菴詩鈔卷五), 즉 철보 문집 『매암시초』
의 권5에 이 시가 수록되어 있음을 밝히는 후지쓰카의 메모가 있다.
51 왕회(王會): 제후나 속국 또는 사방의 변방 민족이 천자에게 조공을 바치는 회합을 이른다.
52 건너왔다네: 원문의 "星傳"은 역마(驛馬) 또는 파발마를 일컫는데, 여기서는 조선 사신의
수레가 수많은 역참을 지나 중국에 온 것을 말한다.
53 해낭(奚囊): 시초(詩草)를 담은 주머니. 당나라 시인 이하(李賀, 790~816)가 출타할 때
노복〔奚〕에게 비단 주머니를 지게 하고 시상이 떠오르면 적어서 주머니 속에 넣었다고 한다.
54 취두선(聚頭扇): 한 줄로 접히는 섭선(摺扇), 즉 쥘부채를 이른다.
55 예신(禮臣): 예부(禮部)의 신하란 의미로, 당시 예부시랑 자리에 있던 철보 자신을 이른다.

서법은 전해진 의발(衣鉢)이 없고	書法忘衣鉢
시명은 진신(縉紳)들 비웃는다네.	詩名笑縉紳
직려(直廬)[56]에서 밤새도록 읊조리고는	直廬吟五夜
다듬어 해동 사람에게 부치네.	裁寄海東人

조선 박명농(朴明農) 검서는 동국의 이름난 선비이다. 20년 전에[57] 일찍이 내가 어릴 적 지은 『허한당고』(虛閒堂稿)[58]를 보았는데, 이번에 입공(入貢)을 위해 경사에 와서 근래의 작품을 써 줄 것을 부탁하였다. 시의 글자가 모두 좋지가 않아 헛된 이름의 부끄러움이 있음을 면치 못함이 애석할 뿐이어서 바로 잡는다. 때는 건륭 경술년(1790) 8월이다

朝鮮朴明農檢書, 東國名士. 二十年前, 曾見余幼作虛閒堂稿, 玆以入貢來京, 屬書近作, 惜詩字都不佳, 未免有愧虛名耳, 正之. 時乾隆庚戌八月

---

56 직려(直廬): 직숙지려(直宿之廬), 즉 관료들의 숙직실이다.
57 20년 전에: 실제 연대와 맞지 않는 듯하다. 본서 177면 각주 41번 참조.
58 『허한당고』(虛閒堂稿): 철보의 문집이다.

난양[59]의 객중에서 쓴 장가, 사구 강도향[60]을 그리며 부치다[61]

灤陽客中長歌, 寄懷姜度香司寇

삼월의 춘관(春官)에 도리(桃李)가 붉었는데	春官三月桃李紅
성대한 문전(文戰) 열려 자웅을 갈랐었지.	莘莘文戰分雌雄
난평(灤平) 땅 오가는 길 풍경이 색달라서	竭來灤平風景異
붓과 종이 다투잖고 칼과 활을 다툰다네.	不爭筆札爭刀弓
짧은 옷 지어 입고 곧바로 말에 올라	短衣裁後便騰踔
군사들 일천 마리 곰을 따라 쫓는구나.	步伍追躍千羆熊
홍에 넘쳐 말을 달려 평지로 내려가자	興酣走馬下平坂
망망한 너른 들이 하늘 아래 깔렸구나.	茫茫大野低蒼穹
산 빛과 구름 그림자 아침저녁 뒤바뀌고	山光雲影變朝夕
6월이면 이따금씩 서늘한 바람 부네.	六月往往凉飇通
나한봉(羅漢峯) 산머리에 달빛이 환하더니	羅漢峯頭月皎皎
승관(僧官)의 모자 위로 구름은 뭉게뭉게.	僧官帽上雲濛濛
창문 사이 산들 보려 날마다 문 밀치니	牕間列岫日排闥
몸이 안개 노을 속에 누운 줄도 모르겠네.	不知身臥煙霞中
달재(達齋) 사구(司寇)께선 그림에 벽이 있어	達齋司寇有畫癖

---

59 난양(灤陽): 지금의 하북성(河北省) 승덕시(承德市)로, 열하(熱河)가 있던 승덕부(承德府)를 가리킨다. 난하(灤河)의 북쪽에 있다고 해서 붙여진 이름이다.
60 강도향(姜度香): 청대 문인 강성(姜晟, 1730~1810)을 이른다. 강소(江蘇) 원화(元和) 사람으로, 자가 광우(光宇), 호는 두향(杜鄕)·도향(度香)이다. 건륭 연간의 진사로 벼슬은 호남순무(湖南巡撫)·공부상서(工部尙書) 등을 지냈다.
61 난양의…부치다:『중정매암시초』(重訂梅菴詩鈔)에 수록되어 있다.

마주 보는 산 그리며 신기(神氣)가 하나 되네.	對山寫山神氣融
방 벽에 걸 한 폭 그림 내게 보내 주시니	贈我尺幅掛齋壁
조화를 보충하여 하늘도 공 없을 듯.[62]	欲補造化天無功
시범(時帆) 학사[63]께선 노성한 시객(詩客)이라	時帆學士老吟客
일천 바위 일만 골짝 시통(詩筒)에 담았구려.	千巖萬壑歸詩筒
종이창에 높이 누워[64] 생생한 뜻 그려 내니	紙牕高臥寫生意
산 귀신이 곳곳에서 사로잡힘 당했다네.	山靈處處遭牢籠
내 여기 와 나그네 삶 적막함을 근심찮음	我來不愁旅況寂
사는 곳이 남산 동편 더욱 가까워서라네.	結廬更近南山東
높이 올라 휘파람 불며 티끌세상 벗어나니	登高舒嘯脫塵坱
의기가 변화하여 무지개로 드리운 듯.	意氣欲化垂天虹
장부 처세 악착같음 부끄러워하나니	丈夫處世恥齷齪
어이 능히 흰 집[65]에서 벌레 새김 탄식하랴.[66]	安能白屋嗟雕蟲
군중의 장교와 사졸 머리 온통 세려 하니	闉中校士頭欲白

62 하늘도 공 없을 듯: 작품의 조화가 매우 뛰어나 그 앞에서 하늘의 조화도 무색하다는 뜻이
다. 당대 이하(李賀, 790~816)의 시 「고헌과」(高軒過)에 "필력(筆力)은 조화(造化) 도우니 하
늘도 공이 없어라"(筆補造化天無功.)라는 구절이 보인다.

63 시범(時帆) 학사: 시범(時帆)은 청나라 문인 법식선(法式善, 1752~1813)의 호이다. 몽고
(蒙古) 정황기(正黃旗) 사람으로, 자는 개문(開文) 또는 서애(西涯)이다. 당대 문단을 이끌었
으며, 거처인 오문서옥(梧門書屋)에 법서와 명화를 많이 수장했다.

64 높이 누워: 원문 "高臥"는 마음을 고상하게 가지고 벼슬도 마다한 채 은거하는 것을 말
한다.

65 흰 집: 원문은 "白屋"으로, 채색하지 않고 본재(本材)를 노출한 가옥을 가리킨다. 일설에
는 흰 띠풀로 지붕을 덮은 가옥이라고도 한다.

66 벌레 새김 탄식하랴: 원문의 "雕蟲"은 조충전각(雕蟲篆刻)의 줄임말로, 벌레 모양이나
전서(篆書)를 새기는 것처럼 미사여구(美辭麗句)로 문장을 꾸미는 작은 기예라는 뜻이다. 한
(漢)나라 양웅(揚雄)의 『법언』(法言) 권2 「오자」(吾子)에, "동자(童子)의 조충전각과 같은 일
을…장부는 하지 않는다"(童子雕蟲篆刻…壯夫不爲也.)라는 말이 나온다.

변경에서 말 얻고는 도리어 노인 됐네. 　　塞上得馬還成翁

인생이 한가하다면 객이라도 좋겠지만 　　人生能閒客亦好

해와 달 부지런히 나는 쑥대[67]를 뒤쫓누나. 　雙丸跳躍隨飛蓬

공께 부친 긴 노래가 아이 장난 한가지니 　　長歌寄公等兒戱

달관한 이 소견과는 같은 구석 하나 없네. 　達者所見將無同

상마도 소조에 스스로 쓰다
自題相馬圖小照

말 고를 땐 가죽과 털 살피지를 않나니 　　相馬不相皮與毛

평범한 말 뛰어넘어 이 준마를 골랐다네. 　相此駿骨超蓬蒿

운리(雲螭)와 월사(月駟)[68]는 세상에 드물거니 　雲螭月駟世罕覯

신물(神物)을 그리려고 붓질로 고심했지. 　　欲寫神物愁添毫

변방 북쪽 사냥터엔 훌륭한 말[69] 널려 있어 　塞北行圍富叱撥

비토(飛兔)와 요뇨(騕褭)[70]의 소리가 시끄럽다. 飛兔騕褭聲喧囂

48가(家)[71] 앞다투어 사냥으로 경쟁하니 　四十八家競從獵

들끓는 일만 기병 파도가 내닫는 듯. 　　沸騰萬騎如奔濤

67　나는 쑥대: 원문은 "飛蓬"으로, 정처 없이 떠돎을 뜻하는 단경비봉(斷梗飛蓬)의 줄임말
이다.

68　운리(雲螭)와 월사(月駟): 각각 용과 신마(神馬)의 이칭인데, 여기서는 모두 준마(駿馬)
를 가리킨다.

69　훌륭한 말: 원문은 "叱撥"인데, 명마의 이름이다.

70　비토(飛兔)와 요뇨(騕褭): 모두 준마의 이름이다.

71　48가(家): 내몽골의 48개 기(旗)를 가리킨다.

내 와서 호종(扈從)하나 문약(文弱)임이 부끄러워

我來扈從愧文弱

필찰(筆札)을 일삼잖고 활과 칼을 둘러찼네.　　不事筆札環弓刀

평생에 함궐(銜橛) 변고[72] 매번 겁을 냈었지만　平生每懼銜橛變

여기서는 담력 기운 거칠고도 호쾌하다.　　至此膽氣增粗豪

안장 앉아 돌아보니 뜻이 또한 거나하여　　據鞍顧眄志亦得

절벽을 뛰어넘어 원숭이를 따르누나.　　超越絶壁隨猿猱

준마[73]는 그 종자가 따로 있음 알겠거니　　乃知駬騄別有種

둔마와는 더불어 구유를 다투잖네.　　不與駑駘爭櫪槽

천리마가 나오자 백락이 나왔으니　　千里馬生伯樂出

말과 말을 고르는 이 서로 만남 기뻐하네.　生者相者欣相遭

무군(繆君)[74]의 묘한 그림 고호두(顧虎頭)[75]에 견줄 만해

繆君妙畫虎頭比

곳곳에 적힌 품제(品題) 당시 준걸 전해 준다.　品題處處傳時髦

내가 다리 쭉 뻗고서 준마 대함 그렸으니　寫我箕踞對神駿

한때의 높은 안목[76] 뉘 능히 붙잡으리.　一時氷鑑誰能操

말 살피는 이들 모두 구방고와 같아서　我願相馬人都如九方皐

72　함궐(銜橛) 변고: 말이 성을 내어 재갈이 벗겨지고 굴대가 부러져 수레가 전복하는 변고를 말한다.

73　준마: 원문은 "駬騄"로, 북방 명마의 이름이다.

74　무군(繆君): 철보에게 그림을 그려 준 화가를 가리키는 것으로 보인다.

75　고호두(顧虎頭): 진(晉)나라의 문인 화가인 고개지(顧愷之)이다. 호두장군(虎頭將軍)을 역임하여 호두공이라는 호칭이 붙었으며, 재(才)·서(書)·치(癡)의 삼절(三絶)로 일컬어졌다.

76　안목: 원문의 "氷鑑"은 거울을 가리키는데, 사물을 감별하는 안목을 뜻한다.

여황빈모(驪黃牝牡) 달아나기 어렵게 되길 내 원하네.[77]

驪黃牝牡難遁逃

천한(天閑)[78]을 드나들며 상등 말에 뽑히어서　天閑出入列上駟

만 리 길 내달리자 풍운이 드높구나.　馳騁萬里風雲高

말 감별해 말 얻음은 선비 얻음 한가지니　相馬得馬如得士

백안(白眼)[79] 뜨고 우리들을 감히 놀래키겠나.　敢敎白眼驚吾曹

아, 백안으로 우릴 놀라게 하지 않는다면　嗚呼不敎白眼驚吾曹

말이여, 말이여, 노고 달게 감당하리.　馬兮馬兮甘任勞

난양 땅에 객으로 있으면서 아우 낭봉[80]에게 부치다

客灤陽日, 寄弟閬峯

바위 벼랑 곁에다 집을 얽으니　結廬傍巖壑

산 사는 데 필요한 돈 들지 않았지.　不費買山錢

푸른 이내 처마 사이 떨어지는데　嵐翠檐間落

77　말 살피는…원하네: 구방고(九方皐)는 춘추시대의 상마가로, 말의 외형은 신경 쓰지 않고 오직 능력만을 중시하였다. 그가 진(秦) 목공(穆公)을 위하여 천리마를 찾아낸 다음 '색깔이 노란 암컷'(牝而黃)이라고 하였는데 정작 목공이 보니 '색깔이 까만 수컷'(牡而驪)이었다. 이에 그 능력을 의심하였는데 시험해 보니 과연 그 말이 천리마였다고 한다. 『열자』(列子) 설부(說符) 편에 보인다.

78　천한(天閑): 황제의 말을 기르던 곳이다.

79　백안(白眼): 냉대하는 태도를 이른다. 삼국시대 위나라의 문인 완적(阮籍)이 속된 선비가 찾아오면 백안(白眼)으로, 맑은 고사(高士)가 찾아오면 청안(靑眼)으로 대했다고 한 데서 나온 말이다.

80　낭봉(閬峯): 철보(鐵保)의 아우 옥보(玉保)의 호이다. 건륭 46년(1781)에 진사 급제하여 한림(翰林)에 들어갔는데, 형과 더불어 재명(才名)이 있었다. 『청사고』(淸史稿) 권353에 보인다.

부용(芙蓉)은 베갯머리 곱기도 하다.　　芙蓉枕上鮮

일이 없어 손님 능히 사절을 하고　　官閒能謝客

땅이 외져 참선하기 마침 맞구나.　　地僻合逃禪

고향 땅 그리움은 일지 않으니　　不作鄕關思

연하(煙霞)와는 예전부터 인연 있었지.　　煙霞舊有緣

호종(扈從)하며 추노(鄒魯)81 땅을 순찰하노니　　扈從巡鄒魯

긴 여정에 수고로움 감히 고하랴.　　長途敢告勞

나는 난수(灤水)82 근처에서 유람하는데　　我遊灤水近

그대는 대종(岱宗)83을 높이 오르네.　　君陟岱宗高

몸은 만궁(彎弓) 당기느라 튼튼해지고　　體以彎弓健

시는 변방 나서자 호방해지네.　　詩因出塞豪

함께 모여84 묵은 꿈 통해 보리니　　聯牀通夙夢

돌아가 풍소(風騷)85를 이어 보세나.　　歸去續風騷

81　추노(鄒魯): 맹자의 고향인 추(鄒)나라와 공자의 고향인 노(魯)나라를 아울러 이르는 말
이다. 인하여 후대에는 문화 융성의 땅, 예의지국을 가리키게 되었다. 여기서는 아우 옥보가 순
찰하던 산동(山東) 역내를 이른다.

82　난수(灤水): 난하(灤河)를 말한다.

83　대종(岱宗): 산동에 있는 태산(泰山)을 가리킨다.

84　함께 모여: 원문은 "聯牀"으로, 친구나 형제가 함께 모여 이야기를 나누는 것을 이른다.

85　풍소(風騷): 뛰어난 시. 『시경』의 국풍(國風)과 굴원의 「이소」(離騷)를 병칭한 말이다.

아내에게 주다[86]

寄內

잔병치레 여름 내내 고생하느라	小病偏經夏
시장(詩腸)[87]을 조섭하기 쉽지 않았지.	詩腸未易調
찬물 대야 더위 자주 경계하였고	氷盤頻戒暑
매일 아침 약봉지가 잇달았었네.	藥裏每連朝
집에선 게으른 종 눈감아 주고	居恕慵奴懶
나가서는 사나운 말 날뜀 막았지.	行防怒馬驕
해를 넘겨 객지 생활 익숙해지자	經年爲客慣
양생(養生)의 조목들을 다 살펴봤네.	檢盡養生條
아픈데도 집안을 부지해 가니	力疾持門戶
총부(冢婦) 어짊 그 누가 자랑하겠나.	誰誇冢婦賢
일신이 취해 배부름 잊고 지내니	一身忘醉飽
여덟 식구[88] 보살핌에 의지한다네.	八口賴周旋
술 항아리[89] 범하기야 쉽다고 해도	易犯浮蛆甕
물 거슬러 가는 배는 지탱 어렵지.	難撑逆水船
꽃을 보고[90] 날짜 지남 문득 알고는	○[91]花知有日

86 아내에게 주다: 『중정매암시초』 권2에 같은 제목으로 첫 수만 실려 있다.
87 시장(詩腸): 시상(詩想)이나 시의 지취를 말한다.
88 여덟 식구: 원문은 "八口"로, 집안의 식솔을 이른다. 여기서는 대구를 감안해 풀어서 번역하였다.
89 술 항아리: 원문의 "浮蛆甕"은 거품이 뜬 술 항아리를 가리킨다.
90 꽃을 보고: 원문에 한 글자가 결락되어 있다. 문맥상 짐작해 풀이하였다.

변방 구름 고개 들어 바라보노라.　　　　　　翹首塞雲邊

도중에 짓다
道中作

험지라 치우쳐 모로 감도 다 잊으니　　　　天險都忘偏仄行
이제껏 왕로(王路)는 본래 평탄했었지.　　　由來王路本平平
두 봉우리 어귀에 한 줄기 길 뚫리고　　　　地穿一線雙峯口
천 길의 만리성이 기운으로 압도하네.　　　氣壓千尋萬里城
곳곳의 산 구름은 옷소매를 적시고　　　　　行處山雲沾袂濕
꿈 깨자 산 달빛이 관문 밝게 비추누나.　　夢廻山月照關明
장쾌한 유람에 산수벽(山水癖)을 이룬 듯해　壯遊恰逐煙霞癖
시 주머니 점검하자 좋은 시구 가득하다.　檢點奚囊好句盈

박 노선생께 올림
朴老先生台啓

여러 날 분주하여 찾아뵙지 못하니 답답합니다. 그대의 시집을 돌려드리
며 졸시(拙詩) 몇 수를 베껴 보내려 했으나, 그럴 만한 짬이 없어 마침내

91　○:『호저집』 원문에 한 글자가 결락되어 있다. 문맥상 "看" 자로 여겨지나 분명치 않다.

약속대로 할 수 없었습니다. 혹 훗날 공사(貢使) 편에 써서 부치겠습니다. 부사께서 부탁하신 '견일정'(見一亭)과 '학산'(鶴山) 다섯 자의 큰 글자[92]는 크기를 알려 주시기 바랍니다. 마땅히 써 보겠습니다. 유군도 기거가 함께 편안하신지요?

철보가 명농 선생께 삼가 드립니다. 종이와 먹 몇 가지를 그저 편지에 함께 보내니 웃고 받아 주시기를 바랍니다.

連日恩恩, 未獲走候, 歉歉. 尊集奉璧, 拙詩擬鈔數首, 緣刻無暇暑, 竟不能如約. 或他日隨貢使寫寄也. 副使所囑見一亭鶴山五大字, 希示尺寸, 當爲書之. 柳君起居同佳耶? 鐵保頓明農先生. 紙墨數事, 聊以伴函, 祈笑存.

박 노야께

朴老爺

송강(松江) 전지(牋紙) 1갑, 배음헌(培陰軒) 묵 1갑, 호필(湖筆) 1갑 12자루, 조폭(條幅)[93] 1축.

---

92 부사께서…큰 글자: 서호수(徐浩修)의 『연행기』(燕行記) 8월 27일 기사에 "철 시랑이 '학산견일정'(鶴山見一亭) 편액과 대련(對聯) 3축을 써 보내고, 휘묵(徽墨) 1갑, 공연(貢硯) 1방, 난전(蘭箋) 4묶음을 함께 보냈다"(鐵侍郎書送鶴山見一亭扁額及對聯三軸, 且伴徽墨一匣, 貢硯一方, 蘭箋四束.)라고 한 기록이 있다.
93 조폭(條幅): 세로로 된 긴 족자를 말한다.

철보 드림.

松江牋紙壹匣, 培陰軒墨壹匣, 湖筆壹匣十二枝, 條幅壹軸, 鐵保拜.

원나라 사람의 옛 그림 1책, 사옹(思翁)[94]의 소경(小景) 1폭, 단계(端溪)
구연(舊硯)[95] 1방, 졸서 1폭을 박정유 선생께 받들어 올립니다.

철보 돈수(頓首). 대련은 미처 쓰지 못했습니다.

元人舊畫一冊, 思翁小景一幅, 端溪舊硯一方, 拙書一幅, 奉上朴貞蕤先
生, 鐵保頓, 對聯不及書.

---

94 사옹(思翁): 명나라 말기의 문인이자 화가인 동기창(董其昌, 1555~1636)으로, 사옹은
그의 호이다. 자가 현재(玄宰), 시호는 문민(文敏)이다. 서예에 있어 여러 대가를 초월하여서
독보(獨步)의 경지를 개척하였고, 그림 또한 송·원의 여러 대가의 장점을 모았다는 평가를 받
는다.
95 단계(端溪) 구연(舊硯): 광동(廣東) 조경부(肇慶府)의 단계에서 생산되는 단계석(端溪
石)으로 만든 벼루를 말한다. 품질이 좋기로 유명하다.

오성흠[96]

吳省欽, 1729~1803

오성흠이 박제가에게 보낸 무제 편지

기하학은 평소에 능히 공부할 수 없었는데, 보내온 편지에 이것을 남겨 두어 한차례 살펴보았으니, 초6일 이후에 가져갈 수 있겠습니다. 그대의 시를 베껴 써서 부쳐 보내 한차례 읽기를 청합니다. 서문(序文)에 이르러서는 따로 다시 헤아려 주십시오. 그 사이에 편치 못한 곳이 있을까 염려할 뿐입니다.

幾何之術, 素不能講, 來書留此一閱, 初六日來領可耳. 尊詩錄出, 乞付一讀. 至序容另再商, 恐其間有涉未便處耳.

이 책은 인편을 기다려 가져가시되, 다만 잘못 부쳐서는 안 됩니다. 기하학은 평소에 공부해 보지 않았습니다. 만약 그저 예전 책을 다시 새기는 것이라면 어이 굳이 서문을 다시 쓰겠습니까? 한 책에는 서문을 다시 쓰지 않는 것이 옛 법입니다. 사적인 교유가 없다면 또한 옛 제도를 따르는 법입니다. 그대의 시를 부쳐 보내 한번 읽게 해 주시면 좋겠습니다. 여러

---

96 오성흠(吳省欽): 1729~1803. 청나라 남회(南匯) 사람으로, 자가 충지(充之), 호는 백화(白華)이다. 부친은 오성구(吳成九)다. 건륭 계미년(1763)에 진사가 되었고, 임인년(1782)에 호북(湖北)의 제독학정(提督學政)이 되었다. 일강기거주관(日講起居注官)과 한림원시독학사(翰林院侍讀學士)를 지냈다. 저서에 『백화전고』(白華全稿)가 있다.

날 일이 바쁜데, 외성(外省)의 접대뿐 아니라 의례를 집행하는 대다수의 인원이 겨를이 없어 그렇답니다.

此書俟紀綱取携, 但不可惧付. 幾何之學, 素不講求. 若只翻刻舊書, 何必再序? 一書不再序, 古也, 無私交亦係古制也. 如有尊詩, 付來一讀亦可. 連日事冗, 不特應接外省, 祝釐大員之不暇故耳.

위숙자(魏叔子)[97] 또한 종횡으로 내닫는 기운이 있으니, 왕완(汪琬)[98]과는 나란히 일컬을 수가 없습니다. 예전 책을 다시 새길 경우, 혹 책을 새기는 사람이 직접 서문을 쓰는 것은 괜찮지만, 다시 다른 사람의 서문을 구하는 것은 굳이 그럴 필요가 없습니다. 귀국에서 구입하려는 것은 또한 사람을 시켜 시장에서 찾아보십시오. 비록 법으로 금지함이 있다는 말을 듣지 못했지만, 부족한 저로서는 실로 감히 하지 못하겠습니다. 삼가 아룁니다.

魏叔子亦有縱橫氣, 不可與汪幷稱. 舊書翻刻, 或刻書之人, 自序則可, 若再求他人之序, 則不必矣. 雞林之購, 亦其使人, 在市物色之. 功令雖未聞有禁, 然區區之私, 實未敢耳. 謹白.

---

97 위숙자(魏叔子): 명말청초의 산문가인 위희(魏禧, 1624~1680). 왕완(汪琬)·후방역(侯方域)과 함께 청초의 산문 삼대가로 알려져 있다. 숙자는 그의 자이고, 호는 유재(裕齋)이다. 명나라가 망하자 벼슬에 뜻을 접고 취미봉(翠微峯)에다 역당(易堂)을 짓고 은거하면서 강학을 하였다. 저서에『위숙자문집』(魏叔子文集)이 있다.

98 왕완(汪琬): 1624~1691. 원문은 "汪"이라고만 했으나, 문맥상 왕완을 가리키는 것으로 보인다.

나빙

羅聘, 1733~1799

시와 그림으로 초비당주인에게 응하다 박 검서이다.

詩畫應莒翡堂主人 朴檢書

대 그림에 소리 나서 집에 바람 가득하니	畫竹有聲風滿堂
구륵법(句勒法)[99]을 따라 그려 보통과는 다르다네.	法從句勒異尋常
앵무새 초록 깃털 다시 물듦 수줍으니	鸚哥毛綠羞重染
이는 바로 선도(仙都)의 백봉황(白鳳皇)이로구나.	此是仙都白鳳皇

건륭 55년(1790) 8월 18일에 초비당 박제가 검서가 이 두루마리를 꺼내 제시(題詩)를 청했다. 인하여 세 수의 절구를 이루어 요청에 응한다

乾隆五十五年八月十有八日, 莒翡堂朴檢書出此卷索題. 因成三絕句應敎

박장암의 안설(案說): 집에 〈노주백안도〉(蘆洲百雁圖)가 있는데, 양봉(兩峯) 나빙(羅聘)은 원나라 사람의 그림이라고 감정하였다. 아정 이덕무와 영재 유득공이 각각 시를 남겼고, 선군께서 이를 쓰셨다. 평계(苹溪) 왕조가(王肇嘉)가 두루마리의 첫머리에 다섯 자 큰 글씨를 썼고, 담계(覃溪) 옹방강(翁方綱) 또한 시를 남겼다. 선군의 시는 연수(練水) 왕도(王濤)가 썼는데,

99 구륵법(句勒法): 사물의 윤곽을 필선으로 그리는 화법(畫法)을 말한다.

그 아래에 선군의 짧은 발문이 실려 있다. 弇案: 家有蘆洲百雁圖, 兩峯鑒定爲元人筆跡. 雅亭冷齋竝各有詩, 先君寫之. 王荈溪肇嘉書卷首五大字, 翁覃溪亦有詩. 先君詩則王練水濤書之. 下有先君小跋.

흐릿한 작은 인장 누구의 솜씨인가	模糊小印何人筆
먹고 자고 울며 나는 온갖 기러기 다 있구나.	宿食飛鳴百雁俱
객창(客牕) 향해 펼쳐 보자 먼 데 생각 일어나니	展向客牕生遠思
종이 병풍 대자리가 강호(江湖)에 놓인 듯해.	紙屛竹榻在江湖

안문(雁門)의 가을 정취 뉘 능히 그려 낼까	雁門秋意誰能寫
〈강남추사도〉(江南秋思圖)[100]가 여기에 따로 있네.	別有江南秋思圖
백사장은 하얗고 물엔 안개 있지만	雪蹟沙汀煙在水
꿈속에선 원래 다만 갈대만 있었다네	夢中元只有菰蘆

원나라 사람 대개 명대와는 달라서	大抵元人異明代
붓질이 경쾌하여 생생한 자태 있네.	筆能鬆活自生姿
어이 다만 맑고 굳세 기품(奇品)이라 자랑하리	寧惟淸硬誇奇品
아스라이 마음 쏟던 그때를 떠올리네.	想見蒼茫用意時

---

100 〈강남추사도〉(江南秋思圖): 원나라 말기 도사 육일(六一) 장언보(張彦輔)가 그린 그림으로, 산수화에 뛰어났던 원나라 화가 상기(商琦)의 묵법으로 그린 것이라고 한다. 장언보는 현덕진인(玄德眞人)으로부터 도를 배웠는데, 특히 그림을 잘 그렸고 산수화에 능하였다.

편집

박차수 검서가 장차 조선으로 돌아가므로 이 소폭의 그림을 그려서 작별의 뜻으로 삼는다[101]

次修檢書將歸朝鮮, 作此小幅, 以當折柳之意

먹물 적셔 한 가지를 그대[102]에게 드리오니　　　　　一枝蘸墨奉淸塵
가난이 뼈저려도 꽃 좋다면 상관없네.　　　　　　　花好何妨徹骨貧
살얼음에 잔설이 남았을 때 생각하면　　　　　　　想到薄氷殘雪候
숲 아래 물가 그대 틀림없이 그리우리.　　　　　　定思林下水邊人

먼저 묵매를 그려 주고 나서 또다시 그를 위해 소조(小照)를 그렸다. 인하여 이 절구 두 수를 지어 작별을 기념한다[103]

旣作墨梅奉贈, 又復爲之寫照, 因作是二絶以誌別云

101　박차수…삼는다: 이 제시는 나빙의 『치지회수첩』(置之懷袖帖) 속 매화도에 적혀 있다. 『호저집』 원문 아래에 "원본은 망한려에 소장되어 있다"(原蹟藏於望漢廬)는 후지쓰카의 메모가 있다. 현재 이 『치지회수첩』은 원본이 중국으로 건너가 개인이 소장하고 있는 상태다. 이 그림에 제한 매화도와 박제가의 초상화가 그려진 그림이 사진으로 남아 있다.
102　그대: 원문의 "淸塵"은 '고풍청진'(高風淸塵)의 준말로, 간찰에서 상대방을 높여 부르는 말이다.
103　먼저…기념한다: 이 제시는 나빙의 『치지회수첩』에 실린 박제가 초상화에 쓰여 있는데, 그 끝에 "건륭 55년(1790) 8월 18일, 양주의 양봉도인이 그리다. 당시에 나그네로 북경 유리창의 관음각에 머물렀다"(乾隆五十五年八月十八日, 揚州兩峯道人, 時客京師琉璃廠之觀音閣.)라고 쓰여 있어 초상화의 제작 시기와 장소를 알 수 있다. 『호저집』 원문의 해당 절구의 아래에 각각 "원본은 망한려에 소장되어 있다"(原蹟藏於望漢廬), "위와 같다"(同上)는 후지쓰카의 메모가 있다.

삼천 리 밖의 사람 서로 마주 대하니 　　　　相對三千里外人
좋은 선비 만남 기뻐 그 모습 그려 보네. 　　　欣逢佳士寫來眞
어여쁜 그대 자태 무엇에다 비하리오 　　　愛君丰韻將何比
매화가 변하여서 몸 되었음 알겠구려. 　　　知是梅花化作身

어인 일로 그댈 만나 문득 친해졌더니 　　　何事逢君便與親
날 떠난단 말 들으니 그 얘기 시고 맵다. 　忽聞別我話酸辛
이제부턴 멋진 선비 보더라도 냉담하리 　從今淡漠看佳士
이별 정에 마음이 너무도 슬퍼지니. 　　　唯有離情最愴神

초비당 박 검서가 조선으로 돌아가기 하루 전날 저녁에 좋지 못한[104] 부채를 꺼내 그림을 청하므로 아울러 시 한 수를 지어서 전별한다. 강남 포의 나빙[105]

苕翡堂朴檢書歸朝鮮之先一夕, 出劣箠索畫, 幷作一詩以餞之. 江南布衣羅聘

춘명문(春明門)[106] 바깥에 버들은 실 같으니 　　春明門外柳如絲

104　좋지 못한: 『호저집』 원문의 "劣" 자 위에 교정 표시가 되어 있는데, 지운다는 뜻인 듯하다. 그러나 나빙이 그림을 그린 부채의 품질이 좋지 않았으므로 해명 차원에서 넣은 표현으로 보아 반영하여 번역하였다.
105　초비당…나빙: 1791년 1월 박제가의 귀국 하루 전날 박제가가 나빙을 찾아 빈 부채를 꺼내 그림과 시를 청하자, 나빙이 부채에 그림을 그리고 그 여백에 시를 써 준 일을 이른다.
106　춘명문(春明門): 당나라 장안성 동문의 가운데 문 이름으로, 도성을 가리키는 표현으로

이 밤에 죽지사(竹枝詞)[107]를 불러 봄이 어떠하리.　　此夕如何唱竹枝

버들 빛은 황금 같고 모습은 어여쁘니[108]　　柳色黃金容易易

세한의 시절에도 간직하길 기약하네.　　相期不没歲寒時

그리움을 담아 가르침을 구하다
奉懷求敎

그대와는 두 차례 만났었는데　　　　　　兩度與君逢

생각하니 이젠 이미 떠나갔겠네.　　　　思之今已去

갈 길이 먼 것이야 유감 아니나　　　　不恨道路長

그대 급히 나를 떠남 안타까워라.　　　恨君別我遽

얼핏 든 잠 문득 그대 만나 보고서　　假寐忽見君

허둥지둥 그대와 얘기 나눴지.　　　　蒼茫與君語

모르겠네 그대의 꿈속에서는　　　　　未知君夢中

나를 만나 보았던가 못 만났던가.　　遇我還未遇

쓴다.

107　죽지사(竹枝詞): 주로 풍속이나 여인의 정서를 읊는 악부시의 일종이다.

108　어여쁘니: 원문의 "易易"은 '양양'(陽陽), 즉 곱고 선명한 모양을 말한다.

직접 그린 홍매에 제하다

題自畫紅梅

산꼭대기 물가의 조그만 누대에는	山顚水涘小樓臺
어여쁜 풀 구름 깔려 돌길엔 이끼 꼈네.	艸媚雲舒石逕苔
옥인(玉人)의 새빨간 입술 빛깔 빌려서는	乞得玉人檀口色
작은 창에 바람 잘 때 홍매를 그렸다네.	小囪風定畫紅梅

말 그림에 제하다[109]

題畫馬

화간(花間)의 술집 깃발 물가의 누각에서	花間酒幔水邊樓
힝힝대며 낭군 따라 사뿐사뿐 노니누나.	嘶處隨郎躞蹀[110]遊
고운 그대 봄소식이 아득히 멀어지자	一自玉人春信杳
석양이 다 저물도록 고개조차 안 돌리네.	夕陽西下不回頭

용지(龍池)[111]의 세 번 목욕 세월이 치달리니	龍池三浴歲駸駸

---

109 말 그림에 제하다: 이 네 수의 시는 금농(金農, 1687~1763)의 『동심화발』(冬心畫跋) 중
『동심화마제기』(冬心畫馬題記)에 수록된 것으로 몇몇 글자에 차이가 있다. 금농은 청대의 화가
이자 서예가로, 나빙의 스승이다. 자가 수문(壽門), 사농(司農), 길금(吉金), 호는 동심선생(冬
心先生), 계류산민(稽留山民) 등이다. 여기의 말 그림과 시는 나빙이 스승 금농의 작품을 베낀
것으로 보인다.

110 躞蹀: 『동심화마제기』에는 "郊外"로 되어 있으나, 『호저집』 원문 그대로 두었다.

111 용지(龍池): 용지는 봉지(鳳池)와 같은 뜻으로 중서성(中書省)을 가리키는데, 여기서는

그저 안고 내달려서 주인 마음 보답했지.　　空[112]抱馳驅報主心

주문(朱門)[113] 향해 끌고 가 높은 가격 물어보나　牽向朱門問高價

그 누가 돌아보고 천금을 내놓을까.　　何人一顧値千金

모래바람 얼굴 치고 갈 길은 험난한데　　撲面風沙行路難

한때는 오색구름[114] 끄트머리 밟았었지.　　當[115]年曾躡五雲端

붉은 언치 다 해지고 조각 안장 망가져서　紅韉已[116]敝雕鞍損

남이 탄 말보다도 보기 좋지 아니하네.　　不與人騎更好看

옛 전장에서 맞은 화살 자국이 여러 갠데　古戰場中數箭瘢

서글픈 늙은 말이 상건(桑乾) 땅을 추억하네.[117]　悲凉老馬憶桑乾

이제 와 석양 속에 풀마저 시들어서　　而今衰艸斜陽裏

사람들이 소나 양과 한몫으로 보는구나.　人作牛羊一例看

그림 속의 말이 나라에서 기르는 말이라는 뜻으로 썼다.

112 空: 『동심화마제기』에는 "長"으로 되어 있으나, 『호저집』 원문 그대로 두었다.

113 주문(朱門): 붉은색으로 치장한 대문으로, 왕공·부호·고관대작의 집을 말한다.

114 오색구름: 원문의 "五雲"은 오색의 상서로운 구름이란 말로, 보통 제왕의 거소를 가리킨다.

115 當: 『동심화마제기』에는 "昔"으로 되어 있으나, 『호저집』 원문 그대로 두었다.

116 已: 『동심화마제기』에는 "今"으로 되어 있으나, 『호저집』 원문 그대로 두었다.

117 서글픈…추억하네: 타향에서 오래도록 행역(行役)한 상황을 말한다. 당나라 시인 가도의 「도상건」(渡桑乾)에 "병주의 객사에서 이미 십 년 보냈는데, 고향 생각 밤낮으로 함양을 그렸었지. 무심하게 다시금 상건수 건너자니, 문득 병주 바라보매 여기 바로 고향이네"(客舍幷州已十霜, 歸心日夜憶咸陽. 無端更渡桑乾水, 却望幷州是故鄉.)라고 하였다.

박차수 선생께 올림

朴次修先生座前

하고 싶은 말이 많지만 글로는 다 쓰지 못합니다. 한 하늘 아래 같이 있으니 인연이 있다면 다시 보기가 어렵지는 않겠지요. 귀우(貴友) 윤인태(尹仁泰)[118] 공은 두세 차례 만나 보았고, 김송원(金松園)[119] 선생은 한 차례 편지만 통하여서 얼굴은 알지 못합니다. 이 가운데 혹 제가 부족타하여 막는 일이 있더라도 모두 다 인연일 뿐이니 족히 괴이할 것이 없습니다. 부쳐 주신 청심환과 일본 먹은 잘 받았습니다. 고맙습니다. 아첨통(牙尖桶)[120]은 북경의 장인에게는 다시 만들라고 맡기지 않고, 이미 큰아이에게 편지를 부쳐 소주(蘇州)로 가서 만들어 오게 하였습니다. 4~5월 사이에는 제 거처로 부쳐서 도착할 것입니다. 다시금 구하여서 그대에게 전하려 한 것이 오래이나, 이미 서강(西江)으로 돌아가고 말았군요.[121] 보내 주신 갓은 반정균 어사(御史)가 가지고 절강으로 돌아갔습니다. 그

---

118 윤인태(尹仁泰): ?~1824. 조선의 문인으로 자가 오일(五一)이며, 호는 유재(由齋)·원조헌(遠照軒)이다. 연암 박지원의 문하생으로 시와 전서(篆書)에 뛰어났다. 1791년(정조 15)과 1794년(정조 18), 1799년(정조 23) 총 세 차례 연행길에 올랐다. 이 편지와 관련한 1791년의 동지사행 때는 정사 김이소(金履素)의 수행원으로 참여하였다.

119 김송원(金松園): 조선의 문인 김이도(金履度, 1750~1813)를 말한다. 호가 송원이다. 김창집(金昌集)의 증손으로, 형 김이소(金履素)와 더불어 박지원과 가까이 지냈다. 윤인태와 마찬가지로 정조 15년(1791)의 사행에서 정사 김이소를 수행하였다. 정조 24년(1800) 별시 문과에 급제하여, 경기도관찰사·예조판서·형조판서·한성부판윤·좌참찬 등을 역임하였다.

120 아첨통(牙尖桶): 상아로 만든 산통(算筒)을 말한다.

121 서강(西江)으로 돌아가고 말았군요: 아무 소용이 없게 되었다는 뜻으로, 『장자』「외물」(外物)의 고사를 인용한 것이다. 장자가 길을 가는데 수레바퀴 자국에 고인 물에서 죽어 가는 붕어가 도움을 청하였다. 장자가 서강(西江)의 물을 터 주겠다고 하자 붕어가 성을 내며 "나는 한 말의 물만 얻으면 살 수 있다. 그대의 말이 이와 같으니 나를 어물전에서 찾는 것이 나을 것이다"라고 하였다.

가 남긴 편지[122]를 보신다면 절로 아실 것입니다. 원조(遠照) 윤인태 선생의 서법은 당나라 때 이양빙(李陽氷)[123]을 곧장 뒤좇으니 능한 솜씨라고 일컬을 만합니다. 제가 본 전서(篆書)를 쓰는 자들이 모두 다 그에게는 미치지 못합니다.

저에게 주나라 때의 〈삽혈동반명〉(歃血銅盤銘)[124] 탑본 두 장이 있는데, 귀중한 물건입니다. 때가 되면 한 장을 나누어 드릴 수 있습니다. 제가 인하여 풀이한 글이 있지만, 써서 부치지는 못하였습니다. 눈병이 들고 등불이 어두워 많은 글자를 쓸 수 없군요. 다만 보중하시기만 바랍니다. 편지를 마치고 나니 마음이 내달림을 금치 못하겠군요. 차수 선생께 드립니다. 유 선생께도 평안한지 안부를 여쭈옵고, 따로 편지를 쓰지는 못합니다.

양주 땅의 아우 나빙은 삼가 씁니다. 임자년(1792) 봄 정월 24일 2경(二更) 무렵, 유리창(琉璃廠) 관음각(觀音閣)[125]에서.

欲言頗多, 書不勝書. 同在一天之下, 有緣再見不難也. 尹貴友見面兩三次, 金松園先生, 以一書通之, 未得識面. 此中或有與弟不足者阻之, 大都

---

122 그가 남긴 편지: 『호저집』 찬집 '반정균' 항목의 「초정 박제가 선생께」(朴楚亭先生書) 중 마지막 편지를 참조.

123 이양빙(李陽氷): 당(唐)나라 사람으로, 자는 소온(少溫) 또는 중온(仲溫)이다. 이백(李白)의 종숙(從叔)으로, 이백이 만년에 이양빙에게 의지하여 살다가 죽었다. 전서(篆書)에 능하였는데, 필치가 준결하였고 진(秦)나라 이사(李斯)의 필체를 배워 독창적으로 하나의 필체를 이룩하였다는 평가를 받는다.

124 〈삽혈동반명〉(歃血銅盤銘): '삽혈동반'(歃血銅盤)은 구리 쟁반에 희생(犧牲)인 말의 피를 담아 함께 마시면서 하는 고대의 맹세를 뜻한다. 〈삽혈동반명〉은 그것을 새긴 명문(銘文)을 탑본한 것을 말한다.

125 유리창(琉璃廠) 관음각(觀音閣): 관음각은 유리창 근처의 사찰로, 나빙이 1790년에 상경한 후 머무른 곳이다.

皆緣耳, 不足怪. 承寄淸心丸, 日本墨拜領, 謝謝. 牙尖桶, 都下匠人, 毌
再委做. 已信寄大兒, 命往蘇州去做, 四五月間, 可寄到弟寓矣. 再爲覓奉
傳君久, 已歸西江. 承惠之笠, 潘御史携歸浙去. 觀其留札自知. 遠照先生
書法, 直追唐李陽氷, 可稱能手. 弟所見作篆書者, 皆不及也. 弟有周時歃
血銅盤銘搨本二紙, 貴重之物, 到時可分一紙與之. 弟仍有釋文, 不及書
寄矣. 眼病燈昏, 不能多作字, 唯冀珍重. 書罷不禁神馳. 次修先生左右,
柳先生, 托問平安. 不另函. 揚州弟羅聘頓首. 壬子春正月卄四日, 漏下二
鼓, 仍住琉璃廠觀音閣.

나윤찬

羅允纘, ?~?

나윤찬이 박제가에게 보낸 무제 편지

어제 아버님[126]께서 우연히 가볍게 편찮으셨는데 밤중에는 이미 나았습
니다. 염려해 주심을 입사오매 한없이 황송합니다. 17일에는 아버님께서
거처에 계시면서 삼가 오시기를 기다리실 테니 온종일 얘기를 나누시지
요. 거절하지 않으신다면 고맙겠습니다. 19일에 재차 저희 집에 오셔서
공삼(龔三) 선생[127]을 기다리시면 좋겠습니다. 이후로는 날을 기다려야

---

126 아버님: 나빙(羅聘)을 이른다. 나윤찬은 나빙의 둘째 아들이다.

하겠습니다.

다 갖추지 못하옵고 연당은 삼가 아룁니다.

오조(吳照) 공의 처소에서 토산물 네 가지를 보내 드리니 확인하여 받아 주시기를 바랍니다. 추신.

昨家君偶抱微恙, 夜來已瘳, 蒙厪念, 掬跽無量. 十七日, 家君在寓, 恭俟文駕, 作盡日之談, 勿拒是幸. 十九日, 再來敝寓, 俟龔三先生可耳. 率此卽候日佳. 不備. 練塘頓首. 吳公處土物四種附呈, 乞檢收. 又及.

이병수
伊秉綬, 1754~1815

귀국하는 고려 박제가 검서를 전송하며
送高麗朴檢書齊家歸國

| 해 돋는 부상(扶桑) 땅 동해 바다에 | 扶桑東海水 |
| 수양버들 봄바람 불어오는 성. | 楊柳春風城 |

---

127 공삼(龔三) 선생: 공협(龔協, 1751~?)을 말하는 듯하다. 자가 극일(克一), 호는 행장(荇莊)으로, 강소성(江蘇省) 상주(常州) 양호(陽湖) 사람이다. 왕사정(王士禎)의 외현손(外玄孫)으로, 벼슬은 국자감학록(國子監學錄) 등을 지냈다. 비방을 입어 흑룡강(黑龍江)에 유배되었다. 『호저집』 찬집 '공협' 항목 참조.

상국(上國)에서 꽃 피어 잔치 베푸니	上國花開讌
먼 하늘에 달이 함께 벗 되어 가네.	遙天月伴行
글은 능히 통역하는 말과 통하고	文能通譯語
시 풀이는 우리 소리 이을 만하다.	詩解繼吾聲
남은 책 있는 곳 찾아가고파	欲訪遺書在
기자(箕子) 향한 마음만 유유하도다.	悠悠箕子情

부(附) 장도악(張道渥) 자사의 화책(畫冊)에 제하여 귀국하는 고려 화산 김이도를 전송함[128]

附 題張水屋刺史道渥畫冊, 送高麗金華山履度歸國

오 땅의 산수는 천하에 둘도 없어	吳中山水天下無
십 년간 보지 못해 마음만 답답했지.	十年不見心縈紆
그 누가 강가 길로 나를 인도하여 갈까.	繄誰[129]導我江干路
눈앞에서 아득히 안개 속에 오리 날으리.	眼前漠漠飛煙鳧
봉창 열어 전에 볼 때 산은 고작 몇 자인데	推篷曾看山數尺
괴이한 뭇 봉우리 한 권 화책(畫冊) 늘어섰네.	怪底群峯羅一冊

---

128 장도악(張道渥)…전송함:『호저집』원문 상단에 "건륭 57년(1792)이다"(乾隆五十七年)라는 후지쓰카의 메모가 있다. 또, 제목에 곧장 이어서 "아울러 차수 선생의 안부를 묻고 근래 편안하시기를 빌었다. 임자년 초봄에 묵경 이병수 초"(竝訊次脩先生, 卽祈斤正. 壬子初春弟伊秉綬墨卿艸)라는 메모가 달려 있다. 후자의 메모는『호저집』원문에 누락되었거나 후지쓰카가 찾은 이본(異本)에 적혀 있던 제목을 참고·보충하여 적은 듯하다.

129 繄誰:『호저집』원문 상단에 다음과 같은 후지쓰카의 메모가 있다. "'예수'(繄誰) 두 글자는 다른 본에는 '홀연'(忽然)으로 되어 있다."(繄誰二字一本作忽然)

꼭대기엔 사초(莎草)가 푸르게 막 깔렸고	絶頂纔鋪莎薦靑
반공엔 폭포수가 푸르게 걸렸구나.	半天却掛天紳碧
앞산은 우뚝 솟아 대단한 장부 같고	前山雄峙偉丈夫
뒷산은 아리따워 오나라 미인인 양.	後山窈窕如吳姝
정신은 마치도 강물을 비추는 듯	精靈彷彿照江水
필묵은 변화하여 흐린 구름 되었다네.	筆墨化作雲糢糊
뉘 능히 석곡자(石谷子)130의 이 그림 그렸을까	誰能寫此石谷子
백여 년 이래로는 장 자사뿐이라네.	百餘年來張刺史
예우(倪迂), 범완(范緩), 원장전(元章顚)131 등은	倪迂范緩元章顚
빼어난 재주여서 우연 아닐세.	由來絶藝非偶然
봄바람 질탕하여 대궐 문 활짝 열려	春風跌蕩天門闢
고려 공사(貢使) 사신 오니 통역 거듭 거치네.	句驪貢使來重譯
우연히 해후하자 거품처럼 몰려드니	偶因邂逅聚浮漚
절각건(折角巾)은 검은데 비단 치마 하얗구나.	折角巾烏練裙白
너무도 바쁜 조감(晁監)132 슬프게 송별하고	送憐晁監太恩恩
장전(張顚)133의 좋은 글씨 애석하게 선물하네.	贈惜張顚點筆工
못 믿겠네, 의무려산 아래를 지나다가	不信醫巫閭下過

---

130 석곡자(石谷子): 산수화로 이름이 났던 청나라 화가 왕휘(王翬, 1632~1717)를 말한다. 본서 138면 각주 236번 참조.

131 예우(倪迂), 범완(范緩), 원장전(元章顚): 모두 중국의 뛰어난 화가 및 서예가로, 예우는 원나라 예찬(倪瓚, 1301~1374), 범완은 송나라 범관(范寬), 원장전은 송나라 미불(米芾, 1051~1107)이다. 세 사람 모두 그림이나 글씨에 빠져 세상일에 어둡거나[迂] 느슨하였고 [緩], 또 글씨에 미쳐[顚] 있었기 때문에 이 같은 별칭이 붙었다.

132 조감(晁監): 본서 165면 각주 2번 참조. 여기서는 외국 사절을 통칭하여 쓴 표현이다.

133 장전(張顚): 당나라 대 초서(草書)의 대가이던 장욱(張旭)을 이른다. 술에 취해 광기(顚) 어린 모습으로 초서를 휘갈겼다는 데서 붙은 별칭이다.

누워 외려 오강(吳江) 단풍 보면서 노닐다니.　臥遊還看吳江楓

푸른 그늘 빼난 운치 다옥(茶屋)에 남았지만　靑[134]陰逸韻留茶屋

주몽의 풍경은 그림으론 부족하다.　朱蒙風景畫不足

복사꽃은 기자 사당 앞쪽에 붉어 있고　桃花箕子廟前紅

방초는 단군사(檀君祠)의 아래에 푸르도다.　芳草檀君祠下綠

그대 가는 좋은 날에 시인들 모였으니　君歸勝日集詞人

정유거사 박제가와 정 나누던 벗들일세.　貞蕤居士知情親

박제가 검서이다(朴齊家檢書.).

자사를 올려봐도 찾아볼 수 없어서　言瞻刺史不可見

그림을 펼쳐 보며 강남춘(江南春)이라 쓰네.　披圖題遍江南春

134　靑:『호저집』원문 상단에 다음과 같은 후지쓰카의 메모가 있다. "靑은 다른 본에는 淸으로 되어 있다. 이것이 맞다"(靑一本作淸, 是)

비검(秘檢) 차수 선생이 근래의 시구를 써 달라고 청하므로 즉시 바로잡아 줄 것을 청하였다[135]

次修先生秘檢屬書近句, 卽請正之

의건안칠자시[136] 서문이 있다.

擬建安七子詩 有序.

건륭 경술년(1790) 11월 23일, 열미초당(閱微草堂)에서 아집(雅集)을 가졌다. 이때 벗 7인이 각각 일곱 사람의 고사를 시로 지었고, 나는 「의건안칠자」(擬建安七子)를 나누어 얻었다. 『전론』(典論)을 상고해 보니 칠자의 호칭이 나온다. 사영운이 여덟 사람에 견준 것이 있는데, 업중(鄴中)은 위나라이고, 의리상 공적인 잔치를 오로지 하였으므로 공북해(孔北海)를 빼고 두 조씨를 더했던 것이다.[137] 이것은 『문선』에서 일곱 사람으로 분류한 것과 같아서, 지역으로 보나 시대로 보나 모두 취할 것이 없다. 마침내 그 생애를 모으고 그 작품을 살폈으니, 비유하자면 파촉(巴蜀)의 노래요 여염

---

135 비검(秘檢)…청하였다: 『호저집』 원문 상단에 "건륭 55년(1790)이다"(乾隆五十五年.)라는 후지쓰카의 메모가 있다.

136 건안칠자시(建安七子詩): 건안칠자는 중국 후한 건안 때, 시문(詩文)에 뛰어난 일곱 사람의 문인을 이른다. 곧 공융(孔融)·진림(陳琳)·왕찬(王粲)·서간(徐幹)·완우(阮瑀)·응창(應瑒)·유정(劉楨)이다. 건안은 한(漢)나라 헌제(獻帝)의 연호이다.

137 사영운이…것이다: 사영운은 위태자(魏太子) 조비의 『업중집』을 모의하여 「의위태자업중집시팔수」(擬魏太子鄴中集詩八首)를 지었다. 8인은 조비(曹丕)·왕찬(王粲)·진림(陳琳)·서간(徐幹)·응창(應瑒)·완우(阮瑀)·평원후 조식(平原侯植)으로, 건안칠자 중에 공융(孔融)이 빠져 있다. 북해는 그의 호이다.

의 속말이라 하겠다. 맑은 밤의 즐거운 놀이를 받들어 지은 글을 서로 바꾸는 바람에 필묵 일색이어서 웃을 겨를도 없었다.

乾隆庚戌仲冬卄又三日, 雅集閱微草堂. 時友生七人, 各賦七人故事, 僕分得擬建安七子. 考典論, 著七子之稱. 靈運有八人之擬. 然鄴中魏也, 義專公讌, 故遺北海, 增二曹. 茲如蕭選類以七名, 于地于時, 均無取焉. 遂乃綜其生平, 規其音響, 譬之巴歌里諺. 奉清夜娛, 聲欬互易, 筆墨一色, 未遑嗤爾.

공문거(孔文擧)[138]

넘실넘실 동쪽 바다 물결이 일고	泱泱東海波
천지가 왼편 되어 돌아본다네.	天地爲左顧
우뚝하다 대종(岱宗)이 높이 서 있어	巍巍岱宗尊
또한 작은 언덕으로 지켜 섰구나.	亦以培塿護
나라 운수 파천(播遷)하기 이르렀어도[139]	國步雖遷播
이제껏 홍복(洪福)을 이어 왔다네.	及此延洪祚
높이 살펴 위무(威武)를 크게 떨치고	高視展鷹揚

---

138 공문거(孔文擧): 공융(孔融, 153~208). 문거(文擧)는 그의 자(字)이다. 공자(孔子)의 20세손으로, 시어사(侍御史)·사공연(司空掾)·북군중후(北軍中侯)·호분중랑장(虎賁中郎將) 등을 역임했다. 조조(曹操)를 비판하다가 미움을 받아 일족과 함께 피살되었다. 『공북해집』(孔北海集)이 있다.
139 나라…이르렀어도: 조조가 헌제(獻帝)를 허창(許昌)으로 옮긴 일을 말한다. 이 일로 공융은 조조에게 더욱 불만을 품었고, 끝내는 조조에 의해 옥에 갇혔다가 일족이 처형당했다.

용기는 범이 걷듯 씩씩도 하다.	勇氣雄虎步
선조께선 동주(東周)에 뜻 두셨거늘[140]	先公志東周
어이해 늦어짐을 탄식하는가.	焉得嗟遲暮
중원 땅의 달팽이를 깊이 한하니	憤切中州蝸
굴곡(屈穀)의 표주박이 부끄럽구나.[141]	用恥屈穀[142]瓠
까닭 없이 온통 모두 날뛰어 대니	無以都昌蹶
술 있어도 내 술잔은 못 적신다네.	有酒不我酤
관중은 그 어떤 사람이기에	管仲彼何人
천하를 규합(糾合)하여 공훈 세웠나.	九合功勳樹

140　선조께선…두셨거늘: 원문의 "先公"은 공융의 선조인 공자(孔子)를 가리킨다. 노(魯)나라 공산불요(公山弗擾)가 반란을 일으킨 뒤에 공자의 도움을 요청하자, 공자가 "나를 부르는 사람이 어찌 공연히 그러겠느냐? 나를 써 주는 자가 있으면 내가 동쪽의 주나라로 만들 수 있다"(夫召我者, 而豈徒哉? 如有用我者, 吾其爲東周乎.)라고 하며 도를 일으킬 의지를 보인 일이 있다.『논어』「양화」(陽貨)에 나온다.

141　굴곡(屈穀)의 표주박이 부끄럽구나: 춘추시대 제(齊)나라의 은사(隱士) 전중(田仲)이 송(宋)나라 사람 굴곡이 가져온 큰 박을 소용이 없다고 내친 고사가 있다. 여기서는 공융이 의기(義氣)는 있었으나 실상 쓸모가 없었음을 가리킨다.

142　穀:『호저집』원문에는 "穀"으로 되어 있으나, 청대 왕지선(汪之選)이 편찬한『회해동성집』(淮海同聲集)을 따라 바로잡았다.

진공장(陳孔璋)[143]

염운(炎運)[144]이 양구(陽九)의 곤액[145]을 만나	炎運遘陽九
만 리에 바람 먼지 어둑하구나.	萬里風塵昏
관서(關西) 땅 동탁(董卓) 손에 떨어진 뒤에	關西旣淪董
하북(河北)에서 원소(袁紹)를 옹위했었지.	河北乃擁袁
성대하게 우르르 모여든 선비	奕奕輻輳士
호토(狐兔)처럼 엉금엉금 달아났다네.	跂跂狐兔奔
술잔 잡아 미친 물결 번드치더니	觚摻狂瀾翻
화살 쏘면 칠찰(七札)[146]을 꿰뚫었다네.	矢發七札穿
어이해 충후(忠厚)함 생각지 않고	豈不念忠厚
저마다 제 주군만 위하려 하나.	各爲其所天
너그러운 정사 다행히 사면 받으니	獲宥幸寬政
되살려 주는 은혜[147] 감히 바라랴.	敢望肉[148]骨恩
아침엔 초란실(椒蘭室)[149]에서 노닐고	朝遊椒蘭室

---

143 진공장(陳孔璋): 진림(陳琳). 공장(孔璋)은 그의 자이다. 처음에 대장군 하진(何進)의 주부(主簿)로 있다가 원소(袁紹)에게 귀의하였다. 원소가 조조를 토벌하려 할 때 그에게 격문(檄文)을 쓰게 하였는데, 후에 조조가 기주를 점령하고 그 재주를 아껴 사면하고 종사(從事)로 삼았다. 관직이 문하독(門下督)까지 올랐으며, 전장서기(典章書記)에 능했다. 저서에 『진기실집』(陳記室集)이 있다.

144 염운(炎運): 염운은 오행(五行)으로 보아 화덕(火德)에 해당하는 왕조를 말한다. 여기서는 유(劉)씨의 한(漢)나라를 가리킨다.

145 양구(陽九)의 곤액: 흉년이나 전란 같은 큰 재앙을 말한다.

146 칠찰(七札): 일곱 겹의 갑옷 미늘을 이른다.

147 되살려 주는 은혜: 원문의 "肉骨"은 뼈에 살을 붙인다는 뜻으로, 다시 살아나게 함을 말한다. 여기서는 조조가 원소의 휘하였던 진림을 사면하고 벼슬을 맡긴 일을 가리킨다.

148 肉: 『호저집』 원문에는 궐자(闕字)로 칸이 비어 있다. 청대 왕지선이 편찬한 『회해동성집』을 참고하여 글자를 보충하였다.

저녁엔 부용원(芙蓉園)[150]에 함께 모였지.	夕集芙蓉園
멋진 감상 탄성은 그치질 않고	華賞歎未已
풍악 소리 점점 빨리 들려왔었네.	絃絲聽彌繁
아주 작은 마음에 진작 품은 뜻	夙懷徑寸心
가만히 여번(璵璠)[151]에다 견줘 본다네.	竊比璵與璠
술잔 들어 오나라 칼에 부으니	持觴酹吳鉤
내가 힘쓸 일은 바로 충의(忠義)로구나.	忠義我所敦

왕중선(王仲宣)[152]

예전에 「식미」(式微)[153]의 노래 부르며	伊昔歌式微
달아나 만형(蠻荊) 땅[154]을 찾아갔었지.	竄身適蠻荊

---

149 초란실(椒蘭室): 산초(山椒)와 난초가 가득한 방으로, 현인의 거처를 이른다.

150 부용원(芙蓉園): 한대(漢代) 낙양(洛陽)의 정원 이름이다.

151 여번(璵璠): 춘추시대 노나라의 보옥(寶玉)으로, 미덕을 보유한 현재(賢才)를 비유하는 말이다.

152 왕중선(王仲宣): 건안칠자의 필두로 꼽히는 왕찬(王粲, 177~217). 중선(仲宣)은 그의 자이다. 나라가 혼란스러워지자 형주(荊州)의 유표(劉表)에게 의탁하여, 나중에 형주를 점령한 조조가 그를 초빙할 때까지 약 15년간 형주에 머물렀다. 조조 휘하에서 많은 공적을 남겼다. 표현이 유려하면서도 애수에 찬 시를 썼는데, 『종군시』(從軍詩) · 『칠애시』(七哀詩) 등이 유명하다. 부(賦)에도 뛰어나 『등루부』(登樓賦) 등의 작품을 남겼으며, 산문에도 능했다.

153 「식미」(式微): 『시경』 패풍(邶風)의 편명. 시에 "야윌 대로 야위었거늘, 어찌 아니 돌아가리오. 군주의 일이 아니라면, 어이 이슬을 맞으리오"(式微式微, 胡不歸. 微君之故, 胡爲乎中露.)라는 표현이 나온다. 여기서는 나라가 혼란한 상황에서 조조가 부르기 전까지 형주에 몸을 숨기고 있던 왕찬의 일을 말한 듯하다. 본래는 여(黎)나라 임금이 오랑캐에게 나라를 빼앗기고 위(衛)나라에 가서 의탁하였는데 종신(從臣)들이 임금에게 돌아갈 것을 권한 노래라고 한다.

154 만형(蠻荊) 땅: 왕찬이 머물렀던 형주(荊州)를 말하는 듯하다.

저수(沮水) 장수(漳水) 구름은 아득도 하여	峨峨沮漳雲
저물녘에 사람을 시름케 하네.	薄暮愁殺人
강과 바다 온종일 흘러서 가고	江海[155]盡日流
원숭이 밤새도록 울어 대누나.	猿猱終夜鳴
높이 올라 장안 쪽 바라다보면	登高望長安
보이느니 새로 피운 봉화 연기뿐.	但見烽煙新
굳센 바람 검은 안개 열어 헤쳐서	勁風撥玄[156]霧
잠깐만에 맑은 하늘 올려다보네.	頃刻瞻太淸
어이 기약했으리, 꽃다운 연회	何期芳讌娛
이곳 장수(漳水) 물가[157]까지 이르게 될 줄.	及此淸漳濱
무소 힘줄 실컷 먹고 남음이 있고	犀筋有餘飫
금 술잔 쉴 새 없이 기울였었지.	金罍無停傾
음악 소리 사람 맘에 감동을 주어	絲聲感人情
아픔이 가라앉자 다시 놀라네.	痛定還復驚

---

155 海: 청대 왕지선이 편찬한 『회해동성집』에는 "漢"으로 되어 있으나, 『호저집』 원문 그대로 두었다.

156 玄: 『회해동성집』에는 "元"으로 되어 있으나, 『호저집』 원문 그대로 두었다.

157 장수(漳水) 물가: 원문은 "淸漳濱"으로, 맑은 장수 가를 말한다. 유정(劉禎)의 「증오관중랑장사수」(贈五官中郎將四首)의 두 번째 수에 "나는 깊은 고질병에 걸려, 맑은 장수 가에 몸을 숨겼네"(余嬰沈痼疾, 竄身淸漳濱.)라는 표현이 나온다.

서위장(徐偉長)[158]

사람은 저마다 뜻이 있지만	人生各有志
궁달은 오직 다만 만나는 대로.	窮達惟所適
완락(宛洛)[159] 실로 시끄럽지 아니하거니	宛洛誠非喧
기복(箕濮)[160] 어이 고요하다 말을 하리오.	箕濮豈云寂
침묵으로 현묘함을 깨달으리니	幽默悟淵玄
지나간 것 마치 직접 본 것과 같네.	往者如有觀
세상 건질 재주 없음 부끄러워서	愧乏濟世才
방 하나 쓸어 놓고 책을 쓴다네.	著書掃一室

---

158 서위장(徐偉長): 서간(徐幹, 170~217). 위장(偉長)은 그의 자이다. 어려서부터 문장과 식견으로 명성을 얻었는데, 특히 시와 사부(辭賦), 정론(政論)이 유명했다. 조조가 거듭 벼슬을 제안하였으나 5~6년간 문학(文學) 등의 관직에 있다가 병을 이유로 물러났다. 가난하고 청빈한 생활을 하였으나 이를 비관하거나 걱정하지는 않았다고 한다. 저서에 『중론』(中論)·『서위장집』(徐偉長集) 등이 있고, 「답유정」(答劉楨)·「현원부」(玄猿賦)·「실사」(室思) 등의 작품이 유명하다.

159 완락(宛洛): 완읍(宛邑)과 낙읍(洛邑). 중국에서 산수가 아름답기로 유명한 남양(南陽)과 낙양(洛陽)이다. 사조(謝朓)의 「화서도조」(和徐都曹)에 "완락은 노닐기에 좋은 곳이니, 봄빛이 황주에 가득하구나"(宛洛佳遨遊, 春色滿皇州.)라고 하였다.

160 기복(箕濮): 기산(箕山)과 복수(濮水). 기산은 허유(許由)가, 복수는 장자(莊子)가 은거한 지역으로, 은둔처를 뜻한다.

완원유(阮元瑜)[161]

먼지구름 서북쪽서 일어나더니	黃雲起西北
흩날려 황하 모래톱 이어지누나.	飄飄連河洲
오늘 저녁 어떠한 저녁이던가	今夕知何夕
다시 이곳 황하 굽이 노닐게 되니.	復此河曲游
백마는 황금 굴레를 쓰고	白馬黃金羈
채색 꿩 붉은 비단 갖옷 입었네.	彩雉紅錦裘
공자(公子)가 진나라 슬(瑟)을 연주하자	公子聲[162]秦瑟
아래서는 제나라 노래 부른다.	下走揚齊謳
해 지자 다시금 등촉 밝히고	日斜更秉燭
달 지니 밝은 별 총총도 하다.	月落明星稠
동이 가득 술일랑 사양치 마오	莫辭盈樽酒
잔단 근심 해소해 줄 수 있으니.	可以消繁憂
남피(南皮)[163]서 즐겁던 일 추억하지니	南皮追昔歡
어느새 맑은 장수(漳水) 물결 되었네.	已作清漳流

---

161 완원유(阮元瑜): 완우(阮瑀, ?~212). 원유(元瑜)는 그의 자이다. 어려서 채옹(蔡邕)에
게 수학했다. 음률에 정통했으며 거문고를 잘 탔다. 조조가 불렀으나 여러 차례 거절하고 숨어
버리자 화가 난 조조가 산에 불을 질러 강제로 끌어내 벼슬을 주었다. 문장이 간결하였고, 장
(章), 표(表), 서기(書記) 등을 특히 잘 지었다고 한다. 명나라 때 편찬된 『완원유집』(阮元瑜
集)이 있다.

162 聲: 청대 왕지선이 편찬한 『회해동성집』에는 "鼓"로 되어 있으나, 『호저집』 원문 그대로
두었다.

163 남피(南皮): 조비가 문우(文友)들과 배를 타고 글과 술을 즐기며 유람하였던 곳이다. 지
금의 하북성(河北省) 남피현 동쪽에 있다.

응덕련(應德璉)[164]

기러기 변방 북쪽에서 날아와	征雁從塞北
상강(湘江)의 물가에 그림자 떴네.	流影湘江湄
끼룩끼룩 우는 소리 구슬프지만	嗷嗷鳴聲哀
나그네 혼자서 이를 본다네.	羈客獨見之
본래 생각 곡식 먹을 궁리였지만	本懷稻粱謀
다시금 언제나 주림 괴롭네.	而復恒苦飢
그물이야 면했다 비록 말해도	雲羅雖云免
깃털은 밤낮으로 꺾이는구나.	毛羽日夜摧
변방 북쪽 추위 피해 온 것이지만	塞北爲避寒
겨울 가면 다시금 돌아가겠지.	寒盡還復歸
묻노라 어디로 돌아가는가	借問歸何處
장차 허경(許京)[165] 거쳐서 날아간다네.	將由許京飛
몸 의탁해 화소(華沼)에 남아 있으니	託身在華沼
그림자 돌아보면 봉황 자태라.	顧影鸞鳳姿
군자의 뜻 공손히 떠받들어서	恭承君子意
귀한 손님 더불어 기약 맺었네.	幸與嘉賓期
금슬의 좋음을 한껏 펼쳐서	暢以琴瑟好
경거(瓊琚)[166]의 말씀으로 주시는도다.	惠以瓊琚辭

---

164 응덕련(應德璉): 응창(應瑒, ?~217). 덕련은 그의 자이다. 여남(汝南) 출신으로, 건안
칠자(建安七子) 중 한 사람이다. 승상연(丞相掾)·평원후서자(平原侯庶子) 등을 지냈다.

165 허경(許京): 허도(許都)의 이칭이다. 지금의 하남성(河南省) 허창(許昌)이다.

166 경거(瓊琚): 본서 88면 각주 119번 참조.

길손 아낌 진실로 고인 같으니   愛客誠古人
무엇으로 날 알아줌 부응하리오.   何以副我知

유공간(劉公幹)[167]

얇은 장막 거울에 눈이 쌓이자   薄帷鑒積雪
환하기가 마치도 가을 달 같네.   有若明秋月
옷깃 걷고 일어나 서성이려니   攬衣起徘徊
밤 깊어 온갖 벌레 울음 멈췄네.   漏斷百蟲絶
늘어선 뭇별들 올려다보고   仰觀衆星列
얼어붙은 층층 얼음 굽어보노라.   俯視層冰結
누워 지낸 한 해가 늦어만 가니   一臥歲逐晚
먹고살 길 어이 말로 할 수 있으랴.   生理安可說
읊조리며 찬 이불에 옹송그리니   沈吟縮寒衾
근심이 내 마음을 어지럽힌다.   憂思亂我心

---

167 유공간(劉公幹): 유정(劉楨, ?~217). 공간(公幹)은 그의 자이다. 어려서부터 박학다식
하고 문재가 뛰어났다. 조조 휘하에서 승상연속(丞相掾屬) 벼슬을 지냈다. 전염병에 걸려 세상
을 떴는데, 병이 위독할 때 남겼다고 알려진 「증오관중랑장사수」(贈五官中郞將四首) 시가 특
히 유명하다.

경술년(1790) 섣달 그믐밤

庚戌除夕

여섯 폭 병풍에다 일곱 굽이 난간에	六曲屛風七曲欄
아홉 개의 등 그림자 둥그렇게 비추누나.	九枝燈影照團欒
반생(潘生)[168]은 젊은 나이에 구름 위로 올랐고	潘生早歲雲霄上
허연(許掾)은 온 집안이 해 달인 양 넉넉쿠나.[169]	許掾全家日月寬
홍니(鴻泥)[170]와 전연(剪燕)[171] 가만히 헤아리다	暗數鴻泥春剪燕
밤에 난향을 사르며 연루(蓮漏)[172] 소리 듣노라.	細聽蓮漏夜燒蘭
남쪽에서 새로 지은 시초(詩草) 몇 권 전해 오니	南來幾卷新詩艸
보배로운 오늘 밤에 술과 글을 함께하리.	珍重今宵帶酒翰

---

168 반생(潘生): 서진(西晉)의 문인 반악(潘岳, 247~300)을 말하는 듯하다.
169 허연(許掾)은…넉넉쿠나: 허연은 동진(東晉) 때 허진군(許眞君)으로 불렸던 허손(許遜)
으로, 대낮에 온 집안 식구가 신선이 되어 승천하였다는 고사가 있다. 당나라의 문인 이상은
(李商隱)의 「정주헌종숙사인」(鄭州獻從叔舍人)에 "허연의 온 집안사람 도기(道氣)가 충만했
네"(許掾全家道氣濃.)라 하였다.
170 홍니(鴻泥): 진흙에 남긴 기러기 발자국으로, 지난날의 정처 없는 종적을 뜻한다. 소식의
「화자유민지회구」(和子由澠池懷舊)에 "사람 인생 도처가 어떠한가, 응당 나는 기러기 눈 진창
밟듯 하리. 진창에 우연히 발톱 자국 남더라도, 기러기 날아가매 어찌 동서 따지겠나"(人生到處
知何似, 應似飛鴻踏雪泥. 泥上偶然留指爪, 鴻飛那復計東西.)라고 하였다.
171 전연(剪燕): 입춘(立春). 입춘일(立春日)이 되면 부녀자들이 종이 등을 닭이나 제비 모
양으로 잘라 문호에 붙이거나 머리에 쓰는 중국의 옛 풍습에서 온 표현이다.
172 연루(蓮漏): 진(晉)나라의 고승 혜원(惠遠)이 연꽃 모양으로 만들었다는 물시계인 연화
루(蓮花漏)를 말한다.

건륭 56년(1791) 정월 22일, 선남방(宣南坊)[173] 공행장(龔荇
莊)[174]의 거처 등불 아래에서 아집(雅集)을 가졌다. 부족한 내
시를 써서 차수 선생께 드린다[175]

乾隆五十六年正月卄又二日, 雅集宣南坊龔荇莊寓齋鐙下. 書拙句,
爲次修先生正之

그리움[176]

所思

방초 길 천 리에 이어져 있고	芳草一千里
경루(瓊樓)는 12층 높기도 하다.	瓊樓十二層
그리운 사람 홀로 보이질 않고	所思獨不見
찬비만 외론 등불 비추는구나.	寒雨照孤鐙[177]
고운 눈길 근심겨움 이쩔 길 없고	燕睇愁無那

173 선남방(宣南坊): 북경의 남문인 선무문(宣武門)의 바깥으로, 오성(五城) 중 남성(南城)
에 위치한 구역이다. 청대 만주족과 한족의 분리 거주 정책에 따라 이곳에는 한족 사대부들이
거주하였다. 과거 응시를 위해 상경한 선비들이 머물러 지낸 까닭에 '사향'(士鄕)으로 일컬어졌
다. 공협의 거처가 이곳에 있었던 듯하다.
174 공행장(龔荇莊): 공협이다. 행장은 그의 자이다.
175 건륭 56년(1791)…드린다: 『호저집』원문의 해당 항목 사이에 "사진사 출신으로 봉직대
부, 형부주사를 지낸 전국자감학정 정주 이병수의 친필 원고이다"(賜進士出身, 奉直大夫, 刑部
主事, 前國子監學正, 汀州伊秉綬手蘽) 상단에 "원본은 망한려에 들어와 있다"(原蹟歸於望漢
廬)라는 후지쓰카의 메모가 있다.
176 그리움: 이병수의 『유춘초당시초』(留春草堂詩鈔) 권1에 수록되어 있다. 전반적으로 두
보의 「봉황대」(鳳凰臺) 시를 염두에 두고 쓴 듯하다.
177 鐙: 『유춘초당시초』에는 "燈"으로 되어 있다.

부러워도[178] 병들어 능히 못하네.　　　　　　夔憐病未能

다만 마땅히 봉황자(鳳凰子)만이　　　　　　惟應鳳凰子[179]

대숲 밖 그림자에 추워 떨겠지.　　　　　　竹外影凌兢

빈 강[180]
空江

잎 하나 찬 물결 깨트리더니　　　　　　一葉破寒渌[181]

텅 빈 강 바라봐도 아무도 없네.　　　　　　空江望[182]若無

계절 보니 시안(詩眼)은 담백도 하고　　　　　　占星詩眼澹[183]

물에 비친 도심(道心)은 외롭기만 해.　　　　　　照水道心孤

어지러이 날아가던 갈매기 백로　　　　　　歷亂飛鷗鷺

부들에 기대어서 울음 우누나.　　　　　　因依響稗蒲

종소리 어디서 들려오는가　　　　　　鍾聲定何處

세 해 동안 꿈에서 화들짝 깼네.　　　　　　三載[184]夢全蘇

178　부러워도: 원문은 "夔憐"으로, 남이 가진 것을 부러워하는 모양을 말한다. 기(夔)는 발이
하나 달린 짐승으로, 『장자』 「추수」(秋水)에 "기는 (다리가 많은) 노래기를 부러워한다"(夔憐
蚿)라고 하였다.

179　惟應鳳凰子: 『유춘초당시초』에는 "어이해 쌍봉자 그대는"(如何雙鳳子)으로 되어 있다.

180　빈 강: 『유춘초당시초』 권1에 실려 있다.

181　渌: 『유춘초당시초』에는 "綠"으로 되어 있다.

182　望: 『유춘초당시초』에는 "澹"으로 되어 있다.

183　詩眼澹: 『유춘초당시초』에는 "농사철 늦고"(農事晚)로 되어 있다.

184　三載: 『유춘초당시초』에는 "塵土"로 되어 있다.

벗에게 부치다
寄友

산속에 가을비 내리는 저녁	山中秋雨夕
지는 잎 잠깐 동안 멈추는 소리.	落木暫停聲
옥 부딪는 가락인 양 고요도 한데	靜以琳瑯韻
추위 함께 귀뚜라미 울음을 운다.	寒兼蟋蟀鳴
지난해 부친 편지 문득 이르매	隔年書乍到
긴 밤 내 꿈 이루기 어렵구나.	永夜夢難成
동문의 나의 벗을 그리워하니	思我同門友
쓸쓸히 작은 등잔[185] 함께했으면.	蕭條共短檠

인주합
印色盒

희미한 어룡(魚龍)이 쌍으로 꼬리치니	隱若魚龍掉尾雙
인주합 서늘하게 옥 등잔과 마주했네.	丹砂寒對玉蟲缸
흰 달같이 둥근 것이 귀한 자리 임하였고	圓如皎月臨瑤席
붉기는 노을 같아 비단 창을 비추누나.	紅似明霞照綺牕

---

185 작은 등잔: 한유(韓愈)의 「단경가」(短檠歌)에 소년 시절에는 짧은 등잔 아래서 열심히 글을 읽다가, 과거에 급제하고 나면 긴 등잔대를 쓰고 짧은 등잔은 버린다고 한 데서 가져온 표현이다.

작은 글자 인장 찍어 묵은 빚을 읊조려서　　　小字鈐來吟債負

내 마음 봉해 담자 수마(睡魔)가 몰려오네.　　寸心緘去睡魔降

원앙보(鴛鴦譜)[186] 찍어 내도 상관은 없지만　　不妨印出鴛鴦譜

탁자 위 차 연기가 불당(佛幢)에 하소하네.　　一榻茶煙訴佛幢

등불 가리개[187]
燈隱

감추려는 마음 두고 가리면 더욱 빛나[188]　　用晦心情掩更熒

반쯤 가린 불꽃이 병풍에 황홀하다.　　　　　半遮蘭燄怳雲屛

휘장 함께 강도석(江都席)[189]이 바로 곁에 있어서伴帷最近江都席

달이 늘 태을성을 따르는 것과 같네.　　　　如月長從太乙星

봄 술에 취하여서 글씨마저 푸르거니　　　　人醉春醪書共綠

책상의 글[190] 밀쳐 두고 눈빛 함께 반긴다네.　案排冬史眼同靑

186　원앙보(鴛鴦譜): 춘화도(春畫圖)를 모은 책이다. 혹 월하노인(月下老人)의 중매 장부로 보기도 한다. 『성세항언』(醒世恒言) 제8권에 「교태수가 원앙보에 마구 점을 찍다」(喬太守亂點 鴛鴦譜)란 작품이 있다.

187　등불 가리개: 『유춘초당시초』 권2에 수록되어 있으며, 제목 아래 "둥근 종이를 잘라 걸어 두어 밝음을 가리는 것을 등은(燈隱)이라고 한다"(剪圓紙, 揭之以蔽明, 謂之燈隱.)라는 주석이 달려 있다.

188　감추려는…빛나: 『주역』 「명이괘」(明夷卦)에 "어둠을 써서 밝게 한다"(用晦而明)는 말이 있다.

189　강도석(江都席): 강도에서 짠 고급 화문석(花文席)을 말한다.

190　책상의 글: 원문의 "冬史"는 '삼동사'(三冬史)의 줄임말로, 세 번의 겨울 즉 3년간 쓴 저작을 말한다. 여기서는 단순히 한 해 동안 쓴 글로 볼 수 있겠다.

살펴보니 빼어나서 거칠 것 하나 없어　　　　觀來卓犖仍無障[191]

밤새도록 깔깔대며 소매 너머 들어 보네.[192]　　笑煞通宵隔袖聽

벼루를 써 보다가 혜립헌 원외의 시에 차운하다[193]

試硯次嵇立軒員外韻

한 조각 운근석(雲根石)에 물기운 스며드니　一片雲根水氣侵[194]

단계[195]에서 자르던 곳 천 길 깊은 곳이겠지.[196]　端谿割處想千尋

먹 가는 이 이로부터 먹을 함께 갈게 되니　　磨人自是同磨墨

바른 글씨 바른 마음에 있는 줄을 알겠구나.　正筆應知在正心

화성(華省)에서 새벽까지 구절 찾기 아득하고[197]　華省玉繩搜句迥

추당(秋堂)[198]의 은촉 불에 내린 주렴 깊고 깊다. 秋堂銀燭卷幃深

191　障:『호저집』원문에는 해당 글자가 결락되어 있다.『유춘초당시초』와 후지쓰카의 메모를
따라 보충하였다.

192　밤새도록…들어 보네:『유춘초당시초』에는 "소낙비 소리 들려오면 잠시 흩다 자주 돋우
네"(暫撒頻挑驟雨聽)라고 되어 있다.

193　벼루를…차운하다:『유춘초당시초』권2에「단연」(端硯)이라는 제목으로 수록되어 있다.

194　水氣侵:『호저집』원문에는 "侵水氣"로 되어 있으나, 후지쓰카의 교정과『유춘초당시초』
에 따라 바로잡는다.

195　단계: 본서 190면 각주 95번 참조.

196　단계에서…곳이겠지:『유춘초당시초』에는 "곤오도(昆吾刀)로 옥을 자름 천 길 깊은 곳
이겠지"(昆刀切玉想千尋)로 되어 있다.

197　화성(華省)에서…아득하고: 화성은 문하성(門下省) 등의 중앙 관서를 가리킨다. "옥
승"(玉繩)은 북두칠성의 제5성인 옥형(玉衡) 근방에 뜨는 천을(天乙)과 태을(太乙)의 두 작은
별로 새벽녘에 진다. 관서에 남아 늦게까지 근무하는 일을 뜻하는 듯하다.

198　추당(秋堂): 형부(刑部)를 일컫는다.

아침마다 수판(手板)¹⁹⁹ 들고 서리 북 재촉하니 朝朝手板催²⁰⁰霜鼓
운창(芸窓)²⁰¹에 작은 그늘 얻기가 어렵구나. 難得芸牕徑寸陰²⁰²

박차수 선생께 삼가 올림
朴次修先生手啓

병수(秉綬)는 차수 선생께 아룁니다. 세월이 머물지 않아 헤어진 이래로 해를 넘겼군요. 다만 지난날을 돌이켜 보면 뜬 거품처럼 어쩌다 만나 한 방에서 함께 잔치하며 초록빛 술과 붉은 등불 아래에서 예술을 말하고 붓을 휘둘렀으니 죽을 때까지 잊지 못한다 하겠습니다. 하지만 별은 흩어지고 구름은 흘러가서, 만 리 떨어져 있어도 한 하늘 아래이고 멀리 있지만 날마다 가까이한다는 말로 한갓 위로를 삼을 뿐입니다. 보내 주신 글을 받아 보니 문채가 웅장하고 아름답습니다. 내년에 다시 사신으로 올 기약이 있음을 보여 주시니, 혹 이번 생에 다시 서로 볼 수 있겠는지요. 이것은 묵은 인연의 얕고 깊음에 달린 것이지, 저와 형이 장담할 수 있는 것은 아닐 겝니다.

199 수판(手板): 벼슬아치가 조회 때 손에 드는 홀(笏)을 이른다.
200 催:『유춘초당시초』에는 "聽"으로 되어 있다.
201 운창(芸窓): 서실(書室)을 말한다. 운(芸)은 좀을 물리치는 운향(芸香)이라는 풀로, 서실에 이것을 넣어 두기 때문에 장서실(藏書室)을 일러 운각(芸閣) 또는 운창이라고 한다.
202 陰:『호저집』 원문에는 '心'으로 되어 있으나, 개작으로 인한 차이가 아니라 전사 과정의 오기로 보아 후지쓰카의 교정과 『유춘초당시초』에 따라 고쳤다.

고향의 선배이신 주매애(朱梅崖) 선생[203]은 학문이 바르고 문장이 웅장하여, 그가 지은 문집은 청나라에서 우뚝이 일가의 말을 이루었다고 할 수 있습니다. 이번에 그대의 벗 윤인태 공[204]이 가는 편에 부치니, 참된 안목을 만나 널리 전파되었으면 합니다. 보내 주신 명약을 받고 나니 구하는 자가 잇따라 찾아오는군요. 이렇게 써서 감사 드립니다. 때에 맞춰 식사를 잘 챙기시고 스스로를 아끼시기 바랍니다. 짧은 편지에 담은 작은 마음을 두루 잘 살펴 주셨으면 합니다.

임자년(1792) 대보름 저녁, 아우 이병수는 두 번 절합니다.

저는 묵경(墨卿)이라는 자를 쓰고, 남천(南泉)이란 호는 이미 쓰지 않습니다. 또 절하옵고, 다시 「난정첩」(蘭亭帖) 한 장을 부쳐 드립니다. 답을 기다리겠습니다.

秉綬白次修先生足下, 日月不居, 別來涉歲. 追惟疇曩, 浮漚偶聚, 共讌一室, 綠酒紅燈, 談藝揮毫, 謂可終身不忘, 而星散雲流, 萬里一天, 在遠日親, 徒慰藉耳. 接惠書, 文彩鉅麗, 承示來年有再使之期, 或者今生며復得相見? 此則存乎夙因之淺深, 而非僕與兄所得摻其券也. 鄉先輩朱梅崖先生, 學正而文鉅, 所著文集, 在本朝能卓成一家言. 玆附貴友尹公帶上, 以邀眞鑒, 以廣流傳. 拜登名藥, 求者踵相接也. 艸此奉謝, 伏望以時加餐自愛. 尺簡寸心, 以諸希荃察. 壬子元夕, 弟伊秉綬再拜. 綬以墨卿字行, 南

203　주매애(朱梅崖) 선생: 주사수(朱仕琇, 1715~1780). 매애(梅崖)는 그의 호이다. 복건(福建) 건녕(建寧) 사람으로, 건륭 13년(1748)에 진사에 급제해 한림원서길사가 되었다. 산동(山東)의 하진지현(夏津知縣)과 복녕부교수(福寧府敎授)를 지냈다. 문집으로 『매애문집』(梅崖文集)이 있다.
204　윤인태 공: 원문은 "尹公"이다. 『호저집』 원문 상단에 "윤은 원조헌이다"(尹遠照軒)라는 후지쓰카의 메모가 있다.

泉之號, 已不用矣. 又拜. 再寄蘭亭帖一張. 謹空.

박공께 올림
朴公陞啓

객관 안에서 시권(詩卷)을 쓸 때 제게 남천(南泉)이라는 자를 지어 주고, 고체와 금체의 시를 써서 다섯 자의 어린아이를 성장하게 해 주셨습니다.
　이병수 삼가 드림.

館中寫詩卷, 贈我字南泉, 書古今體詩, 有使五尺長之矣. 伊秉綬頓.

공협

龔協, 1751~?

정유 사장(詞丈)의 「강녀사」(姜女祠)[205] 시를 읽고, 느낌이 있어 차운
시를 짓다

讀貞蕤詞丈姜女祠詩, 感作次韻

황량한 사당 시든 풀을 아득히 바라보며	荒祠衰艸望悠悠
진풍(秦風)에서 천수(倰收)를 노래함 원망하네.[206]	哀怨秦風賦倰收
사당 모습 이제껏 돌로 변해 하나 되고	廟貌至今同化石
변방 관아 예로부터 외적 막음[207] 무거웠지.	邊庭終古重防秋
큰 칼에 거울 깨짐[208] 천 년토록 안타깝고	大刀破鏡千年恨
고운 발 서리 입음 만 리의 근심일세.	纖趾蒙霜萬里愁
시인이 슬픈 가락 남겨 둔 뒤부디	一自騷人留苦調

---

205 「강녀사」(姜女祠): 강녀는 정절(貞節)을 상징하는 맹강녀(孟姜女)를 가리킨다. 진시황
때 남편 기량(杞梁)이 장성(長城) 공사에 동원되었는데, 강녀가 겨울옷을 만들어 남편을 찾아
갔을 땐 이미 사망하여 시신도 찾지 못한 상태였다. 그녀가 장성 아래서 열흘간 통곡하자 성이
무너지며 기량의 유해가 나타났다. 그렇게 장례를 지내고 나서 그녀 또한 유수(溜水)에 몸을 던
졌다고 한다. 산해관 동쪽의 봉황산에 그녀를 기리는 사당이 있다.
206 진풍(秦風)에서…원망하네: 여기서 진풍은 『시경』 「소융」(小戎) 편으로, 변방으로 부역
을 떠난 임을 그리는 내용의 시다. 원문의 "倰收"는 병거(兵車)의 바닥에 대어 물건을 싣도록
한 가로나무다. 「소융」에 "작은 병거에 천수로소니"(小戎倰收)라는 구절이 있다.
207 외적 막음: 원문의 "防秋"는 오랑캐의 침략을 막는 일을 이른다. 옛날 중국 서북 지역의
오랑캐가 주로 가을철에 침략했던 데서 온 말이다.
208 거울 깨짐: 원문의 "破鏡"은 부부의 이별을 가리킨다. 『태평어람』(太平御覽) 권7에 부부
가 이별할 때 거울을 깨서 그 조각을 각자 증표로 삼았다는 고사가 전한다.

길 가던 이 이곳 오면 수레 몇 번 돌렸던가.　　　　　征夫到此幾旋輈

'선주'(旋輈)는 한유의 「쌍조시」(雙鳥詩)에 보인다.[209] 旋輈見昌黎雙鳥詩.

부(附) 선공의 원운[210]

附 先公元韻

천 년 동안 지아비를 그린 일 아득한데　　　　望夫千載事悠悠

산해관의 바람 안개 자리에서 걷히누나.　　　　山海風煙坐裏收

부친 옷 남아 있음 악부에 전해져서　　　　　剩有寄衣傳樂府

통곡을 잘한 일로 역사에 드러났지.　　　　　曾因善哭顯春秋

황량한 성 잎은 지고 다듬이 소리 구슬픈데　　荒城落葉砧聲怨

무너진 묘 푸른 이끼 발자취만 시름겹다.　　　壞廟蒼苔履迹愁

지아비가 수자리를 떠나던 날 생각하니　　　　遠憶良人征戌日

옥같이 따스한 맘 수레에 실었었네.　　　　　溫其如玉載梁輈

209 '선주'(旋輈)는…보인다: 한유의 「쌍조시」에 "두 마리 새 우는 것 멈추지 않고, 해와 달
되돌리기 어렵다네"(不停兩鳥鳴, 日月難旋輈.)라 하였다.
210 선공의 원운:『정유각집』시집 권3에 「강녀묘에서 학산 선생의 시에 차운하여」(姜女廟次
鶴山先生韻)라는 제목으로 실려 있다.

육아(六娥)[211]의 시에 차운하여 정유거사께 한번 웃으시라고 바로 드리다
次六娥韻卽呈貞蕤居士一笑

그대 전생 틀림없이 산화인(散花人)[212]이었거니　　前身應是散花人

티끌세상 떨어져서 몇 번 봄을 지냈던고.　　一落塵間幾度春

장경교(長慶橋) 서편[213]에서 함께 살면 좋으리니　　長慶橋西偕住好

유마의 선열(禪悅)[214]이 모두 다 청신(淸新)하리.　　維摩禪悅摠淸新.

부(附) 선공의 차운[215]
附 先公次韻

침향목에 관부인(管夫人)[216]을 새기려 하면서　　沈香欲刻管夫人

---

211 육아(六娥): 평안도 가산(嘉山)의 시 짓는 기녀로, 1790년 겨울 무렵 3차 연행에 오른 박제가와 만났다.

212 산화인(散花人): 산화천녀(散花天女). 『유마경』(維摩經)에 나오는 꽃 뿌리는 천녀(天女)로, 집착이 없어야만 꽃이 몸에 달라붙지 않는다고 한다.

213 장경교(長慶橋) 서편: 박제가의 집. 장경교는 지금의 서울시 종로구 연건동 128번지 동쪽과 이화동 171번지 서쪽 사이에 있던 다리이다. 『정유각집』 시집 권2의 「장경교절구」(長慶橋絶句) 소서(小序)에 "장경교 서쪽 십여 발짝 떨어진 곳으로 이사하였다"(余往歲移家在橋西十餘步.)라는 내용이 보인다.

214 유마의 선열(禪悅): 산화천녀의 고사를 이어 사용한 표현이다. 선열은 선정(禪定)에 들어 마음에 희열을 느낀다는 뜻.

215 선공의 차운: 『정유각집』 3집에 「용만에 머물면서 육아가 보내온 시에 차운하다」(留龍灣次六娥見寄)라는 제목으로 수록되어 있다.

216 관부인(管夫人): 원나라 때 서화가 조맹부의 처 관도승(管道昇)을 말한다. 자가 중희(仲姬)로, 서화에 능했고 산수와 불상, 묵죽난매(墨竹蘭梅)로 명성을 얻었기에 관부인이라 일컬어졌다. 여기에서는 육아를 관부인에 견주어 말한 것이다.

눈 온 봄날 앉아서 강 물결²¹⁷을 바라보네.　坐對鷗波雪後春

오늘에야 기대앉아 편지 한 통 썼는데　今日欹斜書一紙

새롭게 그려 낸 풍죽인 줄 착각했지.　錯疑風竹寫來新

꽃 찾고 버들 묻는 사람²¹⁸이 아니어서　不是尋花問柳人

관심 없어 「몽유춘」(夢遊春)²¹⁹ 짓기를 그만두네.　等閒休賦夢遊春

백 일간 편지 속의 약속을 생각다가　商量百日書中約

홀로 앉아 뜬금없이 웃음만 새롭구나.　獨坐無端笑矖新

정유 선생이 동국으로 돌아가므로 시로 전송하였다. 그의 「산거」(山居) 3수 원운을 차운하여 함께 드려 바로잡아 주기를 청한다. 신해년 (1791) 정월 22일

貞蕤先生東歸, 詩以送之, 卽次其山居三首元韻幷正. 辛亥月正二十二日

정월도 한가하여 술잔을 기울이니　尊酒聊傾獻歲閒

작은 문은 먼지 날리는 도성 문을 향하였네.　小門深向軟塵關

하늘 끝서 찾아오신 귀한 손님 놀라더니　忽驚嘉客來天末

멈춘 구름²²⁰ 벽 사이서 일어남을 깨닫누나.　斗覺停雲起壁間

---

217 강 물결: 원문의 "鷗波"는 갈매기가 생활하는 수면으로, 은자의 한가로운 생활을 일컫는 다. 여기서는 용만의 강물을 말하는 것으로 보인다.
218 꽃…사람: 원문의 "尋花問柳"는 봄 풍경을 완상한다는 의미이다. 기녀를 가까이한다는 의미도 있다.
219 「몽유춘」(夢遊春): 당나라 원진(元稹, 779~831)의 오언고시 제목이다.
220 멈춘 구름: 벗을 그리워하는 마음을 말한다. 본서 158면 각주 317번 참조.

풍아(風雅)²²¹가 낮아짐은 당(唐)나라 아래이고 　　　風雅直卑唐以下

수염 눈썹 달라 보임 진(晉)나라 이후일세. 　　　鬚眉差見晉而還

다른 땅의 그대와 같은 모임 참석하니 　　　與君異地參同契

세상 들면 공명이요 세상 나서면 산이라네. 　　　入世功名出世山

해 넘기며 수레의 말 얼마나 바빴던가 　　　驂騑隔歲幾忙閒

느릿느릿 외로운 구름 관문을 또 나서네. 　　　冉冉孤雲又出關

삼도(三島)²²² 밖서 향초는 사람을 그리는데 　　　香艸懷人三島外

육조(六朝) 사이 높은 관과 나막신을 신었구려. 　　　高冠躡屐六朝間

하염없는 이별의 한 등불 앞에 또렷하고 　　　悠揚別恨鐙前判

말쑥한 봄빛은 살쩍 밑에 돌아왔지. 　　　澹蕩春光鬢底還

떠나가면 그리워도 어디서 얘기할까 　　　此去相思何處說

은낭(隱囊)²²³ 기대 석양 산을 마주하고 있으리. 　　　隱囊知對夕陽山

장정(長亭)²²⁴의 짧은 버들 말 한가할 틈이 없고 　　　短柳長亭馬不閒

세 차례 잇는 가락 양관곡(陽關曲)이 틀림없네.²²⁵ 　　　倚聲三叠當陽關

221 풍아(風雅): 『시경』의 국풍(國風)과 대아(大雅)·소아(小雅), 즉 『시경』을 가리킨다.
222 삼도(三島): 동해 가운데 신선이 산다는 삼신산(三神山), 즉 봉래(蓬萊)·방장(方丈)·영주(瀛洲)를 이른다.
223 은낭(隱囊): 몸을 기대어 쉴 수 있도록 솜 등으로 속을 채운 안석(案席), 보료 등을 이른다.
224 장정(長亭): 도로의 10리마다 둔 일종의 휴게소로, 여행객이 쉬거나 전별하는 장소이다. 십리장정(十里長亭)이라고도 한다.
225 세 차례…틀림없네: 당나라의 왕유(王維)가 지은 송별곡 「양관곡」(陽關曲)에서 따온 말로, 3구를 재창하기 때문에 「양관삼첩」(陽關三叠)이라고 부른다. 양관은 옥문관과 함께 중국 서쪽 경계에 위치한 대표적인 관문이다.

시를 제외하고는 결습(結習)[226]을 못 잊으니   未忘結習除詩外
이 술잔 사이에선 정회(情懷) 보기 어려우리.   難見情懷是酒間

나무 끝에 시 읊는 객 두 어깨가 솟더니만[227]   木末雙肩吟客聳
강가에선 2월이라 사신이 돌아가네.   江干二月使臣還
그대가 장경교(長慶橋) 서편[228]에서 바라보면   君從長慶橋西望
구름 가지 푸르른 몇 번째 산일는지?   靑到雲梢第幾山

부(附) 선공의 원운[229]

附 先公元韻

바쁜 중에 어쩌다가 한가로움 잠깐 얻어   偶向忙中得少閒
어지러운 세상일은 상관치 아니하네.   紛紛時事不相關
글 기운 눈썹까지 올라옴 어여뻐라   最憐書氣升眉宇
거문고 소리 따로 손가락 사이 떠다니네.   別有琴聲泛指間
만 점의 잎새에 가을빛은 떠나가고   萬點葉將秋色去

---

226 결습(結習): 사물에 집착하는 상념이나 번뇌를 이르는 불교 용어로, 일반적으로는 오래 쌓여서 고치기 어려운 습관이나 미련을 말한다.

227 나무…솟더니만: 시작(詩作)에 골몰한 모습을 일컫는다. 본서 51면 각주 28번 참조.

228 장경교(長慶橋) 서편: 박제가의 집을 가리킨다.

229 선공의 원운: 이 시 5수는 『정유각집』 시집 권2에 「사천과 녹은의 집에 들러 거문고 연주를 듣고 우산 전겸익의 시에 차운하여 짓다」(過麝泉鹿隱聽琴次虞山) 제목의 4수 중 첫 2수와, 바로 다음 시 「다시 차운하여 사천 이희경 등에게 보여 주다」(再次示麝泉諸子)의 2수, 그다음 시 「연암 어른 집에서 앞 시에 차운하다」(燕岩室次前韻)의 첫 1수로 실려 있다.

한 무리 까마귀 떼 석양 녘에 돌아온다.　　　　一群雅帶夕陽還

맑고 옅은 먼 안개에 나귀 걸음 지쳤지만　　　遠煙淸淺驢蹄倦

시 근심을 또 싣고서 푸른 산을 지나누나.　　　又駄詩愁過碧山

높이 누워 철저히 한가로움 누릴 만해　　　　高臥眞堪徹底閒

사립문은 술꾼 향해 닫혀 있지 않다네.　　　　衡門不向酒人關

흐르는 물 저녁 까마귀 너머에서 시가 되고　詩成流水昏雅外

이웃집 가을 나무 그 사이가 그림일세.　　　畫在隣家秋樹間

사업도 쓸쓸하고 삼경(三徑)마저 다했는데[230]　事業蕭然三徑畢

십 년 만에 돌아오니 흰 살쩍만 더했구려.　　鬂絲添却十年還

화로의 재 절로 식고 주렴도 고요하여　　　　爐灰自陷風簾靜

누각 머리 몇 첩 산을 모두 다 바라보네.　　　看盡樓頭數疊山

십 년 만에 관직 떠난 한가로움 처음 알아　十年初識去官閒

어애송(御愛松)[231] 깊은 곳 홀로 문을 닫고 있네.御愛松深獨閉關

누런 잎 그 너머로 학 날린 하늘[232] 높고　　放鶴天長黃葉外

푸른 산빛 사이로 독서대(讀書臺) 멀리 뵈네. 讀書臺逈[233]翠微間

---

230 삼경(三徑)마저 다했는데: 삼경은 뜰의 세 오솔길로, 오솔길이 황폐해짐은 은거를 뜻한다. 도연명(陶淵明)의 「귀거래사」(歸去來辭)에 "세 오솔길 거칠어져도, 솔과 국화 여전하네"(三徑就荒, 松菊猶存.)라고 한 데서 나왔다.

231 어애송(御愛松): 박제가 집 정원의 소나무를 말한다. 정조가 이 소나무를 칭찬하고 "어애송"(御愛松)이라는 이름을 붙여 주었다.

232 학 날린 하늘: 원문은 "放鶴"이다. 진(晉)의 고승(高僧) 지둔(支遁)이 학을 좋아하여 날아가지 못하도록 기르는 학 두 마리의 날갯죽지를 꺾었다가, 학이 슬퍼하는 듯하여 날개를 고쳐 주고 날려 보냈다는 고사에서 왔다.

233 逈: 『정유각집』에는 '迴'로 되어 있다.

뜬 이름 혀를 차니 나와 무슨 상관이랴	浮名咄咄我何有
지난 일 아득하여 돌이킬 수 없는 것을.	往事悠悠都不還
술동이 등에 지고 사슴을 데리고서	背負葫蘆携一鹿
훗날에 모두 함께 평산(平山) 향해 들어가리.	他時偕入向平山

경전 공부 애쓰느라 잠시 짬도 없으니	兀兀窮經未暫閒
그 누가 철문관(鐵門關)을 활짝 열어 깨뜨리리.	何人開破鐵門關
날마다 저물녘엔 하늘 끝을 그리더니	每因日暮懷天末
어느새 가을 소리 나무 사이 있는 것을.	已覺秋聲在樹間
초승달 낮게 깔려 그림자를 전송하고	纖月欲低纔送影
먼 기러기 급하여도 돌아오지 않누나.	遠鴻雖急不成還
초당도(草堂圖) 그림 속이 시 가운데 광경이라	艸堂圖裏詩中境
비춰 깃털 비껴 꽂고 연산(研山)을 마주하네.	翡翠翎橫對研山

사립문의 몇 그루 나무 유난히 한가로워	數樹衡門特地閒
천연스런 화의가 형관(荊關)[234]과 비슷하다.	天然畫意逼荊關
외론 마음 또다시 겨울 오는 때를 맞아	孤懷又值秋冬際
감상함이 참으로 송석(松石) 사이 있는 듯해.	相賞眞如松石間
흐르는 물을 따라 약을 팔러 갔다가	賣藥偶隨流水去
석양을 등에 지고 책을 빌려 돌아오네.	借書多背夕陽還
무심히 하늘 끝의 기러기를 헤아리다	無心獨數天邊雁

---

234 형관(荊關): 오대(五代) 때의 화가 형호(荊浩)와 그 제자 관동(關仝)을 아울러 일컫는 말.

한 번 웃고 바보처럼 꿈속 산을 바라보네.　　　一笑癡看夢裏山

부(附) 졸구를 원조헌(遠照軒)[235] 사장께 받들어 드리고 아울러 바로잡아 주기를 청하다

附 拙句奉贈遠照軒詞丈幷正

서로 만나 평소 마음 친했음을 깨달으니　　　相逢便覺夙心親

하늘 끝도 이웃 같단 그 말[236] 처음 믿겠구나.　　　始信天涯若比隣

예로부터 정스럽긴 다만 우리 무리거니　　　自古有情惟我輩

이번 생에 이 사람을 만났으니 유감없네.　　　此生無憾見斯人

멈춘 구름[237] 이별 마음 재촉할까 미리 겁내　　　停雲預恐催離緒

지는 해[238]에 훗날 인연 정할 것을 기약한다.　　　落日先期訂後因

장경교 서편[239]으로 오랜 벗을 찾아가면　　　長慶橋西尋舊雨

내 흰머리 낯설다고 말할까 염려히네.　　　煩君爲道二毛新

---

235 원조헌(遠照軒): 윤인태(尹仁泰)의 호이다. 본서 200면 각주 118번 참조.

236 하늘…말: 왕발(王勃)의 시 「송두소부지임촉주」(送杜少府之任蜀州)에 "이 세상에 날 알아준 벗 있으면, 하늘 끝도 가까운 이웃 같다네"(海內存知己, 天涯若比隣.)라고 하였다.

237 멈춘 구름: 원문은 "停雲"이다. 본서 158면 각주 317번 참조.

238 지는 해: 원문은 "落日"로, 벗과의 이별을 애석해하는 정을 뜻한다. 이백(李白)의 「송우인」(送友人) 시에 "뜬구름은 정처 없는 나그네 뜻이고, 지는 해는 벗에 대한 정이로다"(浮雲遊子意, 落日故人情.)라고 한 데서 온 표현이다.

239 장경교 서편: 박제가의 집을 가리킨다.

부(附) 우연히 육아선사(六娥仙史)의 절구를 읽고 느낌이 있어 절구 2수를 지어 받들어 부치며 바로잡아 주기를 청하다

附 偶讀六娥仙史絶句, 感賦二絶, 奉寄幷正

연잎은 둥글둥글[240] 첩의 마음 괴로우니　　　　蓮葉田田妾苦心

눈썹 끝에 묵은 한이 자꾸만 올라오네.　　　　　眉尖舊恨上侵尋

천애(天涯)의 손님 향한 내 마음 다정해서　　　多情我自天涯客

성련(成連)의 해상음(海上音)[241]을 따로 감상한다네.

　　　　　　　　　　　　　　　　　　　　別賞成連海上音

봄 산빛 담백하여 소라보다 푸르니　　　　　　春山淺澹碧於螺

홍두(紅豆)의 그리움[242]을 어찌해야 좋을까?　　紅豆相思可奈何

패옥 풀고 갓끈 씻어도[243] 마음은 괴로운데　　解佩濯纓心事苦

240　연잎은 둥글둥글: 원문은 "蓮葉田田"으로, 한대(漢代)의 악부곡인 「채련곡」(採蓮曲)에 "강남은 연을 취할 만하여라, 연잎이 어이 그리 무성한고"(江南可採蓮, 蓮葉何田田.)라고 한 데서 따온 표현이다. 「채련곡」은 대개 남녀 간의 상사(相思)를 노래한 곡이 많다.

241　성련(成連)의 해상음(海上音): 백아(伯牙)의 스승인 성련(成連)이 거문고의 마지막 관문을 통과하기 위해 그를 데리고 동해로 갔는데, 혼자 남겨진 백아가 바다의 파도 소리를 듣고 거문고 연주의 묘리를 깨달았다는 고사. 여기서는 멀리 있는 천애객을 향한 그리움을 담은 표현으로 썼다.

242　홍두(紅豆)의 그리움: 홍두는 홍두수(紅豆樹)의 붉은 열매로, 상사(相思)의 정을 뜻하는 말이다. 상사자(相思子)라고도 한다. 당(唐)나라 왕유(王維)의 「상사」(相思) 시에 "홍두는 남국에서 맺히나니, 봄이 되면 몇 가지 열리겠지. 그대가 많이 따오길 바라노니, 이 열매 가장 많이 그리움다네"(紅豆生南國, 春來發幾枝. 願君多採擷, 此物最相思.)라고 하였다.

243　패옥…씻어도: 속세를 벗어난다는 의미다. 원문은 "解佩"와 "濯纓"으로, 각각 허리띠의 패물을 풀고 맑은 물에 갓끈을 씻는다는 뜻이다. 심약의 「등원창루팔영」(登元暢樓八詠)에 "허리띠 장식 풀고 조정을 떠나, 갈옷 입고 산동을 다스리네"(解佩去朝市, 被褐守山東.)라고 하였고, 굴원의 「어부사」(漁父辭)에, "창랑(滄浪)의 물이 맑으면 내 갓끈을 씻고, 창랑의 물이 흐리면 내 발을 씻으리라"(滄浪之水清兮, 可以濯我纓. 滄浪之水濁兮, 可以濯我足.) 하였다.

소낙비 노래하며 새 연잎을 치는구나.   漫歌驟雨打新荷

부(附) 율시 5수를 이실선사(薏室仙史)[244]에게 부쳐 주고, 아울러 바로잡아 줄 것을 청하다
附 律句五首寄贈薏室仙史并正

봄물에 초록 물결 길기도 한데	春水綠波長
방주(芳洲)엔 두약(杜若)[245]이 향기롭구나.	芳洲杜若芳
이름난 꽃 북리(北里)[246]를 사랑하노니	名花憐北里
저 고운 우리 님은 동방에 있네.	彼美在東方
얼굴이 수척했나 물어보면서	問訊容顏瘦
향기로운 그 이름을 음미하누나.	低徊姓字香
그리운 이 보고파도 볼 수 없으니	所思不可見
꿈길만 아문당(我聞堂)[247]을 헤매 돈다오.	夢遶我聞堂
옥 같은 그대는 어디에 있나?	玉人何處所
언제나 수정반(水晶盤)을 마주한다네.	長對水晶盤
밝은 달 머나먼 삼천 리 길에	明月三千里
봄 구름 열두 난간 잠겨 있는 곳.	春雲十二欄

---

244 이실선사(薏室仙史): 평안도 기생 육아를 가리키는 듯하다.
245 두약(杜若): 향초(香草)의 일종으로 팥배나무이다.
246 북리(北里): 당나라 때 장안의 평강리(平康里)로, 이곳에 기원(妓院)이 있었다. 후에 전의되어 기녀(妓女)가 모여 사는 곳이나 그러한 풍조를 뜻하게 되었다.
247 아문당(我聞堂): 이실선사, 즉 육아의 당호인 듯하나 분명치 않다.

전하기는 잠과 밥이 모두 줄어서	秪傳眠食減
얼굴 그림 허락하질 않는다 하네.	未許畫圖看
오늘은 서늘한 바람이 일어	今日涼風起
멀리서도 저녁 추위 알 것만 같네.	遙知倚暮寒
타향서도 공연히 서글퍼지니	異地空怊悵
천애(天涯)야 말하여 무엇하리오.	天涯可奈何
많은 근심 두목(杜牧)248을 그리워하고	多愁懷杜牧
좋은 시구 진아(秦娥)249를 생각한다네.	好句憶秦娥
소중하게 홍두(紅豆)를 심어 길러서	珍重栽紅豆
은근히 푸른 덩굴 채워 본다네.	殷勤補碧蘿
출렁출렁 다시금 끊임없으니250	盈盈還脈脈
은하수는 건너기가 어려웁구나.	難渡是銀河
오작교(烏鵲橋)는 칠석(七夕)이면 메워지나니	橋眞塡七夕
바위는 삼생(三生) 인연 증명한다네251	石可證三生

248 두목(杜牧): 당나라 말의 시인인데, 문장의 풍채가 좋았으므로 그가 취하여 양주(揚州)를 지나갈 때 청루의 기생들이 다투어 귤을 던져 그의 탄 수레에 가득했다는 고사가 있다. 여기서는 박제가를 말한다.

249 진아(秦娥): 두목의 애인 장호호(張好好)의 별칭. 여기서는 기생 육아를 가리킨다. 두목과 장호호의 사랑에 박제가와 육아의 사랑을 견준 표현이다.

250 출렁출렁 다시금 끊임없으니: 한나라 「고시십구수」(古詩十九首)의 「초초견우성」(迢迢牽牛星) 중 마지막 두 구절 "盈盈一水間, 脈脈不得語."에서 가져온 표현으로, 모두 이별의 정을 담은 표현이다.

251 바위는…증명한다네: 삼생은 전생(前生)·금생(今生)·내생(來生)을 가리키는 불교 용어로, 삼생 인연이란 이생(異生)의 경계를 뛰어넘는 숙명적인 인연을 말한다. 당나라 때 승려 원관(圓觀)과 이원(李源)은 교분이 두터웠는데, 다음 생에 다시 태어나 항주(杭州) 천축사(天竺寺) 뒤에서 다시 만나기로 약속했다. 후에 과연 다시 태어나 천축사 뒤의 바위에서 만났으므로, 그 바위에 삼생석(三生石)이라는 이름이 붙었다는 고사가 있다.

다만 붉은 붓대[252] 춤을 허락하는 일	但許貽彤管
어이해 벽성(碧城)[253]에만 한정되리오.	何曾限碧城
바보 같다 응당 나를 비웃겠지만	情癡應笑我
박한 운명 비로소 그댈 사랑해.	命薄始憐卿
향그런 풀 그윽한 원망 전하고	香艸傳幽怨
청한함 옥피리에 사무치누나.	清寒徹玉笙
땅이 외져 이역과 나뉘어져도	地偏分異域
동시대에 살아감이 다행스럽다.	生幸得同時
소식을 어이해 알겠냐마는	音問何曾識
따져 보니 인연은 기이하구나.	因緣也算奇
책 속의 사람은 볼 수가 있고	卷中人可見
꿈속의 경계는 그릴 만하네.	夢裏境堪思
창포(菖蒲)가 움터 날 때를 기다려	待得菖蒲發
설도전(薛濤箋) 좋은 시를 부쳐 보내리.[254]	吟牋寄好詞

---

252 붉은 붓대: 원문의 "彤管"은 여인이 쓰던 붉은색의 붓대를 말하는데, 여기서는 여인이 문필에 종사함을 가리키는 뜻으로 썼다. 『시경』「정녀」(靜女)에 "어여뻐라 정녀여! 내게 붉은 대롱 선물하누나"(靜女其變, 貽我彤管.)라 한 것이 있다.

253 벽성(碧城): 벽성은 푸른 노을로 만든, 원시천존(元始天尊)이 거처하는 궁궐의 이름으로, 신선들의 거처를 뜻한다.

254 창포(菖蒲)가…보내리: 당나라 원진(元稹)이 기녀 설도(薛濤)에게 준「기증설도」(寄贈薛濤)에서 "別後相思隔煙水, 菖蒲花發五雲高."라고 한 구절에서 따온 표현이다. 설도전은 설도가 시를 적어 넣었던 진홍색의 채색 종이를 말한다.

편집

전에 지은 칠언율시 몇 수를 써서 정유 선생께 드리며 바로잡아 주기를 청한다. 신해년(1791) 1월 21일 등불 아래서 바쁘게 원고를 적다

舊作七律數首, 書呈貞蕤先生正之. 時辛亥月正二十一日, 燈下艸艸錄稿

수원에서 원간재 선생[255]에게 드리다 4수

隨園袁簡齋先生四首

임천(林泉) 깊은 곳에는 신선이 거주하니	林泉深處住神仙
6대[256]의 풍류가 강물 위의 안개로다.	六代風流水上煙
강사(强仕)의 나이[257] 되어 벼슬을 그만두니	致仕偏當强仕日
산을 봐도 산 살 돈[258]을 쓸 필요가 없겠구나.	看山不費買山錢

255 원간재(袁簡齋) 선생: 청대 문인 원매(袁枚, 1716~1797). 간재(簡齋)는 그의 호이고, 자는 자재(子才)로, 전당(錢塘) 사람이다. 목양(沐陽)·강녕(江寧) 등에서 현령으로 있다가 사직하고 남경(南京)으로 가 동산을 만들어 수원(隨園)이라 이름 붙였다. 당대에 문명(文名)을 떨쳤으며 신선의 풍모가 있었다고 전해진다. 만년에 여제자를 여럿 두었는데 모두 시에 능하였다. 『호저집』 찬집에 소개되어 있다.

256 6대: 남경에 도읍을 두었던 여섯 왕조. 즉 삼국시대의 오(吳), 동진(東晉), 남조(南朝)의 송(宋)·제(齊)·양(梁)·진(陳)을 말한다.

257 강사(强仕)의 나이: 40세. 『예기』 「곡례 상」(曲禮上)에 "나이 사십을 강이라고 하니, 이때 출사한다"(四十日强而仕.)라는 말이 나온다.

258 산 살 돈: 원문은 "買山錢". 매산(買山)은 선비가 은거함을 비유한다. 진(晉)나라 승려 지도림(支道林)이 심공(深公)의 소유인 인산(印山)을 사서 은거하려고 하자, 심공이 "소부(巢父)와 허유(許由)가 산을 사서 숨어 살았다는 말을 듣지 못했다"라고 한 고사가 있다. 유우석(劉禹錫)의 「수낙천한와」(酬樂天閑臥)에는 "동년 함께 은거하지 못함은 머물 산을 살 돈이 없기 때문이라오"(同年未同隱, 緣欠買山錢.)라고 하였다.

예쁜 모습 아이들도 모두 다 알고 있고　　　　　　丰儀嬴得兒童識

좋은 얘기 부로(父老)들이 가르치어 퍼뜨렸네.　　佳話從敎父老傳

명원(名園) 다시 지나면서 소식 자주 물어보니　　再過名園頻問訊

가을 모습 말릉(秣陵)²⁵⁹ 시절 못지않다 하누나.　秋容未減秣陵天

선원(仙源)으로 흐르는 물 약야계²⁶⁰인가 묻고　　流水仙源問若耶

선생께선 높이 누워 봄꽃 시절 보내시네.　　　先生高臥閱春華

반랑(潘郎)²⁶¹의 고을에다 이름난 꽃 이미 심고　名花已種潘郎縣

사안(謝安)²⁶²의 집에서 별서(別墅)에 기대었지.　別墅終依謝傅家

규방의 여인들은 모두들 낙수(絡秀)²⁶³인데　　閨裏姬人皆絡秀

좌중의 손님들은 절반이 유차(劉叉)²⁶⁴일세.　　坐中賓從半劉叉

내가 와서 그릇되이 부풍(扶風) 손님²⁶⁵ 되었으니　我來謬作扶風客

259　말릉(秣陵): 원매의 수원이 있는 남경(南京)의 옛 이름으로, 그 당시 제갈량(諸葛亮)이 말
릉의 지세를 보고 "용이 서린 듯하고 범이 웅크린 듯하다"(龍盤虎踞.)고 평했다는 고사가 있다.

260　약야계(若耶溪): 절강(浙江) 소흥(紹興) 약야산(若耶山)의 시내 이름. 이곳에서 춘추시
대 월(越)나라의 미녀 서시(西施)가 깁을 빨았다고 전한다. 두보의 「봉선유소부신화산수장가」
(奉先劉少府新畫山水障歌)에 "약야계여, 운문사여. 나 어찌 홀로 속세 진흙에 빠져 있으랴"(若
耶溪, 雲門寺. 吾獨胡爲在泥滓.)라는 구절이 있다.

261　반랑(潘郎): 서진(西晉)의 반악(潘岳, 247~300). 그가 하양령(河陽令)으로 있을 때 고
을에 도리(桃李)를 많이 심어 당시 사람들이 "하양은 온 고을이 꽃이다"(河陽一縣花.)라고 했
다는 고사가 있다.

262　사안(謝安): 동진(東晉)의 명신(名臣)이자 은자(隱者)로, 오랫동안 벼슬을 사양하고 회
계(會稽)의 동산에 은거했으며, 대장군으로 있을 때 전쟁이 났는데 동산의 별서에서 조카와 내
기 바둑을 두며 담대하게 있었다는 고사가 있다.

263　낙수(絡秀): 진(晉)나라 장군 주준(周浚)의 첩이자 명사(名士)인 주의(周顗)의 모친으
로, 스스로 장군의 첩이 되어 세 아들을 낳았는데 모두 현달했다.

264　유차(劉叉): 당나라 때 사람으로, 불우하게 살다가 한유의 객이 되어 기이한 시문을 쓰고
인정을 받았다. 여기서는 원매를 한유에 빗대는 표현으로 쓴 것이다.

265　부풍(扶風) 손님: 당나라 이백의 「부풍호사가」(扶風豪士歌)에 "부풍의 호걸 선비 천하에
기특하니, 의기 서로 통하면 산도 옮길 수 있지"(扶風豪士天下奇. 意氣相傾山可移.)라고 하였

대청 앞을 향하여서 강사(絳紗)[266]에 절하였네.　略向堂前拜絳紗

운모(雲母) 병풍[267]으로 먼 멧부리 맞아 오고　雲母屛風遠岫迎

벽라(薜蘿)[268]는 관현 소리 깊숙이 감추누나.　薜蘿深隱管絃聲

강산에서 담소하며 천년토록 영웅 되고　江山談笑雄千載

도서에 노닐면서 일백 성(城)을 차지했지.[269]　圖史優游擁百城

공경(公卿)이 되지 않음 정말 복된 운명이요　不作公卿眞福命

성색(聲色)을 잊지 않음 이것이 풍정일세.　未忘聲色是風情

육교(六橋)의 안개비는 전당의 꿈이러니[270]　六橋煙雨錢塘夢

온통 진회(秦淮)[271] 향해서 아홉 굽이 생겨나네.　都向秦淮九曲生

흰 가재 옥 같은 회 잔칫상에 차려지니　霜螯玉鱠綺筵陳

다. 공협 자신이 과분하게 부풍호사(扶風豪士)의 대접을 받았다는 뜻으로 썼다.

266　강사(絳紗): 강사장(絳紗帳), 즉 붉은 비단으로 꾸민 스승의 강석(講席)을 높여 이르는 말이다. 『후한서』(後漢書) 「마융열전」(馬融列傳)에 마융이 제자들을 가르칠 때 "늘 높은 당 위에 앉아 붉은 비단 장막을 드리웠다"(常坐高堂, 施絳紗帳.)고 한 데서 유래하였다. 여기서는 원매(袁枚)를 가리킨다.

267　운모(雲母) 병풍: 흰 운모석(雲母石)으로 만든 고급 병풍이다.

268　벽라(薜蘿): 벽려(薜荔)와 여라(女蘿). 나무나 벽을 타고 오르는 식물이다. 은자의 거처를 뜻한다.

269　도서에…차지했지: 북위(北魏) 때 처사(處士) 이밀(李謐)이 벼슬하지 않고 독서를 즐겼는데, 자신의 방대한 장서(藏書)를 자랑스러워하며 "장부란 만 권의 서책을 갖는 것이니, 1백 성을 거느릴 것 있겠는가?"(丈夫擁書萬卷, 何假南面百城.)라고 하였다. 『위서』(魏書) 권90 일사열전(逸士列傳) 「이밀」(李謐)에 보인다.

270　육교(六橋)의…꿈이러니: 소식(蘇軾)이 전당(錢唐), 즉 항주(杭州)의 지방관으로 부임하여 절강(浙江)의 서호(西湖)에 소제(蘇堤)라는 제방을 쌓고, 이곳에는 여섯 개의 다리를 놓고 길 양쪽으로 꽃과 버들을 심었다. 당시 그 아름다운 경치를 이르러 '육교연류'(六橋煙柳)란 호칭이 붙었다.

271　진회(秦淮): 남경(南京)과 그 성내(城內)를 관통하는 하천인 진회하(秦淮河). 진(秦)나라 때 판 인공 운하로, 남경의 명승 중 하나이다.

반짝반짝 은하수에 이슬 기운 새롭구나.	耿耿星河露氣新
밤 오자 등불 빛은 백주 대낮 다름없고	燈火夜來疑白晝
하늘 멀리 생가(笙歌) 소리 붉은 입술 들려주네.	笙歌天外發朱脣
고을원272을 그만두고 이곳에 와 살게 되어	解還墨綬成流寓
홍루(紅樓)를 구입하여 미인 모아 두었다네.	購得紅樓貯美人
부러워라 서호(西湖)의 호수 위 나그네들	却羨西湖湖上客
해마다 석두성(石頭城)273의 봄날을 차지했네.	年年管領石城春

양주에서 왕검담 국박274께 드리다 4수
揚州贈汪劍潭國博四首

옛 벗 잠깐 헤어지곤 몇 해가 지났던고	故人小別幾經秋
저녁 비에 대규 찾는 배275를 거듭 멈추누나.	暮雨重停訪戴舟
각건276 쓰고 삼사(三舍)277에 너무 일찍 올라서	折角早升三舍座

---

272 고을원: 원문의 "墨綬"는 동인묵수(銅印墨綬)의 준말로, 지방의 수령을 이른다. 이들이 동(銅)으로 된 인신(印信)을 검은색 끈[墨綬]으로 묶어 찼던 데서 생긴 말이다.

273 석두성(石頭城): 남경 청량산(淸涼山)에 위치한 고성(古城)이다.

274 왕검담(汪劍潭) 국박(國博): 청대 문인 왕단광(汪端光). 본서 262면 '왕단광' 항목 참조.

275 대규 찾는 배: 갑자기 친구가 생각나서 찾아감. 진(晉)나라 왕휘지(王徽之)가 산음(山陰) 땅에 있다가 눈 내린 밤에 갑자기 섬계(剡溪)에 사는 벗 대규(戴逵)가 보고 싶어 밤새도록 배를 몰고 그 집 앞에까지 갔다가 그냥 돌아왔다는 고사가 있다. 『세설신어』(世說新語)에 보인다.

276 각건: 절각건(折角巾)으로, 고아한 문사(文士)의 풍모를 말한다. 후한의 명사(名士) 곽태(郭泰)가 비를 맞아 각건(角巾)의 한쪽 모서리가 접혔는데, 당시 사람들이 그를 흠모한 나머지 그 모습을 따라 각건 모서리를 접어 썼다는 고사가 있다.

277 삼사(三舍): 송(宋)나라 때 태학(太學)의 외사(外舍)·내사(內舍)·상사(上舍)를 가리킨다.

돛 달고 백화주(百花洲)²⁷⁸에 진작에 가 보았지.　挂帆曾到百花洲

금규(金閨)²⁷⁹에선 승지 유람 허락하지 않으니　金閨未許窮幽討

요초(瑤艸)로 어이해 원유부²⁸⁰를 지을까.　瑤艸胡爲賦遠遊

어이해 가려 하나 돌아가지 못하는가　底事欲歸歸未得

밝은 달빛 양주(揚州) 땅을 아껴서가 아니라네.　不因明月戀揚州

그때에 왕공(王恭)²⁸¹을 알았던 일 기억하니　當年曾記識王恭

말쑥한 예쁜 모습 만나 본 일 있었다네.　濯濯丰神邂逅中

도처의 번화한 곳²⁸² 수레를 함께 탔고　到處軟紅車共載

이별한 뒤 지는 달에 꿈속에서 만났었지.　別來落月夢相逢

십 년간 재주 명성 대적할 이 없건만　才名十載君無敵

가난과 병 해 갈수록 나와 거의 같아졌네.　貧病經年我略同

영객(郢客)²⁸³이 가을 오자 근심 더욱 심해져서　郢客秋來愁更甚

누각 올라 서풍 감히 등지지 못하누나.²⁸⁴　登樓不敢背西風

278　백화주(百花洲): 강서성(江西省) 남창시(南昌市)의 동호(東湖) 가운데 있는 작은 섬. 관
오정(冠鰲亭)과 구곡교(九曲橋) 등이 유명하다.

279　금규(金閨): 조정을 가리킨다. 한(漢)나라 궁궐 문 금마문(金馬門)의 별칭으로, 학사(學
士)들이 조서(詔書)의 하달을 기다리던 곳이다.

280　원유부(遠遊賦): 원유(遠遊)는 멀리 노니는 것이다. 굴원(屈原)의 『초사』(楚辭)에 「원유
부」가 있는데, 참소를 입고 세상에 용납되지 못함을 한탄하여 신선(神仙)과 함께 천지 사방을
주유(周遊)하는 내용이다.

281　왕공(王恭): 부드럽고 아름다운 풍채로 유명했던 진(晉)나라 왕공(王恭, ?~398)을 말한
다. 여기서는 왕단광을 가리킨다.

282　번화한 곳: 원문의 "연홍"(軟紅)은 관원들이 도성에서 조정에 출퇴근할 적에 타고 다니는
말과 수레에서 나와 거리를 뒤덮는 붉은 먼지로, 도시의 번화한 곳을 가리킨다.

283　영객(郢客): 영인(郢人)과 같은 말로, 노래 잘 부르는 사람을 이른다. 영(郢)은 옛날 초
(楚)나라의 수도인데, 이 고장 사람들은 특별히 노래를 잘 불렀다 한다. 양주가 옛날 초나라 땅
이었으므로, 여기서 영객은 왕단광을 가리키는 듯하다.

경화의 벼슬아치 모두들 애를 쓰며	京華冠蓋摠勞勞
지은 시 얻게 되면 종이 값이 오른다네.[285]	嬴得詩成紙價高
낮은 부서(府署) 높은 벼슬 흉내 내지 아니하니	冷署不須摹巧宦
무관(武官)직이 한가한 관직보다 더 낫다네.	矗官大抵勝閒曹
정씨(鄭氏)는 삼절(三絶) 능함[286] 멋대로 자랑하고	漫誇鄭氏能三絶
반랑(潘郎)[287]은 터럭 센 것 보일까 염려하네.	多恐潘郎見二毛
우리 국자선생[288]께선 해직을 자청하여	國子先生聊自解
장차 팔월 광릉 물결 구경하려 하는구나.[289]	且看八月廣陵濤

새벽 해에 홍렴(烘簾)[290] 아래 느지막이 잠 깨어	曉日烘簾睡起遲
괴로이 읊조리며 눈썹 몇 번 찡그렸나.	苦吟幾度簇修眉
재주 높다 옹자(翁子)[291]를 아끼지는 않는 법	才高未必憐翁子

284 서풍…못하누나: 두목(杜牧)의 「제안군중우제」(齊安郡中偶題)에 "적잖은 푸른 연잎 서로 기대 한탄하다 일시에 고개 돌려 서풍을 등지누나"(多少綠荷相倚恨, 一時回首背西風.)라고 하였다.

285 종이 값이 오른다네: 글솜씨를 칭찬하는 말이다. 진(晉)나라 좌사(左思)가 「삼도부」(三都賦)를 지었을 때, 낙양 사람들이 다투어 그 글을 베꼈으므로 종이가 귀해져 값이 폭등했다고 한다.

286 정씨(鄭氏)는 삼절(三絶) 능함: 정씨는 당 현종(玄宗) 때의 문인 정건(鄭虔)으로, 시(詩)·서(書)·화(畫)에 모두 뛰어나서, 현종으로부터 '정건삼절'(鄭虔三絶)이라는 어필(御筆)을 받았다.

287 반랑(潘郎): 진(晉)나라 때 문인 반악(潘岳)으로, 그의 「추흥부」(秋興賦) 서문에 "내 나이 32세에 처음으로 흰머리를 보았다"(余年三十二, 始見二毛.)라고 하였다.

288 국자선생(國子先生): 왕단광은 국자감학정(國子監學正)을 지냈다.

289 팔월…하는구나: 중국에서는 8월 중추절에 광릉의 파도를 구경하는 풍속이 있는데, 이를 광릉도(廣陵濤)라고 한다. 광릉은 양주시 서북쪽 일대에 있다.

290 홍렴(烘簾): 난렴(暖簾)이라고도 한다. 추위를 막기 위해 천으로 만들고 솜을 넣는 겨울용 발이다.

291 옹자(翁子): 한(漢)나라 주매신(朱買臣)의 자이다. 주매신은 40세가 넘도록 벼슬을 하지 못한 채 빈궁하게 살다가 50세에 입사(入仕)하여 구경(九卿)의 지위에 올랐다. 『한서』(漢書)

노래 좋다 어이해 설아(雪兒)[292]에게 맡기리오. 歌好何由付雪兒

문 앞길[293] 쓸쓸해도 잠시 거처 삼으니 門逕蕭疎成小住

벗들도 영락하여 맑은 생각 덜어지네. 知交零落減淸思

다정하여 천애의 한 따로 품고 있는지라 多情別有天涯恨

회남 향해 죽지사(竹枝詞)[294]를 부르지 않는다네. 不向淮南唱竹枝

훈로 4수
熏爐四首

여릿여릿 사뿐사뿐 그림 누각 나와서 冉冉霏霏出畫樓

봄 맞은 작은 정원 시름을 못 이기네. 宜春小苑不勝愁

자리에 향기[295] 남기어도 새 꿈만 수고롭고 坐留荀令勞新夢

여산(廬山)에 다다라선 옛 노닒 떠올리네. 峯到廬山憶舊遊

백화향(百和香)[296] 지녀 가면 응당 웃음 얻겠고 百和携歸應索笑

권64 「주매신전」(朱買臣傳).

292 설아(雪兒): 당나라 이밀(李密)의 애희(愛姬)로, 가무(歌舞)에 능했다. 이밀의 빈객이 멋진 시를 지으면 바로 설아에게 맡겨 노래로 부르게 했다는 고사가 있다.

293 문 앞길: 원문은 "門逕"으로, 은자의 거처를 뜻한다. 한(漢)나라 때 왕망(王莽)이 나라를 찬탈하자 장후(蔣詡)가 벼슬에서 물러나 은거하면서, 문정(門庭)에 세 갈래 오솔길(三逕)을 내고 벗인 구중(求仲)과 양중(羊仲) 두 사람만 오갈 수 있게 했다고 한다.

294 죽지사(竹枝詞): 지역의 풍토나 특색을 기록하는 가사의 일종으로, 그 안에 비애의 정서나 남녀 간의 애정, 역사 회고 등의 내용을 담기도 한다.

295 향기: 원문의 "荀令"은 후한(後漢) 때 벼슬이 상서령(尙書令)에 이르렀던 순욱(荀彧)을 가리키는데, 순욱은 옷에 훈향(熏香)을 입히길 즐겨, 그가 남의 집에 가면 앉았던 자리에서 3일 동안 향내가 풍겼다는 고사가 있다.

296 백화향(百和香): 여러 향료를 섞어서 만든 향. 백화(百和)라고도 한다.

동심결(同心結)을 맺으면 근심 잊기 좋겠구나.	同心結就好忘憂
온종일 미인이 발을 내려 드리운 곳	美人鎭日垂簾處
남은 재 다 식도록 주렴을 걷지 않네.	撥盡殘灰不上鉤

봄바람 부끄러워 다시 난간 기대니	羞向東風更倚欄
고운 주렴 해 비칠 때 낭군 엿봄[297] 후회하네.	繡簾當日悔窺韓
첩의 운명 실낱같음 어이해 견디리오	那堪妾命今如縷
임의 마음 단향(檀香) 같음 믿을 수가 없다네.	未必郞心果似檀
겹 휘장 속 불 꺼져도 오도카니 서 있자니	燈燼重幃還佇立
봄 깊어도 소매 짧아 추위를 못 막겠네.	春深半臂不禁寒
옥계(玉溪)가 마음대로 「소향곡」을 노래하니	玉溪漫理燒香曲
재 되면 눈물 쉬이 마를까 염려하네.[298]	只恐成灰淚易乾

비단옷 나풀나풀 옥 같은 손 가녀린데	羅衣薄薄玉纖纖
새 달빛 임 엿보며 어깨를 감싸 안네.	新月窺人正抱肩
회문(回文)을 수놓아도[299] 부칠 곳 있지 않고	織就回文無處寄
소전(小篆)[300]을 막 이루니 몹시도 어여뻐라.	垂成小篆也堪憐

---

297 낭군 엿봄: 원문의 "窺韓"은 진(晉)나라 때 가충의 딸이 용모가 아름다운 한수(韓壽)를 엿보고 반하여 서로 통했다는 고사를 말한다.

298 옥계(玉溪)가…염려하네: 옥계(玉溪)는 당나라 때 시인 이상은(李商隱)의 호. 「소향곡」(燒香曲)은 그가 지은 7언고시이고, 뒷 구절 또한 그의 「무제」(無題) 시 중 "春蠶到死絲方盡, 蠟炬成灰淚始幹."에서 따온 표현이다.

299 회문(回文)을 수놓아도: 전진(前秦) 두도(竇滔)의 아내 소약란(蘇若蘭)이 전후좌우 어디로 읽어도 문장이 되는 「회문선도시」(回文旋圖詩)를 오색실로 수놓아 타향의 남편에게 보냈다는 고사로, 후에 아내가 남편에게 보내는 서신이나 시, 또는 부녀의 재주를 칭찬하는 말로 쓴다.

300 소전(小篆): 진(秦)나라 때 통용된 서체(書體)의 하나인데, 소용돌이 모양의 선향(線香)

편집

여린 몸이 나와 함께 도탄(塗炭) 빠짐 상심하니　微軀傷我同塗炭
그리운 맘 임을 따라 연기로 변하고파.　幽思隨君欲化煙
궤안(几案)에 홀로 기대 다시금 향 사르며　曲几自憑還自爇
정을 눌러 공연히 「소유선시」(小遊仙詩)[301] 읊조리네.

閒情空賦小遊仙

꿈속의 모습이요 거울 속의 얼굴이라　夢裏音容鏡裏顔
그대 떠난 뒤로부터 도환(刀環)[302]을 부르누나.　自君出矣唱刀環
그때에 믿은 맹서 침향(沈香)에 기댔더니　當年信誓憑沈水
오늘 이 심정은 박산향로(博山香爐)[303] 마주했네.　此日心情對博山
공색(空色)으로 정계(淨界)에 참여할 수 있겠지만　空色可能參靜界
오묘한 향 어디에서 인간 세상 다다를까?　妙香何自到人間
수놓은 부용 너머 옅은 향기 건너오니　繡芙蓉外微微度
은 등잔 다하도록 쪽 찐 머리[304] 안고 있네.　挑盡銀釭擁鬅鬙

이나 빙빙 돌며 올라가는 향연(香煙)을 비유하는 말로도 쓴다.
301　「소유선시」(小遊仙詩): 당나라 조당(曹唐)의 작품.
302　도환(刀環): 도환은 칼머리의 고리인데, '環'이 '還'과 음이 같은 데서, 고향으로 돌아감을
일컫는 의미로 쓴다. 한나라 때 흉노로 투항한 이릉을 데려오려고 임입정(任立政)이 칼의 고리
를 만지며 돌아가자는 암시를 했다는 고사가 있다.
303　박산향로(博山香爐): 향로 뚜껑 위에 전설상의 명산인 박산(博山)이 새겨져 있는, 귀한
향로(香爐)를 이른다.
304　쪽 찐 머리: 원문의 "鬅鬙"은 부인의 쪽 찐 머리 모양으로, 전의되어 여인을 가리키기도
한다.

초산[305]

焦山

하늘 바람 휘몰아쳐 높은 누에 흩어지니	天風飄忽散危樓
아래에서 가장 높은 꼭대기로 올랐다네.	初地來登最上頭
먼 나무가 천 리 안목 가리지 아니하고	遠樹不遮千里目
명산은 십 년 유람 더디게 하는구나.	名山遲作十年遊
감실은 오(吳) 땅 승려[306] 지내기 맞춤하고	一龕只合吳僧住
세 번 조서 한사(漢史)에서 구해도 소용없네.[307]	三詔空勞漢史求
다시금 서리 숲에 누런 잎 좋다 하며	更說霜林黃葉好
돌아가는 배로 다시 깊은 가을 찾아가네.	歸帆重過趁深秋

305 초산(焦山): 강소(江蘇) 단도현(丹徒縣) 동쪽에 있는 산. 부옥산(浮玉山)으로도 부른다.
삼국(三國) 때의 고사(高士) 초선(焦先)이 이 산에 은거하여 초산이란 이름이 붙었다.
306 오(吳) 땅 승려: 당나라 허혼(許渾)의 시에 "오나라 승려가 독경 마치고, 누더기 가사로
포단 기대네"(吳僧誦經罷, 敗衲依蒲團.)라 한 구절이 있다. 여기서는 검소하고 빈한한 승려의
거처를 나타내는 것으로 보인다.
307 세 번…소용없네: 초산에 삼조동(三詔洞)이 있는데, 동한 말엽에 학사 초광(焦光)이 은
거할 때 한나라 헌제가 세 번 조서를 내려 불렀으나 응하지 않았다 하여 '삼조불기'(三詔不起)
의 고사가 생겨났다. 여기서는 세상에 나갈 뜻이 전혀 없다는 의미로 썼다.

법화암 동쪽의 원진 스님에게 들러
過法華菴東圓眞上人

숲 서리에 몇 그루나 물들었나 묻고는	問訊林霜幾樹丹
성 저편 산이 좋아 성을 나와 구경하네.	隔城山好出城看
저녁 해에 구름 나무 두 사립문 잠겨 있고	夕陽雲木雙扉掩
쓸쓸한 절 종과 목어(木魚), 승려 하나 썰렁하다.	蕭寺鍾魚一衲寒
절집에서[308] 그를 따라 패엽경[309] 뒤적이니	華藏從他翻貝葉
식은 마음[310] 너를 알아 포단[311]이 해졌구려.	灰心知爾破蒲團
내 여기 와 갑자기 선승 될 뜻 생겨나니	我來便有逃禪意
설법함에 어이 굳이 벼슬 일을 묻겠는가.	說法何須問宰官

---

308 절집에서: 원문의 "華藏"은 연화장세계(蓮華藏世界)의 준말로, 석가모니불의 진신(眞身)인 비로자나불의 정토(淨土)를 뜻한다. 여기서는 절을 나타내는 표현으로 쓰였다.

309 패엽경(貝葉經): 패엽(貝葉)은 인도의 패다라(貝多羅) 나뭇잎인데, 이 잎사귀에 불경을 서사(書寫)하였으므로 보통 불경을 가리키는 말로 쓰인다.

310 식은 마음: 원문은 "灰心"으로, 모든 망상(妄想)을 여의고 진여(眞如)의 경지에 도달한 상태를 뜻하는 불교의 표현이다.

311 포단(蒲團): 부들로 만든 둥근 방석을 말한다. 승려들이 흔히 좌선할 때나 배례(拜禮)할 때 사용한다.

입동 하루 전날 요대[312]에서 짓다

立冬前一日窰臺作

지는 해에 높은 언덕 온갖 풀 무성하니	落日高原百艸侵
장석(莊舃)은 고향 생각 긴 신음 내어 보네.[313]	思鄕莊舃動長吟
바람 없이 나무는 음산한 기색 짓고	無風樹作森森色
낮인데도 까마귀는 아득한 그늘 뒤채누나.	不暮雅翻漠漠陰
성궐엔 찬 구름이 점차 엉겨 모여들고	城闕漸含雲凍意
의상은 제가 먼저 세한(歲寒) 심사 지녔구나.	衣裳先有歲寒心
강 마을 위 작은 누각 그 사람 그려 봐도	懷人小閣江村上
귤나무에 거친 연기 찾을 수가 없다네.[314]	橘柚煙荒不可尋

---

312 요대(窰臺): 김경선(金景善, 1788~?)의 『연원직지』(燕轅直指)에 흑요창(黑窰廠) 서쪽
에 작은 대가 하나 있는데 이름이 요대라고 한 기록이 보인다. 흑요창은 가마와 벽돌을 굽는 곳
으로, 지금의 북경 선무구(宣武區) 동남쪽에 있었다.

313 장석(莊舃)은…내어 보네: 전국시대 월나라 사람 장석이 초나라에서 높은 벼슬을 하다가
병이 들었는데, 고향을 그리워하여 월나라 소리로 앓았다는 고사가 있다. 『사기』「진진전」(陳軫
傳)에 보인다.

314 귤나무에…없다네: 이백의 「추등선성사조북루」(秋登宣城謝朓北樓) 시에 "인적은 감귤
나무에 적막하고, 가을 기후는 오동을 시들게 하네"(人煙寒橘柚 秋色老梧桐.)라는 구절이 있다.

옛 하인이 목란[315]에서 돌아와 고사리를 대접하기에, 느낌이 있어 짓다

舊僕自木蘭歸, 以蕨菜饋, 感而有作

고운 잎 여린 가지 한 광주리 따 오니	嫩葉柔條手一筐
가져온 그 풍미가 차고도 황량하다.	携來風味是寒荒
몸과 뼈를 바수어도 안 될 것이 없나니	不妨體骨經磨折

남방에서는 고사리를 가지고 가루로 만든다. 南中以蕨爲粉.

정성스런 마음이 온통 모두 길하다네.	到底心情摠吉祥

북방 사람은 길상채라고 부른다. 北人呼吉祥菜.

시인은 아침 굶은 막내딸이 안쓰럽고[316]	詞客朝饑憐季女
하인은 먼 길에서 소랑(蕭郎)을 생각했네.[317]	僕人遠道念蕭郎
백년 인생 거친 음식 선비 밥상 익숙하여[318]	百年粗糲儒餐慣
국의 간을 잠깐 보니 시래깃국보다 낫네.	小試調羹勝瘦羋

---

315 목란(木蘭): 공협이 수자리를 살았던 흑룡강(黑龍江) 중남부(中南部) 지역의 목란(木蘭)을 가리키는 듯한데, 『호저집』 원문에는 "闌"으로 되어 있어 같은 곳인지 분명치 않다.

316 시인은…안쓰럽고: 『시경』 「후인」(候人)에 "어리고 예쁜 소녀가 이에 굶주리도다"(婉兮孌兮, 季女斯飢.)라고 한 데서 가져온 표현으로, 현자(賢者)가 버려져서 빈천함을 뜻한다. 여기서는 공협 자신의 살림이 풍족하지 못함을 말한 것이다.

317 하인은…생각했네: 당나라 문인 소영사(蕭穎士, 717~768)의 고사에서 따온 표현이다. 10년 동안 소영사를 섬긴 종이 있었는데 모진 매를 자주 맞았는데도 떠나지 않았다. 어떤 사람이 종에게 떠날 것을 권하자, 종은 "내가 떠나지 못해서가 아니라 그의 훌륭한 재주를 사랑하기 때문이다"라 하였다. 소영사는 문명(文名)이 높았는데, 그 집안의 노비들도 모두 문자를 알고 시에 능했다고 한다.

318 백년…익숙하여: 두보의 시 「빈지」(賓至)에 "종일토록 가객 앉으시라 붙들고도, 평소 먹던 부유의 거친 찬만 있을 뿐"(竟日淹留佳客坐, 百年粗糲腐儒餐.)이라 하였다.

고사리를 먹다가

食蕨菜

청신한 맛 이제 막 혀뿌리로 돌아오니	淸味剛從舌本回
고향의 앵두 죽순 두관(斗關)[319]에서 그려 보네.	故園櫻筍斗關懷
안개 노을 여태도 산속 기운 띠고 있고	煙霞猶帶山中氣
서리 눈이 새롭게 변방으로부터 왔네.	霜雪新從塞上來
속되고 교만한 이 고기 음식[320] 욕심내니	俗子驕人謀肉食
세상 정리 너희 같은 호채(蒿菜)[321]를 버리누나.	世情棄爾等蒿菜
작은 창 기운 해에 너무도 쓸쓸하여	小牕斜日蕭疎甚
풍로 솥에 푹 끓여서 홀로 술잔 들어 본다.	爛煮風鐺獨酒盃

고사리로 왕검담을 대접하고

以蕨菜餉汪劍潭

고요한 집 찬 주방에 뒤주 빔[322]을 웃나니	院靜廚寒笑屢空

---

319 두관(斗關): 당시 공협이 유배 가 있던 흑룡강의 관문 중 하나로 추정된다.

320 고기 음식: 고관대작의 후록(厚祿)을 비유한 말이다. 후한(後漢) 때 한 관상쟁이가 반초(班超)에게 말하기를 "그대는 제비의 턱에 범의 머리라 날아서 고기를 먹는 상이니, 이는 만리후의 상이다"(燕頷虎頭, 飛而食肉, 此萬里侯相也.)라고 하였는데, 뒤에 과연 그가 큰 공훈을 세워 정원후(定遠侯)에 봉해졌다.

321 호채(蒿菜): 야생의 채소. 사호(邪蒿)라고도 한다.

322 뒤주 빔: 원문은 "屢空". 자주 끼니를 굶는다는 말로,『논어』「선진」(先進)에 "안회(顔回)가…자주 끼니를 걸렀다"(回也…屢空.)라고 한 데서 왔다.

계응(季鷹) 귀흥323 강동에서 막히고 말았다네. 季鷹歸興阻江東

흰머리로 선탑(禪榻)에서 맑은 정황 연민하고 鬢絲禪榻憐淸況

푸른 시내 미나리324에 저녁 바람 서글프다. 碧澗香芹悵晚風

이 맛을 어쩌다가 시장에서 구해 와서 此味偶從燕市得

내 그리던 벗님 함께 맛보라고 드리누나. 我懷差與故人同

단 냉이와 쓴 씀바귀325 골고루 맛보시고 薺甘荼苦嘗都遍

나그네 생활 속에 귀한 음식 더 드시길. 珍重加餐客邸中

가을 생각

秋懷

빈 뜰에 나뭇잎은 까마귀를 따라 날고 空庭木葉逐鴉飛

온종일 갈바람에 사립조차 닫지 않네. 盡日西風不掩扉

삼경이라 고향 생각 간밤 꿈을 놀라 깨니 三夜鄕心驚昨夢

집안 식구 그림자에 추위 위세 느껴 본다. 一家人影試寒威

독서는 중년 들며 잃은 것을 후회하고 讀書已悔中年失

323 계응(季鷹) 귀흥(歸興): 계응은 강동(江東)의 보병(步兵)으로 일컬어졌던 진(晉)나라 문장가 장한(張翰)의 자(字)이다. 동조연(東曹掾) 벼슬을 하다가 가을바람이 불어오자 순채국과 농어회가 생각나 사직하고 고향에 돌아갔다는 고사가 있다.

324 푸른 시내 미나리: 원문은 "碧澗香芹"으로 벽간갱, 곧 미나리국을 뜻한다. 두보의 「배정광문유하장군산림」(陪鄭廣文遊何將軍山林)에 "신선한 붕어회는 은실 날리고, 향기론 미나리로 벽간갱 끓였네"(鮮鯽銀絲膾, 香芹碧澗羹.)라고 한 구절이 있다.

325 단…씀바귀: 『시경』 「곡풍」(谷風)에 "누가 씀바귀 쓰다고 했나, 달기가 냉이 같네"(誰謂荼苦, 其甘如薺.)라는 구절이 있다.

벼슬 구함 당초 계획 어긋남이 부끄럽다.　　　干祿深慙始計非

생각하니 숲 가득히 가을 기운 넘쳐 나서　　　商意滿林秋薄薄

노란 치마 국화꽃이 아침 해에 어여쁘리.　　　黃裳菊蕋艶朝暉

장안의 가을빛이 성문에 일어나니　　　長安秋色起城闉

사치스런 유람 행차[326] 저녁 티끌 일으킨다.　　　流水游龍散晚塵

벼슬아친 혼자서도 초췌함을 견디지만　　　冠蓋可堪憔悴獨

임천(林泉)에선 빈한한 친한 이와 함께하네.　　　林泉偏與瘦寒親

처마 끝 저녁 비에 새 벗은 아예 없고　　　一檐暮雨無新友

사해의 새벽별[327]처럼 옛 벗만 남았구나.　　　四海晨星有故人

재주 아껴 경상(卿相)의 일 모두 다 얘기해도　　　盡說憐才卿相事

그 누가 한나라 평진(平津)[328]인지 모르겠네.　　　不知誰是漢平津

아홉 해를 짧은 옷 입고 도성에 머무르며　　　短衣九載住春明

술을 싣고 산을 보며 묵은 맹세 저버렸지.　　　載酒看山負宿盟

326　사치스런 유람 행차: 원문의 "流水游龍"은 흐르는 물과 노니는 용을 말하는데, 분수에 맞지 않는 사치스러운 모습을 뜻한다. 『후한서』(後漢書) 권10 「명덕마황후」(明德馬皇后)에 마황후(馬皇后)가 외척들의 사치스러운 모습을 지적하여 "문안 오는 외척들은 수레가 흐르는 물 같고 말이 노니는 용 같다"(外家問起居者, 車如流水, 馬如游龍.)라고 한 말이 있다.

327　사해의 새벽별: 원문은 "晨星" 곧 새벽별로, 벗들이 많이 죽어 마치 새벽별처럼 얼마 남지 않았다는 말이다. 당나라 시인 유우석(劉禹錫)의 「송장관부거시서」(送張盥赴擧詩序)에 "옛날에 이른바 동년의 벗들이 한창 성할 적엔 말고삐를 나란히 하고 큰길을 다 차지하고 돌아다니는 것이 마치 병풍 같았는데, 지금은 쓸쓸하기가 새벽별이 멀리서 서로 바라보는 것만 같다"(向所謂同年友, 當其盛時, 聯袂齊鑣, 互絶九衢, 若屛風然, 今來落落, 如晨星之相望.)라는 표현이 있다.

328　한나라 평진(平津): 한 무제(漢武帝) 때 승상에 올라 평진후(平津侯)에 봉해진 공손홍(公孫弘)을 지칭하는 것으로 보인다. 공손홍은 봉록을 다 써서 빈객을 대접했으므로 당시에 어진 선비라는 평을 들었다.

올해 들어 옛 벗이 옴 너무도 기뻐서	差喜今年來舊雨
매번 절간[329] 모여서 추운 밤에 얘기했네.	每從蕭寺話寒更
길이 막혀 상머리를 내어 줌이 부끄럽고	途窮深愧床頭贈
낮은 벼슬 부뚜막 아래 이름 이룸[330] 창피해라.	宦薄羞成竈下名
서른여섯 방죽[331]마다 봄물이 넘실대니	三十六陂春水闊
언제나 돛을 달고 강성으로 내려갈까.	布帆何日下江城

〈명비출새도〉[332]에 차운하여 제하다
題明妃出塞圖次韻

한해(瀚海)와 낭산(狼山)[333]에 사냥 불 새로워도	瀚海狼山獵火新
연기 먼지 쓸어 낼 위곽(衛霍)[334] 장군 다시없네.	更無衛霍掃煙塵

329 절간: 원문의 "蕭寺"는 불교의 사찰을 이른다. 불교를 숭상한 남조(南朝) 양(梁) 무제(武帝)가 사찰을 짓고는 자신 성씨인 소(蕭) 자를 크게 써서 붙이게 한 데서 유래하였다.

330 부뚜막…이룸: 능력도 없이 관리가 되었다는 말이다. 후한(後漢) 경시제(更始帝) 때 조정이 문란해져 아무나 벼슬을 얻는 일이 빈번하여, 사람들이 이를 두고 "부엌에서 밥 짓던 자가 중랑장이 된다"(竈下養中郎將.)라고 한 데서 온 표현이다.

331 서른여섯 방죽: 원문의 "三十六陂"는 강소(江蘇) 양주시(揚州市)에 위치한 지명으로, 시에서는 호수가 많은 것을 이른다.

332 〈명비출새도〉(明妃出塞圖): 한(漢) 원제(元帝) 때 흉노 선우(單于)의 알지(閼氏)로 뽑혀서 국경 밖으로 떠나는 왕소군(王昭君)의 모습을 그린 그림이다. 명비(明妃)라는 호칭은 나중에 진(晉)나라에서 사마소(司馬昭)의 휘(諱)를 피하기 위해 붙인 것이다.

333 한해(瀚海)와 낭산(狼山): 한해(瀚海)는 중국 변경의 고비사막을, 낭산(狼山)은 서쪽 변경 오원현(五原縣)의 낭거서산(狼居胥山)을 이른다. 『사기』 「흉노열전」(匈奴列傳)에 한나라 효문제(孝文帝) 때 위청(衛靑)과 곽거병(霍去病)이 흉노를 정벌하여 낭거서산에 봉하고 한해(瀚海)까지 진격하자, 흉노가 멀리 도망하여 사막 남쪽에 흉노의 왕정(王庭)이 없었다고 한다.

334 위곽(衛霍): 바로 위 각주의 위청과 곽거병을 아울러 이른 말이다.

타고난 고운 자질 경국(傾國)의 자태인데 　　　天生麗質眞傾國

화친의 계책 정해 감히 몸을 빌렸구려. 　　　策定和親敢借身

청총(靑塚)엔 형녀(荊女) 원망 사라지지 않아서 　青塚不消荊女怨

한궁의 봄날이 자대(紫臺)에서 옮겨 갔지.[335] 　紫臺移去漢宮春

소양전(昭陽殿)[336]에 물 말라 천년토록 더러운데 昭陽禍水千年穢

말 탄 사람 비파(琵琶)로 짝을 찾아 다투누나. 　爭侶琵琶馬上人

한 곡조 슬픈 가락[337]「출새곡」이 새로우니 　一曲哀絃出塞新

오랑캐[338]가 막남[339]에서 내닫지 못한다네. 　天驕不騁漠南塵

처량하다, 관문 앞의 달빛을 처음 보고 　　凄涼初見關前月

단장한 채 다시금 거울 속을 보는구나. 　　結束重看鏡裏身

두보는 천년 원망 혼자서 전하였고[340] 　　杜老獨傳千載怨

한 황제는 일지춘(一枝春)을 참으로 저버렸네. 　漢皇眞負一枝春

---

335 청총(靑塚)엔⋯옮겨 갔지: 청총(靑塚)은 왕소군의 무덤으로, 내몽고(內蒙古) 지역에 있다. 왕소군이 흉노에서 오랑캐 추장의 아내로 살다 죽은 뒤에 그곳에 장사를 지냈는데, 그의 무덤만 유독 항상 푸르러 청총이라 일컬었다고 한다. 두보의 시「영회고적」(詠懷古迹)에 "한번 자대를 떠나 사막으로 가더니, 오직 청총만이 황혼 향해 남았구나"(一去紫臺連朔漠, 獨留靑塚向黃昏.)라고 하였다.

336 소양전(昭陽殿): 한나라 때 후비(后妃)가 거처하던 궁전이다.

337 슬픈 가락: 원문은 "哀絃". 왕안석(王安石)이「명비곡」(明妃曲)에서 "가련타 청총(靑冢)은 잡초에 덮였거늘, 여태도 슬픈 가락 지금까지 전하도다"(可憐靑冢已蕪沒, 尙有哀絃留至今.)라고 한 것을 두고 말한다.

338 오랑캐: 원문은 "天驕"로, 세력이 강대한 북방의 오랑캐를 가리키는 말이다. 한 무제 때 흉노의 선우(單于)가 글을 보내면서 "호인(胡人)은 하늘이 아끼는 아들이다"(胡者天之驕子也.)라고 자칭했다는 데에서 유래한 것이다.

339 막남(漠南): 고비사막 남쪽 지역을 이른다.

340 두보는⋯전하였고: 두보가 왕소군의 고적을 회고하며「영회고적」3수를 지은 것을 두고 한 말이다.

장문궁의 영항(永巷)[341]에선 고개 돌려 보지 마오　長門永巷休回首

갈바람에 비단부채[342] 지닌 사람 너무 많네.　　納扇秋風大有人

차수 선생께 드림

次修先生手披

부족한 아우 공협은 두 번 절하고 차수 사장(詞丈) 대형(大兄) 족하께 글을 올립니다. 헤어진 뒤로 어느새 일 년이 지나니, 이 마음이 아득하기가 마치 무언가 잃은 것이 있는 것만 같습니다. 매번 한 번씩 생각이 미칠 때면 문득 그대가 보여 주신 시책(詩冊)을 펼쳐 되풀이해 살펴보며 감상하곤 합니다. 그러다가 꿈에서라도 혹 만나게 되면 황홀하게 나를 장경교 서쪽[343]에 놓아두고 그대와 더불어 큰 소나무와 이름난 샘 사이에서 서로 마주하여 이야기를 나누곤 하였습니다. 내가 그대를 그리워하니 그대도 나를 그리워할 것을 압니다.

341　장문궁(長門宮)의 영항(永巷): 진황후(陳皇后) 아교(阿嬌)가 한 무제의 총애를 받다가 나중에 폐후(廢后)되어 장문궁에 유폐되었다. 영항은 궁중에 있는 긴 골방으로 죄가 있는 궁녀를 유폐하는 곳이다.
342　갈바람에 비단부채: 가을에 서늘한 바람이 불어오면서 부채가 버려지는 것을 여자가 총애를 잃는 상황에 빗댄 표현으로, 한나라 성제의 후궁 중 재색이 뛰어났던 반첩여가 성제의 총애를 독차지했다가 뒤에 조비연(趙飛燕)으로 인해 총애를 잃고 스스로 자신을 깁부채[納扇]에 비유하여 원가행(怨歌行)을 지어 노래한 데서 온 말이다.
343　장경교 서쪽: 박제가의 집을 말한다.

정월344 5일에 원조헌(遠照軒)345을 만났다가 그대의 편지를 받았습니다. 담긴 뜻이 부지런하고 정성스러워 특별히 저로 하여금 마음을 가누기 어렵게 하였습니다. 윤공이 또 나를 위해 그대의 근황 일체를 말해 주어서 깊이 위로가 되는군요. 보내 주신 좋은 먹과 청심환을 받았습니다. 삼가 받자옵고 깊이 새겨 감사드립니다. 저는 한 관직의 수차(需次)346로서, 여태도 결원을 채우지 못한지라 사정이 막막하여 지기(知己)의 도리를 행할 수가 없습니다. 이남천(伊南泉), 왕검담(汪劍潭)347 같은 여러 벗들이 모두 그대에게 안부를 전하는군요. 남천과 검담은 그대의 회인시(懷人詩)에 어째서 우리 세 사람이 빠졌느냐고 합니다. 원조헌은 사람이 시원스러워 좋아할 만하여, 저와 한번 만나고는 오랜 벗과 같게 되었으니 참으로 족히 차수의 벗이 될 만하더군요.

이실(黃室)348이 병으로 마른 것은 가련하지만 한 차례 종이 위에서라도 꽃다운 모습을 볼 수가 없으니 크게 유감스러운 일입니다. 그대가 나를 위해 이를 마련하지 않는다면 아마도 속됨에 가까울 것입니다. 어떤 이는 엷게 단장하고 가벼운 흰옷을 입고 멋대로 붉은 난간에 옮겨 들어간 탓에, 봄빛을 비밀스레 아껴서 불필요한 사람에게 알리기를 좋아하지 않는다고 하더군요. 그대가 다시 북경에 오게 되면 반드시 두루마리에다 최휘(崔徽)349를 데려와서 제게 보여 주십시오. 종이는 짧고 뜻은 길어

---

344 정월: 원문은 "獻歲"인데, 새해라는 뜻이다. 『호저집』 원문 상단에 후지쓰카가 "한해의 시작을 헌세라고 한다"(歲始日獻歲)는 메모를 달아 두었다.
345 원조헌(遠照軒): 윤인태(尹仁泰)의 호이다.
346 수차(需次): 결원의 보임(補任)을 대기하는 사람.
347 이남천(伊南泉), 왕검담(汪劍潭): 이병수(伊秉綏), 왕단광(汪端光)이다.
348 이실(黃室): 기녀 육아를 가리킨다.
349 최휘(崔徽): 당나라 때의 가기(歌妓)로, 하중(河中) 사람이다. 배경중(裴敬中)이 하중에

할 말을 다하지 못합니다. 지붕 위에 달이 지면 얼굴을 비추겠지요.[350] 잠자리와 식사 잘하시고, 천만 보중하십시오, 천만 보중하십시오. 가을에 보낸 편지이지만 그래도 이따금 소식을 보내 주시기 바랍니다. 제 아내가 형수님께 안부를 여쭙는군요.

약헌공(約軒公)[351]의 저술은 바빠서 베껴 써 드릴 만한 겨를이 없군요. 근래에 손수 쓴 시 원고 몇 폭을 얻었기에 그저 이것을 부쳐 드리니, 또한 위항재(葦杭齋)[352]의 벽에 붙여 놓고 감상하시기에 충분할 것입니다. 듣자니 큰아드님은 학업이 더욱 진전되었다 하고, 어린 아들도 생각건대 글방에 다닐 나이가 되었겠군요. 아울러 안부를 묻습니다. 이번에 원조헌이 동쪽으로 돌아가는 편에 이것을 써서 답장으로 올리고 삼가 안부를 여쭈며 살펴보아 주시기를 바랍니다. 다시 연락드리지요. 이만 줄입니다.

임자년(1792) 정월 25일.

근래에 『혜중랑집』(嵇中郎集)[353] 1책을 얻었기에 아울러 부쳐 드립니다.

공사(公事)로 있을 때 인연을 맺었는데, 이별할 때 자신의 초상화를 그려 배경중에게 주었다고 한다.
350 지붕…비추겠지요: 두보의 시 「몽이백」(夢李白) 중 "지는 달빛 지붕 위 가득찼으니, 아직도 그대 얼굴 비출까 하네"(落月滿屋梁, 猶疑照顏色.)라는 구절을 인용한 것이다. 친구를 그리워하는 의미로 쓰인다.
351 약헌공(約軒公): 위겸항(韋謙恒, 1717~1792). 공협의 장인이다. 기윤(紀昀)의 문인이며, 벼슬은 국자감좨주(官國子監祭酒)·귀주순무(貴州巡撫)를 지냈다.
352 위항재(葦杭齋): 박제가의 서재(書齋)로, 자신의 호 위항도인(葦杭道人)에서 따온 것이다. 위항(葦杭)은 『시경』 위풍(衛風) 「하광」(河廣)의 "누가 황하 넓다 했나, 갈대 다발로 건넌다네"(誰謂河廣, 一葦杭之.)라 한 구절에서 가져왔다.
353 『혜중랑집』(嵇中郎集): 중국 삼국시대 위(魏)의 죽림칠현(竹林七賢)이었던 혜강(嵇康, 223~262)의 문집을 말하는 듯하나 분명치 않다. 혜강은 낭중(郎中)과 중산대부(中散大夫)를 지냈으며, 명나라 때 간행된 문집 중에 『혜중산집』(嵇中散集)이 있다.

愚弟龔協再拜奉書次修詞丈大兄足下. 別來倏已一年, 此心忽忽, 如有所失. 每一念及, 輒展足下所示詩冊, 往復觀玩. 於是夢寐之間, 如或見之, 恍惚置我於長慶橋西, 與足下相晤對於大松名泉間也. 我之思君, 知君之思我矣. 獻歲五日, 得晤遠照軒, 接到足下手書. 意致勤摯, 殊使我難以爲懷. 尹公又爲我道足下一切近狀, 深爲慰藉. 承惠佳墨妙丸, 拜領之餘, 銘肌載切. 弟一官需次, 尚未補缺, 況味索莫, 無可爲知己道也. 諸同好如伊南泉·汪劍潭, 皆致意於足下. 南泉·劍潭云, 足下懷人詩, 何以無我三人耶. 遠照軒灑脫可喜, 與弟一見如故, 眞足當次修之友矣. 黃室瘦病可憐, 然不得一覲紙上芳容, 大是憾事. 足下不爲我辦此, 無乃近俗. 或者淡粧輕素, 取次移入朱欄, 故秘惜春光, 不肯使等閒省識耶. 足下再入關來, 必携卷中崔徽, 示我也. 紙短意長, 不盡所言, 落月屋梁, 疑照顔色. 眠食勝常, 千萬珍重, 千萬珍重. 涼風雙鯉, 尙祈時惠德音. 拙荊致候嫂夫人萬福. 約軒公著述忽忽未暇抄奉, 近得其手書詩稿數幅, 聊用寄呈, 亦足作葦杭齋壁上玩也. 令郎長者聞學業益進, 幼者想當趨塾矣. 幷詢近好. 玆因遠照軒東旋之便, 艸此奉覆, 致敬請近安, 統希藻鑒. 續致不宣. 壬子正月二十有五日. 近得嵇中郎集一冊, 幷奉寄.

부(附) 육아선사께 드림

附 六娥仙史玉展

육아선사의 연북(硯北)에 글을 올립니다. 차수 사장(詞丈)의 처소에서 대작을 얻어 보니, 모두 세속을 벗어난 뜻이 있는지라 나도 모르게 정신이 향하여 내달렸습니다. 편지를 드리면서 짧은 시구 두

수를 그림 부채에 써서, 애오라지 경모하는 뜻을 전합니다. 모르겠지만, 작은 초상화를 그려서 보여 주시고 아울러 좋은 소식을 제게 보내 주셔서 먼 곳의 회포를 위로해 줄 수 있으실는지요? 생각건대 고아한 회포와 운치로 혹 저를 속된 사람으로 여기지는 않으시겠지요? 서둘러 이렇게 씁니다. 잘 지내시기를 빌며 천 번 만 번 보중하고 보중하시기를 바랍니다.

신해년(1791) 정월 22일, 입택어랑(笠澤漁郎)[354] 공협은 삼가 공수(拱手)하고 글을 올립니다. 답을 기다리겠습니다.

書奉六娥仙史硯北. 從次修詞丈處, 得見大作, 竝悉有出塵之志, 不覺神爲之馳. 奉束小句二首, 書之畫筆, 聊致傾慕之意. 未識肯寫小照見示, 幷惠我好音, 以慰遠懷否? 想雅懷高致, 或不以俗子況我也? 匆匆佈此. 用候興居, 千萬珍重, 千萬珍重. 重光大淵獻月正二十二日, 笠澤漁郎拜手致書. 謹空.

---

354 입택어랑(笠澤漁郎): 공협의 별호로, 남송의 문인 육유(陸游)의 자호 '입택어은'(笠澤漁隱)을 좇은 것으로 보인다. 입택(笠澤)은 태호(太湖)의 다른 이름이다.

왕단광[355]

汪端光, 1748~1826

겨울날 교외로 가서 공행장의 거처에 들렀다가, 시 1수를 남겨 차수 선생께 드리다[356]

冬日郊行過龔荇莊寓居, 留贈一首次修先生雅教

사방 봐도 산만 있고 마을은 안 뵈는데	四眺峯廻不見村
단 둘레로 석 자나 운근석(雲根石)이 둘러 있네.	繚壇三尺遶雲根
처마에는 차가운 해, 매단 솥[357]에 아침 짓고	簷流寒日朝懸釜
옷 상자엔 홑옷 없어 밤중엔 술 마시네.	篋盡單衣夜倒尊
국사(國士) 명성 지녔건만 외려 비방 받으니	國士有聲翻借謗
영웅은 때 못 만나 다만 은혜 잊는다네.	英雄無遇只忘恩
고향 생각 횡당(橫塘)[358]의 물 오래도록 못 갔으니	
	鄉心久隔橫塘水
해마다 봄풀은 문 앞에 자랐겠네.	春艸年年枉在門

---

355 왕단광(汪端光): 1748~1826. 강소 의징(儀徵) 사람으로, 자는 검담(劍潭)·간담(礀疊), 호는 목총(睦叢)이다. 건륭 연간의 거인으로 국자감학정(國子監學正)·진안지부사(鎭安知府事)를 지냈다. 시사(詩詞)에 능하고 서법은 미불(米芾)을 본받았다. 『호저집』 찬집 '왕단광' 항목 참조.

356 겨울날…드리다: 『호저집』 원문에 "원본이 망한려에 있다"(原蹟藏於望漢廬)라는 후지쓰카의 메모가 달려 있다.

357 매단 솥: 원문은 "懸釜"로, 들에서 고달프게 생활을 영위해 나가는 모습을 말한다.

358 횡당(橫塘): 강소 오현(吳縣) 서남쪽에 있던 방죽의 이름. 공협의 고향을 가리킨다.

송명가[359]

宋鳴珂, 1742~1791

조선의 차수 군기시정(軍器寺正)[360]께 드리다
贈朝鮮次修軍器寺正政

만 리라 갈석풍[361]이 언제나 불어오니	萬里長吹碣石風
사신이 사는 집은 해 뜨는 동쪽일세.	使臣家在日華東
옥당(玉堂)에서 맑은 대낮 새 이야기 더하니	玉堂淸畫添新話
푸른 바다 발해 속에 시가 꿈틀대는구나.	詩動滄溟渤海中

---

359 송명가(宋鳴珂): 1742~1791. 자는 담사(澹思)이고, 강서(江西) 봉신(奉新) 사람이다.
형부주사(刑部主事) 벼슬을 지냈다.
360 군기시정(軍器寺政): 군기시(軍器寺) 소속의 정삼품(正三品) 관직으로, 군기시는 병기·
기치·융장(戎仗)·집물 등의 제조 업무를 관장하기 위해 설치되었던 관서이다.
361 갈석풍: 갈석산(碣石山)의 바람. 갈석산은 하북(河北) 창려현(昌黎縣) 북쪽에 있는데,
제왕이 순행(巡行)할 때의 동쪽 끝 지점이다.

오정섭[362]
吳廷爕, ?~?

| 법라암에서 지은 예전 작품을 차수 선생께 드리다 |
| 法螺菴舊作次修先生教 |

오하(吳下)[363]의 이름난 절을 찾으니	吳下訪名藍
법라암 하늘과 맞닿았구나.	法螺去天尺
구불구불 맑은 시내 따라가는데	迤邐緣淸溪
솔숲에선 날다람쥐 뛰노는구나.	松林黜齪擲
문에 들자 풍경 소리 맑게 들리고	入門淸磬流
사미승은 유유자적 한가롭다네.	僧雛頗自適
그 누가 상승(上乘) 없음 증명하리오	誰證無上乘
티끌 하나 영원히 막지 못하니.	一塵永不隔
불법 본래 소라와 같은 법이라	佛法本如螺
정진해도 길은 점점 좁아진다네.	精進路逾窄
천산(千山)이 온통 선(禪)에 돌아가더니	千山歸一禪
모두 다 불라(佛螺)[364]의 빛깔 되었네.	都作佛螺色

---

362 오정섭(吳廷爕): ?~? 호가 매원(梅原)이니, 강소 여고(如皐) 사람이다. 글씨를 잘 썼다.
『호저집』찬집 '오정섭' 항목 참조.
363 오하(吳下): 강소 일대를 가리킨다.
364 불라(佛螺): 석가모니의 소라 모양으로 된 머리카락. 혹은 뻬죽뻬죽 솟은 멧부리의 모양
을 뜻한다. 여기서는 후자의 의미이다.

뜬 인생의 자취를 세 번 탄식함   三歎浮生蹤

진실로 말 내달림 엿봄과 같네.   眞如駒過隙

청량산[365] 2수. 차수 선생께 드리다

淸凉山二首. 次修先生政和

허공 솟은 절집[366]에 조도(鳥道)가 길고 긴데   紺宇凌空鳥道長

석성(石城)의 한 모퉁이 솔과 대가 기대었네.   石城一角倚松篁

푸른 산은 들락날락 안개 이내 해묵었고   蒼巒出沒煙嵐古

굽은 돌길 구불구불 풀과 나무 향기롭다.   曲磴盤廻艸樹香

해 질 녘 교룡은 바다 기운 타 오르고   日落蛟龍騰海氣

높은 가을 황새와 학 산빛 속에 드는구나.   秋高鸛鶴入山光

이렇듯 청량한 경계 가장 사랑하니   最憐此是淸凉境

노닐던 그때 일이 눈에 선해 못 잊겠네.   游屐年時耿未忘

육조(六朝)[367]의 남은 자취 오랜 세월 지났는데   六朝遺蹟閱年長

소슬한 맑은 바람 여린 대에 이는구나.   瑟瑟淸風起嫩篁

뼛속까지 시원할 때 외려 흥을 일으키니   骨到凉時翻引興

맑은 곳에 마음 두어 묘한 향기 맡는다네.   心當淸處妙聞香

365 청량산(淸凉山): 강소 남경에 있는 산.

366 절집: 원문은 "紺宇". 감원(紺園) 혹은 감전(紺殿)이라고도 한다.

367 육조(六朝): 남경에 도읍했던 동오(東吳), 동진(東晉), 송(宋), 제(齊), 양(梁), 진(陳) 왕조를 일컫는다.

경양종368 소리 끊겨 남은 승려 경을 치니　　　景陽鍾斷餘僧磬

결기대(結綺臺)369 텅 비었고 불광만 남았구나.　　結綺臺空有佛光

전함(戰艦)370과 천자 수레 이곳 자주 머무시니　　州載鑾輿頻駐此

임금 문장 우러르매 엄숙함 못 잊겠네.　　　　奎章瞻仰肅難忘

368 　경양종(景陽鍾): 제나라 무제가 만들어 경양루(景陽樓)에 걸어 놓은 종이다. 시간에 맞
추어 종을 치면 궁녀들이 일찍 일어나 단장했다는 고사가 있다.
369 　결기대(結綺臺): 결기각(結綺閣)을 지칭하는 것으로 보인다. 진(陳)나라 후주(後主)가
세운 누각으로, 몹시 화려했으며 장귀비(張貴妃)가 그곳에서 지냈다고 한다.
370 　전함(戰艦): 원문은 "州載". 남송의 장수이자 반역자인 양요(楊幺, 1108~1135)의 기함
(旗艦) 이름으로, 주로 동정호(洞庭湖)에 머물렀고, 나는 듯이 빨랐다고 한다. 여기서는 전함을
통칭하는 말로 쓰였다.

예전에 지은 고소(姑蘇)[371] 2가(歌)를 신해년(1791) 정월 보름에 써서 차수 학장(學長) 선생께서 화답해 주시기를 청한다
姑蘇二歌舊作, 辛亥上元日, 錄請次修學長先生政和

한산 천척설[372]
寒山千尺雪

위로는 천 길의 한산이 자리 잡고	上有千尺之寒山
아래에는 천 길의 한천이 흐르누나.	下有千尺之寒泉
한산에 한천을 뿜어서 눈이 되니	寒山寒泉噴作雪
그 누가 그 굽이와 근원을 다할쏜가.	孰竟其委窮其源
매달린 명주에 구슬 튐과 방불하니	懸練跳珠差彷彿
끝내 모의하여서 참깨달음 드리운 듯.	終疑摹擬垂眞詮
풍이궁이 등륙(滕六)을 부려서 빼앗으니[373]	馮夷宮使滕六奪
푸른 물결 넘실넘실 기댈 데 아예 없네.	涵靑漾碧無由緣
마치도 상담(湘潭)의 눈가루가 변화한 듯	似是湘潭雪末化

---

371 고소(姑蘇): 강소 소주(蘇州) 오현(吳縣)을 말한다. 본래는 산 이름으로, 오현의 서남쪽에 있다.

372 한산 천척설(寒山千尺雪): 한산은 소주(蘇州) 서쪽 교외에 있는 산으로, 명나라 만력 22년(1594)에 조병광(趙宧光, 1559~1625)이 아버지의 뜻을 받들어 묘를 안치하고 세운 '한산별업'(寒山別業)이 이곳에 있다. 천척설(千尺雪)은 한산별업에서 가장 유명한 명승지다. 건륭제가 첫 남순(南巡) 기간에 이곳을 찾아 천척설을 유람했고, 이후 북경으로 돌아가 북방의 열하(熱河)나 반산(盤山) 등에 그 경치를 본떠 천척설을 세웠다.

373 풍이궁이…빼앗으니: 풍이궁(馮夷宮)은 수신(水神)의 궁전을 이름. 풍이(馮夷)는 곧 수신 하백(河伯)을 말한다. 등륙(滕六)은 설신(雪神)의 이름.

답 쌓인 귀한 옥이 깊은 못에 가득 찬 듯.	堆積瑤璧盈深淵
또 마치 설산이 갑자기 무너져서	又如雪山忽頹墮
이제 다시 골짜기가 높은 뫼가 된 듯해라.	今爲還谷作高巒
옥룡이 수백 길을 꿈틀꿈틀 기어가니	玉龍蜿蜒數百丈
앉은자리 찬 기운이 단전에서 일어난다.	坐令寒氣生丹田
개선폭포 천하의 으뜸가는 명승이나	開先瀑布天下最
몸 갖춰도 미미하니 그런가 안 그런가.[374]	具體而微然不然

이곳 사람은 소여산이라는 명칭을 쓴다. 土人有小廬山之目.

| 큰 글씨 깊게 새긴 황제의 글 올려보니 | 大書深刻瞻龍藻 |
| 구름 해에 골짝 사이 봄이 돌아왔구나. | 雲日回春巖壑間 |

등위향설해가
鄧尉香雪海歌[375]

| 시는 다만 도사(陶謝)[376]가 날 받치지 못하나 | 詩惟陶謝不支吾 |

---

374 몸…안 그런가: 원문의 "具體而微"는 본래 몸은 갖추었지만 미약하다는 뜻으로, 『맹자』 「공손추」(公孫丑) 상편에서 "염우·민자건·안연은 그 체는 소유하였으되 미약하였다"(冉牛閔子顔淵則具體而微.)라 한 데서 왔다. 여기서는 한산의 폭포가 여산에 있는 개선폭포의 풍취보다 낫다는 뜻이다.

375 등위향설해가(鄧尉香雪海歌): 등위향설해(鄧尉香雪海)는 강소 소주의 명소로, 등위산(鄧尉山) 근처에 있는 매화나무 숲이다. 강희 35년(1696)에 순무대신 송락(宋犖, 1634~1713)이 유람하다가 절벽에 '향설해'(香雪海)라는 큰 글자를 남겼는데, 이후 '향설해'라는 이름이 널리 알려지게 되었다. 강희제와 건륭제가 여러 차례 향설해를 유람했고 지금도 건륭의 어비(御碑) '再疊鄧尉香雪海歌舊韻'이 남아 있다. 건륭제는 특히 여섯 번이나 유람하며 「등위향설해가」(鄧尉香雪海歌) 6제를 짓기도 했다.

376 도사(陶謝): 진(晉)나라 때 시인 도연명(陶淵明)과 남조(南朝) 송(宋)나라 때 시인 사영

산은 유독 등위산(鄧尉山)이 초봄에 기묘하네.　山惟鄧尉妙春初

소리 빛깔, 냄새와 맛 담백하고 아득하여　聲色臭味淡而遠

시로 산에 견주어도 속이는 것 아니리라.　以詩況山或不誣

봄바람 느릿 불어 봄날은 길고 긴데　春風徐拂春晝永

산 샘물 소리 없고 산꽃은 피었구나.　山泉不響山花舒

펼쳐진 향설(香雪)이 삼만 이랑 걸쳐 있어　平鋪香雪三萬頃

서황(徐黃)[377]의 솜씨로도 이 광경은 못 그리리.　徐黃畫手難形模

고산(孤山)의 처사[378]는 너무도 쓸쓸해　孤山處士太冷落

손바닥만 한 서호(西湖) 구불구불 이어졌네.　西湖如掌徒縈紆

대유(大庾) 장군[379]께서는 그래도 호방하니　大庾將軍稍豪放

산밭은 척박하여 평지와는 다르다네.　山田磽确異坦途

등위산의 향설 속에 취해 잠은 어떠한가　何如鄧尉醉眠香雪裏

나부(羅浮) 미인[380] 바람 타고 나란히 와 따르리라.

　　　　　　羅浮美人御風聯袂來相趨

처음엔 넘실넘실 파도 조금 일렁이다　　初猶瀲灔波微蹙

운(謝靈運)을 함께 부르는 말이다.

377 서황(徐黃): 송나라 때 화가 서희(徐熙)와 황전(黃筌)을 함께 부르는 말이다.

378 고산(孤山)의 처사: 송나라의 은자 임포(林逋). 서호(西湖)의 고산에 초막을 짓고 20년 동안 출입하지 않은 채 매화를 가꾸고 학을 기르면서 혼자 살았으므로 당시에 "매화를 아내 삼고 학을 자식 삼았다"(梅妻鶴子.)고 말했다.

379 대유(大庾) 장군: 한 무제 때 유씨(庾氏) 성을 가진 장군이다. 대유 장군이 성을 쌓았던 곳을 대유령(大庾嶺)이라고 한다. 지금의 강서성 대여(大余)와 광동성(廣東省) 남웅(南雄) 사이에 있으며, 매화가 많아 매령(梅嶺)이라고도 한다.

380 나부(羅浮) 미인: 수(隋)나라 개황(開皇) 연간에 조사웅(趙師雄)이 나부산(羅浮山)에 갔다가 향기가 감도는 어여쁜 미인을 만나 즐겁게 환담하며 술을 마시며 하룻밤을 보냈는데, 다음 날 아침에 보니 큰 매화나무 아래에 술에 취해서 누워 있었다는 매화 선녀의 전설이 있다. 유종원(柳宗元)의 『용성록』(龍城錄)에 전한다.

계속해서 출렁대며 형세가 여유 있네.	繼乃溶漾勢有餘
하늘 바람 성난 물결 갑자기 솟구치니	天風怒濤忽驟湧
봉래약수(蓬萊弱水)³⁸¹ 날아가는 난새와 학 다름없어	
	彷彿蓬萊弱水翔鸞驚鶴
신선은 장난치며 해맑게 즐기누나.	仙子游戲爲淸娛
내 듣기로 이 산은 강은 멀고 호수와 가까워	我聞此山遠江而近湖
산속에 바다 있어 이치가 남다르네.	海在山中理則殊
현묘(玄墓)와 청지(靑芝)³⁸²가 괜시리 이어져도	玄墓靑芝空鉤帶
동정(銅井)과 동갱(銅坑)³⁸³을 어디다 쓰리오.	銅井銅坑安所需
꽃에 향기 있다 하나 빛깔은 눈 아니요	有花能香色非雪
그 꽃은 촘촘하고 또한 성글기도 하네.	其花可密亦可疎
꽃이 눈과 같다 해도 향기 낼 수 없으니	有花如雪不能香
설령 고결하다 한들 고독함을 혐의하네.	縱使皎潔嫌於孤
이것 다만 향기롭고 또한 눈과 같으니	惟玆能香又如雪
향설이 바다 되어 산오(三吳)³⁸⁴ 땅에 뽐내누나.	香雪成海誇三吳
솔바람과 버들 춤은 흔한 것일 뿐이지만	松濤柳浪尋常耳
황산(黃山)의 운해에도 이런 것이 있었던가?	黃山雲海有是夫
아아!	噫吁嚱

---

381 봉래약수(蓬萊弱水): 지극히 먼 거리를 뜻한다. 약수(弱水)는 서해(西海)의 별칭으로, 삼신산의 하나인 봉래산(蓬萊山)과 거리가 3만 리나 떨어져 있어 나온 표현이다.
382 현묘(玄墓)와 청지(靑芝): 모두 등위산 서쪽에 있는 산의 이름으로, 마찬가지로 매화가 유명하다.
383 동정(銅井)과 동갱(銅坑): 소주(蘇州) 서호(西湖) 서쪽에 있는 산의 이름. 모두 매화 경치로 유명하다.
384 삼오(三吳): 송나라 때 삼오(三吳)인 소주(蘇州), 상주(常州), 호주(湖州)를 가리킨다.

황산의 운해에도 이런 것이 있었던가?　　　黃山雲海有是夫

금릉(金陵) 보은사탑(報恩寺塔)[385]에 올라 노래를 짓다
登金陵報恩寺塔作歌

금릉의 장간탑(長干塔)에 이내 몸 올라 보니　　我登金陵長干塔

금릉 땅이 그 아래 한눈에 보이누나.　　　　金陵一覽在其下

원근의 푸른빛이 손 맞잡고 읍하는 듯　　　　遙蒼近翠拱而揖

그 사이엔 도도하게 만 리 장강 흘러가네.　間以滔滔萬里之長江

사람들이 구경하기에도 정말 겨를 없으니　　使人應接眞不暇

이 탑이 옛날에는 보은탑(報恩塔)이라 했지.　此塔在昔名報恩

용이 일어나 날아간[386] 뒤로부터　　　　　自從龍起後

9층 탑은 참된 면모 잃어버렸네.　　　　　　九級失其眞

전(田)씨 집안 형제가 며칠 만에 세워서　云有田家兄弟營建成不日

옛 모습을 되찾아 많은 이를 놀래켰다 하네.　頓還舊觀驚萬人

385　금릉(金陵) 보은사탑(報恩寺塔): 남경(南京)의 옛 장간리(長干里)에 자리한 9층 탑이다. 원래는 동오(東吳) 때 세워진 아육왕불탑(阿育王佛塔)이 있었는데, 양(梁) 무제가 이 탑을 재건하고 장간사(長干寺)를 세우며 장간탑(長干塔)이라는 이름을 붙였다. 원나라 때 화재로 전소되었는데, 명나라 영락제가 어머니를 위해 탑을 다시 세우고는 사찰을 보은사(報恩寺)라고 이름하였다. 이후 태평천국의 난으로 다시 소실되었다가, 2015년에 그 자리에 복원되었다. 1842년 이곳을 방문한 김대건 신부의 편지에 2천 년에 걸친 탑의 역사와 당시의 화려한 모습에 대한 묘사가 자세히 실려 있어 참고할 만하다.

386　용이 일어나 날아간: 탑에 벼락이 떨어졌다는 뜻이다. 왕사정(王士禎)의 「유금릉성남제찰기」(遊金陵城南諸刹記)에 동일 사건을 언급하며 "우레가 탑 가운데서 일어났다"(雷起塔中.)고 하였다.

순치(順治) 무술년(1658)에 용이 탑 가운데서 일어나는 바람에, 탑이 흔들리

며 허물어졌다. 전씨 집안 형제 4명이 밧줄 하나 나무 하나 쓰지 않고서387 며

칠 만에 공사를 마쳤다. 가장 높은 곳의 난간 위에서 걸으면 마치 나는 새와 같

았다.388 順治戊戌, 龍起塔中, 塔震壞. 有田家兄弟四人, 不用一絲一木,

數日工成. 於最高欄楯上, 行如飛鳥.

산은 절로 푸르고 강은 절로 흘러가니	山自靑靑江自流
꼭대기엔 하늘 바람 우수수 우는구나.	天風絶頂鳴颼颼
푸른 안개 한 기운에 오(吳)·초(楚) 분간 안 되거니	
	不辨蒼煙一氣吳州與楚州
인생이란 대저 뜬 거품389과 같을 따름.	人生大抵浮漚耳
해와 달 두 탄환이 끊임없이 운행하고	日月雙丸跳不休
탑의 방울이 댕그랑대며 능히 설법하여서	塔鈴丁東能說法
8대의 한가한 시름390을 없애 줄 만하구나.	可以破除八代之閒愁

---

387 밧줄…않고서: 무거운 것을 옮길 때 쓰는 도르래 같은 도구나 측량 기구를 전혀 사용하지
않았다는 뜻인 듯하다.
388 순치(順治)…같았다: 왕사정의 「유금릉성남제찰기」를 인용한 것이다. 『강남통지』(江南
通志)에 수록된 원문은 다음과 같다. "僧言順治戊戌, 雷起塔中, 塔震壞. 有田姓兄弟四人, 張
姓者一人, 不用一絲一木, 數日而工成. 於最高欄楯上, 步立游龍飛鳥."
389 뜬 거품: 원문은 "浮漚". 변화무상한 세상일 혹은 그러한 세상을 가리킨다. 소식(蘇軾)의
시 「구산변재사」(龜山辯才師)에 "부러워라 뜬 거품 속 유희하는 스님이여, 우습구나 이 내 몸
잠깐 사이 영고성쇠 겪으니"(羨師游戲浮漚間, 笑我榮枯彈指內.)라는 구절이 있다.
390 8대의 한가한 시름: 8대는 동한(東漢)·위(魏)·진(晉)·송(宋)·제(齊)·양(梁)·진(陳)·
수(隋) 여덟 시대를 이른다. 소식(蘇軾)의 「조주한문공묘비」(潮州韓文公廟碑)에 한유(韓愈)의
문장을 두고 "문장(文章)은 8대의 쇠약함을 일으켜 세웠고, 도(道)는 천하의 몰락을 구제하였
다"(文起八代之衰, 道濟天下之溺.)고 한 바 있다. 이 탑이 동오(東吳) 때 처음 세워졌으므로 이
렇게 말한 것이다.

장강석조가

長江夕照歌

양곡(暘谷)과 매곡(昧谷)[391]은 모두 물에 있어서	暘谷昧谷均在水
붉은 해가 이것으로 출입문을 삼는다네.	赤日以此爲出入
금산(金山)[392]은 강해(江海)의 대문이 되는지라	金山江海之門戶
가파르게 솟은 바위 물결 속에 서 있구나.	盤陀巖嶪波心立
물결 잔 강물에는 매운 바람 없는데	江平波靜無颼風
빛줄기 갑자기 천 길 붉게 일어난다.	光芒忽起千丈紅
기운 볕 거꾸로 교타(蛟鼉)[393]의 굴 쏘아 대니	斜陽倒射蛟鼉窟
넘실대는 거센 물결 언제나 다할는지.	混漾蕩激吁何窮
이때의 붉은 바퀴 누가 굴려 올렸을까?	是時朱輪誰碾者
반공(半空)에 튀어 올라 내려올 생각 없네.	騰擲半空不肯下
밝은 노을 한 빛깔에 황금 구슬 뭉친 듯해.	明霞一色簇金丸
물과 하늘 참과 거짓 구분하지 못하겠네.	不辨水天眞與假
듣자 하니 해를 논한 아이[394]가 있다 하나	曾聞辨日有童子

---

391 양곡(暘谷)과 매곡(昧谷): 각각 해가 뜨고 지는 곳을 가리키는데, 『서경』「요전」(堯典)에 나온다.

392 금산(金山): 강소 진강시(鎭江市) 서북쪽에 있는 산. 장강(長江) 중간에 섬처럼 우뚝 서 있어 경치가 빼어나다. 당나라 때 배두타(裴頭陀)가 산을 개간하다가 금을 얻어서 금산이란 이름이 붙었다.

393 교타(蛟鼉): 교룡과 악어로, 물살이 험함을 비유적으로 나타내는 말이다.

394 해를 논한 아이: 해와 사람의 거리를 논한 아이들의 고사로, 『열자』(列子)「탕문」(湯問)에 나온다. 공자가 두 아이가 다투는 것을 보고 이유를 묻자 한 아이가 말했다. "저는 해가 처음 나왔을 때 사람과의 거리가 가깝고 해가 중천일 때 멀다고 생각합니다. 한 아이는 해가 처음 나올 때 멀고 중천일 때 가깝다고 합니다." 다른 아이가, "해가 처음 나올 때는 차양만큼 크지만 중천일 때는 접시만 하니, 이것이 먼 것은 작고 가까운 것은 큰 이치가 아닌가요?"라 하자, 또

그 누가 본말 따져 바탕까지 살피겠나.	誰窮源委徹其底
휘갈겨 쓴 황제 글씨[395] 강산을 비추나니	宸翰飛灑照江山
원기가 넘쳐흘러 시작도 끝도 없네.	元氣淋漓無終始

비래봉가[396]

飛來峯歌

영취봉(靈鷲峯)[397]은 높기가 오십 길 정도여서	靈鷲之身五十丈
사봉(獅峯) 상봉(象峯) 오름에 비하지 못하네.[398]	不比騰獅兼踏象
허공 솟아 바다 놀려 홀연히 날아와서	摩空戲海忽飛來
호수 속에 우뚝 서매 형신(形神)이 해맑구나.	屹立湖中形神朗
호수 위에 절 있는데 운림사[399]라 이름하니	湖上有寺名雲林
하늘이 이 산 보내 병풍으로 삼으셨네.	天遣玆峯爲屛障
기이함은 태산의 장인봉(丈人峯)과 비슷하고	奇似東嶽丈人峯

다른 아이가 말했다. "해가 처음 나왔을 때는 쌀쌀한데 중천에 미치면 끓는 듯하니, 이것이 가까우면 뜨겁고 멀면 서늘하기 때문이 아닌지요?" 공자가 판단하지 못했다.(孔子…見兩小兒辯鬪, 問其故, 一兒曰: "我以日始出時去人近, 而日中時遠也, 一兒以日初出遠, 而日中時近也." 一兒曰: "日初出大如蓋, 及日中則如盤盂, 此不爲遠者小, 而近者大乎?" 一兒曰: "日初出滄滄凉凉, 及其日中如探湯, 此不爲近者熱, 而遠者凉乎?" 孔子不能決也.)

395 황제 글씨: 원문은 "宸翰". 황제의 편지를 말한다.

396 비래봉가(飛來峯歌): 비래봉은 절강(浙江) 항주시(杭州市) 서호(西湖) 북서쪽에 있는 산봉우리이다.

397 영취봉(靈鷲峯): 비래봉의 별칭.

398 사봉(獅峯)…못하네: 절강 항주 서쪽에 있는 금화산(金華山)의 사봉(獅峯)과 상봉(象峯). 두 봉우리가 산어귀에 아울러 솟아 있다.

399 운림사(雲林寺): 절강 항주시 서북쪽의 영은산(靈隱山)에 위치한 절. 옛 이름은 영은사(靈隱寺)이다. 그 옆에 비래봉이 있다.

빼어나긴 화산의 선인장(仙人掌)보다 낫다.	秀過西嶽仙人掌
석가여래 부처님이 꼭대기에 좌정하사	我佛如來踞峯巓
삼천대천[400] 넓은 세계 한눈에 살피시네.	一覽三千大千廣
어깨 벗고 가부좌로 눈썹을 내리까니	趺坐袒肩而低眉
산빛은 깨끗하여 실로 거짓 없어라.	山色清淨誠非誑
아침저녁 맑고 흐림 따지지 아니하니	不論早暮與陰晴
허공 중에 환한 빛이 쏟아져 나오는 듯.	空中疑有光明放
한 부처 변화하여 억만의 부처 되니	一佛化爲億萬佛
천연의 바윗돌에 그 형상 전해 오네.	石骨天然傳其像
호수로 내 찾아와 이 봉우리 마주하자	我來湖上面玆峯
형세가 나는 듯해 정신마저 상쾌하다.	勢挾飛動神颯爽
오히려 아마득히 하늘 바람 불어 들어	猶恐縹緲入天風
날개 돋아 날려 가서 사라질까 염려하네.	生翼飛去在俯仰
호수와 산 품평함은 어제시(御製詩)로 귀결되나	品藻湖山歸聖製
태산이 흙덩이를 어이해 사양하리.	泰山何曾辭土壤
취령(鷲嶺) 용궁(龍宮) 시어는 씩씩하기 어려워도	鷲嶺龍宮語難壯
용울음이 지렁이 소리 깨뜨림과 한가질세.[401]	如以龍吟破蚓響

400 삼천대천(三千大千): 원문은 "三千大千廣"으로, 불교에서 하나의 부처가 교화하는 범위인 삼천대천세계(三千大千世界)이다.

401 취령(鷲嶺)…한가질세: 당나라 송지문(宋之問)과 초당사걸(初唐四傑)로 유명한 시인 낙빈왕(駱賓王)의 고사를 말한다. 송지문이 영은사에 놀러 가 "취령은 울창하니 우뚝 솟았고, 용궁은 고요 속에 잠겨 있구나"(鷲嶺鬱岧嶢, 龍宮鎖寂寥.)라는 두 구절을 읊고 더 짓지 못하였는데, 지나가던 노승(老僧)이 "누대는 푸른 바다 해 바라보고, 문은 절강 조수 마주 대하네"(樓觀滄海日, 門對浙江潮.)라 연이어 읊으니, 송지문이 매우 감탄하였다. 뒤에 그 노승이 낙빈왕임을 알고 송지문이 크게 놀랐다고 한다.

아! 너무 훌륭하여 소악(韶樂)을 들은 듯해[402]   咄哉觀止聆韶成

하여금 균천악(鈞天樂)[403]을 떠올리게 하는구나. 令人長作鈞天想

우화대[404]에서 2수

雨花臺二首

천화(天花)가 흩어지자 비가 막 개더니   天花散罷雨初晴

운광법사 설법하매 허공마저 정 있는 듯.   說法雲光空有情

동태에서 몸을 버려[405] 고좌(高座)에서 강의할 때 同泰捨身高座講

청사(靑絲)는 어느새 수주성(壽州城)을 출발했네.[406]

    青絲已發壽州城

---

402 너무…들은 듯해: 원문은 "觀止聆韶成"으로, 본래 음악이 성대하고 아름다움을 찬탄하는 표현이다. 『춘추좌씨전』(春秋左氏傳)에 오(吳)나라 계찰(季札)이 순(舜)임금의 음악인 소(韶)를 듣고서 "아무리 성대한 덕이라도 이 음악보다 더할 수 없으니 다른 감상은 그만두겠다"(雖甚盛德, 其蔑以加於此矣, 觀止矣.)라고 한 데서 왔다. 여기서는 비래봉의 기절(奇絶)함을 가리킨다.

403 균천악(鈞天樂): 상제가 사는 궁전 혹은 천상의 음악인 균천광악(鈞天廣樂)을 말한다.

404 우화대(雨花臺): 승려가 불경을 강설하는 곳. 양(梁) 무제(武帝) 때 운광법사(雲光法師)가 대(臺)에서 불경을 강설하는데, 강설이 하늘을 감동시켜 꽃비가 내려 그 대를 우화대(雨花臺)라고 명명한 데서 유래하였다.

405 동태에서 몸을 버려: 동태(同泰)는 동태사(同泰寺)로 양 무제가 어소(御所)인 대성(臺城) 안에 세운 사찰이다. 양 무제는 만년에 이 절에 제 몸을 바치는 사신(捨身) 수행을 세 차례 했다고 한다.

406 청사(靑絲)는…출발했네: '청사'(靑絲)는 청사백마(靑絲白馬)의 준말로, 난을 일으키는 사람을 뜻한다. 남조(南朝) 때 양(梁)나라에 "푸른 실 맨 하얀 말이 수양에서 온다"(靑絲白馬壽陽來.)라는 동요가 있었는데, 그 뒤에 과연 후경(侯景)이 반란을 일으켜 청사를 맨 백마를 몰고 수춘(壽春)에서 건강(建康)으로 진군하였다고 한다.

지팡이 나막신으로 새로 갠 날 산보하니 一筇雙屐踏新晴
유람하다 느끼는 정 너무도 깊어지네. 游覽偏深感嘅情
천고의 높은 누대 언제나 우뚝해도 千古高臺常兀兀
꽃비가 대성(臺城)[407]에는 뿌리질 않는다오. 雨花曾不灑臺城

금릉에서 옛일을 읊다 4수
金陵詠古四首

형세 좋은 동남 땅의 한 귀퉁이 차지하니 形勝東南占一隅
운기(雲旗)[408]엔 마치도 온갖 신령 내닫는 듯. 雲旗彷彿百靈趨
황금 묻은 옛날 일[409]을 다시 묻지 말지니 埋金舊事休重問
한 폭 붉은 물감을 취도(翠圖)에 뿌린 듯해. 一幅流丹潑翠圖

산과 물이 에워싼 석두성 이곳에서 水繞山圍石首城
육조(六朝)와 오계(五季)[410]가 몹시도 다퉜지. 六朝五季劇紛爭
한 차례 솥발이 한 구석씩 차지[411]한 뒤 一從鼎足偏安後

---

407 대성(臺城): 동태사를 세운 궁성(宮城)으로, 양 무제가 이곳에서 후경에게 유폐되어 굶
어죽었다.
408 운기(雲旗): 장례 때 쓰는 구름무늬를 수놓은 깃발인데, 신령의 행차를 비유하는 말로 쓰
인다.
409 황금 묻은 옛날 일: 초나라 위왕(威王)이 처음 금릉읍(金陵邑)을 둘 때, 땅의 왕기(王氣)
를 진압하기 위해 금을 묻은 일이 있다.
410 오계(五季): 오대 시대 후량(後梁), 후당(後唐), 후진(後晉), 후한(後漢), 후주(後周) 다
섯 왕조이다.
411 한 구석씩 차지: 원문은 "偏安"으로, 군왕이 전국을 통치하지 못하고 한 지방만을 점거한

수많은 영웅들이 헛된 이름 얻었구나.　　　幾輩英雄浪得名

산 빛에 탑 그림자 온갖 빛깔 반짝이니　　　塔影山光金碧稠

대장간 소장간⁴¹² 모두 풍류롭네.　　　長干大小摠風流

어여뻐라 아녀자들 은혜와 원한 많아　　　可憐兒女多恩怨

춘범(春帆)⁴¹³을 멀리 보며 취루에 앉았구나.　　　望斷春帆坐翠樓

부귀와 풍류가 몇 집이나 있었던가　　　富貴風流有幾家

강동의 가문만이 청화직(淸華職)을 차지했네.　　　江東門第擅淸華

왕돈(王敦)⁴¹⁴도 오의항⁴¹⁵서 노닐던 무리건만　　　王敦亦是烏衣似

원규(元規)의 난 일어나자 잘못 써서 막았다네.⁴¹⁶

　　　塵起元規枉用遮

상태를 이른다.

412　대장간(大長干) 소장간(小長干): 남경 남쪽 장강(長江) 근처에 있는 마을이다. 진(晉)나라 좌사(左思)의 「오도부」(吳都賦) 주(註)에 "건업(建業) 남쪽 5리에 산언덕이 있고, 그 사이의 평지에 이민(吏民)이 혼거하는데, 이곳을 장간(長干)이라고 하니, 대장간(大長干)과 소장간(小長干)이 이어져 있다"고 하였다. 수련(首聯)의 탑은 이 마을의 장간탑(長干塔)을 가리킨다. 앞의 시에 나온 금릉 보은사탑이다.

413　춘범(春帆): 봄날에 임을 싣고 떠나는 배를 말한다.

414　왕돈(王敦): 266~324. 동진 사람으로, 정남대장군(征南大將軍)이 되어 공을 믿고 권세를 부렸다. 322년에 무창(武昌)에서 난을 일으켰다가 병으로 죽었다.

415　오의항(烏衣巷): 진(晉)나라 때 권세가인 왕씨(王氏)와 사씨(謝氏)가 살던 남경의 마을이다.

416　원규(元規)의…막았다네: 원규는 동진의 권신 유량(庾亮, 289~340)의 자다. 왕돈의 난을 진압하고 권력을 잡았다. 왕돈의 사촌으로 그와 함께 난을 진압한 재상 왕도(王導)가 이를 증오하여, 바람이 불어 먼지가 일 때마다 부채로 가리며 "원규의 먼지가 사람을 더럽힌다"라고 하였다. 여기서는 왕씨들이 이미 권세를 누리며 심지어 그 가문에서 반역까지 행했음에도 불구하고, 되레 제 허물은 보지 못하고 막 권병을 잡은 유량의 호기(豪氣)만 질시한다는 뜻으로 썼다.

박 노야께 올림

朴老爺陛

호주(湖州)에서 온 붓과 휘묵(徽墨)[417] 두 가지를 보내오니 살펴 거두어 주시기를 바랍니다. 찾으시는 법서와 명지(名紙)[418]는 찾아온 심부름꾼 편에 바로 보냅니다. 은혜로이 주신 것을 많이 받았습니다. 모르겠습니다만, 직접 뵈올 날이 또 언제가 될는지요? 속무로 능히 손을 잡고 작별할 수 없어서 송구스럽습니다. 오로지 이것으로 차수 선생께서 가시는 길을 삼가 전송합니다.

여고(如皐) 사람 매원(梅原) 오정섭 배상.

來湖筆徽墨二種, 希檢收. 所求法書名紙, 卽發來价. 拜惠多矣. 未稔會面又在何時刻? 以俗務未能握別, 歉歉. 專此恭送次修先生行旌. 如皐吳梅原廷燮拜上.

---

417 휘묵(徽墨): 안휘(安徽) 휘주(徽州)에서 나는 좋은 먹. 절강(浙江) 호주(湖州)에서 나는 호필(湖筆)과 아울러 명품으로 알려져 있다.
418 명지(名紙): 명함으로 쓰는 색깔 있는 종이. 혹은 명함을 가리킨다. 명자(名刺)라고도 한다.

오조[419]
吳照, 1755~1811

장난으로 정유 검서를 위해 직접 대나무와 바위를 그린 작은 부채에
쓰다
戲爲貞蕤檢書, 題自畫竹石小扇

쌓인 이끼 매끈한 바위 둘렀고	積苔攢修石
성근 그림자 몇 가지 새로 돋았네.	疎影幾枝新
일종의 한가로운 정취가 있어	一種蕭閒意
바람 앞에 내 마음에 꼭 드는구나.[420]	風前最可人

419　오조(吳照): 1755~1811. 호는 백암(白菴), 강서(江西) 남성(南城) 사람이다. 시화(詩
畫)에 능하였는데, 특히 묵죽도를 잘 그려 '강서묵죽'(江西墨竹)이라 불렸다. 강소 석호(石湖)
에 거처하며 석호어은(石湖漁隱)이라 자호하였다.
420　내 마음에 꼭 드는구나: 원문의 "可人"은 본래 재덕(才德)을 갖춘 사람이란 뜻으로, 사랑
스럽고 마음에 쏙 맞는 사람이나 사물을 뜻한다.

장도악[421]

張道渥, 1757~1829

경자년(1780) 2월, 진문(津門)에서 북경으로 가면서 즉흥으로
정감을 표현하니, 또한 죽지사(竹枝詞)의 나머지이다. 적어서
박정유 검서께 드리다

庚子二月, 自津門赴都, 卽事寫情, 亦竹枝之餘. 錄呈朴貞蕤檢書正之

천진에서 북으로 가 제향(帝鄕)[422]에 기대려니	天津北去依帝鄕
봄바람에 또 가벼운 행장이 부끄럽네.	慙對春風又輕裝
살구꽃이 지금 한창 흐드러진 뒤라서	正是杏花酣暢後
나는 듯한 말발굽에 붉은 꽃비 향기롭다.	遍飛馬蹄紅雨香

산 그리긴 쉬워도 산 사기[423]는 어려우니	畫山容易買山難
7년간 양주에서 한직(閑職)으로 지냈다네.	七載揚州一冷官
귀농코자 하여도 반 이랑 밭이 없어	我欲歸畊無半疄
나그네로 장안 향함 다시금 근심하네.	還愁旅食向長安

아내는 웃으며 어딜 가냐 내게 묻고	室人笑問我何之

421　장도악(張道渥): 1757~1829. 자가 죽휴(竹畦)·수옥(水屋)·풍자(風子)로, 부산(浮山)
사람이다. 시와 그림에 뛰어났다.
422　제향(帝鄕): 황제가 있는 수도 북경을 말한다.
423　산 사기: 원문은 "買山"으로, 은거하는 일을 가리킨다. 본서 239면 각주 258번 참조.

다시 벼슬 구한다면 어리석은 일이라고.　若再求官是太癡

낙양에서 종이 값을 올린다고 하면서[424]　要與洛陽添紙價

굳이 애써 서로 권해 시를 읊진 마소서.　不勞相勸莫吟詩

한번 고향 떠나오니 나그네 꿈 자주 보여　一別家山旅夢頻

까닭 없이 또다시 고운 홍진 밟는다네.　無端又踏嫩紅塵

서로 만나 어느새 서치(書癡)로 대접해도　相逢便作書癡看

봄바람에 득의한[425] 사람은 아니라네.　不是春風得意人

연경의 풍물은 모두 다 그대론데　燕臺風物總依然

도처의 기쁜 자리 젊은이에 양보하네.　到處歡場讓少年

십 년간 상심 속에 옛 벗[426]은 하나 없고　十載傷心無舊雨

절반은 벼슬길에 절반은 세상 떴네.　半騰雲路半歸泉

취하려도 돈 없음은 근심할 것 못 되지만　買醉無錢未足愁

따뜻한 봄 핑계 대고 갖옷 전당 잡혔구나.　好憑春暖典輕裘

백금을 손에 들고 유리창(琉璃廠)에 들렀다가　百金攜過琉璃廠

424　종이 값을 올린다고 하면서: 진(晉)나라 좌사(左思)가 「삼도부」(三都賦)를 지었을 때, 낙양(洛陽) 사람들이 다투어 그 글을 베꼈으므로 종이가 귀해져 값이 폭등했다는 고사가 있다. 여기서는 글솜씨를 뽐내려 한다는 뜻으로 썼다.

425　봄바람에 득의한: 원문은 "春風得意"로, 과거에 급제함을 일컫는다. 당나라 맹교(孟郊)가 급제한 뒤 스스로 지은 「등과후」(登科後) 시에, "봄바람에 득의하여 말발굽 내달리니, 하루만에 장안의 꽃 모두 다 보겠구나"(春風得意馬蹄疾, 一日看盡長安花.)라고 한 바 있다.

426　옛 벗: 원문의 "舊雨"는 오랜 친구를 뜻한다. 두보의 글 「추술」(秋述)에, "평소에 방문하던 이들이 예전엔 빗속에도 오더니, 지금은 비가 오면 오지 않는다"(常時車馬之客, 舊雨來, 今雨不來.)라고 한 데서 왔다.

왕씨네 독화루(讀畫樓)에 절반을 바쳤다네.　　半付王家讀畫樓

일만 전(錢)⁴²⁷에 세 얻어도 그닥 좋진 않은데　　十千賃屋未爲奢
금서(琴書)로 노닐기엔 꼭 맞는 집이로다.　　料理琴書便當家
한가로이 옛 화병을 씻어서 물을 담자　　閒洗古缾剛貯水
울 밖에서 벽도화(碧桃花)를 사라고 소리치네.　　隔墻叫買碧桃花

강남에 있을 때는 쉬 만나지 못하다가　　人隔江南未易逢
북쪽 와서 부평 신세⁴²⁸ 모였단 말 문득 듣네.　　忽聞北上聚萍蹤
이로부터 그림 속에 지기가 찾아오니　　畫中從此來知己
양주 땅 나양봉(羅兩峯)을 가만히 바라보네.　　盼然揚州羅兩峯

노인 그림⁴²⁹에 직접 쓰다
自題畫翁

가슴속의 바위 골짝 성품 속의 하늘을　　胸中巖壑性中天
천 겹의 푸른 뫼가 잇닿게 그려 냈네.　　畫出千重翠嶂連
흰 비단 그저 빌려 미친 듯 붓질하며　　閒借素紈狂點筆
혼자서 매산전(買山錢)을 아끼며 견디누나.　　自堪省却買山錢

427　일만 전(錢): 원문의 "十千"은 1천 전(千錢)의 10배인 1만 전(萬錢)을 뜻한다.
428　부평 신세: 원문은 "萍蹤"인데, 곧 부평초(浮萍草)처럼 객지를 떠도는 일을 말한다.
429　노인 그림: 그림 속의 늙은이는 장도악이 직접 그린 자신의 소조(小照)로 보인다. 뒤에는
배경으로 산수를 그렸던 듯하다.

장화[430]

蔣和, 1734~1808?

건륭 경술년(1790) 8월, 삼가 만수절(萬壽節)을 맞아 장화가 공경스레 『어제제죽시의화책』(御製題竹詩意畫冊)을 그려 바치자 비단을 하사하시는 은혜를 입었다.[431] 삼가 기록하고 아울러 옛일을 서술하고는 문단에서 바로잡아 주기를 청하면서 이와 함께 화답하는 글을 구한다

乾隆庚戌八月, 恭逢萬壽, 和敬模御製題竹詩意畫冊進呈, 蒙恩賜綵緞. 恭紀兼述舊事錄, 請詞壇敎正, 幷索和章

교화의 날 기뻐하며 재주 바치니[432]	獻芹欣化日
대를 그려 지난날을 그리워하네.	寫竹緬前時
처음엔 명현 자취 흉내 내더니	初擬名賢跡
지금에 성주(聖主)께서 알아주셨네.	今懵聖主知
작은 성장 차라리 홀로 뽐내며	微長寧自炫

---

430 장화(蔣和): 1734~1808? 자는 중화(仲和), 호가 취봉(醉峯), 자호는 강남소졸(江南小拙)이다. 해서(楷書)로『십삼경』(十三經)을 쓴 졸노인(拙老人) 장형(蔣衡)의 손자로, 그 자신도 문장과 서법에 능하였다. 『호저집』찬집에는 자가 취봉, 자호는 강남소장(江南小蔣)으로 되어 있다. 『호저집』찬집 '장화' 항목 참조.

431 건륭…입었다: 장화가 건륭제의 어제시(御製詩) 내용으로 대나무 10여 폭을 그려 돌에 새긴 뒤 이를 진상하여 상을 하사 받은 일을 말한다. 장화는 여러 그림에 두루 뛰어났는데, 특별히 묵죽을 잘 그렸다.

432 재주 바치니: 원문은 "獻芹"으로, 미나리를 바친다는 뜻이다. 미나리는 보잘것없는 물건의 비유로, 윗사람에게 헌상(獻上)하는 일을 겸손하게 일컫는다.

맑은 지조 가만히 같이 지녔지.	雅操竊同持
고루한 자질이라 하시지 않아	不謂孤生質
은혜 입어 여기에 이르렀구나.	承恩頓及斯
내부(內府)에서 궁포(宮袍)⁴³³를 내려 주시매	宮袍頒內府
절하고 춤추며⁴³⁴ 함께 가누나.	拜舞衆偕行
홀로 세 번 상을 내린 은혜 입으니	恩獨逢三錫

내가 앞서 총교전예(摠校篆隷)로 있으면서 삼가 「석고문」의 글자를 집자(集字)해 「벽옹송」(辟雍頌)⁴³⁵을 올려, 일찍이 합밀과(哈密瓜)⁴³⁶와 대단(大緞)을 하사하심을 입었다. 이번에 내리신 비단과 함께 세 가지다. 和前摠校篆隷, 及恭集石鼓文字, 進辟雍頌, 曾蒙哈密瓜大緞之賜. 與今賜緞而三.

그 이름 으뜸을 다투었다네.	名爭第一聲

하사품을 받을 때 외람되게 내가 일등을 차지했다. 承賜, 和忝居首.

집에 부쳐 의복을 짓게 하여서	傳家衣有賴
계절 맞춰 옷이 처음 이루어졌네.	應節服初成
몸에 맞고 따뜻함이 부끄러우니	適體慙安燠
어찌해야 이번 생에 보답하리오.	何由報此生

유의(儒衣)를 소박하게 차려입고서	儒衣傳朴素

---

433 궁포(宮袍): 관원의 예복이다.
434 절하고 춤추며: 원문의 "拜舞"는 절하고 춤을 추는 것으로, 옛 조정에서 신하가 임금을 뵙던 예절이다.
435 「벽옹송」(辟雍頌): '벽옹'(辟雍)은 고대 주(周)나라의 태학(太學)으로, 전의되어 최고 교육기관의 대명사로 쓰인다.
436 합밀과(哈密瓜): 멜론. 합밀(哈密), 곧 하미(Hami)는 지금의 신장(新疆) 동쪽에 위치한 도시의 이름이다. 천산산맥(天山山脈) 남쪽 기슭에 있다.

한묵(翰墨)으로 풍류를 거슬러 가네.   翰墨溯風流

새로 쓴 천자 글씨 모사하다가   宸藻新模寫

오래된 서책[437]을 교정하였지.[438]   芸編舊校讐

깊은 은혜 5대 걸쳐 이어졌으니   深恩綿五世

나의 선대는 농사일에 힘썼다. 고조부이신 회괴공(會魁公)과 증백조(曾伯祖)이신 탐화공(探花公)으로부터 사림(士林)에서 집안을 일으키셨고, 조부이신 상범공(湘帆公)께서는 박학홍사과(博學鴻詞科)에 천거되셨다. 내가 잘못 총교(摠校)에 충원되어 은혜로 거인(擧人)을 하사 받았다. 근래에 아들 석손(錫孫) 또한 박사제자(博士弟子)[439]의 반열에 드니, 5대 이하로 서향이 거의 끊기지 않았다. 和先世力田, 自高祖會魁公, 曾伯祖探花公, 起家珠林, 祖湘帆公, 薦擧鴻博. 和謬充摠校, 恩賜擧人. 比歲兒子錫孫, 亦與博士弟子員之列, 五世以下, 書香殆不絶矣.

멋진 대화 천추에 기록되리라.   佳話紀千秋

저잣거리 근처에 거처 정하고   近市居初卜

지난번 성남(城南)에 서하방(書畫舫)[440]을 베푸니 한때의 이름난 사람이 모두 모였다. 頃於城南設書畫舫, 一時名人咸集.

---

437   서책: 원문의 "芸編"은 서책을 뜻한다. 좀이 스는 일을 막으려 책갈피에 운초(芸草)를 넣던 데서 나온 말이다.

438   교정하였지: 원문의 "校讐"는 교정(校正)의 뜻이다. 단독으로 하는 것을 교(校), 두 사람이 대교(對校)하는 것을 수(讐)라고 한다.

439   박사제자(博士弟子): 본래 고대 중국에서 박사가 가르치는 학생을 가리킨다. 한나라 무제 때 박사관(博士官)을 설치하여 제자 50인을 두고서 군국(郡國)에서 선발해 보내도록 한 데서 왔다. 명청(明淸) 시대에는 생원(生員) 또는 태학생(太學生)의 지칭으로 쓰였다.

440   서화방(書畫舫): 서화를 실은 배를 말한다. 북송(北宋) 때 시·서·화에 모두 뛰어났던 미불(米芾, 1051~1107)은 서화를 소장하기도 매우 좋아했다. 그는 강회발운구관(江淮發運句管)이 되어서 서화를 실은 배에 '미가서화선'(米家書畫船)이라는 패(牌)를 내걸고 강호를 유람했다. 장화 또한 미불처럼 서화방을 띄워 즐긴 것으로 보인다.

인하여 격양가(擊壤歌)[441]를 지어 보았지.　　　　　因成擊壤謳

서화로 새 화방(畫舫)을 열어 두고서　　　　　書畫開新舫

와서 놀며 좋은 음률 맹세하였네.　　　　　來游矢好音

　　함께한 사람이 지어 준 글을 모아서 거질을 이루었다. 同人投贈, 裒成巨卷.

같이 살며 꼿꼿한 절개를 품고　　　　　同生懷直節

붓을 잡아 텅 빈 마음 깨닫는도다.　　　　　把筆悟虛心

손때 묻은 서책[442] 오래 어루만지니　　　　　手澤摩挲久

　　조부이신 상범공께서 13경(經)을 베껴서 올리고 은혜로 국자감학정(國子監

　　學正)을 하사 받았다. 내가 이제 그 원본을 보배로이 간직하여 감히 실추하지

　　않으려 한다. 祖湘帆公, 寫十三經進呈, 恩賜國子監學正. 和今珍藏手澤,

　　罔敢失墜.

지교(知交)가 날 열어 줌 아주 깊도다.　　　　　知交啓牖深

남들 칭송 떠들썩함 혐의치 않고　　　　　不嫌輿頌聒

흥을 타고 날마다 서로를 찾네.　　　　　乘興日相尋

441　격양가(擊壤歌): 태평성대를 즐기는 노래로, 여기서는 장화가 건륭제의 치세(治世)를 칭
송한 것이다. 상고시대 요(堯)임금 때 늙은 농부가 땅을 두드리며[擊壤] 노래를 부른 데서 유래
했다.
442　손때 묻은 서책: 원문의 "手澤"은 손때라는 뜻으로, 선인이 남긴 글이나 물건을 가리킨다.

장문도[443]

張問陶, 1764~1814

차수 검서가 하사 받은 그림 부채에 제하다. 이때는 건륭 경술년
(1790) 8월 8일이다

題次修檢書內賜畫扇, 卽正乾隆庚戌八月八日

잎 아래 은빛 고기 가늘어 어여쁘고	葉底銀鱗細可憐
두 개구리 개굴개굴 홍련에 숨었구나.	雙蛙閣閣隱紅蓮
가을바람 그림자를 누굴 통해 그려 내어	憑誰寫出秋風影
선인의 태을선(太乙船)[444]에 불어오게 할 것인가.	吹上仙人太乙船

---

443 장문도(張問陶): 1764~1814. 자가 중치(仲治)·악조(樂祖)이고, 호는 선산(船山)·약암
퇴수(藥庵退守)이다. 자호는 촉산노원(蜀山老猿)·노선(老宣)이다. 사천(四川) 수녕(遂寧) 사
람으로, 이부낭중(吏部郎中)·회시동고관(會試同考官)·산동내주지부(山東萊州知府) 등을 역
임했다. 고문에 능했고, 촉중(蜀中) 제일의 시인으로 꼽었다.
444 태을선(太乙船): 신선 태을진인(太乙眞人)이 타는 연잎 배로, 박제가의 부채에 그려진
연꽃을 가리켜 말한 것이다. 북송 때 한구(韓駒)의 시 「이공린(李公麟)이 그린 〈태을진인연엽
도〉(太乙眞人蓮葉圖)에 제하다」(題李伯時畫太乙眞人圖)에, "태을진인이 연잎 배를 탔는데,
두건 벗고 머리털 내놓아 찬바람에 날리네"(太乙眞人蓮葉舟, 脫巾露髮寒颼颼.)라고 한 바 있
다. 이공린은 태을진인이 태화봉(太華峯) 위 커다란 연꽃에 누워 유유히 책을 보며 즐기는 모습
을 그렸다.

단가(短歌) 1수. 초정 박 검서가 조선으로 돌아가는 것을 전송하며, 성청(聖淸) 건륭 55년(1790) 8월 24일에 한림서길사(翰林庶吉士) 사천(泗川) 장문도가 초(艸)하다

短歌一首. 送楚亭檢書歸朝鮮, 聖淸乾隆五十五年八月二十四日, 翰林吉士泗川張問陶小艸

내 세상에 태어나 스무 해 되매	我生二十年
뜬 자취 하늘 바다 다 가 보았지.	浮踪極天海
단구(短句)로 사방에 응수(應酬)하면서	短句酬四方
촌심(寸心)으로 천고(千古)를 거느렸다네.	寸心統千載
교유하며 거친 이들 고금을 이뤘어도	交遊過眼成古今
물을 보고 산을 찾음 몇이나 있었던가.	翫水尋山幾人在
박 검서의 풍골은 사람 중의 신선이라	檢書風骨人中仙
해동의 갓과 신발 어찌 그리 경쾌한지.	東來笠屐何翩翩
어쩌다 붓을 들어 창해(滄海)를 얘기하니	偶然點筆話滄海
한번 웃고 서로 만남 전생의 인연일세.	一笑相逢如夙緣
천지는 태평하여 중외(中外)가 따로 없어	太平天地無中外
바다 건너 문주(文酒) 모임 능히 이을 수가 있네.	跨海能聯文酒會
때로 귤을 쪼개어서 게 발 요리[445] 맛 돋우다	時擘橙香佐蟹螯

---

445 게 발 요리: 원문은 "蟹螯"로, 게의 집게발을 말한다. 여기서는 주안상에 오른 게 요리 안주를 가리킨다. 박제가는 1790년 연행 당시 장문도의 초대로 한림관(翰林館)에 방문해 함께 게를 먹은 일이 있다. 『정유각집』 시집 권3에 「한림관에서 선산 장문도·한림서길사 개자 웅방수·수찬 탁암 석온옥·단림 장상지와 게를 먹고 함께 짓다」(翰林館同張船山問陶, 熊吉士介玆方受, 石修撰琢菴韞玉, 蔣丹林祥墇食蟹共賦)라는 시가 있다. 또 『정유각집』 시집 권4의 「연경잡절. 임 은수 자형과 작별하며 주다. 기억을 더듬어 붓을 달려 모두 140수를 얻다」(燕京雜絶.

꽃 그림자 바싹 붙어 연잎 술잔 기울이네.	還偎華影傾荷蓋
흥 거나해 주머니 속 시 보여 주는데	興酣示我囊中詩
물과 구름 아스라이 원고지446에 얽혔구나.	水雲裊裊纏烏絲
잔 멈추고 다 읽자니 정취가 다함 없어	停杯讀罷情無限
난초 지고 국화꽃이 한창 피는 때일세.447	正是蘭衰菊秀時
내가 젊어 독서할 땐 박식함 구하지 않아	我少讀書不求博
뱃속은 훵하여서448 전대처럼 텅 비었지.	此中空洞虛如橐
임금 어버이 말고도 어이 마음 없으리오	君親以外豈無心
노래하고 곡한 글이 모두 의탁함이 있네.	歌哭之文皆有託
다만 그대 새로 지은 나의 시를 아끼어서	惟君愛我新詞句
덩달아 평가하길 기꺼워하질 않네.	不屑因人爲毀譽
가슴 가득 일백 곡의 근심을 낚아채서	攫取塡胸百斛愁
일제히 거둬들여 바다 향해 떠나누나.	一齊捲向東溟去

贈別任恩叟姊兄. 追憶信筆, 凡得一百四十首; 이하「연경잡절」燕京雜絶로 약칭) 중 제30수
에 "장문도가 일찍이 나를 맞이해 한림관에서 게를 대접했다"(嘗邀余食蟹于翰林館中.)라는 주
(注)가 보인다.『호저집』찬집 '장문도' 항목에도 이 일을 기록했는데, 그 자리에 조선의 남덕신
(南德新, 1749~?)과 이희경(李喜經, 1745~?) 등이 함께했다고 하였다.
446 원고지: 원문의 "烏絲"는 '오사란'(烏絲欄), 즉 검은 괘선을 친 원고지를 의미한다.
447 난초…때일세: 청나라 문인 왕사정(王士禎, 1634~1711)이「논시절구」(論詩絶句)에서
"엷은 구름 부슬비 소고사가 이곳이요, 고운 국화 시든 난초 팔월이 이때라네. 조선 사신 위 시
구를 기억하고 있으니, 과연 동국 사람은 시가를 알고 있네"(淡雲微雨小姑祠, 菊秀蘭衰八月時.
記得朝鮮使臣語, 果然東國解聲詩.)라고 했다. "淡雲微雨小姑祠, 菊秀蘭衰八月時"의 두 구절
은 청음(淸陰) 김상헌(金尙憲, 1570~1652)의『청음선생집』(淸陰先生集) 권9「오청천 대빈의
시에 차운하다」(次吳晴川大斌韻) 3수 중 제1수의 1, 2구이다.「논시절구」와『청음집』의 시는
글자의 차이가 있다.
448 뱃속은 훵하여서: 원문의 "空洞"은 텅 빈 뱃속을 말한다. 동진(東晉) 때 승상 왕도(王導)
가 주의(周顗)의 배를 가리키며 안에 무엇이 들었냐고 묻자, 주의가 "이 안은 텅 비어 아무것도
없으나, 경 같은 사람 수백 명은 담을 만합니다"(此中空洞無物, 然容卿輩數百人.)라고 응수하
였다.『세설신어』(世說新語)「배조」(排調)에 보인다.

흰머리⁴⁴⁹에 맑은 마음 얻기 힘든 인재거니 　　　華髮淸心未易才

바람 앞에 작별하다 다시금 서성인다. 　　　風前欲別且徘徊

혹시라도 요도(瑤島)⁴⁵⁰에서 미친 객이 생각나면 　　倘從瑤島思狂客

다시금 뗏목 타고⁴⁵¹ 만 리 길을 오옵소서. 　　須更乘槎萬里來

경술년(1790) 8월, 차수 검서의 시권에 제하다. 이때 장차 조선으로 돌아가게 되었으므로 이것으로 송별하다

庚戌八月, 題次修檢書詩卷. 時將東歸, 卽以送別

가을 흥취 뜬금없이 아득한 데 부치고서 　　　秋興無端寄渺冥

서로 만나 벼루 씻어 동명(東溟)을 얘기했지. 　　相逢滌硯話東溟

　　　필담을 나누느라 긴 시간을 보냈다. 筆談移晷.

중조(中朝)의 예회(禮會)라서 의관이 예스럽고 　　中朝禮會衣冠古

바다 파도 넘실대듯 필묵도 신령하다. 　　　大海波融筆墨靈

빈관(賓館)에서 꽃을 보다 비 이슬에 젖었더니 　　賓館看花涵雨露

가는 배에 노 저으며 천둥 바람 끼고 가리. 　　歸舟飛櫓挾風霆

그대 따라 술잔 잡고 좋은 시구 찾으니 　　　從君把盞搜奇句

449　흰머리: 원문은 "華髮"로, 노인을 가리킨다. '화'(華)는 '화백'(花白)으로, 머리털이 희끗희끗한 것이다.

450　요도(瑤島): 신선이 사는 섬. 여기서는 조선 땅을 말한다.

451　뗏목 타고: 원문은 "乘槎"로, 외국에 사신 가는 일을 가리킨다.

종이 위 구름 산452은 만 리 길에 푸르리라.　　　　紙上雲山萬里靑

연지분453 다 씻어 내자 기운 절로 화려하니　　　洗盡鉛華氣自華

신기함은 원래부터 험운(險韻)454에 있지 않네.　　新奇原不在尖叉

가슴에 마땅히 영롱한 옥 품었으니　　　　　　胸前合有瓏瓏玉

붓끝에서 경각화를 피워 낼 수 있겠구려.455　　筆底能開頃刻花

시율은 당(唐) 이후를 기꺼이 참예하고　　　　詩律肯參唐以後

고향 생각 가이없는 물길을 쫓는구나.　　　　鄕心漫逐水無涯

바다 하늘 작은 이별 어이 멀다 하리오　　　　海天小別何曾遠

중외(中外)가 이제는 한집안과 같은 것을.　　　中外如今是一家

452　종이 위 구름 산: 맹호연의 시 「장안으로 가는 벗을 전송하며」(送友人之京)에 "구름 산 이로부터 작별을 하니, 눈물이 벽라의를 적시는구나"(雲山從此別, 淚濕薜蘿衣)라고 한 데서 가져온 표현이다.

453　연지분: 원문은 "연화"(鉛華)로, 단장에 쓰는 백분(白粉)이다. 여기서는 시문의 지나친 수사(修辭)를 일컫는다.

454　험운(險韻): 원문은 "첨차"(尖叉)로, 시를 짓기 어려운 운자(韻字)를 뜻한다. 소식이 「눈이 온 뒤에 북대의 벽에 쓰다」(雪後書北台壁) 1수와 2수의 말운(末韻)에 이 글자를 썼고, 또 동생인 소철(蘇轍)과 왕안석(王安石)이 이 시에 화운하였는데 표현이 자연스러웠다. 이후 첨차는 험운의 대명사가 되었다.

455　경각화를…있겠구려: 경각화(頃刻花)란 경각(頃刻), 즉 짧은 시간에 피워 낸 기이한 꽃이다. 여기서는 금세 자연스럽고도 좋은 시를 짓는다는 뜻으로 썼다. 한유(韓愈)가 조카 한상(韓湘)이 낙백(落魄)함을 타이르자, "준순주 빚는 법을 터득했으며, 경각화를 피울 줄 알고 있지요"(解造逡巡酒, 能開頃刻花.)라는 시구를 짓고, 흙덩이로 모란(牡丹) 같은 기화(奇花) 두 송이를 피워 내 좌중을 놀래켰다고 한다.

부(附) 선공의 원운 — 서길사 선산과 이별하며[456]

附 先公元韻 — 別船山吉士

다정하여 귀밑머리 쉬이 셈이 부끄러워	慙愧多情鬢易華
지는 해가 삼차하(三叉河)[457] 비춤을 견디누나.	可堪斜日照三叉
이별 마음 하염없이 깃발처럼 펄럭이고	離心脈脈依風纛
고운 말은 우수수 꽃잎[458]처럼 떨어지네.	綺語霏霏落粲花
예전 비[459] 지금 구름 꿈속과도 같은데	古雨今雲如夢裏
맑은 연기 높은 나무 하늘가에 있는 것을.	淡煙喬木是天涯
그대 이제 성원(醒園)[460]으로 돌아가 묵게 되면	君歸試向醒園宿
『함해』(函海) 시편 가운데서 우리 사가 말해 주오.	

函海篇中說四家

---

456 서길사 선산과 이별하며: 『정유각집』 시집 권3에 같은 제목으로 실려 있다.

457 삼차하(三叉河): 조선 사신이 북경에 왕래할 때 건너는 강으로, 요동(遼東)의 봉황성(鳳凰城) 부근에 있다.

458 꽃잎: 원문은 "粲花"로, 표현이 전아하고 아름다움을 칭찬하는 말이다.

459 예전 비: 원문은 "古雨"로, 오래된 벗을 의미한다. 본서 32면 각주 9번 참조.

460 성원(醒園): 사천 덕양(德陽) 나강현(羅江縣) 운룡산(雲龍山)에 있는 이조원의 본가를 말한다.

차수 박제가가 다시 연경으로 들어와 1월 4일에 나의 송균암(松筠菴)⁴⁶¹을 방문하였다. 술자리가 거나해지자 붓을 휘두르니 문사가 장대하였다. 그가 지은 「출관기회」(出關寄懷)⁴⁶²란 작품을 읽고 서둘러 시 2수를 읊어 답하였다. 수불(繡佛) 장문도가 초산(椒山) 선생의 옛 집에서 쓰다

次修再入京師, 正月四日訪我松筠菴. 酒半揮毫, 文詞娓娓. 讀其出關寄懷之作, 率吟二首答之. 繡佛張問陶書于椒山先生故宅

초록 도포 새로 입고 관직 옮김 기뻐하니	綠袍新著喜遷官
바다 건너 다시 오니 연말이 다 되었네.	跨海重來逼歲寒
손가락을 튕기며 칭찬할 것도 없이⁴⁶³	不用蘭闍彈指問
중국말로 알아들어 잘 지냈다 말하누나.	華言同解說平安

한가로이 옛 절 들러 송균암을 찾으니	閒尋古寺問松筠
붓을 달려 시 남기매 민첩하여 정신 있네.	走筆留題捷有神
나는 중원(中原) 있으나 기슬(蟣蝨)⁴⁶⁴과도 같으니	我在中原如蟣蝨

---

461 송균암(松筠菴): 명나라의 문인인 초산(椒山) 양계성(楊繼盛, 1516~1555)의 옛집으로 북경 선무문 밖에 있다. 장문도는 1790년 9월 3일에 이곳으로 이사하였는데, 자세한 내용은 장문도의 『선산시초』(船山詩草) 권5에 수록된 「경술년 9월 3일에 송균암으로 이거하다」(庚戌九月三日, 移居松筠菴)라는 시에 나온다.

462 「출관기회」(出關寄懷): 『정유각집』 시집 권3에 「출관서회」(出關書懷) 1수가 있다.

463 손가락을…없이: 원문의 "蘭闍彈指"는 외국인을 상대로 그 나라의 말과 제스처를 써서 소통하는 일을 가리킨다. 동진 때 왕도(王導)가 호인(胡人)들을 접견하였는데 흡족하지 못한 기색이 있었다. 이에 손가락을 튕기며 호인의 말로 "좋아, 좋아!"(蘭闍, 蘭闍.)라고 하자 호인들이 모두 기뻐하였다고 한다. 『세설신어』(世說新語) 「정사」(政事)에 보인다.

464 기슬(蟣蝨): 서캐와 이. 보잘것없고 미련함을 뜻한다.

시를 지어 전함을 어이 높이 허락하랴.　　　　何須高許作傳人

조선 사신이 일본도를 주므로 이를 위해 노래를 짓다[465]
朝鮮使贈日本刀, 爲作歌

조선 사신 나에게 일본도를 주면서　　　　　　朝鮮使者贈我日本刀

전장(戰場)서도 삭지 않은 쇠라고 말을 하네.　　云是戰場未銷鐵

왜인이 이를 남김 200년이 되었건만　　　　　倭人遺此二百年

위로 명(明) 말 정인(征人)의 피가 묻어 있다네. 上有明季[466]征人[467]血

내가 칼을 뽑아 보자 바람이 처절하여　　　　我爲拔鞘風凄絶

뜨거운 해 걸렸는데 석 자의 눈 내릴 듯.　　　炎[468]日當空三尺雪

다만 근심, 변화하여 창정룡(蒼精龍)[469]이 되어서　祇愁化作蒼精龍

빈집에 우레 치며 번갯불 일으킬라.[470]　　　雷吼虛堂電光掣

465　조선…짓다: 이 시는 장문도가 아니라 증욱(曾燠, 1759~1830)의 시다. 박제가가 조선
에서 얻은 일본도를 증욱에게 선물하자 이를 기념하며 지은 것이다. 이 시는 증욱의 『상우모옥
시집』(賞雨茅屋詩集) 권1에 실려 있는데, 『호저집』의 시와 일부 글자가 다르다. 조선의 왕을 비
난하거나 명나라를 격하하는 문구를 의도적으로 없애고 고친 것으로 보인다. 후지쓰카는 『호저
집』 원문의 제목 아래에 "증욱이 지은 시로 『상우모옥시집』 권1에 보인다"(曾燠作, 見賞雨茅屋
詩集卷之一)라는 메모를 달고, 시 본문에는 『호저집』과 『상우모옥시집』 간의 글자 차이를 밝혀
두었다. 이 뒤로는 다시 장문도의 시문으로 이어진다.
466　明季: 『상우모옥시집』에는 "勝朝"로 되어 있다.
467　人: 『상우모옥시집』에는 "士"로 되어 있다.
468　炎: 『상우모옥시집』에는 "赤"으로 되어 있다.
469　창정룡(蒼精龍): 두보의 시 「현도단가기원일인」(玄都壇歌寄元逸人)에 "함경 검을 차고
서 창정룡을 올라탔네"(已佩含景蒼精龍.)라고 한 데서 가져온 표현이다.
470　변화하여…일으킬라: 두보의 시 「현도단가기원일인」에서 가져온 표현이다. 여기서는 『구

벽제(鷿鵜) 기름[471] 빛이 나서 문지를 수가 없고　　　鷿鵜膏瑩不可捫

점점이 묻은 피는 주사(朱砂)의 흔적인 듯.　　　血[472]漬點點朱砂痕

모래 묻혀 평양성에 있을 때 생각하면　　　遙想沈沙在平壤

흐린 날 귀신 울음 원망하며 슬퍼하네.　　　天陰鬼哭哀煩寃

뉘 시켜 동국이 왜란으로 괴로웠나?　　　誰令東國苦倭亂[473]

만력(萬曆) 연간 지난 일을 하나하나 따져 보리.　萬曆往事一一堪追論

당인(唐人)은 왜놈을 범과 같이 두려워해　　　唐人畏倭本如[474]虎

바다 지키던 군사들이 왜놈 포로 되었었지.　　　海防軍士爲倭虜

부산(釜山)에 온 왜놈 배들 어찌나 광포한지　　　釜山樓櫓何披猖

도성을 못 지키고 못난 왕은 달아났네.　　　王京不守奔屛王[475]

형(邢)과 위(衛)를 보존함[476]에 중국에 힘을 입어　救邢存衛賴中國

의로운 깃발 한 번 들자 왜가 감히 당할쏜가.　　　義旗一擧倭敢當

어이해 구원 군사 여러 번 패하여서　　　豈謂援師屢挫衄

가집주두시』(九家集註杜詩)에 나오는 조씨(趙氏)의 설에 따라 "이미 함영 글자 새긴 창정룡 검
찼다네"(已佩含景蒼精龍.)로 풀이하여 창정룡을 검의 이름으로 보고 사용한 듯하다.

471　벽제(鷿鵜) 기름: 벽제는 논병아리로, 칼날에 그 기름을 발라 두면 녹이 슬지 않는다고
한다.

472　血:『상우모옥시집』에는 "斑"으로 되어 있다.

473　苦倭亂:『상우모옥시집』에는 "受倭患"으로 되어 있다.

474　本如:『상우모옥시집』에는 "如畏"로 되어 있다.

475　奔屛王:『호저집』에는 원문의 "奔屛王" 3자가 들어갈 자리가 빈칸으로 되어 있는데, 후지
쓰카가 글자를 채워 넣고 "奔屛王 3자는『상우모옥시집』에 따라 채워 넣었다"(奔屛王三字, 據
版本補入)라는 메모를 덧붙였다. 임진왜란 당시 선조의 의주 피난을 비난한 문구여서 일부러
삭제한 듯하다. 후지쓰카의 메모와『상우모옥시집』에 따라 3자를 추가하였다.

476　형(邢)과 위(衛)를 보존함: '존형구위'(存邢救衛)의 고사.『춘추』에 적인(狄人)이 형(邢)
나라를 침략하자 제나라가 구원해 준 일과 적인이 위(衛)나라를 멸망시킨 2년 뒤에 제환공의
주도로 제후들이 초구(楚丘)에 성을 쌓고 위나라를 봉해 준 일이 나온다. 여기서는 명나라가 일
본의 침략을 받은 조선에 원병을 보내 준 일을 말한 것이다.

명나라 창 부러지고 칼날조차 없다 하리.	天戈斷折刀無鋩
이여송(李如松)은 벽제관(碧蹄館) 전투에서 패하였고	如松已敗碧蹄館
석성(石星)과 송응창(宋應昌)은 화친만 주장했지.[477]	石星應昌惟主款
애석하다, 정부마저 훌륭한 계책 없어	惜哉政府無良謀
싸우는 척 화친 꾀함 지모(智謀)가 짧았다네.	陽戰陰和智亦短
사방의 요충지엔 봉홧불 다 꺼지고	四方杼柚烽火燼
십만의 죽은 병사 수풍(水風)이 말아 갔지.	十萬沙蟲水風卷
평왜(平倭)했단 한 편 조서[478] 지극히 가련하니	平倭一詔劇可憐
관백(關白)이 절로 죽어 왜 스스로 돌아간 것을.	關白自亡倭自返
우리 조정 온 천하에 성령(聲靈)[479]으로 칭양하니	我朝九有揚聲靈
제후국 공구(共球)[480]하여 뉘라 조회 않으리오?	下國共球誰不庭
다만 문무(文武) 덕화(德化)로써 변방 민족 다스리니[481]	
	但見舞干格荒服
이로부터 갑옷 녹여 농기구를 만들었네.	由來銷甲資農耕
동국에서 조공한 지 백 년이 넘고 보니	東國[482]來王百餘載

---

477 이여송(李如松)은…주장했지: 이여송·송응창은 임진왜란 때 명군의 사령관이고, 석성은
명의 병부상서(兵部尙書)이다. 평양성 탈환 후 이여송이 일본군을 추격하다가 벽제역에서 패
전하자 송응창과 석성 등이 일본을 봉해 주고 화친을 맺어 전쟁을 끝내자는 논의를 추진하였다.
478 평왜(平倭)했단 한 편 조서: 1599년(만력 27) 4월에 명나라 신종 황제가 반포한 평왜조
(平倭詔)를 말한다.
479 성령(聲靈): 성세(聲勢)와 위령(威靈).
480 공구(共球): 제후국이 천자의 나라에 입조하고 명을 받드는 일. 공은 제후국이 천자에게
바치는 공물(貢物)이고, 구는 천자가 제후들에게 내리는 옥(玉)을 뜻한다.
481 다만…다스리니: 옛날 순임금이 문덕(文德)을 크게 펼치고, 두 섬돌 사이에서 방패를 쥐
고 간무(干舞)를 추며 꿩깃을 쥐고 우무(羽舞)를 추자 70일 만에 묘족(苗族)들이 감복하여 귀
의하였다는 고사가 있다. 원문의 "荒服"은 천자의 교화가 미치지 않는 먼 변방이다.
482 東國: 『상우모옥시집』에는 앞에 "卽如" 2자가 더 있다.

바다 파도 잔잔하고 강 물결도 맑아졌네.　　　　海波恬靜江華淸

왜도(倭刀) 비록 예리해도 또한 쓸데 아예 없어　　倭刀雖利亦無用

장문도(張問陶) 선생에게 가져다줌 마침맞네.[483]　祗合持贈陶先生

『도검록』(刀劍錄)[484]에 이를 실어 함께할 만하나니　著之刀劍錄可與

곤오도(昆吾刀)·대식도(大食刀)[485]와 그 이름 나란하리.

　　　　　　　　　　　　　　　　　　　昆吾大食齊其名

부(附) 일본도가(日本刀歌). 진한(陳瀚)에게 주다[486] 칼은 박초정이 준 물건이다.

附 日本刀歌, 贈陳瀚 刀爲朴楚亭贈物.

바다 손님 나에게 일본도를 선물하니　　　　海客貽我日本刀

한 자의 차가운 빛 흡사 얼음 교룡인 듯.　　　寒光一尺疑氷蛟

취중에 끌러 주니 그 뜻이 다함없어　　　　醉中脫贈意無極

그대 기운 천 명의 호기 뺏음 사랑하네.　　愛君氣奪千人豪

483　장문도(張問陶)…마침맞네: 박제가가 증욱에게 준 일본도를 증욱이 다시 장문도에게 준 것이다.

484　『도검록』(刀劍錄): 남조시대 양(梁)나라의 도홍경(陶弘景, 452~536)이 지은 『고금도검록』(古今刀劍錄)을 가리킨다. 위에서 장문도를 "도선생"(陶先生)이라 지칭한 것은 이를 의식한 것이다.

485　곤오도(昆吾刀)·대식도(大食刀): 곤오도는 곤오국(昆吾國)에서 만든 보검으로, 주(周) 목왕(穆王) 때 서융(西戎)이 바쳤다고 한다. 대식도는 대식국(大食國), 곧 사라센제국에서 만든 검으로, 다마스쿠스 강(Damascus鋼)으로 만든 검을 이르는 듯하다.

486　일본도가(日本刀歌). 진한(陳瀚)에게 주다: 장문도의 시이다.

반근착절(盤根錯節)이라야 예리함 구분되니[487] 盤根錯節別利器

편한 거처 좋은 음식 무슨 일을 이루리오? 安居美食成何事

뜬 세상의 오르내림 모두 다 우연이니 浮世升沈盡偶然

젊은이는 영웅 기상 잃어서는 안 되리라. 少年莫損英雄氣

박차고[488] 일어나 춤추며 그댈 위해 노래하니 斫地起舞爲君歌

우리 무리 스스로를 봄이 마땅히 어떠한가? 我輩自視當如何

칼을 감춰 쓰지 않아도 정신은 왕성하니 藏刀不用亦神王

그대 하루 세 번씩 어루만짐 청하누나. 請君一日三摩挲

서생은 받들고서 감히 가까이 못하니 書生戴頭不敢近

죽도록 붓만 지켜 한 방면만 굳세다네. 死守毛錐剛一方

열사는 원래부터 고심이 많거니와 那知烈士多苦心

문인이 무(武) 좋아함 병통 아님 어이 알리. 文人好武原非病

아! 문인이 무 좋아함 본래 병통 아니거니 嗚呼文人好武原非病

그대 보지 못했나, 시골 선비 혈기 없음을.君不見鄕曲小儒無血性

---

487 반근착절(盤根錯節)이라야 예리함 구분되니: "盤根錯節"은 뿌리와 가지가 마구 얽혀 있는 것으로, 일이 복잡하여 처리하기 곤란한 한편 재능을 발휘해 보일 수 있는 상황을 말한다. 후한(後漢) 때 우후(虞詡)가 "반근착절의 경우를 만나지 않으면 칼이 예리한지 무딘지 구별할 수 없으니, 지금이야말로 내가 공을 세울 때이다"(不遇盤根錯節, 無以別利器, 此乃吾立之功之秋.) 라고 한 데서 왔다.

488 박차고: 원문은 "斫地"로, 장부가 포부를 펴지 못해 땅을 치며 분개하는 모습이다. 두보의 「단가행. 왕 사직에게 주다」(短歌行. 贈王郞司直)에 "왕랑이 술에 취해 칼 뽑아 땅을 치며 노래하매 더없이 슬퍼라, 내 능히 그대의 억눌린 뛰어난 재주를 발천하리"(王郞酒酣拔劍斫地歌莫哀, 我能拔爾抑塞磊落之奇才.)라고 하였다.

부(附) 〈문자당도〉(問字堂圖)[489]에 연여(淵如) 손성연(孫星衍) 선배를 위해 쓰다 조선의 초정 박제가가 제액(題額)[490]을 쓰고 양봉산인 나빙이 그림을 그렸다.

附 問字堂圖, 爲孫淵如前輩題 朝鮮朴楚亭書額, 兩峯山人作圖.

호기(好奇)라고 웃겠지만 미친 것은 아니니	好奇應笑不狂狂
해객이 문자당에 친히 제액 써 주었네.	海客親題問字堂
배움 청함 다시금 소영사(蕭穎士)[491]를 만남이요	請學重逢蕭穎士
정신 전함 마치도 맹양양(孟襄陽)[492]을 그린 듯해.	傳神如畫孟襄陽
문장의 호탕함은 안과 밖의 구분 없고	文章浩蕩無中外
비판(碑版)은 드물어서 한당(漢唐)을 꼽는다네.	碑版零星數漢唐
계림(鷄林) 땅 종이 값이 높아지게 놓아두고[493]	一任鷄林高紙價
문 닫고 다시금 저서에 바쁘겠네.	閉門還爲著書忙

489 〈문자당도〉(問字堂圖): 손성연(孫星衍, 1753~1818)의 서재인 '문자당'을 그린 그림이다. 이곳은 완원(阮元)·왕염손(王念孫)·필원(畢沅)·이병수(伊秉綬) 등 당시 청나라 문단의 내로라하는 명사(名士)들의 아집 장소였다.

490 제액(題額): 손성연이 박제가에게 「당각고경」(唐刻古經)을 주자, 박제가가 문자당에 "오천 권의 책을 읽지 않은 자는 이 서실에 들어올 수 없다"(不讀五千卷書者, 毋得入此室)라는 제액을 선사했다. 본래 수(隋)나라 최표(崔儦)가 그 서재에 적었던 글귀이다.

491 소영사(蕭穎士): 708~759. 당나라 때 시인. 소영사는 문명(文名)이 높았는데, 그 집안의 노비들도 모두 문자를 알고 시에 능했다고 한다.

492 맹양양(孟襄陽): 당나라 시인 맹호연(孟浩然, 689~740). 양양(襄陽)은 그의 고향이다.

493 계림(鷄林) 땅…놓아두고: 글솜씨를 칭찬하는 말이다. 계림은 신라의 별칭으로 조선을 뜻한다.

편집

귤사헌 소액에 답례로 주다 이 제액 글씨는 조선 박제가가 쓴 것이다.

橘師軒小額荅贈 此額爲朝鮮朴齊家所書

취한 먹 기운차서 입신 경지 이르렀고　　　　　醉墨熊熊妙入神

낭호필(狼毫筆)로 짙게 쓰니 거울 빛 고르구나.　狼毫濃寫鏡光勻

남국으로 지녀 와서 마음속 말 건네주니　　　　拈來南國輸心語

동왜(東倭)에서 배움 청한 사람에 견주겠네.　比作東倭請學人

만 리에서 매 직강(梅直講) 시 활집에 새겨지고[494] 萬里弓衣梅直講

초나라 굴원은 구장(九章) 귤송(橘頌) 지었네.[495] 九章橘頌楚靈均

미치광이라 홀로 웃고 다만 술에 빠졌더니　　　疎狂自笑惟耽酒

시명(詩名)이 바닷가에 떨침을 만났구나.　　　也値詩名動海濱

박 노야께 드리는 편지

與朴老爺書

인장 1개, 작은 편액 1장, 시 1장 등 세 가지를 그대에게 보내 올립니다.
23일에 아무 일도 없거든 제게 들러 한차례 얘기를 나눌 수 있으실는지

494　만 리에서…새겨지고: 먼 지역에서까지 시명을 떨치는 박제가를 칭송하는 말이다. 매 직
강(梅直講)은 송나라 시인 매요신(梅堯臣, 1002~1060)으로, 북송 구양수(歐陽脩, 1007~
1072)의 시화집 『육일시화』(六一詩話)에 소식이 서남의 오랑캐가 매성유의 시가 새겨진 활집
을 파는 것을 보고, 매성유의 시명이 널리 알려짐을 감탄하였다는 고사가 있다.

495　초나라…지었네: 귤송(橘頌)은 초나라 굴원이 지은 『초사』 구장(九章)의 편명으로, 중국
땅에 와서도 제 품성을 바꾸지 않는 귤을 칭송하는 내용이다. 원문의 "靈均"은 굴원의 자이다.

요?『기전설』(箕田說)[496]은 가져오신 것에 여분이 있으시면 다시 한 권을 주시기를 바라 부탁드립니다.

22일 장문도가 차수 검서 족하께 아룁니다. 이 밖에 먹 100정, 붓 100자루, 작은 해서 글씨 1장을 보내니 살펴 거두어 주십시오.

圖書一方, 小額一張, 詩一張, 對子三付送上. 廿三無事, 可能過我一談乎? 箕田說, 槖中如有餘者, 祈再惠一卷爲禱. 廿二日, 問陶白次修檢書足下. 外墨百笏, 筆百枝, 小楷一張, 查收.

---

496 『기전설』(箕田說): 조선 중기 한백겸의 『기전도설』(箕田圖說), 혹은 정조조에 여기에 유근(柳根)·허성(許筬)·이익(李瀷)의 설을 덧붙여 증보·편찬한 『기전고』(箕田考)를 가리킨다. 기전(箕田)이란 은나라 기자가 평양에 도읍하고 정전제(井田制)를 펼친 흔적을 말한다. 유득공(柳得恭)의 『난양록』(灤陽錄)에 청 문인 왕걸(王杰)이 이 책을 요구하자, 귀국 후에 규장각에서 이를 증보하여 『기전고』라 명명하고 간행하여 보낸 일이 보인다.

웅방수⁴⁹⁷

熊方受, 1761~1825

졸구를 삼가 차수 검서께 드리며 바로잡아 주기를 청하다

拙句奉贈次修檢書并正

바람 맑고 구름 걷혀 하늘도 깨끗한데	風淸雲斂淨碧落
한 손님 문에 드니 학인 양 훤칠하다.	有客入門矯如鶴
소매에서 새 시 꺼내 품평을 청하는데	袖出新詩丐品論
얼핏 봐도 비범한 시격(詩格)인 줄 알겠구나.	略觀已識非凡格
신령스런 기운이 자구(字句) 사이 서려 있어	靈氣盤旋字句間
큰 바다의 파도가 거듭하여 휘도는 듯.	大海波濤屢廻薄
이따금 풍취는 어쩜 그리 선연한지	有時風致何鮮妍
물 위의 연꽃이요 이슬 맺힌 작약일세.	出水芙蓉露芍藥
시편 속에 온통 절로 행장(行藏)⁴⁹⁸을 담아내니	篇中渾自括行藏
학문도 그대 같아 실로 깊고 넓겠구려.	學問如君眞奧博
서른 해 세월 동안 깊이 찾고 널리 모아	冥搜廣集三十年
백가를 두루 꿰어 논의가 정밀하다.	貫弗百家論精鑿

---

497 웅방수(熊方受): 1761~1825. 자가 개자(介玆), 호는 정봉(定峯)이다. 광서(廣西) 영강 (永江) 사람이고, 벼슬은 한림원서길사를 지냈다. 동생 웅방훈(熊方訓)은 효렴(孝廉)에 뽑힌 거인(擧人)으로, 형제가 모두 박제가와 교유하였다.
498 행장(行藏): '용행사장'(用行舍藏)의 준말로, 등용되고 등용되지 않음에 따라 군자의 거취를 결정한다는 말이다. 『논어』「술이」(述而)에 "쓰이면 도를 행하고 쓰이지 않으면 숨는 다"(用之則行, 舍之則藏)라고 한 데서 왔다.

하루아침 발탁되어 조사(朝士) 수레 올라타서	一朝徵起上朝驂
포의(布衣)로 규장각서 명을 받아 제술했지.	布衣應製奎章閣
진작에 묘필(妙筆) 들고 병풍에 글씨 쓰니⁴⁹⁹	曾將妙筆寫屛風
종이 가득 구름안개 호방한 붓 휘둘렀네.	滿紙雲煙任揮霍
둥근 부채 흰 붓을 함께 하사 받으니	月扇霜毫賚予騈
옛날에 견준대도 뉘 능히 이 같을까.	稽古之榮孰能若
휴가 때면⁵⁰⁰ 편안하게 읊은 시가 많아도	休沐從容嘯咏多
고상한 정 때때로 구학(邱壑)에다 부친다네.	高情往往寄邱壑
오천 리 길을 따라 연경까지 와서는	五千里路來京師
객관에서 모여 앉아 문득 술잔 주고받네.	賓舘比隣便酬酢
내가 석양 마주하며 술잔 가득 채웠더니	我方浮白對斜陽
그대 옴에 잔을 씻고 다시 술을 따르누나.	君來洗盞乃更酌
탁당(琢堂)과 선산(船山)⁵⁰¹은 미친 듯이 좋아하며	琢堂船山痴且狂
아이 불러 통 가져가 게⁵⁰²를 사 오게 하네.	呼童携桶買郭索

---

499 진작에…쓰니: 이와 관련하여 『정유각집』 시집 권2에 「성지(聖旨)를 받들어 병풍을 써서 올린 일로 동료 유득공이 장가를 지었으므로 마침내 그 뜻에 화답하다. 이때는 임인년(1782) 4월 20일이다」(有旨書進屛風一事, 柳寮爲作長歌, 遂和其意. 時壬寅四月二十日也)라는 시가 보인다.

500 휴가 때면: 원문은 "休沐"으로 관리의 휴가를 이른다. 한대(漢代)에는 닷새에 하루, 당대(唐代)에는 열흘에 하루를 집에서 쉬며 목욕을 한 전례에서 비롯하였다.

501 탁당(琢堂)과 선산(船山): 석온옥(石韞玉, 1756~1837)과 장문도(張問陶)의 호다. 석온옥은 자가 집여(執如)로, 강소(江蘇) 오현(吳縣) 사람이다. 문장과 도학으로 명성이 있었으며, 벼슬은 한림원수찬(翰林院修撰)·복건향시정고관(福建鄕試正考官)·산동안찰사(山東按察使) 등을 지냈다. 두 사람 모두 『호저집』 찬집에 실려 있다.

502 게: 원문은 "郭索"으로 게의 별칭이다. 본래 게가 기어가는 모양을 가리키는 말이다. 혹은 게가 걷는 소리를 형용하였다고도 한다. 박제가는 1790년 연행 당시 장문도의 초대로 한림관(翰林館)에 방문해 옹방수 등과 함께 게를 먹은 일이 있다. 본서 289면 각주 445번 참조.

그대 실로 명사라서 게 먹기[503]에 익숙하니	君眞名士慣持螯
협설충(筴舌蟲)[504]의 포학쯤은 신경조차 쓰지 않네.	居然不畏筴舌虐
낭자한 술자리가 황혼까지 이어지매	杯盤狼藉到黃昏
인간 세상 온갖 속박 죄다 벗어던졌도다.	脫盡人間之束縛
일생에 좋은 벗은 만나기가 어려우니	一生好友未易逢
이 모임을 옥돌에다 새겨야 마땅하리.	此會應須刻珉珞
다른 해에 달빛이 들보 위로 떨어지면[505]	他年月落屋梁時
이 노닒 돌아보며 적막함을 깨트리리.	回首玆遊破寂寞

건륭 55년(1790) 8월에 서상관(庶常館)에서 차수 검서를 만났는데, 철야정 시랑, 옹담계 학사, 기효람 상서가 다투어 시를 써 주었다. 인하여 장가(長歌)를 짓고 아울러 예전에 지은 시 몇 수를 적어서 장차 드리려 하였으나, 마침 다른 일이 있어서 능히 마치지 못하였다. 책은 바로 차수에게 주어 가져갔으므로 장차 몇 마디 말을 덧붙인다. 언제나 이 인연을 다시금 마

---

503 게 먹기: 원문은 "持螯"로, 좋은 안주와 술을 즐기는 '지오파주'(持螯把酒)를 가리킨다. 진(晉)나라 필탁(畢卓)이 술을 즐겨 "한 손엔 집게발 안주 들고 다른 손엔 한 잔 술을 들었으니, 일생을 마치기 충분하다"(一手拿着蟹螯, 一手捧着酒杯, 便足以了一生.)라고 한 데서 왔다. 여기에서는 안주로 내온 게를 가리킨다.
504 협설충(筴舌蟲): 역시 게의 별칭이다. 오대(五代) 때 노강(盧絳)의 종제(從弟) 순(純)이 게를 좋아하였는데, 하루는 게를 먹다가 잘못 혀가 끼어 피가 철철 흘렀다. 노강이 이를 두고 장난삼아 "게는 혀를 꽉 무는 동물이다"(蟹爲筴舌蟲.)라고 한 데서 왔다. 『청이록』(淸異錄)에 보인다.
505 다른…떨어지면: 두보의 「몽이백」(夢李白)에 "지는 달 지붕에 가득 비추니, 그대의 얼굴을 비추는 듯해"(落月滿屋梁, 猶疑照顔色.)라고 하였다.

칠 수 있을는지 모르겠다

乾隆五十五年八月, 晤次修檢書于庶常館, 鐵冶亭侍郎, 翁覃溪學士, 紀曉嵐尙書爭贈以詩. 因作長歌. 幷錄舊作數首, 將以貽之, 會有他故, 不能卒. 冊卽持贈次修, 且附數語, 不審何日更了此緣也

교행
郊行

모자 터는 나무엔 그림자 많고	拂帽樹多影
옷에 붙은 꽃에선 향기가 나네.	着衣花有香
교외의 나들이에 날이 저무니	郊行忽已暮
여기가 어딘지는 묻지를 마오.	不問是何鄕

장 처사를 찾아가며
訪張處士

흐르는 물소리 듣다가 보니	只聞流水響
어느새 그대 집에 이르렀구려.	不覺到君門
서로를 마주해 말을 잊은 곳	相對忘言處
맑은 볕 죽원(竹園)에 말쑥하구나.	淸暉澹竹園

입춘 전날 저녁, 화산 아래 배를 대고 새벽에 일어나 짓다

立春前夕, 泊畫山下, 蚤起作

찬 강물 끝없이 흘러가는데	寒江流不盡
외론 배 저물녘 구름 사이에.	孤艇暮雲間
하룻밤 새 봄바람 불어와서는	一夜春風到
온 산 가득 매화꽃이 활짝 폈구나.	梅花放滿山

만소장506에게 드리다

贈萬小莊

아침 해 뜨락에 비추어 들자	朝日照庭院
국화의 꽃잎이 얼핏 보인다.	乍見秋菊英
이웃에 마음 나눈 벗507이 있으니	比屋素心友
남면(南面)하여 일백 성을 안고 있는 듯.508	南面擁百城

---

506 만소장(萬小莊): 만법주(萬法周). 소장(小莊)은 그의 호이다. 강소(江蘇) 덕안(德安) 사람으로, 벼슬은 호북교유(湖北教諭)를 지냈다. 저서에 『만소장선생시초』(萬小莊先生詩鈔) 7권이 있다.

507 마음 나눈 벗: 원문의 "素心"은 깨끗하고 고운 마음이다. 도연명(陶淵明)의 「남촌」(南村) 시에 "깨끗한 맘 지닌 이들 많다고 하니, 아침저녁 자주 만나 즐기련다"(聞多素心人, 樂與數晨夕.)라고 하였다.

508 남면(南面)하여…있는 듯: 좋은 벗이 가까이에 있어, 많은 성을 소유한 군주처럼 마음이 든든하다는 뜻이다. 본래는 '남면백성'(南面百城)의 고사로 표현을 단취(斷取)해 썼다.

옷깃 걷고 대문을 나가 봤더니	攬衣出門戶
저 멀리 주렴 장막 움직이누나.	悠然動簾旌
서성이다 서로 마주 손을 잡고서	徘徊相握手
고요히 꽃그늘서 맑게 대하네.	靜對花陰淸
품은 마음 담백한 것에 있지만	所懷在淡泊
맥맥이 먼 데 정을 머금었구나.	脈脈含遠情
소매에서 책 한 권을 꺼내 보이니	袖中出一卷
읽고 나자 소함(韶咸)509의 소리 울린다.	讀罷韶咸鳴
좋은 바람 초목 위로 불어 지나듯	好風被草木
화평한 소리가 귀에 가득해.	盈耳和平聲
티끌세상 사이에서 생각하노니	我思塵世間
부앙(俯仰)함에 어이 족히 다투겠는가?	俯仰安足爭
무잡함을 다스리지 않는다 하면	蕪穢旣不治
우뚝함510도 또한 쉬이 기울게 되리.	礧砢亦易傾
다만 그저 진실한 뜻 품게 하여서	但使抱眞意
모름지기 사람을 놀라게 하네.	底須令人驚
서리 견딤 어이해 오만찮으리	凌霜豈不傲
단맛은 양생을 할 수 있다네.	味甘能養生
벗 사귐도 또한 이와 같나니	結納亦如此

---

509 소함(韶咸): 함소(咸韶). 함(咸)은 요임금의 음악, 소(韶)는 순임금의 음악이다. 여기서는 훌륭하다는 뜻으로 썼다.
510 우뚝함: 원문은 "礧砢"로, 본래 나무에 마디가 많고 울퉁불퉁한 모양이다. 전의되어 뛰어난 인재를 뜻한다.

담백한 사귐은 저버림511 없네.　　　　　　　　　淡交無寒盟

장난삼아 앞서의 운자를 그대로 써서 직접 주며, 소장 만법주에게 바로 보내다
戲疊前韻自贈, 卽東小莊

타고난 키 일곱 자가 채 못 되지만512　　　　　　生不滿七尺

기특한 기운 항상 영특하다네.　　　　　　　　　奇氣常英英

추정(趨庭)513타가 하삭(河朔)514으로 향해 가더니　趨庭向河朔

서울을 구경하러 도성(都城)에 왔네.　　　　　　觀禮來都城

성 서편 관사(官舍)에다 거처 정하고　　　　　　城西廠官舍

집 빌려 나그네 삶 머물렀다네.　　　　　　　　借廈停行旌

여름 해의 두려움515도 마다 않더니　　　　　　不辭夏日畏

어느새 가을바람 맑게 부누나.　　　　　　　　倏及秋風淸

511　저버림: 원문은 "寒盟"으로, 약속을 저버림을 뜻한다.

512　타고난…못 되지만: 이백의 「한 형주에게 주는 편지」(與韓荊州書)에 "내 키는 비록 7척도 못 되지만, 마음만은 만 사람의 으뜸이다"(雖長不滿七尺, 而心雄萬夫.)라고 하였다.

513　추정(趨庭): 자식이 부모 슬하에서 가르침을 받는 것을 말한다. 공자(孔子)가 집에 혼자 서 있을 때, 아들이 종종걸음으로 뜰을 지나가자(鯉趨而過庭), 시(詩)와 예(禮)를 배우도록 가르쳤다. 『논어』 「계씨」(季氏)에 보인다.

514　하삭(河朔): 황하(黃河) 이북 지역.

515　여름 해의 두려움: 춘추시대 노(潞)나라의 대부 풍서(酆舒)가 진(晉)나라 가계(賈季)에게 "진(晉)의 대부 조순(趙盾)과 조최(趙衰) 중에 누가 더 어진가?"라고 묻자, 가계가 "조최는 겨울날의 태양이요, 조순은 여름날의 태양이다"(趙衰冬日之日也, 趙盾夏日之日也.)라고 대답하였는데, 그 주(註)에 "겨울 햇빛은 사랑할 만하고, 여름 햇빛은 사람을 두렵게 한다"(冬日可愛, 夏日可畏.)라고 하였다. 『춘추』 문공(文公) 7년에 보인다.

바람 맑아 읊조려 시를 지으니	風淸發嘯咏
강개하여 남은 정이 많기도 하다.	慷慨多餘情
준마가 구름 끝서 울음을 울자	天驥嘶雲端
온갖 말들 입 다물고 울지 못하네.	萬馬喑不鳴
큰 고래 발해(渤海)를 집어삼키자516	長鯨掣渤海
파도 소리 급하게 흘러가누나.	汨汨波濤聲
빼어난 시 드넓게 울려 퍼지니	逸韻動空闊
잗단 소리 어이 능히 다퉈 보겠나.	細響安能爭
돌아보며 성현 경계 삼가 고하여	顧凜告賢戒
흘러넘쳐 위태로움 막아 주누나.	汎濫防顚傾
배 세우자 물결은 차분해지고	帆停浪不作
여린 고삐 먼지조차 일지 않누나.	轡柔塵不驚
스스로를 열어구(列禦寇)517에 비교하면서	自比列禦寇
안기생(安期生)518의 팔뚝을 붙잡았었지.	把臂安期生
서로 보며 범속함 내던지고서	相顧失凡俗
해구(海鷗)의 맹세519를 정해 본다네.	訂此海鷗盟

---

516 큰…집어삼키자: 문장이 매우 웅건(雄健)함을 뜻한다. 두보의 「희위육절구」(戲爲六絶句)에 "난초 위 비취새만 간혹 볼 뿐이지, 푸른 바다 고래를 낚지는 못하누나"(或看翡翠蘭苕上, 未掣鯨魚碧海中.)라고 하였다. 『두소릉시집』(杜少陵詩集) 권11.

517 열어구(列禦寇): 열자(列子)의 이름이다. 『장자』「소요유」(逍遙遊)에 "대저 열자는 바람을 타고 시원스럽게 다니다가 보름이 지나 돌아오곤 한다"(夫列子御風而行, 冷然善也, 旬有五日而後反.)라고 하였다.

518 안기생(安期生): 동해의 선산(仙山)에서 살았다는 선인(仙人)의 이름이다.

519 해구(海鷗)의 맹세: '백구맹'(白鷗盟)을 이른다. 백구(白鷗)와 벗하여 살겠다는 맹세로, 강호에 은거하려는 뜻을 말한다. 송(宋)나라 시인 황정견(黃庭堅)의 「쾌각에 올라」(登快閣) 시에 "만 리 가는 배에 젓대를 부니, 이 마음 백구와 맹세하였네"(萬里歸船弄長笛, 此心吾與白鷗盟.)라고 하였다.

정월 대보름에 모여 잔치하며 눈을 기뻐하다
元宵讌集喜雪

은 촛불 높이 살라 단란하게 담소하매	高燒銀燭話團欒
옥루(玉漏)520 소리 아득히 끊임없이 들리누나.	玉漏迢迢聽未殘
자리 가득 날리는 꽃 좋은 술을 재촉하니	滿座飛花催好酒
몇 번이고 화고(畫鼓)가 난간으로 향했던가.	幾回畫鼓向雕欄
봄밤에 잔과 안주 뒤섞임 싫다 마소	莫嫌春夜杯盤雜
집사람 아끼느라 예법에 너그럽네.	爲愛家人禮數寬
문밖에 눈이 쌓여 농사일 기쁠 테니	門外雪深農事喜
구대(裘帶)521로 오경 추위 마다하지 않으리라.	不辭裘帶五更寒

초저녁에 배를 놓아 백산 아래서 짓다
初昏放舟白山下作

비 그치자 선듯하여 좋은 가을 빚어내니	雨歇輕涼釀好秋
뱃사공은 노래하며 중류 따라 내려가네.	榜人高唱溯中流
난간엔 달빛 들어 손님 자주 엿보고	月光入檻頻窺客
산 그림자 강에 걸려 뱃길을 막는 듯해.	山影橫江欲礙舟

---

520 옥루(玉漏): 물시계.
521 구대(裘帶): 가벼운 갖옷과 넓은 허리띠를 가리키는 경구박대(輕裘博帶)의 줄임말로, 귀
인의 복식을 가리킨다. 여기서는 가벼운 복장을 말하는 듯하다.

양쪽 기슭 매미 소리 길손 시구 재촉하고	兩岸蟬聲催客句
온 물가 가을빛은 새 근심을 일으킨다.	一汀秋色起新愁
천 리 밖의 그리는 이 만나 볼 방법 없어	所思千里能無面
신선이 백학 타고 노닒에 견줘 보네.	擬控仙家白鶴遊

변방에 있는 사유 이복을 그리며
憶李四維福塞上

구름 흐린 거용산522은 올려보매 텅 비었고	雲暗居庸望眼虛
노하(潞河)523의 북쪽으로 궁한 관리 달려가네.	潞河北去走窮胥
홀로 노부(老父) 따르니 몸은 응당 기운차고	獨隨老父身應健
문장을 일삼잖으니 계획 어이 성글겠나.	不事文章計豈疎
거친 변방 그 누가 칼자루를 아껴 주리524	荒塞誰人憐劍鋏
함거는 ㄱ 언제나 전려(氈廬)525 땅에 이르리오.	檻車何日到氈廬
십부(十部)의 종사관이 능히 될 수 있다면	可能十部爲從事

---

522 거용산(居庸山): 거용산은 연경(燕京)에 있는 산 이름인데, 험준하기로 이름이 높다. '거용관(居庸關)의 첩첩한 푸른 산'(居庸疊翠)은 연도팔경(燕都八景) 혹은 황도팔경(皇都八景) 가운데 하나로 꼽혔다.

523 노하(潞河): 북경의 동쪽에 위치한 곳으로, 북경과 항주를 연결하는 대운하의 북쪽 종착지이기도 하다.

524 칼자루를 아껴 주리: 여기서는 변경에서 겪는 무관의 고충을 말한다. 원문의 "劍鋏"은 본래 전국시대 제(齊)나라 풍환(馮驩)이 맹상군(孟嘗君)의 식객(食客)이 되었을 때 대접이 부실하자 장검의 칼자루[長鋏]를 두드리면서 "장검아 돌아가자! 밥상에 고기가 없으니"(長鋏歸來乎! 食無魚.)라고 했다는 고사에서 왔다.

525 전려(氈廬): 모피(毛皮) 막을 둘러치고 사는 집이다. 옛날 중국의 북방 유목 민족, 주로 몽고족이 수초(水草)를 따라 이동하면서 가는 곳마다 모피 막을 치고 살았다.

편집

유공의 한 장 편지 부끄럽게 하겠네.⁵²⁶　　　　慙愧劉公一紙書

당년에 강개하여 평생을 논하면서　　　　當年慷慨論平生
가을 창 밤비 속에 짧은 등잔 마주했지.　　夜雨秋窓對短檠
차라리 이별하여 벼슬길을 따르리니　　　寧使別離隨宦轍
어이해 교정(交情) 보임 어렵다 근심하리?　底須患難見交情
계간(鷄竿)⁵²⁷을 못 세워서 돌아갈 날 늦어지니　鷄竿未放遲歸日
기러기편 먼 데 소식 만나 보기 드물구나.　雁足稀逢寄遠聲
가장 좋긴 오경(五更)에 남은 꿈서 깨어나　最是五更殘夢醒
눈보라 속 변방 성의 그댈 생각함이라네.　憶君風雪在邊城

---

526 십부(十部)의…하겠네: 원문의 "十部爲從事"는 뭇 부서의 관리로 제수되는 일을 말한다.
본래 '십부종사'(十部從事)는 온갖 부서의 관리들을 가리키는데, 옛날 진(晉)나라 유홍(劉弘)
이 쓰는 편지가 청탁에 특출하였으므로 사람들이 이를 두고 "유공의 편지 한 장을 얻는 것이 많
은 관리들보다 훨씬 낫다"(得劉公一紙書, 賢於十部從事.)라고 말한 고사에서 왔다. 여기서는
이 고사를 비틀어, 자신이 내직에 임용된다면 유홍의 편지쯤은 아무것도 아닐 정도로 잘할 수
있다는 포부를 드러낸 것이다.
527 계간(鷄竿): 황금으로 닭 모양을 만들어 깃대 끝에 단 장식. 제왕의 사면령(赦免令)이 내
릴 때 꽂는다. 여기서는 변방을 떠날 명령이 아직 내리지 않았음을 뜻한다.

만소장과 법원사⁵²⁸에 가서 국화를 구경하고, 돌아오는 길에 이위파⁵²⁹의 거처에 들렀다가, 문득 서 호부의 잔치 자리에 나아가다

同萬小莊至法源寺看菊, 回過李韋坡所, 却詣徐戶部賞讌

가을바람 내 집 창에 불어오더니	秋風吹我窓
찬 서리 숲 나무로 내려오누나.	寒霜下林木
벗을 불러 문을 나가 길을 나서서	呼友出門去
법원사로 국화꽃을 보러 갔다네.	訪彼蕭寺菊
시든 국화 마음 그만 시들해져서	菊殘意闌珊
가는 길에 이방숙의 집에 들렀지.	回過李方叔
방 안에 몇 가지 꽃이 있는데	齋中數枝花
모습은 말랐어도 향기는 진해.	容瘦芳氣馥
해맑은 흥취를 못 가누느니	淸興不可降
어이해야 내 눈에 성이 차리오.	何當飽吾目
다시금 서 호부의 거처로 가서	更詣戶部居
떠들썩 대문을 두드리누나.	叩門喧剝啄
주렴 걷자 마음이 이미 기쁘니	披簾神已怡
담백한 향기가 집에 모였네.	澹香聚絪屋

528 법원사(法源寺): 북경시 선무구(宣武區)에 있는 고찰(古刹). 본래 당나라 정관(貞觀) 19년 (645)에 창건하여 민충사(憫忠寺)라 하다가, 명(明) 정통(正統) 2년(1437)에 중수(重修)하여 숭복사(崇福寺)로 고쳤다. 청(淸) 옹정(雍正) 12년(1734)에 이르러 중수하고 법원사라는 명칭 으로 사액(賜額) 되었다.
529 이위파(李韋坡): 자가 방숙(方叔)이다. 청나라 허조춘(許兆椿, ?~1814)의 『추수각시 집』(秋水閣詩集)에 이 인물 및 만법주 등과 교유한 시가 실려 있다.

미친 바람 잦아들어 불지도 않고	狂颷息不作
기운 해 따스하게 비치는구나.	斜日照溫燠
주인은 고상한 잔치 베풀어	主人張高筵
살진 양에 채소 안주 곁들였다네.	肥羜兼野蔌530
실컷 얘기하고도 그칠 줄 몰라	劇談不知止
어둔 빛 먼 골짝에 스며들었네.	暝色入遙谷
밝은 등불 유리에 비추어 들자	明燈照玻璃
흰 벽에 꽃 그림자 겹쳐 보인다.	素壁花影複
온갖 빛깔 어렴풋이 뒤섞여 있어	五采間陸離
바라보니 구름 비단 모아 놓은 듯.	望中雲錦簇
풍미가 절로 맑고 소탈하거니	風味自蕭疎
지나치게 농욱함을 혐의하리오.	寧嫌過濃郁
비유하면 오늘의 모인 자리에	譬此几席間
손님 모두 불청객인 것과 같네.531	客來皆不速
어여쁜 비단옷 입은 사람은	艶到綺羅人

좌중에 장생이 있었다. 座有莊生.

마음 또한 유독(幽獨)한 절조 품었지.532	心亦抱幽獨
언제나 그 참됨 온전케 하여	長使全其眞
행동함에 어이해 얽매이리오.	俯仰安局促

---

530 蔌:『호저집』원문에는 "蔌"으로 되어 있으나, 문맥상 오기로 보아 바로잡는다.
531 손님…같네: 원문의 "不速"은 불청객을 말한다. 속(速)은 '소'(召)로, 부른다는 뜻이다.
본래『주역』「수괘」(需卦)의 상륙효사(上六爻辭)에서 왔다.
532 마음…품었지: 원문의 "抱幽獨"은 본래 '포독'(抱獨)에서 변형한 말인데, 세속을 따르지
않고 홀로 절조를 지키는 태도를 이른다.

술 거나해 집으로 돌아오는데   酒酣歸去來

남은 향기 옷에 가득 풍겨 오누나.   餘香滿衣袂

한단[533]을 지나며 짓다
過邯鄲作

저물녘 한단 나서매 나그넷길 길고 긴데   晩出邯鄲客路長

들꽃은 비단 같고 달빛은 서리로다.   野花如錦月如霜

이제껏 생가(笙歌) 소리 좋은 줄은 알았지만   從來解道笙歌勝

다시금 그 누가 싸움터를 조문하나.   更有何人吊戰場

제방 버들 꾀꼬리는 좋은 봄을 전송하고   堤柳鶯聲送好春

산에 이은 성가퀴엔 저녁 안개 자욱하다.   山連睥睨暮煙勻

영웅과 재자들의 애간장이 다 녹은 곳   英雄才子銷魂地

이름난 말 황금칼에 어여쁜 미인일세.   名馬金刀與美人

---

533 한단(邯鄲): 지금의 하북성 남서부(南西部)에 있는 도시. 전국시대 조(趙)나라의 도읍지
였다.

봄날 배에서 짓다
春日舟中作

아침에 화방(畫舫) 타고 물 거슬러 올라가니	朝乘畫舫溯淸流
옛 나루 언저리에 보슬비 막 개누나.	細雨初晴古渡頭
십 리 길 복사꽃의 붉은빛 물에 어려	十里桃花紅到水
사방의 산색이 가을보다 푸르도다.	四圍山色碧於秋
난간 기대 들려오는 옥피리 소리 듣고	聲傳玉笛凭欄聽
장막 걷어 향기로운 차 연기를 거두누나.	香駐茶煙捲幔收
낚시터 바위 향해 시험 삼아 앉았자니	試向釣魚磯上坐
시내 가득 비바람을 조는 갈매기에 부친다네.	滿川風雨付眠鷗

증욱[534]
曾燠, 1759~1830

증욱이 박제가에게 보낸 무제 편지

글자를 쓰는 것은 이미 마땅한 사람이 있는데, 글자의 모양[535]은 여태 보내오지 않았습니다. 그대가 14일에 창재(敞齋)로 오셔서 살펴보고 결정하시기를 청합니다. 분명히 어기지 않겠습니다.

  차수 선생께, 증욱 돈수(頓首).

書字現已有人, 其字樣尙未送至, 請足下於十四日, 來敞齋閱定, 斷不惧耳. 次修先生. 燠頓.

---

534 증욱(曾燠): 1759~1830. 자가 서번(庶蕃), 호는 빈곡(賓谷)이며, 만호(晩號)는 서계어은(西溪漁隱). 강서(江西) 남성(南城) 사람이다. 벼슬은 서길사(庶吉士)·양회염운사(兩淮鹽運使)·귀주순무(貴州巡撫)를 지냈다. 저서에 『상우모옥집』(賞雨茅屋集) 등이 있다. 『호저집』 찬집 '증욱' 항목 참조.
535 글자의 모양: 원문은 "字樣"으로, 활자판에 쓴 글씨이다. 거꾸로 써야 하는 특수 글씨이므로 미리 써 놓고 새긴다.

박차수 선생께 드림

與朴次修先生書[536]

욱(煜)은 두 번 절합니다. 작년 이맘때 총총히 작별하고는 구름과 바다를
서로 바라보며 어느새 또 한 해가 지났군요. 윤인태 군이 와서 그대의 편
지를 받았고, 아울러 대작을 읽으니 완연히 얼굴을 마주한 것만 같아서
제 마음이 깊이 열렸습니다. 삼가 생각건대, 차수 족하께서는 건강이 평
소보다 좋고 저술은 날로 풍부하십니다그려. 언제나 술잔을 나누며 다시
금 함께 문장을 논할 수 있을는지요. 연연해하며 마음을 내려놓지 못하
는 까닭입니다.

부탁하신 취진자(聚珍字)[537]에 관한 일은 작년 봄에 바로 요우암(姚雨
巖)[538]을 찾아가서 글자를 만들게 했는데 그가 마침 병이 나서 뒷날을 약
속하였더랬지요. 제가 반산(盤山)[539]으로부터 어가(御駕)를 호종하여 북
경으로 돌아와서 다시 우암을 찾아갔더니 그는 이미 고인이 되었더군요.
그래서 따로 글자체가 법식에 합당한 자를 구해 보았지만 자못 마땅한
사람을 얻기가 어려웠습니다. 가을 사이에 제가 다시 어가를 호종하여
목란(木蘭)[540]에서 돌아오니 이미 늦가을이 지난 때였지요. 한 사람을 찾

---

536 與朴次修先生書:『호저집』원문에는 "與"를 "答"으로, "先生" 대신 "齊家"로 고쳐 놓았
다. 원래 글자를 따른다.
537 취진자(聚珍字): 취진판(聚珍版) 활자. 청나라 건륭 연간에 무영전(武英殿)에서『사고
전서』선본(善本)을 선각(選刻)한 목활자로, 건륭제가 '취진판'이라 명명하였다. 1792년(정조
16) 정조가 규장각에 취진판식(聚珍版式)을 본떠 생생자(生生字)라는 목활자를 만들라는 명을
내렸는데, 박제가 이 일과 관련하여 증욱에게 취진자를 부탁한 것으로 보인다.
538 요우암(姚雨巖): 이름이『호저집』찬집 권2에 보인다.
539 반산(盤山): 지금의 천진시(天津市) 계현(薊縣) 북서쪽에 있는 산. 북경과 가까워 역대
의 제왕들이 이곳을 자주 유람했다. 건륭제는 이곳을 32차례 방문했다고 한다.

아 글씨를 쓰게 해서 시험 삼아 새겨 보았더니 각수(刻手)의 솜씨가 너무나 졸렬하였습니다. 처음에 1백 자를 바쳤는데 마침내 쓰기에 마땅치가 않으므로 이 때문에 몹시 답답하였지요.

섣달 전에 친구로부터 취진자를 잘 아는 이를 추천 받아 시험해 보니 과연 어긋나지 않았습니다. 다만 요구하는 금액이 너무 높아서 지난번에 그대가 남겨 두고 간 330금으로는 비용에 충당하기가 조금 부족합니다. 제가 이미 그와 더불어 의논을 정하여 이제 크고 작은 글자 수백 개를 새겼습니다. 그에게 먼저 한 장을 찍도록 하여, 윤인태 군 편에 가져가게 해서 보여 드리겠습니다. 모든 작업을 마치는 것은 초여름까지로 약속했으니, 귀국에서 북경으로 사람이 오기를 기다려서 드릴 수 있을 것입니다. 요컨대 제가 이미 그대의 무거운 부탁을 받았으니 절대로 저버리지는 않을 것입니다. 이렇게 늦어진 것은 실로 진선진미함을 구하려는 것이고, 대충 일을 처리하고 싶지는 않아서입니다. 그대가 이를 헤아려 주셨으면 합니다.

앞서 운미(芸楣) 팽원서(彭元瑞)541 선생의 거처로 가서 이미 그대의 뜻을 대신 전하였습니다. 지난번에 또 훌륭한 작품을 대신 올렸더니 그가 극구 칭찬하며 김숙도(金叔度)542를 지금에 다시 보는 것처럼 여기더

---

540 목란(木蘭): 목란위장(木蘭圍場). 하북(河北) 위장현(圍場縣)에 위치한 청나라 황실의 사냥터이다. 목란은 만주어 muran의 음차로, 사슴 사냥을 일컫는다. 청나라 황제는 매년 7, 8월에 목란의 사냥터에서 무예를 연마하고 사냥을 했는데, 이를 목란추선(木蘭秋獮)이라고 한다.

541 운미(芸楣) 팽원서(彭元瑞): 1731~1803. 강서(江西) 남창(南昌) 사람. 운미는 그의 호이다. 서길사, 한림원편수에서부터 공부상서(工部尙書)에 이르기까지 많은 벼슬을 역임하였다. 문장과 학문으로 이름을 떨쳤고, 『사고전서』를 편찬할 때 사고전서관(四庫全書館)의 부총재(副總裁)였다.

542 김숙도(金叔度): 김상헌(金尙憲, 1570~1652). 숙도(叔度)는 그의 자이다. 숭명배청(崇

군요. 연구(聯句)를 써서 화답하려 하였지만 공무가 너무도 바쁘니 어찌합니까. 그가 보내올 때를 기다려 제가 마땅히 간직해 두었다가 인편을 만나면 한꺼번에 부쳐 보내겠습니다. 그대가 또 다른 부탁을 말하였는데, 실로 능히 행할 수 없는 형편이 있습니다. 만약 나중에 기회를 얻으면 마땅히 그 까닭을 자세히 말씀드리겠습니다. 이렇게 답장을 드리며 근래 안부를 여쭙니다. 이만 줄입니다.

우제(愚弟) 증욱은 절하고 올립니다. 임자년(1792) 연구일(燕九日).543

煥再拜. 昨歲此時, 悤悤判袂, 雲海相望, 倏又一年. 尹君來, 接奉手書, 兼讀大作, 宛然覿面, 深啓下懷. 伏惟次修足下, 體候勝常, 著述日富. 何時樽酒重與論文, 所爲惓惓不置者也. 承諄托聚珍字母事, 昨春卽覓姚雨巖作字, 渠方抱病, 約以後期. 迨僕從盤山扈蹕回京, 再訪雨巖, 則已作古人矣. 因另求字體合式者, 頗難其人. 秋間僕再扈蹕, 木蘭歸時, 已及秋杪甫經. 覓得一人, 寫就試梓, 奈刻手甚劣, 初呈百字, 竟不合用, 爲之恨然. 臘前從友人處, 薦來熟於聚珍者, 試之果不謬. 惟索價甚昂, 曩者足下所留三百三十金, 籌來微有不足. 僕已與之議定矣, 今刻得大小數百字. 令其先

明排淸)으로 1641년 심양(瀋陽)에 압송되어 4년간 지내면서 많은 시문을 남겼다. 이 일로 그의 문채와 절의(節義)가 중국 문인들에게 널리 알려졌다. 호는 청음(淸陰)이다.
543 연구일(燕九日):『호저집』원문에는 "燕" 자를 "重"으로 수정 표시했는데, 문맥상 "燕"이 적절해 보인다. 연구절(燕九節)은 도교의 명절로 정월 19일이고, 중구절(重九節)은 9월 9일이다. 이 편지는 증욱이 1792년에 쓴 것으로, 1791년 봄 3월에 박제가가 연경을 떠나 조선으로 귀국한 뒤로, 근 1년간 공무로 바쁜 와중에 부탁 받은 취진자의 일을 해결하려 분투한 내력을 적고 있다. 1791년 12월 이후 새 활자의 샘플을 윤인태 편에 보내겠다고 했고, 전체 일은 여름 전에 마무리하겠다고 약속하였으므로 정월에 쓴 편지로 보인다.

行印出一張, 藉尹君帶去呈覽. 全副工竣, 訂在夏初, 崗俟貴邦有人來都,
便可交付. 總之, 僕旣受足下重託, 斷不負心. 所以遲遲者, 實欲求其盡善
盡美, 不肯冒昧從事, 想蒙足下諒之. 至芸楣先生處, 前已代致尊意. 頃又
代呈佳什, 伊極稱贊, 以爲金叔度復見於今. 欲書聯句奉酬, 奈公務甚劇.
俟交來時, 僕當收存, 一幷遇便寄呈. 足下又別囑云云, 寔有不能行之勢.
倘得後會, 當悉其由. 艸此復問近佳, 不莊不備, 愚弟曾燠拜啓. 壬子燕九日.

송보순[544]

宋葆醇, 1748~1818?

수기 검서 노형과 기쁘게 만나 읊조려 받들어 드리다

喜晤修其檢書老兄, 口占奉贈

동해의 시명(詩名)이 스무 해를 울리더니	東海詩名二十年
한 차례 볼 때마다 한 차례 슬퍼했네.	一回相見一悽然
그대는 나와 같아 여태도 씩씩하여	故人如我猶頑健

544　송보순(宋葆醇): 1748~1818? 자가 수초(帥初), 호는 지산(芝山)으로, 안읍(安邑) 사람
이다. 1786년(건륭 51) 거인이 되었으며, 현주학정(隰州學正)을 지냈다. 시화와 각종 서체에
능했고, 금석문의 고증과 감별에 뛰어났다. 『호저집』 원문에는 "保"로 되어 있으나, 葆로 바로
잡는다. 이름의 마지막 자는 표기가 다양한데, 『호저집』 찬집에는 "醇"으로, 편집에는 "淳"으로
되어 있다. 본문의 송보순 편지에는 직접 "葆淳"으로 쓴 것으로 되어 있다.

편집

타향의 여러 사람 아껴 사랑 받는구려.　　　　異地多君解愛憐

책은 삼창(三蒼) 표시하여 훈고를 남기었고[545]　　書表三蒼存訓詁

양한(兩漢)의 비석 찾자 진연(榛煙)이 절반이라.[546]　碑尋兩漢半榛煙

다시 장안 저자에서 술을 사 와 취하리니　　　　更須買醉長安市

모이고 흩어짐은 모두 다 인연일세.　　　　　　聚散合離總是緣

송보순이 박제가에게 보낸 무제 편지

선군이 지은 『상서고변』(尙書考辨) 1부, 『진한분운』(秦漢分韻) 1부와 제가 주석을 단 『음부경』(陰符經)[547] 1권 및 제가 지은 시 한 수를 수기(修其) 검서 노형께 올리니, 아울러 가르쳐 바로잡아 주시기를 바랍니다.

　보순(葆淳)은 절합니다. 29일.

先君尙書考辨一部, 秦漢分韻一部, 拙註陰符經一卷, 拙詩一首, 奉贈修其檢書老兄, 竝希誨定. 葆淳拜, 廿九日.

545　책은⋯남기었고: '삼창'(三蒼)은 자서(字書)인 『창힐편』(蒼頡篇)을 가리킨다. 본래 『창힐편』·『원력편』(爰歷篇)·『박학편』(博學篇)의 3편으로 되어 있는데, 한대(漢代) 초기에 합편(合篇)되어 맨 앞의 편명을 따서 부르게 되었다. 창힐(蒼頡)은 문자를 만들었다는 전설상의 인물이다. 여기서는 송보순이 자신의 부친이 지은 책을 두고 한 말로 보인다.
546　양한(兩漢)의⋯절반이라: '진연'(榛煙)은 숲속의 자욱한 운무(雲霧)를 말한다. 여기서는 양한의 금석문을 찾았으나 대부분 찾지 못했다는 의미로 쓴 듯하다.
547　『음부경』(陰符經): 도가류(道家類)의 병서(兵書)로, 당나라의 이전(李筌)이 여산(驪山)의 석실(石室) 속에서 얻어 처음 이 책을 전하였다고 한다.

장복단[548]
莊復旦, ?~?

박 노야께 올림
朴老爺陞啓

초10일에 만난 뒤 제가 바로 크게 감기를 앓아, 병으로 누운 지가 열흘이 지났는데 지금까지도 능히 문을 나설 수가 없군요. 보내신 편지와 청심 환(淸心丸) 4개를 받으니 그대의 아끼심을 알기에 충분합니다. 깊이 감 사드립니다. 영달하여 고향에 돌아가는 것은 아득히 먼일임을 아는지라, 진중하게 자애하면서 인연이 있으면 다시 만나 보기를 도모하십시오. 돌 아가 유득공 군을 만나거든 그리워하는 마음을 전해 주십시오. 보내 주신 글씨와 제 보자기는 다른 날 마땅히 치존(稚存) 홍양길(洪亮吉) 선생의 거처로 가서 찾아오겠습니다. 더더욱 깊이 기뻐하며 다행으로 여깁니다. 이렇게 답장함에 이르러 아울러 감사 드리옵고, 두루 갖추지 못합니다.

　정유 선생께 부족한 아우 복단은 절하고 아룁니다.

初十日晤後, 弟卽大患感冒, 臥病經旬, 至今尚不能出門也. 接手敎幷淸心 丸四元, 足徵雅愛. 謝甚謝甚. 榮歸知在邇長, 珍重自愛, 有緣再圖良晤. 歸晤柳君, 祈道相思. 承惠法書, 及弟包袱, 改日當從稚存先生處, 索取.

548　장복단(莊復旦): ?~? 자가 식삼(植三), 호는 택산(澤珊)으로, 강소(江蘇) 상주부(常州 府) 무진현(武進縣) 사람이다. 벼슬은 중서사인(中書舍人)을 지냈다.

尤深欣幸之. 至此復, 竝謝不備. 貞粲先生, 愚小弟復旦拜復.

왕조가[549]

王肇嘉, ?~?

졸구 4수를 써서 조선으로 돌아가는 차수 선생께 드린다. 이때는 건륭
신해년(1791) 봄 정월 22일이다
拙句四首書贈次修先生歸朝鮮, 時乾隆辛亥春正月廿二日

가을철 꺾은 버들 가벼이 흔들더니	秋期折柳正依依
북경에서 다시 만나 진눈깨비 흩날린다.	日下重逢雨雪霏
만나기는 어렵고 헤어지긴 쉽다 마소	不道會難容易別
한번 채찍질해 수레 돌려 왔다네.	一鞭旋復駕驂騑
보잘것없는 잗단 재주 감히 능함 일컬으랴	雕蟲小技敢稱能
내게 난전(鸞牋)[550] 보내시니 많은 돈[551]보다 낫네.	惠我鸞牋勝百朋

---

549 왕조가(王肇嘉): ?~? 자가 우신(右申)이고, 호는 평계(苹溪)이다. 강소 송강부(松江府)
청포현(靑浦縣) 사람이다. 전서, 예서 등 여러 서체에 능하였다.
550 난전(鸞牋): 채전(彩箋)이라고도 한다. 색깔 있는 편지지로, 여기서는 상대방이 보낸 시
고를 높여서 지칭한 표현이다.
551 많은 돈: 원문은 "百朋"이다. 붕(朋)은 조개로, 화폐를 의미한다. 백풍(百馮)이라고도 한다.

다정하게 마음 부쳐 좋은 구절 이뤘으니 　　多感寄裏成好句
밤 등불 곁에 두고 몇 번이나 펼쳐 읊네. 　　幾回展詠傍宵燈

궁에 들어 높은 재주 다투어 추천하니 　　入覲爭推博雅才
사신 수레 명 받들어 자주 옴을 기억하네. 　　屬車銜命記頻來
훗날에 역사책에 가화(佳話)로 남으리니 　　它年史乘留佳話
세 번이나 중국에 와 상을 받고 돌아갔지. 　　三度天朝拜賜回

성조(聖朝)의 문치(文治)는 햇빛처럼 빛나니 　　聖朝文治日光華
바다 밖 온 세상이 한집안이 되었구나. 　　海外寰中是一家
금서(琴書)를 가지고서 귀거래사 읊는 것이 　　携得琴書賦歸去
하늘가에 붉은 노을 걸린 것만 같겠는가.[552] 　　爭如天半捲朱霞

왕조가가 박제가에게 보낸 무제 편지

어제 번잡한 일을 만나 여태 답장을 드리지 못했습니다. 심부름꾼이 와
서 그대의 글을 받고서야 삼가 모든 것을 알게 되었습니다. 박공께서 내
일 출발한다 하니 실로 급박하게 되었군요. 오늘 저희들이 함께 송별하

552　금서(琴書)를…같겠는가: 출세하는 것이 귀향하는 것보다 더 좋다는 뜻으로, 박제가가
두 번째 연행에서 귀국하던 길에 곧장 3차 연행길에 오른 것을 두고 한 말이다. 도연명의 「귀거
래사」는 벼슬을 버리고 귀향하여 은거하는 내용이고, 하늘가에 노을이 걸렸다는 것은 출세를
뜻한다.

다 보니, 여러 가지 일을 살피느라 경황이 없습니다. 겨우 수권(手卷)에다 글씨를 쓰고, 아울러 부채 한 자루에 글씨를 써서 드립니다. 그 나머지는 모두 바로 쓸 수가 없군요. 시고(詩稿) 두 본의 경우는 특히나 바로 마련할 수 있는 것이 아닙니다. 만약 훗날을 기다려 재력관(齎曆官)553에게 부치려 한다면 중간에 분실함을 면치 못할까 염려되는지라 한꺼번에 올려 보내니, 박공께 전해 주시기를 바랍니다. 감히 가볍게 승낙해 놓고 신의가 부족한 것은554 아닙니다. 박공께서 길을 떠나시는데 삼가 송별할 수가 없군요. 그래도 저를 대신해서 부족한 뜻을 전해 주시기 바랍니다. 감사합니다. 오로지 이 답장으로 두 분 어르신께도 날로 편안하시기를 청합니다.

우질(愚姪) 왕조가는 산하헌(山霞軒)에서 자리를 정돈하고 아울러 붓을 들어 감사를 드립니다.

日昨造擾, 尙未趨謝, 使來接尊諭, 敬悉一切. 朴公明日起程, 實爲迫促. 今日姪等俱送, 考諸事恩恩. 僅將手卷寫好, 幷扇子一柄, 書就. 其餘均不能卽書. 至詩稿二本, 尤非咄嗟可辦. 如欲俟將來寄付齎曆555官, 恐中間未免遺失, 所以一幷送上, 乞轉致朴公, 非敢輕諾寡信也. 朴公起行, 不能奉送. 尙祈代致歉衷, 是荷. 專此布覆, 卽請兩翁老伯大人日安. 愚姪王肇嘉頓定山霞軒, 均囑筆致謝.

553　재력관(齎曆官): 조선에서 중국에 공문을 전달하거나 달력을 운반해 오기 위하여 파견한 연락관원. 역자관(曆咨官)·영력자관(領曆咨官)·황력재자관(皇曆齎咨官)이라고도 한다.
554　감히…것은: 원문은 "輕諾寡信"으로, 쉬이 승낙하면 미덥지 못하다는 말이다. 『도덕경』 63장에 "가벼이 승낙하는 자는 반드시 신의가 적고, 쉽게 여기는 일이 많으면 반드시 어렵게 된다"(輕諾必寡信, 多易必多難.)라고 하였다.
555　曆:『호저집』 원문은 "歷"으로 되어 있으나, 문맥에 맞게 바로잡는다.

손형 ⁵⁵⁶

孫衡, ?~?

건륭 56년(1791) 신해년 1월 하순에 즉석에서 시를 읊어, 차수 선생의 영예로운 귀환을 삼가 전송하고 아울러 바로잡아 주시기를 청한다

乾隆五十六年, 歲次辛亥孟春下瀚, 卽席口占, 奉送次修先生榮歸, 幷請
正句

먼 길 수레 새벽 되면 떠나가리니	征軺當曉發
심지 자르며 나눈 대화 더욱 깊어라.	剪燭話更深
눈 위 기러기 발자국 우연 아니나	鴻雪痕非偶
구름 용의 자취는 찾을 길 없네.	雲龍跡莫尋
꾀꼬리 꽃 봄날에 고향 꿈 꾸니	鸎花鄕國夢
호저(縞紵) 선물 고인(故人)의 마음이라네.	縞紵故人心

선물로 준 비단을 받았다. 承惠絹.

갈림길서 보중하라 말씀드리며	珍重臨歧諾
편지⁵⁵⁷로 좋은 소식 부치오리다.	雙魚寄好音

---

556 손형(孫衡): ?~? 자가 운록(雲麓)으로, 절강(浙江) 인화(仁和) 사람이다. 병부상서(兵部尙書)·서리사천총독(署理四川總督)을 지낸 손사의(孫士毅, 1720~1796)의 아들로, 예서를 잘 썼다.
557 편지: 원문은 "雙魚"로, 서신(書信)의 뜻이다. 육기(陸機)의 시 「음마장성굴행」(飮馬長城窟行)에 "멀리서 온 손님, 잉어 두 마리 전해 주네. 아이 불러 요리하게 했더니, 그 가운데 한 자 비단 글 있네"(客從遠方來, 遺我雙鯉魚. 呼兒烹鯉魚, 中有尺素書.)라고 한 데서 나온 말이다.

편집

삼가 차수 선생의 부인 이(李) 숙인(淑人)[558]이 임자년(1792) 9월에
세상을 떠났다는 소식을 듣고, 거칠게 위로의 말을 부치며 바로잡아
주시기를 청하다[559]

恭聞次修先生元配李淑人, 於壬子九月辭世, 蕪言寄慰, 卽請改正

명문의 덕스런 배필 손님처럼 공경터니	名門德配敬如賓
신선 수레[560] 뜬금없이 하늘로 돌아갔네.	仙馭無端返上旻

> 『송사』(宋史) 「악지」(樂志)에 "신선 수레 정돈하여 하늘 위로 돌아갔네"라 하였다. 宋
> 史樂志: "將整仙馭, 言還上旻."

옛날에 반악(潘岳)[561]은 뇌문(誄文)을 잘 지었지만	自昔安仁工製誄
오늘의 순찬(荀粲)[562]은 남몰래 맘 상했지.	如今奉倩黯傷神
빈 경대에 반짇고리 차마 열지 못하고	奩空未忍開針篋
찬 이불에 언제나 대자리의 먼지 터네.	衾冷長爲拂簟塵

---

558 이(李) 숙인(淑人): 박제가의 부인 덕수이씨(德水李氏)이다. '숙인'(淑人)은 외명부(外
命婦)의 정3품에 해당하는 작호로, 박제가가 연행 때 정3품직인 군기시정(軍器寺正)에 임시로
보임되었기 때문에 이렇게 부른 것이다. 충무공 이순신의 후손으로 절도사를 지낸 이관상(李觀
詳)의 서녀이다. 박제가가 17세 되던 1766년에 혼인해 슬하에 6남매를 두었다. 박제가가 부여
현감(扶餘縣監)으로 재직 중이던 1792년 9월 20일에 사망하였다.
559 삼가…청하다: 『정유각집』「연경잡절」(燕京雜絶) 제29수에 "아내 잃은 이내 슬픔 알아
주고서, 만 리 길에 시를 보내 위로하였네"(知我叩盆情, 緘詩萬里慰.)라고 하였다.
560 신선 수레: 원문의 "仙馭"는 신선이 타는 학이란 말로, 옛말에 사람이 죽으면 학을 타고
선계를 유람한다고 하여, 죽음을 비유하는 말로 쓰이게 되었다.
561 반악(潘岳): 서진(西晉)의 문장가로, 안인(安仁)은 그의 자이다. 당대의 외척인 양씨(楊
氏) 집안에 장가들어 부부 금슬이 좋았다. 아내가 먼저 죽자 슬퍼하며 「도망시」(悼亡詩) 3수를
지었다.
562 순찬(荀粲): 삼국시대 위(魏)나라 사람으로, 애처가로 유명하다. 봉천(奉倩)은 그의 자
이다. 한겨울에 아내가 열병을 앓자 자기 몸을 차게 하여 열을 식혀 주었다. 아내가 죽자 상심하
여 요절하였다고 한다.

한마디 말 부쳐 보내 전달되길 기약하니　　　一語寄君期作達

섬돌 앞엔 난옥(蘭玉) 같은 자식들[563] 끌끌하다.　　階前蘭玉已振振

박 노야께 올림

朴老爺台啓

전서(篆書)로 '독서자홍범이하'(讀書自洪範以下)를 새긴 인장 1개를 부탁하신 것은, 이미 새겨 둔 것이 좋으니 보내 드립니다. 살펴 거두어 주시기 바랍니다. 갑작스레 길을 떠나셔서 송별조차 하지 못했기에 차수 선생을 위해 슬퍼합니다.

囑篆讀書自洪範以下圖書一方, 現已刻好, 送上, 祈査收. 行轡怱怱, 不及送別, 爲恨次修先生.

　백공(伯恭) 진숭본(陳崇本)[564]의 서신과 종이 방석 그리고 연여(淵如) 손성연의 시전(詩箋)은 모두 어제 전송하였습니다. 두동고(竇東皐)[565]

563　섬돌…자식들: 원문의 "蘭玉"은 '지란옥수'(芝蘭玉樹)의 준말로, 집안의 우수한 자제들을 비유한 말이다. 진(晉)나라의 사안(射案)이 집안의 여러 자제들에게 어떠한 사람이 되고 싶은지 묻자, 조카 사현(謝玄)이 "비유컨대 지란과 옥수가 뜰에 자라나게 하기를 바랍니다"(譬如芝蘭玉樹, 欲使其生於庭階耳.)라 하였다는 고사가 전한다.

564　백공(伯恭) 진숭본(陳崇本): 하남(河南) 상구(商邱) 사람으로, 일독기거주관(日讀起居注官)과 한림원시강학사를 지냈다. 백공은 그의 자이다.

565　두동고(竇東皐): 동고(東皐)는 청나라 문인 두광내(竇光鼐, 1720~1795)의 호다. 자는

시랑의 글씨 부채 한 자루를 보내오니, 웃고 받아 주십시오. 옛사람이 말하기를 "출입할 때 소매에 넣고 어진 바람 일으키네"[566]라고 하였으니, 이것으로 작별을 기념할 뿐입니다. 또 선생께서 앞서 두공(竇公)의 서법을 칭찬하셨기에 받들어 올리는 것입니다.

　손형은 두 번 절합니다. 1월 26일 삼가 올림.

伯恭信, 幷紙蓆, 淵如詩箋, 俱於昨日轉送. 送上竇東皐侍郎書扇一柄, 祈晒收. 古人云: "出入懷袖, 奉揚仁風." 用以志別而已. 且因先生前贊竇公書法, 故以奉上也. 衡再拜. 正月二十六日, 手肅.

손형이 박제가에게 보낸 무제 편지

손형은 아룁니다.[567] 작별한 뒤로 마음을 못 가누어, 꿈마다 수레를 내닫느라 수고로웠지요. 신해년(1792) 12월 30일에 그대의 벗 윤인태 공이 와서 손수 주신 편지를 받아 보고, 원장(元長) 선생께서 얼마 전 예전처

원조(元調)이고, 산동 제성(諸城) 사람이다. 1742년 진사에 급제하여 좌도어사(左都御史)·절강학정(浙江學政)·상서방총사부(尙書房總師傅)를 지냈다. 저서에 『성오재시문집』(省吾齋詩文集)이 있다.

566　출입할…일으키네: 진(晉)나라 원굉(袁宏)이 동양군수(東陽郡守)로 부임하러 갈 때 사안(謝安)이 부채를 선물로 주었는데, 원굉이 "어진 바람을 일으켜 저 백성들을 위로하겠다"(當奉揚仁風, 慰彼黎庶.)라고 대답했다는 고사가 있다.

567　손형은 아룁니다: 원문 옆에 후지쓰카의 글씨로 "원문 편지 및 표구한 사물잠(四勿箴) 글귀가 망한려(望漢廬)에 소장되어 있다. 소헌 쓰다"(原蹟及四箴裝潢, 藏於望漢廬. 素軒記)라고 적혀 있다. 망한려는 후지쓰카의 거처이고, 소헌은 그의 호이다.

럼 관복을 입게 되었음을 알게 되어 몹시 기뻤습니다. 근래에 또 편집하는 작업에 종사하신다지요. 방 안에 옛 향기가 가득하고 기거가 편안하실 것을 떠올려 보니 몹시 위로가 됩니다.

부처 주신 자책(字冊)과 시편을 받자옵고 하나하나 펼쳐서 읽노라니, 황홀하기가 마치 작년 봄에 내가 그대와 함께 깊은 밤에 등불 심지를 자르며 수염을 치켜들고 손뼉을 치면서 붉은 등불 아래 푸른 술을 마시다가 책상에 기대어 졸던 것과 같았습니다.

요우암 형은 선생과 작별한 뒤, 3월 초에 갑자기 두 발에 부종이 생겨서 몇 달 동안 낫지 않더니 의약이 효과가 없어 마침내 지난해 8월 15일에 세상을 떠났습니다. 말을 하려니 마음이 아프군요. 원장께서도 이 소식을 듣는다면 또한 침문(寢門)의 아픔[568]이 있으시겠지요.

취진자(聚珍字)의 범본(範本)은 빈곡 증욱이 지금까지 겨우 수백 자를 새겼더군요.[569] 출발할 때가 된지라 제가 단단히 부탁해 두었습니다. 지난 일 년간 매번 증욱 공을 볼 때마다 반드시 약속을 지켜 줄 것을 대신 재촉했는데도, 아무 소용이 없고 말았으니 너무도 미안합니다.

윤인태 공은 이번에 와서 두 번이나 들렀지만, 번번이 날이 저물려 할 때여서 바쁘게 성안으로 돌아가야 하는 통에 매번 몇 마디도 못 나누고 마침내 회포를 풀지 못하였으니, 서운하기 짝이 없습니다. 사람이 살면서 우연한 만남조차 운수가 아님이 없다는데, 어찌 이 말을 믿겠습니까?

---

568 침문(寢門)의 아픔: 친구의 죽음을 슬퍼함. 침문은 침실의 문으로, 『예기』 「단궁 상」(檀弓上)에 공자(孔子)의 말로 "스승의 경우에는 내가 침에서 곡(哭)하고, 친구의 경우에는 내가 침문 밖에서 곡한다"(師, 吾哭諸寢, 朋友, 吾哭諸寢門之外.)라고 한 데서 왔다.
569 취진자(聚珍字)의…새겼더군요: 박제가가 증욱에게 취진자를 부탁했으나 요우암의 사망으로 일이 늦춰진 정황은 앞서 실린 증욱의 편지에서도 한 차례 설명되었다.

말씀하신 대로 제가 이후에도 계속 연경에 있을 경우 선생께서 1~2년 안에 사명(使命)을 받들어 다시 오시면 좋은 모임을 잇고자 합니다. 이 것은 감히 성급하게 허락할 일은 아니겠지요. 벼슬길에 있기 때문에 제 마음대로 할 수가 없는지라 그대에게 신의를 잃게 될까 염려되는군요. 대략 연경에도 분거(分居)가 많습니다.[570]

이번에 사물잠(四勿箴)[571] 한 폭을 써서 부쳐 애오라지 먼 곳의 그리움을 적어 둡니다. 혹 자리의 한구석에 놓아두신다면 한방에서 만나 얘기하는 것과 다름이 없을 겝니다. 글씨가 좋고 나쁨에 이르러서는 수천 리 밖에서 곡진하게 그리는 뜻이 아닙니다. 종이는 짧고 하고픈 말은 많습니다. 부디 때에 보중하시기 바라며 이만 줄입니다.

원장(元長) 선생 문궤(文几)에 올리며, 대청(大淸) 건륭 57년 임자년 (1792)[572] 1월 28일, 절강(浙江) 운록(雲麓)의 아우 손형이 절합니다.

보내 주신 청심환은 삼가 잘 받았습니다. 고맙습니다. 화전(花牋) 한 묶음과 향주(香珠) 한 갑을 부쳐 보내니 웃고 받아 주시기를 바랍니다. 다시 절합니다.

衡啓. 別後心旌, 夢毂馳溯爲勞. 辛亥十二月三十日, 令友尹公來, 接奉手書, 忻悉元長先生言旋服官如昔. 近又從事編摩, 想見滿室古香. 起居安

---

570 대략…많습니다: 원문은 "大約在京之分居多"이다. 『호저집』 원문에는 작은 글씨로 되어 있지 않으나, 해당 행의 상단에 후지쓰카의 글씨로 "대략 운운한 여덟 글자는 (척독 원본에) 작은 글씨로 되어 있다"(大約云云八字細書)라고 쓴 미주(眉注)가 있으므로 이에 따랐다.
571 사물잠(四勿箴): 송(宋)나라 때 정이(程頤)가 지은 시잠(視箴)·청잠(聽箴)·언잠(言箴)·동잠(動箴)을 말한다.
572 건륭 57년 임자년(1792): 이 편지의 첫 행 상단에 후지쓰카의 글씨로 "건륭 56년"(乾隆五十六年)이라고 쓴 미주(眉注)가 있다.

吉, 慰甚慰甚. 承寄字冊詩篇, 一一展讀, 恍如昨春與我元長, 剪燭深宵,
掀髯鼓掌, 紅燈綠酒, 倚案頹唐也. 姚雨巖兄, 自先生別後, 於三月初, 忽
得兩足浮腫之症, 纏綿數月, 醫藥無效, 竟於去歲八月十五日辭世. 言之
慘心, 元長聞信, 其亦有寢門之痛耶? 聚珍字式, 曾賓谷處, 至今僅刻數百
字. 弟旣荷瀕行諄託. 一年以來, 每見曾公, 必代爲催訂, 無如不能得力,
抱歉之至. 尹公此來, 見過二次, 俱以天色將晚, 悤悤趨城, 每見不過數
語, 竟未得暢敍, 可勝悵悵? 人生偶合, 何莫非數, 其信然歟? 承詢, 及弟
嗣後如長在都中, 一二年內, 先生奉使再來, 續圖良會, 此則未敢遽諾. 因
在官, 不能自主, 恐失信於左右也. 大約在京之分居多. 茲書寄四箋一幅, 聊誌
遠懷. 倘置之座隅, 卽無異晤言一室, 至筆墨之工拙, 非數千里繾綣之意
矣. 幅短緒長, 諸惟以時珍重, 不宣. 元長先生文几. 大淸乾隆五十七年歲
次壬子正月二十八日, 浙江雲麓弟孫衡拜手. 見惠淸心丸已祗領, 謝謝. 附
去花牋一束, 香珠一匣, 希莞收. 又拜.

풍신은덕 573

豊紳殷德, 1775~1810

풍신은덕이 박제가에게 준 제목 없는 시

상주(尙主)574가 귀한 이를 기다리나니575   尙主候門貴

얕은 재주 성품만은 진솔하다네.   才微率性眞

손님 통해 시를 평함 우아하였고   評詩因客雅

어진 이 위해 분수 나눠 친하였었지.   略分爲賢親

그대가 문자 이해함을 기뻐하노니   喜汝解文字

내가 벗을 아낌을 응당 알리라.   知吾愛友賓

돌아가 그대 임금께 말해 주시게   歸言爾國長

똑같이 성조(聖朝)의 신하인 것을.   同是聖朝臣

---

573 풍신은덕(豊紳殷德): 1775~1810. 자는 수자(樹滋)로, 부마도위(駙馬都尉)이다.
574 상주(尙主): 제왕의 딸인 공주(公主)·옹주(翁主) 등에게 장가드는 일. 또는 부마(駙馬)
를 일컫는다. 여기서는 풍신은덕을 가리킨다.
575 기다리나니: 원문의 "候門"은 도연명의 「귀거래사」 중 "아이종 기뻐하며 맞이해 주고, 아
이들 문전에서 기다리누나"(僮僕歡迎, 稚子候門.)에서 따온 표현이다.

장백괴[576]
張伯魁, 1764~?

밤에 앉아 여러 사람과 함께 술을 조금 마신 감회를 적다. 아울러 박제가 검서에게 드려 바로잡아 주기를 청하다

夜坐同人小飮感懷, 兼呈齊家檢書正之

삭풍에 홀연히 돌아갈 맘 일어나니	朔風忽起南歸意
십 년간 집을 떠나 애쓴 일 부끄럽다.	十載離家愧服勞
술기운에 어눌한 말 얼굴은 붉어지고	語懶顔酡輸酒力
시호(詩豪)[577] 기대 낡은 옷에 몽당붓이라네.	衣鶉筆禿仗詩豪
꿈에선 진계(秦溪)[578] 가는 노를 익히 젓다가	夢回慣撥秦溪棹
시 읊고는 주미(麈尾) 깃털 빈번히 휘두른다.[579]	句落頻揮麈尾毫
훗날에 관직 있고 아울러 술 있어도	他日有官兼有酒
또한 다만 백성 고혈 다 쓸까 근심일세.	又愁絲忽盡民膏

---

576 장백괴(張伯魁): 1764~?. 호가 춘계(春溪)로, 절강(浙江) 해염(海鹽) 사람이다.
577 시호(詩豪): 빼어나고 호걸스러운 시인을 가리킨다. 백거이(白居易)가 유우석(劉禹錫)을 이렇게 불렀다.
578 진계(秦溪): 장백괴의 고향 해염(海鹽)을 흐르는 옛 물길의 이름. 밤마다 고향 가는 꿈을 꾼다는 의미로 썼다.
579 주미(麈尾)…휘두른다: '주미'(麈尾)는 큰 사슴의 꼬리털을 단 먼지떨이로, 주미를 휘두른다는 것은 청담(清淡)을 나눈다는 뜻이다. 진(晉)나라 사람들은 담론을 나눌 때 항상 먼지떨이를 흔들었다고 한다.

채염림[580]

蔡炎林, ?~?

초비 박제가 선생의 시에 차운하다

次苕翡先生

안개꽃[581]이 한묵(翰墨)을 알아보노니	煙花知翰墨
문 기대 웃음 파는 기생[582] 아닐세.	不是倚門人
중원서도 이 운사(韻事) 보기 드무니	韻事中原少
나그넷길 풍류가 늘 새롭구나.	風流客路新
원앙의 베틀[583] 위엔 달이 떠오고	元央機上月
난초 혜초 거울 속에 봄이로구나.	蘭蕙鏡中春
외따로 서로 아껴 그리는 곳에	別有相憐處
다시금 「점강순」(點絳脣)[584] 가락이 깊다.	更深點絳脣

---

580 채염림(蔡炎林): ?~? 자가 희조(曦照)로, 절강 호주(湖州) 사람이다. 박제가와 만날 당시 영원부(寧遠府)의 막료로 있었다.

581 안개꽃: 원문은 "煙花"로, 기녀의 별칭이다. 여기서는 육아(六娥)를 가리킨다.

582 문…기생: 원문의 "倚門"은 '의문매소'(倚門賣笑), 곧 기녀가 문에 기대어 손님을 끄는 일을 말한다.

583 원앙의 베틀: 원문의 "元央機"는 베틀의 별칭이다.

584 「점강순」(點絳脣): 미인의 붉은 입술이라는 뜻으로, 사조(辭調) 또는 곡패(曲牌)의 이름이다. '강'(絳)은 붉다는 뜻이다. 남조시대 양(梁)나라의 시인 강엄(江淹)이 「미인의 봄나들이를 읊다」(詠美人春游)에서 "옥 같은 모습에 흰 눈 엉겼고, 붉은 입술 명주를 박은 듯해라"(白雪凝瓊貌, 明珠點絳脣.)라 한 바 있다.

부(附) 선공의 원운[585]

附 先公元韻

뜻하잖게 기생집[586] 술자리에서	不意句欄藉
시를 짓는 그대[587]와 서로 만났네.	相逢閨集人
그린 그림 가을에 들은 지 오래	圖成秋聽久
아문이란 당호는 새로웁다네.	堂號我聞新
금슬 타며 하늘가서 꿈을 꾸노니	錦瑟天邊夢
복사꽃 핀 산 아래 봄이로구나.	桃花嶺底春
풍류는 뱃속 비게[588] 하지 않나니	風流非負腹
좋은 일에 입술을 놀리지 마오.[589]	好事莫翻脣

객성(客星)[590]이 만 리 길에 거친 고을[591] 들르시니

客星萬里過荒州

585　선공의 원운: 『정유각집』 시집 권3 「가산의 시 쓰는 기생 육아가 시를 청하므로 붓을 내달리다」(嘉山詩姬六娥索詩走筆)이다. 『정유각집』에는 해당 시의 바로 밑에 「정유 선생께 화답하다」(和貞蕤先生)라는 제목으로 채염림의 차운시가 부기(附記)되어 있다. 소주(小注)에 채염림의 절구 1수가 적혀 있는데, 바로 뒤에 나오는 시이다.
586　기생집: 원문은 "句欄"으로, 기생이나 배우의 거처를 가리킨다.
587　시를 짓는 그대: 원문은 "閨集人"이다. '윤집'(閨集)은 부녀나 승려 등의 작품집을 말한다.
588　뱃속 비게: 원문은 "負腹"이다. 글자대로 풀면 '배를 저버린다'는 뜻인데, 배를 비운다는 말이다.
589　입술을 놀리지 마오: 원문의 "翻脣"은 '번순농설'(翻脣弄舌)의 줄임말로, 교묘한 언사로 희롱함을 뜻한다. 『금병매』(金甁梅)와 『성세항언』(醒世恒言) 등 중국 백화소설에 용례가 보인다.
590　객성(客星): 혜성처럼 일시적으로 나타나는 별로, 나그네를 비유한다. 여기서는 박제가를 가리킨다.
591　거친 고을: 채염림 자신이 속관으로 있는 영원주(寧遠州)를 낮추어 말한 것이다.

	잠시 만나[592] 기쁜 말로 수창 못함 부끄럽다.	傾蓋言懽愧莫酬
	뒷날에 돌아가면 응당 몰래 웃으시리	他日東歸應竊笑
	중화 땅 두 선비[593]가 풍류가 없더라고.	中華二士欠風流

박 노야께

朴老爺啓

삼가 답장 드립니다. 한 번 헤어지고는 십 년이 지났군요. 매번 이곳을 지나는 귀국 사람을 만날 때마다 기거(起居)를 묻지 않은 적이 없지만, 여태껏 확실한 소식을 얻지 못하였습니다. 이번에 뜻밖에 귀한 서신을 은혜로이 내려 주시니, 목소리가 귀에 들리는 것만 같아서 급히 달려가 문안하고 한차례 쌓인 회포를 말하고 싶군요. 하지만 제 아버님께서 지난달 말에 세상을 떠나셔서 마침 상중[594]에 있다 보니 감히 자리를 뜨지 못합니다. 다만 마음으로 그대 곁에 달려갈 뿐이니 몹시 서운하군요. 혼

---

592 잠시 만나: 원문의 "傾蓋"는 '경개여구'(傾蓋如舊)의 준말로, 길거리에서 우연히 처음 만나 사귄 인연, 또는 그런 짧은 만남에도 이루어진 돈독한 우정을 뜻한다. 『사기』「추양열전」(鄒陽列傳)의 "흰머리가 되도록 오래 사귀었어도 처음 만난 사람 같을 때가 있고, 수레 덮개를 기울여 잠깐 이야기를 나눴어도 오랜 벗처럼 느껴지는 경우가 있다"(白頭如新, 傾蓋如故.)는 말에서 유래하였다.

593 두 선비: 채염림과 함께 박제가를 찾아갔던 영원부의 역승(驛丞) 영태(寧泰) 두 사람을 말한다. 당시 박제가는 지나가는 길에 영원부에 잠깐 숙박하고 있었다. 『호저집』 찬집 '채염림' 항목에 당시 일이 소개되어 있다.

594 상중: 원문은 "苫塊"인데, '침점침괴'(寢苫枕塊)의 준말이다. 거적으로 자리를 삼고 흙덩이로 베개를 삼는다는 뜻으로, 거상(居喪)의 예를 말한다.

자 생각에 똑같이 애석해함이 있으리라 여기옵고, 혹 훗날 인연이 있다면 다시 만나 이야기를 나누고 싶지만 이 또한 정할 수는 없겠습니다. 두루 평안하시기 바랍니다.

채염림은 정유거사(貞蕤居士) 선생께 절하고 올립니다. 3월 19일, 등불 아래서.

敬覆者, 一別十年, 每遇貴國經過者, 未嘗不詢起居, 迄未得其確耗. 茲忽華翰寵頒, 如聆謦欬, 急欲趨候, 一談積愫. 詎先嚴於上月杪見背, 適在苫塊之頃, 不敢離次. 惟有神馳座右而已, 悵惘之. 私諒有同惜, 或他日有緣, 再圖把晤, 亦未可定也. 順候台安. 蔡炎林拜上, 貞蕤居士先生, 三月十九日燈下.

오명황[595]
吳明煌, 1737~1821

박 대노야께
朴大老爺啓

휘묵(徽墨) 2갑, 휘차(徽茶) 2포, 해시계 2개, 호필(湖筆) 10자루를 올려
보냅니다. 오명황은 조카 방언(邦彦)과 함께 두 번 절합니다.

送上徽墨貳匣, 徽茶貳包, 日晷貳箇, 湖筆十矢, 吳明煌率姪邦彦載拜.

---

595   오명황(吳明煌): 1737~1821. 자가 성우(星宇)이고, 호는 진암(振菴)이다. 본관은 의징
(儀徵)이며, 집은 양주(揚州)에 있었다.

왕도[596]

王濤, ?~?

이언(俚言) 2수를 돌아가는 차수 선생께 받들어 드리며 아울러 바로잡아 주시기를 청하고 존서(尊書)를 구함

俚言二首奉贈次修先生旋歸, 幷請郢呈, 兼乞尊書

듣자니 삼산(三山)[597]은 신선의 집이라니	三山聞說是仙家
가고 옴에 은하수의 뗏목[598]을 타시리라.	來去還槎天漢槎
단봉(丹鳳)의 글이 있어 사명(使命)을 머금고서[599]	丹鳳有書銜使命
오는 길의 풍광을 황화(皇華) 시로 읊으시네.	風光一路賦皇華

좋은 시구 일찍이 석호(石湖) 읊음[600] 보았더니	好句曾看咏石湖
어이해 갑자기 여구가(驪駒歌)[601]를 듣게 되나.	如何忽聽唱驪駒

596　왕도(王濤): ?~? 자가 소행(素行)·연수(練水)로, 강남 사람인데 양주(揚州)로 이사했다.
597　삼산(三山): 동해의 삼신산(三神山), 즉 봉래(蓬萊)·방장(方丈)·영주(瀛洲)이다. 여기서는 조선을 뜻한다.
598　은하수의 뗏목: 원문은 "天漢槎"로, 신선이 타는 배이다.
599　단봉(丹鳳)의…머금고서: '단봉함서'(丹鳳銜書). 제왕의 조서(詔書)에 대한 미칭이다.
600　석호(石湖) 읊음: 나빙의 그림으로 오조가 가지고 있던 〈석호도〉(石湖圖)에 박제가가 제(題)한 일을 지칭하는 듯하다. 박제가의 시는 『정유각집』 시집 권3에 「백암 오조의 〈석호과경도〉 두루마리에 쓰다」(題白菴吳照石湖課耕圖卷)라는 제목으로 실려 있다. 관련 기록이 『호저집』 찬집 '오조' 항목에 자세하다.
601　여구가(驪駒歌): 고별(告別)을 뜻한다. 원문의 "驪駒"는 객이 떠날 때 부르는 노래를 이르는 말이다. '여가'(驪歌)라고도 한다.

채색 구름[602] 나아감이 얼마 남지 않았는데　　　　卿雲欲就知無日

조도(釣徒)에게 은구(銀鉤) 주심 감히 청해 보네.[603]　敢乞銀鉤付釣徒

신종익[604]
辛從益, 1759~1828

졸구로 삼가 동쪽으로 돌아가는 박 노선생을 전송하다. 성청(聖淸) 건륭 55년(1790) 9월 한로(寒露) 후 1일, 한림원서길사

拙句奉送朴老先生東歸. 聖淸乾隆五十五年九月寒露後一日, 翰林院庶吉士

금엽(金葉)에 쓴 글[605] 따라 상국을 유람하니　　　　金葉書隨上國遊

노래 듣던 오나라의 계찰(季札)[606] 풍류 생각나네.　聽歌吳札想風流

천년의 문자는 중국 땅과 똑같아도　　　　　　　　千年文字符中土

602　채색 구름: 상서로운 구름. 어진 임금이나 신하를 뜻한다. 여기서는 박제가가 곧 높은 벼슬에 오를 것이라는 칭찬의 의미로 썼다.

603　조도(釣徒)에게…청해 보네: '은구'(銀鉤)는 힘이 있는 뛰어난 서법, '조도'(釣徒)는 낚시꾼이다. 박제가에게 글씨를 써 달라는 청이다.

604　신종익(辛從益): 1759~1828. 호가 균곡(筠穀)·운곡(雲谷)으로, 한림원서길사를 지냈다.

605　금엽(金葉)에 쓴 글: 금박 종이에 쓴 글. 여기서는 조선 임금이 청나라 황제에게 바치는 공물(貢物) 문서를 가리킨다. 『원사』(元史) 세조(世祖) 9년에 "마팔아국에서 사신을 보내 금엽서와 토물로 조공해 왔다"(馬八兒國遣使, 以金葉書及土物, 來貢.)라고 한 용례가 있다.

606　노래…계찰(季札): 춘추시대 오(吳)나라의 공자(公子) 계찰(季札)이 일찍이 노(魯)나라에 사신으로 가서 옛 주(周)나라의 음악을 듣고 탄복했던 일을 가리킨다. 여기서는 박제가가 사신으로 와서 청나라의 문물을 두루 보았다는 말이다.

팔도의 구름안개 나그네 시름 떠올린다.　　　　　八道雲煙憶客愁

여기 여강(驪江) 떠나가매 시사(詩思)가 더해지니　此去驪江添藻思

강절(絳節)607에 기대어서 영주(瀛洲)를 바라보네.　曾依絳節覽瀛洲

덕스런 뜻 잘 베풀어 우리 황제 성대하니　　　　好宣德意吾皇盛

훗날에 다시 와서 서로 예물 나눕시다.　　　　它日重來縞紵投

우연히 옛 절에서 의관(衣冠)을 분별하니　　　　偶從古刹辨衣冠

필어(筆語)에 환히 통해 말 기대어 보았었네.　　筆語淹通倚馬看

마침내 고운 마음608 하루 머묾 허락하여　　　　竟許素心留一日

먼 노고에 청안(靑眼)609이 삼한에 떨어지리.　　遠勞靑眼落三韓

함께 있는 몇 사람들 시통(詩筒)이 민첩하고　　居聯幾輩詩筒捷

망형(忘形) 사귐 맺었어도 말 나누긴 어렵다네.　交到忘形話柄難

추지(硾紙)610에 쓴 몇 줄 시는 보귀하다 할 만하니　硾紙數行堪寶貴

다시금 금가루를 오사란(烏絲欄)611에 뿌린 듯해.　碎金還擬付烏欄

607　강절(絳節): 사신의 증표인 붉은 부절을 말한다.

608　고운 마음: 원문의 "素心"은 깨끗하고 고운 마음을 지녀 벗 삼고 싶은 사람을 뜻한다. 도연명의 「남촌」(南村) 시에 "깨끗한 맘 지닌 이들 많다고 하니, 아침저녁 자주 만나 즐기련 다"(聞多素心人, 樂與數晨夕.)라고 하였다.

609　청안(靑眼): 호의가 어린 따사로운 시선. 진(晉)나라 죽림칠현의 한 사람인 완적이 속된 선비가 찾아오면 백안(白眼)을 뜨고, 청아한 고사(高士)가 찾아오면 청안(靑眼)을 뜨고 살갑게 대했다는 고사가 있다.

610　추지(硾紙): 종이를 방망이로 두드려 결을 누이고 표면에 광택을 더한 고급 종이이다.

611　오사란(烏絲欄): 본서 290면 각주 446번 참조.

부(附) 선공의 원운[612]

附 先公元韻

넓은 소매 긴 적삼에 도사의 관모 쓰고 　　　廣袖長衫道士冠

거리에서 근심겨워 먼 사람을 바라보네. 　　　攔街愁煞遠人看

그대 응당 인재 구함 나로부터 한다 하면[613] 　　君應買骨先從隗

나는 제후 봉해짐을 그대 앎과 맞바꾸리.[614] 　我以封侯抵識韓

만 리에 그리운 맘 꿈속에도 남아 있어 　　　萬里相思魂夢在

헤어짐이 어려워서 천 번을 서성이네. 　　　千回佇立別離難

한 가지 평생 한을 공연히 보태나니 　　　　空添一種平生恨

그날에 경황없어 이야기 다 못하누나. 　　　當日悤悤話未闌

연하 기운 띤 말[615]에도 얼굴 알긴 늦었더니 　語帶煙霞識面遲

서로 만나 손잡고는 마음 나눈 벗 되었지. 　相逢一握訂心知

수레와 글자 해국(海國)과 원래 차이 없어서 　車書海國原無外

612　선공의 원운: 『정유각집』 시집 권3에 「한림 균곡 신종익의 시에 차운하여 준 한 수」(次韻
辛筠谷翰林從益見贈之一)라는 제목으로 실려 있다.

613　나로부터 한다 하면: 원문은 "先從隗"로, '선종외시'(先從隗始)의 고사를 말한다. 전국시
대 연나라 소왕(昭王)이 곽외(郭隗)에게 인재를 모을 방법을 묻자, 곽외가 천금(千金)으로 천
리마의 뼈를 산 옛일을 들어 먼저 자신부터 등용한다면(先從隗始) 천하의 인재가 모여들 것이
라 한 데서 왔다.

614　나는…맞바꾸리: 명사를 흠모하는 마음을 나타낸 말. 이백이 「여한형주서」(與韓荊州書)
에서 "이 세상에 태어나 만호후는 될 것 없고, 그저 한 형주를 한번 알고자 한다"(生不用封萬戶
侯, 但願一識韓荊州.)라고 한 바 있다.

615　연하 기운 띤 말: 언어가 탈속하여 신선의 기운과 같다는 뜻이다. 소식의 「증시승도통」
(贈詩僧道通)에 "말이 연하를 띤 것은 예로부터 드물다"(語帶煙霞從古少.)라고 하였다. 여기
서는 박제가를 만나기 전에 글을 통해 먼저 알았음을 말한다.

천조(天朝)에 사신 오매 만날 기약 있다네.　　貢使天朝會有期

새로 사귄 벗을 아껴 작별 노래 지으니　　只惜新交成別賦

술잔 들고 이별 시름 달랠 수가 있겠구나.　　可能尊酒慰離思

고래와 자라 타고 갈 제 푸른 물결 넓으리니　　鯨鰲騎去滄波闊

금대(金臺)616의 기러기 옛 허공을 날아가리.617 鴻羽金臺舊漸逵

추등표616

鄒登標, ?~?

경술년(1790) 9월에 차수 선생을 알게 된 것을 기뻐하며, 이를 지어
가는 길에 드리고는 바로잡아 주시기를 바라다
庚戌九秋, 喜識次修先生, 賦此贈行, 卽正

해북(海北)과 강남(江南)619은 본디 기약 없건만　　海北江南素未期

---

616 금대(金臺): 전국시대 연나라 소왕이 천하의 현사(賢士)를 맞이하기 위해 역수(易水) 동
남쪽에 건립했던 황금대(黃金臺)를 이른다. 전의되어 연경(燕京)을 가리킨다.
617 기러기…날아가리: 본래 『주역』 「점괘」(漸卦) 상구(上九)의 "상구는 기러기가 공중으로
점점 날아가는 것인데, 그 깃이 의표(儀表)가 될 만하니, 길하다"(上九鴻漸于陸, 其羽可用爲
儀, 吉.)라는 구절에서 온 말이다. 여기서 '陸'은 '逵'와 통하는데, '逵'는 '구름길'이라는 뜻으로
허공 또는 공중을 의미한다.
618 추등표(鄒登標): ?~? 자가 상준(尙準), 호는 하헌(霞軒)으로 송강(松江) 청포(靑浦) 사
람이다.
619 해북(海北)과 강남(江南): 원문의 "海北江南"은 북쪽 변경으로부터 장강(長江) 이남까

우연히 북경에서 빛난 자태 알게 됐지.　　　偶從日下識光儀

편지 통해 말을 넣어 큰 붓을 휘두르고　　　語因書達揮椽筆

마음 담은 시를 써서 비단 문장 지었다네.　　詩出心裁製錦詞

바람 따라 홀로 와서 만나 보고 해후하니　　適願自來逢邂逅

애타는 맘 예로부터 이별을 슬퍼하네.　　　銷魂從古恨分離

수레 기울여[620] 친히 지낸 날들을 어찌하고　　何緣傾蓋相親日

어느새 가는 수레 떠나려 할 때일세.　　　　便是征車欲去時

기자(箕子)가 옛 조선에 나라를 전했더니　　國傳箕子舊朝鮮

천자 뵈러 사신 오니 관리마저 신선일세.　　入覲宣來吏亦仙

정 지극히 사귐 맺어 폐백(幣帛)조차 잊고서　情至締交忘幣帛

흥 거나해 먹물 떨궈 구름안개 물들였지.　　興酣落墨染雲煙

멋진 그대 휘주(揮麈)[621]함은 정신이 해맑은데　多君揮麈神沖爾

헤어짐에 임하여서 생각만 망연하다.　　　使我臨歧思惘然

그리움[622]을 아스라이 내던지지 못하니　　雲樹依依抛未得

어느 해나 금대(金臺)에서 다시 만나 볼거나.　金臺重晤在何年

지라는 뜻으로, 서로 멀리 떨어져 있음을 의미한다. '새북강남'(塞北江南), '해북천남'(海北天
南)이라고도 한다.

620　수레 기울여: 원문의 "傾蓋"는 수레 덮개를 기울인다는 뜻으로, '경개여구'(傾蓋如舊)의
준말이다. 길거리에서 우연히 처음 만나 사귄 인연, 또는 그런 짧은 만남에도 이루어진 돈독한
우정을 뜻한다. 본서 339면 각주 592번 참조.

621　휘주(揮麈): 청담(淸淡)을 나눈다는 뜻. 본서 336면 각주 579번 참조.

622　그리움: 원문은 "雲樹". 벗을 그리는 마음을 의미한다. 두보의 「봄날 이백을 생각하며」(春
日憶李白)에서 자신과 이백이 만나지 못하는 처지를 빗대어 "위수 북쪽 봄날의 나무 한 그루,
장강 동쪽 해 질 녘 구름"(渭北春天樹, 江東日暮雲.)이라고 하였다.

최경칭⁶²³

崔景偁, 1769~1793

시구를 조선으로 돌아가는 차수 검서께 보내 바로잡아 주시길 청하다

句送次修檢書東歸幷政

바닷가 신선의 빙설 같은 얼굴을	海上仙人氷雪顔
야학(野鶴)이 뜬구름 사이에서 만났구나.	遇之野鶴浮雲間
낙랑 땅⁶²⁴의 박(朴)군은 참으로 빼어나니	樂浪樸君眞奇絶
머리 위엔 수레바퀴⁶²⁵ 옷은 모두 백설 같네.	頭上車輪衣盡雪
남을 보곤 높이 절해 청담으로 즐기니	見人高揖娛淸談
내 다시금 선비 절도 얽매이지 않으리라.	我更不拘儒者節
지난해 송보순에게 주셨던 단가(短歌)는	去年短歌贈宋子
고인 침을 멈추지 못하게 하였었지.	使我饞涎流不止

"송지산을 맞이하여 모름지기 취하리라"⁶²⁶라는 구절이니, 시의 미구(尾句)이다. 正須邀醉宋芝山, 詩中尾句也.

올해엔 기이한 시 〈죽루도〉 권에 지어 주어⁶²⁷	今年奇句題竹樓

---

623 최경칭(崔景偁): 1769~1793. 자가 우양(禹揚), 호는 죽루(竹樓)로, 산서(山西) 영제(永濟) 사람이다. 송보순(宋葆醇)의 처남이다.
624 낙랑 땅: 낙랑군(樂浪郡). 한사군(漢四郡)의 하나이다. 여기서는 조선을 가리킨다.
625 머리 위엔 수레바퀴: 조선인이 쓴 둥근 갓을 두고 한 말이다.
626 송지산을…취하리라: 박제가가 송보순에게 보낸 시 「지산 송보순에게 부쳐 보내다」(寄贈宋芝山) 중 마지막 구이다. 『정유각집』 시집 권3에 실려 있다.
627 올해엔…지어 주어: 『정유각집』 시집 권3에 「최경칭의 〈죽루도〉 권에 적다」(題崔景偁竹

온 골짝의 대나무를 시름겹게 만들었네.　　　　　　　使我一谷竹欲愁

그대 시를 읽으면서　　　　　　　　　　　　　　讀君詩

그대 술을 따르다가,　　　　　　　　　　　　　　酌君酒

뗏목 타고 어쩌다 견우 북두 기댔으니　　　　　　星槎偶爾依牛斗

편석(片石)을 찾아서 실었는가 묻노라.[628]　　　問君載尋片石否

악시

鄂時, ?~?

정유 선생께 드리다[629]

貞蕤先生正

樓圖卷)가 있다. 〈죽루도〉는 나빙이 그려 준 것이다. 최경칭이 박제가에게 〈죽루도〉의 시를 요청하는 필담이 『호저집』 찬집 '최경칭' 항목에 실려 있다.

628 뗏목…묻노라: 사신의 행차를 한 무제 때 장건의 고사를 인용하여 사신의 행차를 표현한 것이다. 장건이 사신이 되어 서역에 가던 길에 뗏목을 타고 황하의 근원을 찾아 한 성시(城市)에 이르렀다. 베를 짜는 여인과 소에게 물을 먹이는 남자를 보고, 여기가 어디인지를 묻자 여인이 지기석(支機石)을 주며 점술(占術)로 이름난 엄군평(嚴君平)에게 물어보라고 하였다. 엄군평을 찾아가 지기석을 보여 주자 그가 "이 돌은 직녀의 지기석이다. 어떤 날에 객성(客星)이 견우성과 직녀성을 범하였는데, 지금 헤아리니 바로 이 사람이 은하(銀河)에 이른 때이다"라 하였다. 인하여 사신을 성사(星使)라고 이르게 되었으니, 원문의 '성사'(星槎)는 사신의 뗏목이다.

629 정유 선생께 드리다: 이 시는 당나라 이백이 벗 최성보(崔成甫)에게 준 「최 시어에게 주다」(贈崔侍御)의 처음 여섯 구를 그대로 절취했다. 원작의 "岳"을 "丘"로, "海"를 "水"로 바꾸었다. 원시(原詩)는 이렇다. "長劍一杯酒, 男兒方寸心. 洛陽因劇孟, 託宿話胸襟. 但仰山嶽秀, 不知江海深."

긴 칼 한 잔 술	長劍一杯酒
남아의 한 마음.	男兒方寸心
낙양에서 극맹(劇孟)630을 만나	洛陽因劇孟
함께 자며 속마음 털어놓았네.	託宿話胸襟
산 언덕 빼어남 우러르다가	但仰山丘秀
강물이 깊은 줄 알지 못했지.	不知江水深

탕조상631

湯兆祥, ?~?

짧은 시로 이별을 적고 아울러 화답시를 바라다

小詩志別, 幷望和章

조대(措大)632라 참으로 웃을 만한데	措大眞堪笑
돈이란 것 정말로 신령스럽네.	錢靈信有神
시 가운데 이따금 옥이 쌓이고	詩中時積玉

---

630 극맹(劇孟): 전한(前漢) 낙양 사람으로, 의협(義俠)으로 명성이 높았다. 여기서는 박제가를 가리킨다.
631 탕조상(湯兆祥): ?~? 자가 오복(五福)이고, 호는 오괴(五魁)다. 강서(江西) 광신부(廣信府) 귀계(貴溪) 사람이다.
632 조대(措大): 빈한한 일개 서생을 말한다.

편집

앉은자리 봄기운 돋아날 듯해.	座裏欲生春
떠돌며 누각 오른 왕찬(王粲)의 신세[633]	飄泊登樓粲
풍류는 상 내리던 진번(陳蕃)이라네.[634]	風流下榻陳
배 저어 이별하니 물은 푸른데	一篙離水綠
낚시를 함께하기 약속해 보네.	相約共垂綸

제패련[635]
齊佩蓮, ?~?

부족한 시로 삼가 박 노야의 원시(原詩)에 부치다
俚句謹寄朴老爺原唱

사신 깃발 머문다 말을 듣고서	聞道旌旗住

---

633 떠돌며…신세: 적(籍)이 없는 신세를 말한다. 후한 말 건안칠자(建安七子)의 한 사람인
왕찬이 형주(荊州)의 유표(劉表)에게 의탁하고 있을 때, 강릉(江陵)의 성루(城樓)에 올라가서
「등루부」(登樓賦)를 지어 "참으로 아름답지만 내 고향 아니니, 어찌 잠시인들 머물겠는가"(雖
信美而非吾土兮, 曾何足以少留.)라고 하며 객수(客愁)를 토로한 일을 가리킨다. 여기서는 탕
조상 자신을 가리키는 듯하다.
634 풍류는…진번(陳蕃)이라네: '진번하탑'(陳蕃下榻)의 고사로, 인재를 극진히 대접하는 일
을 이른다. 후한(後漢)의 진번이 태수로 있으면서 현사(賢士) 서치(徐穉)가 오면 특별히 걸상
을 내려놓았다가 그가 가면 다시 올려놓았다.
635 제패련(齊佩蓮): ?~? 자가 자촌(紫村), 호는 황애산인(黃崖山人)이다. 유관(楡關) 출신
의 수재로, 조선 사신들이 이곳을 지나갈 때마다 종종 필담을 나누며 교유하였다.

금수(錦繡)의 안장 타고 가서 맞았지.　　趨迎錦繡鞍

여러 번 동국(東國) 꿈을 품었더니만　　屢懷東國夢

때마침 북쪽 하늘 찬 날씨라네.　　時屆北天寒

고운 글 등불 앞서 얻은 것이요　　綺麗燈前得

구슬 같은 글씨를 붓 아래 보네.　　瓊瑤筆底看

그대는 황제의 은덕 입으니　　知君沾帝德

이 걸음 힘들다 말하지 마소.　　莫謂此行難

부(附) 선공의 원운[636]

附 先公元韻

성근 등불 나그네 밥상 비추고　　疎燈照客餐

새벽빛 말안장을 스치는구나.　　曙色拂征鞍

한 해는 유주(幽州)에서 저물어 가고　　歲入幽州暮

하늘은 갈석산(碣石山)을 차게 둘렀네.　　天圍碣石寒

십 년간 이곳을 세 번 왔으니　　十年三度[637]處

사해의 한구석을 보았다 하리.　　四海一邊看

솟구치던 의기는 다 줄어들어　　減却飛騰意

길 가기 어려움을 비로소 아네.　　方知道路難

636　선공의 원운: 『정유각집』 시집 권3에 「유관」(楡關)이라는 제목으로 수록되어 있다.
637　度: 『정유각집』에는 "到"로 되어 있다.

완안괴륜[638]

完顏魁倫, ?~1800

가경 6년(1801) 8월[639]에 우연히 손가락으로 그림 그리는 장난을 하다
가 아울러 유가(油歌)[640]를 지어 선면(扇面)의 남은 종이를 채우다

時嘉慶六年八月, 偶爲染指之戲, 幷作油歌, 以足箑面之餘紙

손가락으로 국화 그려[641] 먹물에 젖은지라	指作黃花墨汁濡
가지와 잎새들이 온통 모두 엉망일세.	枝枝葉葉盡胡塗
성글어도 그나마 해맑은 자태 있어	蕭疎幸有淸幽態
어여뻐도 화장한 모습 아님을 기뻐하네.	艶冶欣非粉黛模
성품이 게을러서 그림은 정밀찮고	畫不精工因性懶
글을 잘 알지 못해 시에는 격조 없네.	詩無格調欠知書

---

638 완안괴륜(完顏魁倫): ?~1800. 자는 관보(官甫)로, 만주 정황기(正黃旗) 사람이다. 금원
(金元) 황족의 후예로, 벼슬은 복건장군(福建將軍)을 지냈다.

639 가경 6년(1801) 8월: 연대에 오류가 있다. 완안괴륜은 1801년 연행 당시 이미 죄를 지어
사사(賜死)된 뒤였다. 게다가 유득공의 『연대재유록』(燕臺再遊錄)에 따르면 박제가를 비롯한
조선 사신단은 1801년 5월 3일에 귀국길에 올랐다. 이 시는 1790년 열하(熱河)의 조방(朝房)
에서 박제가와 유득공을 만났을 때 지은 작품으로 보는 것이 타당하다. 완안괴륜은 박제가의 부
채에 지두화(指頭畫)로 국화를 그리고, 유득공의 부채에는 「꽃향기 옷에 가득함을 희롱함」(弄
花香滿衣) 1수를 적어 주었다. 유득공의 『난양록』(灤陽錄) 권2 「복건장군」(福建將軍) 조에 자
세하다.

640 유가(油歌): 의미가 분명치 않다. 예전 구절 가운데에 우스개를 섞고 평측이나 운율에 얽
매이지 않은 시를 '타유시'(打油詩)라 불렀다. 당나라 때 장타유(張打油)가 처음 만들었다고 한
다. 시의 내용으로 보아 제목의 유가는 이 타유시의 의미로 쓴 듯하다.

641 손가락으로 국화 그려: 지두화(指頭畫)를 일컫는다. 손가락으로 그림을 그리는 기법이
다. 완안괴륜은 지두화에 능했다.

사람들 비웃으며 애기할 것 잘 알지만　　　　識人訕笑須相告

그릇되이 이 글에다 한 무부(武夫)를 붙여 보네.　　謬附斯文一武夫

유석오 [642]
劉錫五, ?~?

부(附) 원조헌 윤인태 군에게 [643]
附 遠照軒尹君

서기를 소두(小杜) [644]라 이름함이 어떠한가　　書記何如小杜名

거문고 책 새로 지어 연경으로 오셨구려　　琴書新作上京行

만약에 주국(酒國)에서 문호(門戶)를 논한다면　　若從酒國論門戶

노나라의 두 서생과 솥발 되긴 어렵겠네. [645]　　鼎足難爲魯兩生

642　유석오(劉錫五): ?~? 자가 수자(受茲), 호는 징재(澄齋)이다. 산서(山西) 개휴(介休) 사람이다. 벼슬은 한림학사를 지냈다.

643　원조헌 윤인태 군에게: 유석오의 『수사서옥시집』(隨俟書屋詩集) 권9에 수록된 「조선의 세 사신께 드림」(贈朝鮮三使臣) 중 「윤인태」(尹仁泰)라는 제목으로 실려 있다.

644　소두(小杜): 당나라 시인 두목(杜牧)의 별칭. 두보와 구분하여 이렇게 부른다. 두목은 당대에 시인이자 풍류 미남으로 이름을 떨쳤는데, 윤인태 또한 시를 잘 짓고 술을 잘 마시는 등 풍류가 있었다.

645　노나라의…어렵겠네: 원문의 "鼎足"은 정족지세(鼎足之勢)의 준말로, 솥의 세 발처럼 여러 집단이 균형을 이루고 있는 형세를 뜻한다. 여기서는 조선 사행단의 윤·김·이 세 사람을 가리킨다. "魯兩生"은 한 고조 때 숙손통(叔孫通)이 유생들을 불렀는데 오직 두 명의 유생이 예법에 어긋난다 거부하고 응하지 않았던 고사에서 나왔다. 여기서는 윤에 비해 김과 이가 술을 잘

윤 군은 술을 잘 마시는데 김(金)과 이(李)[646]가 모두 미치지 못한다. 尹君善

飮, 金李皆不及也.

먼젓번 사신에는 박 차수가 왔는데	奉使前回朴次修
지나는 기정(旗亭)마다 좋은 시를 남겼었지.	旗亭隨處好詩留
그대 통해 그리운 소식을 부치나니	憑君爲寄相思字
그때엔 어이하여 나를 알지 못했던가.	當日何緣未識劉

윤 군이 박 차수와 친하므로 장난삼아 언급했다. 君與朴爲親串, 故戲及之.

마시지 못한다는 뜻으로 한 말이다.

646 김(金)과 이(李): 김은 자제군관 김이도(金履度, 1750~1813)로 보인다. 이는 이지원(李
祉源)으로, 부사 이조원(李祖源, 1735~1806)의 동생이다. 자는 영지(永之), 호는 동곡(東谷)
이다.

주악[647]

周諤, ?~?

| 주악이 박제가에게 준 제목 없는 시 |

달마대사 서쪽에서 찾아와서는	達摩從西來
자취를 산사(山寺)에 의탁하였지.	寄跡懷山寺
갈대 타고 신광(神光)[648]이 찾아와 뵈니	一葦見神光
법 전함에 궤이(詭異)함을 뽐내었네.[649]	傳燈矜詭異

외론 탑 가시덤불 속에 있는데	孤塔荊莽中
눈길 밟고 다행히 직접 왔다네.	淅歷幸親至
맞은편 언덕 우뚝 솟은 형산(荊山)을 보고	對岸屹荊山
홀연히 전생의 일 깨달았다네.	恍然悟前事

| 후세 사람 황금이라 거짓 속여서 | 後人譌以金 |

---

647 주악(周諤): ?~? 자가 춘전(春田), 호는 청운(聽雲)으로, 강남(江南) 사람이다. 벼슬은 귀주학정(貴州學政)을 지냈다. 해당 항목의 시 4수는 제목이 빠지고 없다. 달마대사(達磨大師)와 혜가선사의 전법(傳法)을 말했고, 달마대사가 갈댓잎을 타고 양자강을 건넌 이야기를 다루었는데, 전후 맥락을 알기 어렵다.

648 신광(神光): 달마대사의 제자이자 선종 제2조인 혜가선사(慧可禪師)의 이름이다.

649 법…뽐내었네!: '혜가단비'(慧可斷臂)의 고사. 소림사(少林寺)에서 면벽 중인 달마대사를 찾아온 혜가가 배움을 청하였는데, 달마가 그를 돌아보지 않았다. 이에 혜가가 자신의 팔뚝을 잘라 달마에게 바치자 달마가 그를 제자로 허락하였다고 한다. 궤이한 방법으로 불법(佛法)을 전했다는 말은 이를 가리킨다.

마침내 거짓에 속고 말았지.	眞逐蒙於譌
이는 바로 갈댓잎 배와 같거니	卽如一葦杭
그래도 작은 배는 건널 수 있지.	猶是小舟濟
어이해 언덕 갈대 굳이 꺾어서	何須折岸葦
사나운 강 물결을 건너려 하나.	乃涉江濤厲
시인이 지은 시를 내가 읊노니	我詠風人詩
육곡(六曲)이 아이들 장난 같구나.	六曲等兒戲

진희렴[650]

陳希濂, ?~?

진희렴이 박제가에게 보낸 무제 편지

때마침 막 보내 주신 글월을 받았습니다. 말씀하신 것이 제 마음에 꼭 맞으니, 얼마나 상쾌하던지요. 첩선(帖扇) 두 종류를 감상하시라고 올리오니 웃고 받아 주시면 고맙겠습니다. 또 직접 쓴 졸고는 두 분 좋은 벗의

---

650 진희렴(陳希濂): ?~? 자가 병형(秉衡), 호는 곡수(瀔水)이다. 절강(浙江) 전당(錢塘) 사람으로, 가경(嘉慶) 3년(1798)에 거인이 되었다. 화훼(花卉)를 잘 그리고, 예서(隸書)에 능했으며, 감식안이 뛰어났다고 전한다.

거처에 나누어 주시기를 바랍니다. 이것으로 아울러 문안을 드립니다.

　　진희렴이 정유 선생 족하께 절하고 드림.

適纔得領敎, 言甚愜鄙衷, 快何如之? 帖扇二種, 用登淸賞, 幸哂存之. 又字幅拙稿, 祈二令友處, 令爲分致. 率此竝上候. 陳希濂拜上貞蕤先生足下.

반휘익 [651]

潘輝益, 1751~1822

원명원(圓明園) [652]의 연회에서 박 검서의 선시(扇詩)를 얻고 바로 그 시에 차운하여 애오라지 정을 보낸다
圓明園侍宴得朴檢書扇詩, 卽次其韻, 聊以送情

별들이 황제 보좌 둘러서 도니	星辰環帝座
날갯짓해 신선 고을 올라왔다네.	翰羽上仙洲

651　반휘익(潘輝益): 1751~1822. 안남(安南) 사람으로, 자가 겸수(謙受), 호는 유암(裕庵)이다. 벼슬은 본국에서 이부우시랑(吏部右侍郞)을 지냈고, 호택후(灝澤侯)로 봉해졌다.
652　원명원(圓明園): 북경에 있는 청나라 황궁의 정원 가운데 하나로, 본래 강희제가 넷째 아들 윤진(胤禛)에게 하사한 별장이었는데, 윤진이 옹정제로 등극하여 황궁의 정원으로 조성했다. 이후 건륭제가 증축하였다.

편집

짙푸른 버들엔 새벽이슬이	曉露葱蒼柳
자줏빛 누대엔 하늘 향기라.	天香紫翠樓
함께 기뻐 녹석(鹿席)을 노래 부르고[653]	懽同歌鹿席
예상곡(霓裳曲) 춤을 추자 광채 찬란해.[654]	彩燦舞霓秋
그대와 나 서로 함께 만난 곳에서	君我相逢處
지당(池塘)에 배를 함께 저어 온다네.	池塘一刺舟

부(附) 선공의 원운[655]

附 先公元韻

문자 같음 계요(桂徼)[656]로 징험을 하고	同文徵桂徼
일이 달라 염주(炎洲)[657]라 말을 한다네.	異事說炎洲
통포(筩布)[658]는 매미 날개보다 가볍고	筩布輕蟬翼
화로 향은 신기루인 양 피어오르지.	爐香起蜃樓

---

653 녹석(鹿席)을 노래 부르고: 원문은 "歌鹿席"으로, 황제의 연회 자리라는 뜻이다. 임금이 신하를 위해 연회를 베풀며 연주하던 악가(樂歌)인 『시경』 「녹명」(鹿鳴)의 이름에서 나왔다.
654 예상곡(霓裳曲)…찬란해: 당나라 현종(玄宗)이 도사(道士) 나공원(羅公遠)과 함께 중추절에 계수나무 한 가지를 공중에 던져 은빛 다리를 만들어, 월궁(月宮)에 올라 선녀들의 춤을 구경한 뒤 「예상우의곡」(霓裳羽衣曲)을 듣고 돌아왔다는 고사가 있다.
655 선공의 원운: 이 시는 『정유각집』 시집 권3에 실린 「안남국 이부상서 호택후 반휘익과 공부상서 무휘진에게 주다」(贈安南吏部尙書潘輝益, 灝澤候, 工部尙書武輝瑨) 2수 중 제2수이다.
656 계요(桂徼): 미상. '요'(徼)는 변방의 의미로 조공(朝貢)을 뜻하나, 문맥 의미가 분명치 않다.
657 염주(炎洲): 베트남을 지칭한다. 본래는 신선이 산다는 십주(十洲) 중 하나로, 남쪽에 있는 무더운 지역이다.
658 통포(筩布): 베트남에서 나는 옷감이다.

매실 익는 장마철에 사신 왔다가	征衫梅子雨
여지 익는 가을 되어 돌아간다네.	歸夢荔支秋
편지를 전하고자 마음먹어도	我欲傳書札
만 리 배라 연락이 닿을 길 없네.	難憑萬里舟

도금종[659]

陶金鍾, ?~?

삼가 조선국 박 검서께 화답하다

敬和朝鮮國朴檢書

산천은 붉은 해에 연이어 있고	山川連赤日
풍물(風物)은 창주(滄州)[660]와 가까웁구나.	風物近滄州
뗏목으로 천진(天津) 길을 따라와서는	槎從天津路
어원(御苑)의 누각 연회 참여하였네.	筵陪御苑樓
역참의 나그네 말을 내달려	馳驅梅驛客
계궁(桂宮)[661]의 가을에 이리 만났지.	邂逅桂宮秋

---

659 도금종(陶金鍾): ?~? 안남 사람이다. 벼슬은 본국에서 정성내서(政省內書)를 지냈다.
660 창주(滄州): 현재 하북성(河北省)에 위치한 지역으로, 청대에는 직례성(直隷省) 하간부 (河間府)와 천진부(天津府)에 속했다. 당시 베트남 사신단의 연행 경로에 속한다.
661 계궁(桂宮): 항아가 산다는 월궁. 전의되어 황궁이나 조정을 가리킨다.

무엇보다 동쪽으로 흘러가는 물

무정하게 떠나는 배 재촉하누나.

最是朝東水

無情促去舟

권 3

신유년(1801)

전동원 [1]
錢東垣, 1768~1823

이언(俚言)을 정유 선생께 받들어 올리니, 바로 선생의 시 「징해루」(澄海樓)에 차운한 것이다. 아울러 유 검서(檢書)께도 드린다

俚言奉贈貞蕤先生, 即次先生澄海樓作韻. 兼呈柳檢書

왕회도(王會圖)[2] 펼쳐 열자 관과 복장 화려하니	圖開王會華冠裳
조선이 무리 중에 으뜸임을 안 믿겠지.	不信鷄林擅衆長
진사(陳思)[3]의『보각총편』(寶刻叢編) 옥으로 산이 되고	
	寶刻陳思峯作玉
한악(韓偓)[4]의 청담은 바다가 뽕밭 되었다네.	清談韓偓海生桑

이때 오류거(五柳居) 서점에 있으면서 종일 이야기를 나누었다.[5] 時在五柳居書肆談竟日.

---

1 전동원(錢東垣): 1768~1823. 청나라 강소 가정(嘉定) 사람으로, 자는 기근(旣勤)이고, 호는 역헌(亦軒)이다. 전대흔의 조카, 전대소(錢大昭)의 아들로, 가학을 잘 계승했다는 평을 받았다. 동생 전역(錢繹)·전동(錢侗)과 함께 '삼봉'(三鳳)으로 불렸다. 가경 3년(1798) 거인이 되어 절강(浙江)의 송양지현(松陽知縣)과 상우지현(上虞知縣)을 역임했다.
2 왕회도(王會圖): 사방의 사신이 찾아와 천자에게 조회하는 모습을 그린 그림이다.
3 진사(陳思): 송나라 임안(臨安) 사람으로, 이종(理宗) 때 성충랑(成忠郎)과 국사실록원비서성수방(國史實錄院秘書省搜訪)을 지냈다. 고금의 비석 글씨를 모은 『보각총편』(寶刻叢編) 외에 『서원청화』(書苑菁華), 『서소사』(書小史), 『매당보』(梅棠譜), 『소자록』(小字錄) 등 여러 저서가 있다.
4 한악(韓偓): 844~923. 당나라 사람으로. 여인의 일을 다룬 향렴체(香奩體)의 시문으로 유명하다. 애제(哀帝) 때 주전충(朱全忠)이 후량(後梁)을 세우자 은거하며 벼슬에 나가지 않았다.
5 이때…나누었다: 1801년 박제가의 4차 연행 당시, 전동원은 벗 진전(陳鱣)과 함께 오류거에서 박제가와 유득공을 만났다. 이때 옛 글자와 시풍을 놓고 열띤 토론을 했다.

| 10년간 마음 쏟아 운몽택(雲夢澤)이 무거워도[6] | 傾心十載重雲夢 |
| 해와 달 잠깐 사이 바쁘게 달려가네. | 彈指雙丸跳擲忙 |

선생께서 일찍이 집안의 큰아버지이신 신미(辛楣) 전대흔(錢大昕) 선생을 흠모하여 경술년(1790)에 이곳에 와서 만나 보려 하였으나, 만나지 못하였다. 先生夙慕家世父 辛楣先生, 庚戌來此, 卽欲見而未果.

| 둥근 부채 내 지은 시 부끄럽기 짝이 없어 | 惜我賦慙團扇句 |
| 육각선(六角扇)[7]마냥 쥐고 바람을 좇으리라. | 漫携六角趁風揚 |

선생께서 글씨 쓴 부채를 주셨다. 先生書扇相贈.

부(附) 선공의 원운[8]

附 先公元韻

만 리에 칼바람 쳐 옷자락 휘감으니	罡風萬里攬衣裳
솟은 누관 이어지고 갈석산은 길도다.	飛觀斜[9]連碣石長
바다가 많아 봐야 한 국자[10]임 알겠으니	竟信滄溟多一勺

---

6 운몽택(雲夢澤)이 무거워도: '운몽'(雲夢)은 초나라에 있던 큰 연못으로, 기개가 장대하고 포부가 넓음을 의미한다. 사마상여(司馬相如)의 「상림부」(上林賦)에 "초나라에 칠택 있으니, 그중 하나 운몽은 사방이 9백 리라, 운몽택 같은 것 여덟아홉을 삼켜도 가슴에 조금도 거리낌이 없겠네"(楚有七澤, 其一曰雲夢, 方九百里, 吞若雲夢者八九, 其於胸中曾不蔕芥.)라고 했다.
7 육각선(六角扇): 진(晉)나라 왕희지(王羲之)가 부채 파는 노파의 육각 부채에 글씨를 써 주었는데, 100전의 높은 가격에도 사람들이 앞다투어 샀다는 고사가 있다. 박제가의 글씨를 왕희지의 것에 견주어 칭찬한 것이다.
8 선공의 원운: 『정유각집』시집 권3에 「징해루에서 부사의 시에 차운하여」(澄海樓次副使)라는 제목으로 실려 있다. 부사는 서호수(徐浩修)이다.
9 斜: 『정유각집』에는 "橫"으로 되어 있으나, 문맥을 고려하여 『호저집』 원문 그대로 두었다.
10 바다가…국자: 건륭제의 징해루 시에서 표현을 가져왔다. 건륭제는 심양에 가는 길에 자

얕은 물이 삼상(三桑)으로 변한 것[11] 아니라오.　未應淸淺變三桑

창 열면 연(燕) 땅 나무 길 가는 사람 적고　拓窓燕樹行人小

요동 하늘 바라보니 가는 새만 바쁘구나.　彈指遼天去鳥忙

내 그리는 사람은 남국에 계시나니　我有相思在南國

원컨대 조수 따라 유양(維揚)[12]에 닿았으면.　願隨潮水泊維揚

이언 8수. 평양으로 돌아가는 영재·정유·송고(松皐)[13] 세 분 선생을 전송하며 즉석에서 올려 바로잡아 주시기를 청하다

里言八首. 奉送泠齋·貞蕤·松皐三先生歸平壤, 卽呈雅政

삼한 땅 열수에 재자(才子)가 많다 하나　三韓洌水多才子

덕성(德星)[14] 모여 사신 수레 올라타긴 어렵다네.難得乘軺聚德星

어인 일로 수염 날려[15] 손뼉 치며 함께 웃나　底事掀髯拚一笑

　　정유와 송고는 모두 수염이 아름다웠고, 영재 또한 수염이 있었다. 이때 중어

주 징해루를 들러 시를 남겼는데, 1743년에 지은 「재등징해루」(再登澄海樓)에 "내게 한 국자의 물이 있기에, 부어서 동해 바다 물을 삼았네"(我有一勺水, 瀉爲東滄溟)라는 구절이 있다.

11　삼상(三桑)으로 변한 것: '삼상'(三桑)은 신목(神木)인 부상(扶桑) 세 그루를 말한다. 부상의 아래에서 해가 뜨므로, 삼상으로 변했다는 것은 '상전벽해'(桑田碧海)의 의미로 볼 수 있다.

12　유양(維揚): 강소 양주(揚州)의 별칭이다. 『서경』「우공」(禹貢)에 "회수와 바다에 양주가 있다"(淮海惟揚州)고 한 데서 왔다. 유(惟)는 유(維)와 같다.

13　송고(松皐): 조선의 문인 유정엽(柳廷燁, 1737~1814)을 이른다. 자가 명서(明瑞), 호는 송고, 본관은 전주(全州)이다. 정조 22년(1798) 식년시(式年試)에 3등으로 급제했다. 신유년(1801) 사행단의 일원으로 박제가와 함께 연행을 다녀왔다.

14　덕성(德星): 현인(賢人)을 상징하는 별의 이름이다.

15　수염 날려: 원문의 "掀髯"은 수염이 치켜 올라가 흔들리는 모습으로, 웃으며 이야기하는 일을 가리킨다.

(仲魚) 진전(陳鱣) 효렴이 지나다 들렀는데 진전 또한 수염이 길었기 때문에 이렇게 말한 것이다. 貞蕤與松臯竝美須髥, 泠齋亦有鬚, 時與陳仲魚孝廉 過從, 陳亦長髥, 故云.

필담으로 즐기는 곳 저녁 구름 잠겨 있네.　　　筆談諧處暮雲沈

시서(詩書) 모두 빼어난 박정유(朴貞蕤) 선생은　詩書雙絕朴貞蕤
유아(儒雅)한 그 풍류가 바로 나의 스승일세.　　儒雅風流是我師
20수의 「회인시」[16]는 빙설 같은 시구이니　　　廿首懷人氷雪句
사강락[17]의 옛 마음을 너무도 잘 알았다네.　　謝家康樂舊心知

　　　정유는 옛날에 성백(星伯) 전동벽(錢東壁) 형[18]과 교유하였으니, 그가 지은
　　　회인시에 일찍이 언급하였다. 貞蕤舊與星伯兄交, 其懷人詩曾及之.

정 깊고 후덕하긴 유영재(柳泠齋) 선생인데　　情深貌厚柳泠齋
10권의 『고운집』(古芸集)은 해에 따라 배열했네.　十卷古芸計歲排

　　　『영재집』에 '고운서옥'(古芸書屋)이라고 이름하였다. 泠齋集名古芸書屋.

듣자니 사인(詞人)들이 일찍이 장수 되어　　聞說詞人曾作將
누가 경병(競病)[19] 운 맞추기 어렵나로 웃었다지.笑誰競病韻難諧

16　20수의 「회인시」(懷人詩): 현전하는 『정유각집』에 실린 「회인시」는 모두 50수이다. 신유년(1801)의 마지막 사행 후 30여 수를 마저 지은 것으로 보인다.
17　사강락(謝康樂): 남조(南朝) 송(宋)나라의 시인 사영운(謝靈運, 385~433). 강락은 그의 봉호(封號)다.
18　성백(星伯) 전동벽(錢東壁) 형: 전대흔의 아들로, 전동원의 사촌 형이다. 성백은 그의 자이다.
19　경병(競病): '장군경병'(將軍競病)의 준말로, 험운(險韻)의 대명사다. 남조 양(梁)나라의 장군 조경종(曹景宗)이 개선(凱旋)하자 무제(武帝)가 잔치를 베풀고 시를 짓게 했는데, 조경종이 경 자와 병 자를 써서 "떠날 적엔 아녀자들 슬퍼했는데, 돌아오매 피리 북이 다퉈 울리네. 길

풍채 좋은 세마는 유송고(柳松皐)가 그이니　　丰神洗馬柳松皐

종횡으로 붓 떨구매 의기가 호쾌하다.　　落筆縱橫意氣豪

임유(臨渝)[20]를 서성이며 옛 땅을 회고하니　　躑躅臨渝懷古地

찬 구름 소슬하고 삭풍이 울부짖네.　　寒雲蕭瑟朔風號

　　　일찍이 송고의 「임유회고」(臨渝懷古)란 작품을 보았다. 曾見松皐臨渝懷古

　　作.

이름하여 『북학의』는 천추의 뜻 담아냈고　　議名北學千秋意

　　　정유가 『북학의』를 저술했다. 貞蕤著北學議.

『서경지』(西京志)로 고찰해 사군(四郡) 오류 밝혔지.志考西京四郡訛

　　　영재는 『한사군고』를 저술했다.[21] 泠齋著漢四郡考.

예로부터 재인은 학식을 겸했으니　　　　自古才人兼學識

육기(陸機)는 어이 다시 재주 많음 근심했나.[22]　士衡那更患才多

십 년간 신교(神交) 나눔 목마름이 심했는데　　十載神交飢渴殷

가는 이에게 물어보노니, 곽거병(霍去病)과 견주어 내 어떠한가"(去時兒女悲, 歸來笳鼓競. 借
問行路人, 何如霍去病.)라는 시를 지어 보였다. 곽거병은 전한(前漢)의 명장(名將)이다.

20　임유(臨渝): 산해관(山海關)의 다른 이름이다. 유관(楡關)·임유관(臨渝關)이라고도 한
다. 하북(河北) 임유현(臨楡縣)의 동쪽 관문으로, 만리장성(萬里長城)의 기점(起點)이자, 북경
(北京)으로 곧장 진입할 수 있는 요충지이다.

21　영재는 『한사군고』를 저술했다:『호저집』에는 아래 구절의 간주(間注)로 나오나, 문맥에
따라 위치를 바꾸었다.

22　육기(陸機)는…근심했나: 육기는 진(晉)나라 때 문장가로, '사형'(士衡)은 그의 자이다.
문재(文才)가 탁월했다. 장화(張華)가 그 시문을 보고 "사람들이 글을 짓는 것은 늘 재주가 적
어서 안타까운데, 그대는 도리어 재주가 많아서 걱정이다"(人之爲文, 常恨才少, 而子更患多.)
라고 하였다. 『진서』(晉書)「육기열전」(陸機列傳)에 보인다.

오강풍락(吳江楓落) 헛소문[23] 일찍이 들었지.　　吳江楓落句曾聞

처음 만났을 때 정유와 영재가 내게, 대종백(大宗伯) 기윤이 일찍이 '동원은

경학을 연구하고 사학에 정통하다' 했다고[24] 말해 주었다. 初見時, 貞蕤泠齋

卽言, 紀大宗伯曾言, 東垣研經通史云云.

만약에 『태현경』(太玄經)이 군산(君山) 칭찬 만났다면

太玄若遇君山賞

양자운(楊子雲)이 어찌 장독 덮개 근심하랴.[25]　　覆瓿何愁楊子雲

내가 「칠종서례」(七種敍例)[26]를 지어 바로잡아 주었다. 余以著七種敍例相

政.

만나 볼 땐 손쉬워도 헤어질 땐 어려우니　　見時容易別時難

손을 잡고 망설이며 눈물을 떨굴 듯해.　　執手依依淚欲彈

가을비 오는 유관 기러기가 많으리니　　秋雨楡關多少雁

23　오강풍락(吳江楓落) 헛소문: 당나라 시인 최신명(崔信明)의 "차가운 오강 물에 단풍잎 지
네"(楓落吳江冷.)라는 시구가 유명했는데, 정세익(鄭世翼)이 최신명에게 나머지 구절을 청하
였다가 소문에 미치지 못함에 실망해 떠났다는 고사가 있다. 『신당서』(新唐書)「문예열전」(文
藝列傳)에 나온다.

24　대종백(大宗伯)…했다고: 기윤이 박제가, 유득공에게 전동원을 칭찬한 일이 앞서 『호저
집』 찬집 '기윤' 항목의 필담에 보인다.

25　만약에…근심하랴.: 『태현경』은 한(漢)나라 때 양웅(揚雄)의 저서이고, 군산(君山)은 한
(漢)나라 환담(桓譚)의 자이다. 원문의 "覆瓿"는 장독 덮개라는 뜻으로, 남들이 읽어 주지 않는
글을 말한다. 같은 『태현경』을 두고 환담은 반드시 후세에 전해질 글이라고 했고, 유흠(劉歆)은
"후인들이 장독 덮개로나 사용하지 않을까 싶다"(恐後人用覆醬瓿也.)고 평했다. 『한서』 권87
「양웅전」(揚雄傳)에 보인다. 여기서는 군산이 양웅의 글을 알아주었듯 박제가 등이 자신의 글
을 알아준다는 뜻으로 썼다.

26　「칠종서례」(七種敍例): 전동원은 『맹자해의』(孟子解誼)·『소이아교증』(小爾雅校證)·『열
대건원표』(列代建元表)·『건원류취고』(建元類聚考)·『보경의고고』(補經義考薰)·『계고록변와』
(稽古錄辨訛)·『청화각첩고이』(靑華閣帖考異) 등 7종의 서적을 지었는데, 이 서적들의 서례(敍
例)를 써서 알려 준 듯하다. 이상의 목록은 『호저집』 찬집 '전동원' 항목에도 소개되어 있다.

몇 줄의 시를 지어 건강하길 권하누나.　　　數行珠玉勸加餐

미무(蘼蕪)²⁷ 향 따스해도 장차 흩어지리니　　蘼蕪香煖將離落
압록강 강 머리서 나루 묻는 사람일세.　　　鴨綠江頭問渡人
슬프다 꿈속 넋이 엉키어 헤매는 곳　　　　惆悵夢魂繚繞處
한 모서리 접혀 있는 임종(林宗)의 각건²⁸이네.　林宗一角墊欹巾

전동원이 박제가에게 보낸 무제 편지

집안에서 출판한 책 몇 종류를 두 분께 받들어 보냅니다. 다만『후한서보표』(後漢書補表)는 책상 위에 한 부뿐이어서 먼저 박 선생께 보내니, 유공께는 이어서 부쳐 드리겠습니다.

家刻數種, 奉送二位. 惟後漢書補表, 案頭止一部, 先以送朴先生, 柳公容續寄.

27　미무(蘼蕪): 궁궁이의 싹으로, 향초의 일종이다. 떠난 사람에 대한 그리움을 의미한다. 한나라 때 악부(樂府)인「산에 올라 궁궁이를 캐고」(上山採蘼蕪)에서 사랑하는 이에게 버림받은 여인의 심경을 읊은 데서 유래하였다.『문선』(文選)에 실려 있다.
28　임종(林宗)의 각건: '임종건'(林宗巾)의 고사를 일컫는다. 임종은 후한 때 명사(名士) 곽태(郭泰)의 자이다. 곽태가 비를 맞아 각건(角巾)의 한 모서리가 접혔는데, 당시 사람들이 곽태를 흠모하여 접힌 각건마저 따라 했다. 전의되어 어진 선비를 사모하고 모방하는 일을 가리키게 되었다.

말씀드립니다. 저와 좋게 지내는 호가 유당(有堂)이요, 이름을 엄익(嚴翼)이라 하는 이가 있는데 사람이 몹시 고상합니다. 큰 이름을 지극히 사모하여 반드시 친필 글씨를 얻어 지극한 보배로 삼고자 합니다. 그가 본래 삼가 찾아뵈려 하였지만 이미 행장을 꾸려 내일 새벽 바로 떠나게 되었으므로, 반드시 나아가 얻기를 바라고 있습니다. 가능할는지요? 한 줄짜리 하나의 소폭에다 예전 지은 작품을 써 주신다면 특별히 두 가지 빼어남이 될 것입니다. 정유 선생께 전동원이 절하며 올립니다.

啓者, 有敵相好, 嚴名翼, 號有堂, 人甚風雅. 極慕大名, 必欲得眞迹, 以爲至寶. 渠本欲奉訪緣, 已束裝, 明晨卽行, 故必欲卽得爲禱, 未知可否. 單條一小幅, 書舊作, 尤爲雙絶也. 貞蕤先生, 錢東垣拜啓.

진전[29]
陳鱣, 1753~1817

삼가 정유 사장께서 주신 물건에 감사하며, 4수를 적어 바로잡아 주시기를 구하다

奉謝貞蕤詞丈惠物四首錄, 求是正

---

29 진전(陳鱣): 1753~1817. 자가 중어(仲魚), 호는 관향(管香) 또는 간장(簡莊)이다. 절강(浙江) 해녕(海寧) 사람이다. 문자·훈고학에 능하였다.

동국의 종이
東紙

열 폭 운전지(雲箋紙) 백금(百金)보다 나으니	十幅雲箋勝百朋
천 길 파도 저 멀리 동국(東國)에서 가져왔네.	遠携東國浪千層
시인에게 건네주어 멋진 얘기 이루매	騷人供給成佳話
먹을 갈아 붓 휘둘러 좋은 시구 얻었다네.	和墨揮毫得未曾

내가 조전비(曹全碑)[30]의 글자를 집자하여 연구를 지어 드리기를, "유미(隃麋)는 시인의 돈과 곡식이요, 장보(章甫)와 진신(縉紳)은 유자(儒者)의 풍격일세"[31]라 하여 크게 칭찬을 받았다. 余集曹全碑字, 贈聯云: "隃麋金粟騷人供, 章甫縉紳儒者風." 極蒙稱賞.

쥘부채
摺扇

뱃속에 책 상자 든 대단하신 정유 선생	便便腹笥朴貞蕤
쥘부채에 멋진 구절 글씨 써서 주시누나.	摺扇還書佳句貽

---

30 조전비(曹全碑): 한나라 합양령(郃陽令) 조전(曹全)의 공덕을 찬양한 비. 예기비(禮器碑)와 함께 예서(隷書)의 표본으로 일컬어진다.

31 유미(隃麋)는…풍격일세: 본래 "유미는 시인의 돈과 곡식이요, 수각(水閣)과 산정(山亭)은 유자의 풍격이라"(隃麋金粟騷人供, 水閣山亭儒者風.)라는 대인데 하련(下聯)을 변형했다. 문인이 출세하면 아름다운 문장으로 국가에 보탬이 되고, 은둔하면 산수를 누리며 풍류를 구한다는 뜻이다. 원문의 "隃麋"는 중국의 현(縣) 이름으로, 이름난 먹의 산지이다. 전하여 먹을 가리킨다.

어이 다만 군자 덕망 받들어 앙양(昂揚)할까   豈但奉揚君子德
반드시 사신 시구 전하여 외게 하리.   定敎傳誦使臣詞

삿갓
野笠

날렵하게 삿갓 쓴 저 멋쟁이 어여쁜데[32]   臺笠伊糾美彼都
어이해 쓴 것 벗어 우리에게 주시는가.   何緣脫贈到吾徒
훗날에 이것 쓰고 전원으로 돌아가면   他時戴此歸田去
소동파가 비를 맞는 그림[33]에 견줄 만해.   好比東坡冒雨圖

약환
藥丸

연하에 고질 들어 매양 침음(沈吟)하더니   煙霞痼疾每沈吟
연경에서 그댈 만나 뜻이 배나 깊다네.   燕市逢君意倍深

---

32 날렵하게…어여쁜데: 원문은 "臺笠伊糾"로, 『시경』의 구절을 원용했다. 소아(小雅) 「도인
사」(都人士)에 "저 도인(都人)은 대립에 치포관(緇布冠) 쓰셨고"(彼都人士, 臺笠緇撮.)라고
한 구절이 있다. 또 주송(周頌) 「양사」(良耜)에 "삿갓을 가볍게 펄럭이며, 호미로 김을 매니, 잡
초를 제거함이로다"(其笠伊糾, 其鎛斯趙, 以薅荼蓼.)라고 하였다. '도인'(都人)은 서울 사람,
즉 멋쟁이의 의미로 썼다.
33 소동파가 비를 맞는 그림: 소동파가 삿갓과 나막신 차림으로 비를 피하는 모습을 그린 〈동
파입극도〉(東坡笠屐圖).

나를 아낌 약석(藥石)을 주는 것만 못하니　　　愛我無如投藥石

선물 받은[34] 이 청심환 얻기가 어려웠네.　　　賞來難得是淸心

　　　약의 이름이 청심환이다. 藥名淸心丸.

가경 6년(1801) 여름 4월 16일에 정유 사백(詞伯)께서 귀국함을 전송하는 2수를 받들어 올리며 바로잡아 주시기를 구하다

嘉慶六年夏四月旣望, 奉送貞蕤詞伯榮旋二首, 卽求是正

왕회(王會)에서 『직공도』(職貢圖)[35]를 다시금 펼치시니

　　　　　　　　　　　　　　　　王會重開職貢圖

사신은 특별한 성상 은혜 삼가 받네.　　　使臣拜受聖恩殊

사신 수레 중화 땅에 세 번이나 들어오니　　　星軺三入中華地

풍아(風雅)[36]로는 모두들 조선 선비 꼽는다네.　　　風雅群推東國儒

기이한 책 가득 싣고 낙랑으로 돌아가니　　　滿載奇書歸樂浪

준마를 길게 몰아 현도(玄菟)[37]로 내달리리.　　　長驅寶馬走玄菟

　　　이때 수레 한 대와 말 한 필을 사서 귀국하였다. 時買一車一馬歸國.

34 선물 받은: 원문은 "賞來"인데, 여기서는 '상뢰'(賞賚), 즉 증여의 뜻으로 썼다.

35 『직공도』(職貢圖): 『황청직공도』(皇淸職貢圖). 건륭(乾隆) 16년(1751)에 대학사(大學士) 부항(傅恒) 등이 황명으로 편찬한 것으로 총 9권이다. 당시 중국에 조회하던 외국의 남녀 모습과 복식·풍속·성정(性情) 등을 자세히 기록하였다.

36 풍아(風雅): 『시경』의 국풍(國風)과 대아(大雅)·소아(小雅)를 아울러 이르는 말. 전아(典雅)한 시문의 의미이다.

37 현도(玄菟): 현도군(玄兔郡). 한사군의 하나이다. 여기서는 조선을 가리킨다.

| 때가 되면 아마도 멋진 애기 전하리니 | 到峕料得傳佳話 |
| 건네주신 시편이 상도(上都)에 퍼지겠네. | 投贈詩章徧上都 |

가지 잡고[38] 작별하니 마음만 심란한데	攀條言別意纏綿
편지 소식 아득하다 각각 하늘 서글프리.	雙鯉迢迢恨各天
보름간 나눈 정에 막역한 벗 되었으니	半月交情成莫逆
한 편의 문자에도 깊은 인연 담겼구나.	一編文字有深緣

내가 지은 시를 인정해 주셔서 한번 만나고는 오랜 벗과 같게 되었으니, 문집의 서문
에 나란히 나온다. 蒙推服鄙作, 一見如故, 竝出大集屬敍.

가련타 내가 본래 기특한 남자로서	可憐我本奇男子
그대 같은 천상의 신선을 만났구려.	得遇如君上界仙
나도 몰래 서로 보며 자주 눈물 뿌리니	不覺相看頻灑淚
다음 기약 어느 해로 정해질지 모르겠네.	未知後會定何年

부(附) 가경 6년 여름 4월 16일에 귀국하는 영재 사백을 전송하며 2수를 받들어 올리다[39]
附 嘉慶六年夏四月旣望, 奉送泠齋詞伯榮旋二首

| 동방은 군자의 나라이거니 | 東方君子國 |

---

38 가지 잡고: 원문은 "攀條"로, 이별의 슬픔과 그리움을 상징한다. 『고시십구수』(古詩十九
首) 제9수 중 "나뭇가지 잡고서는 꽃가지 꺾어, 그리운 임 계신 데 보내 드리리"(攀條折其榮,
將以遺所思. 馨香盈懷袖.)라고 한 구절이 있다.
39 가경(嘉慶)…올리다: 2수 중 첫 수는 『연대재유록』에 실려 있다.

조공을 받들고서 연경에 왔네.　　　　　職貢入京師

문피(文皮)의 아름다움 귀하지 않고　　　不貴文皮美

『관자』(管子) 「규탁」(揆度) 편에, "발조선(發朝鮮)의 문피(文皮)"[40]라 하였
다. 管子揆度篇云, 發朝鮮之文皮.

사신의 시만을 다만 일컫네.　　　　　惟稱使者詩

나그네 시름 속에 3월도 가고　　　　客愁三月暮

사귐의 안타까움 10년도 늦네.　　　　交恨十年遲

이제 가면 마땅히 되돌아보리　　　　此去應回首

관산(關山)에 달조차 떨어질 때에.[41]　關山落月時

중조(中朝)에 성대한 덕 전하여지니　中朝傳盛德

모두 다 이역서 온 손님이라네.　　　異域盡來賓

하물며 무리 중에 우뚝한 명망　　　況爾超群望

종유(從遊)하여 두 사람을 얻어 보았지.　從遊得兩人

　정유 검서를 말한다. 謂貞蕤檢書.

가는 시간[42] 붙잡아 두려 하지만　白駒空欲縶

40　발조선(發朝鮮)의 문피(文皮): 문피는 환공(桓公)이 관중(管仲)에게 해내(海內)의 옥폐
(玉幣) 일곱 가지를 묻자 관중이 대답한 물품 중 하나로, 무늬가 아름다운 호표 가죽이다. 『관
자』(管子) 권23 제78편 「규탁」(揆度)에 보인다. "발조선"(發朝鮮)의 '발'(發)은 해석에 이론이
있다.
41　관산(關山)에…때에: 한나라 때 횡취곡(橫吹曲) 중에 멀리서 이별을 슬퍼하는 내용의 「관
산월」(關山月)이 있다. 두보가 안녹산(安祿山)의 난리 중에 지은 「세병마행」(洗兵馬行)에서는
"삼 년 호적(胡笛) 소리 속에 관산의 달 바라보네"(三年笛裏關山月.)라는 표현이 있다.
42　가는 시간: 원문은 "백구"(白駒). 『시경』의 편명으로, "어진 이 사람 더 놀다 가게 하리
라"(所謂伊人, 於焉逍遙.)라는 구절이 있다. 이별을 아쉬워하는 뜻이다.

황해(黃海)엔 아득히 나루가 없네.[43]   黃海渺無津

군의 본관은 황해도(黃海道) 문화현(文化縣)이다. 君貫黃海道文化縣.

갈 때엔 바람 물결 조심하시고   行矣風波愼

한 통 편지 부침을 생각하소서.   懷哉一寄鱗

고시(古詩). 의주(義州)[44]의 정녀(貞女) 강씨를 위해 짓다

古詩爲義州姜貞女作

혜민(惠民)에 살고 있는 관리 이 자의(李子衣)[45]   惠民李子衣

같은 해 급제한 내 벗이라네.   余之同年友

그곳 현령 왕씨 얘기 전해 주는데   述其縣令王

집이 본래 요해(遼海)의 서쪽이라네.   家本遼海右

한동네에 강씨 성의 여자가 있어   同里姜氏女

일찌감치 제부(弟婦)로 맞아들였지.   早聘爲弟婦

아우가 결혼 전에 세상 떠나자   弟也未婚亡

여자 홀로 절개 지킴 맹세하였지.   女獨矢志守

현령이 대의(大義)로써 일깨우려고   令曉以大義

도리로 따져서 설명하기를,   經權要須剖

---

43 황해(黃海)엔…없네: 본래 어찌할 방도가 없이 촉박한 상황을 말한다. 『서경』「미자」(微子)에 "지금 은나라가 망하는 형국이 큰 물을 건널 적에 나루나 물가가 없는 것처럼 되었다"(今殷其淪喪, 若涉大水, 其無津涯.)라는 말이 있다.

44 의주(義州): 금대(金代)에 둔 주(州). 소재지는 요령 의현(義縣)에 있었다.

45 이 자의(李子衣): 원문의 "子衣"는 천자가 내린 관복을 이른다. 여기서는 관리의 이칭인 듯하다.

"결혼하지 않았는데 절개 지킴은   未室而守貞

성인도 취하지 않는 일이라."   聖人所不取

     '창구'(蒼苟)의 반절, 즉 '추'로 읽는다. 讀蒼苟反.

여자가 울면서 탄식하더니   女涕泣曰嗟

"시아주버니 뜻이 실로 두터우시나,   兄公意良厚

혼사가 정해진 지 십 년이 넘어   聘定踰十年

이내 몸 왕씨 집안 사람 되었죠.   身爲王家有

붉은 띠[46] 묶은 것이 이미 굳세고   紅繩繫已牢

보내온 폐백도 받았답니다.   緇帛輸已受

애초에 병으로 혼인 못하니   始以疾未娶

신중하여 구차하지 않았었지요.   愼重固非苟

그 사람이 날 버리지 아니했으니   人旣不負我

내 어찌 그이를 저버리겠소.   我寧將人負

남편이 이미 벌써 죽고 없으니   夫婿旣矢亡

외론 난새 어이 다시 짝을 만날까.   孤鸞豈再偶

끝까지 못 지킬까 의심한다면   倘疑不克終

청컨대 이 머리를 바수겠어요."   卽令請碎首

현령은 안 된다며 굳게 고집해   令堅執不可

옷 떨치고 마침내 가려 하였지.   拂衣欲遂走

여자 더욱 큰 소리로 곡을 하면서   女更大聲哭

방에 들어 창문조차 굳게 닫았네.   入室閉戶牖

그 소리 귀신조차 감동시키고   其聲動鬼神

---

46 붉은 띠: 원문은 "紅繩"으로, 붉은색의 노끈이다. 남녀의 인연을 맺는 일을 뜻한다.

그 기운 북두까지 솟구쳤다네.	其氣冲星斗
온 집안이 더더욱 어쩔 줄 몰라	舉家益彷徨
땅에 엎뎌 모두들 벌벌 떨었지.	伏地咸抖擻
현령도 그제서는 어쩔 수 없어	令乃不得已
부모에게 다급히 고하였다네.	亟告諸父母
부모 또한 슬프고 마음이 아파	父母亦悲傷
그녀 천성 두텁다고 말을 하였지.	謂其天性厚
만약에 죽음으로 따라간다면	假使以死殉
하늘 뜻 어김이 큰 허물 되리.	違天必大咎
마침내 정녀(貞女)를 맞아들이매	遂迎貞女歸
사람마다 입을 모아 칭찬하누나.	稱揚滿人口
부질없이 망부산(望夫山)[47] 바라보면서	空對望夫山
언제나 이부구(嫠婦筍)[48]를 달아 두었지.	長懸嫠婦筍
몸에 걸친 옷은 모두 베옷뿐이고	被體盡麻衣
머리 꾸밈 귀한 옥을 사절하였네.	飾首謝瑩琇
남긴 옷[49]에 남편인 듯 절을 올리며	遺掛拜夫容
상당(上堂)에선 시부모를 섬기었다네.	上堂事姑舅
뜻 받듦에 게으른 적이 없으니	承志無倦時
변함없이 빗자루를 손에 들었지.	依然執箕帚

---

47 망부산(望夫山): 무창(武昌) 양신현(陽新縣) 북산(北山)으로, 망부석(望夫石)이 있는 곳이다. 한 여인이 출정한 지아비를 기다리다가 바위로 변했다는 전설이 있다.
48 이부구(嫠婦筍): 과부구(寡婦筍). 통발[筍]의 이칭이다. 여기서는 강씨의 처지를 나타낸다.
49 남긴 옷: 원문은 "遺掛"로, 죽은 사람이 남기고 간 물건을 가리킨다.

총부(冢婦)⁵⁰를 살핌도 공경스러워	視冢婦甚恭
감히 서로 나란히 서지 못했네.	毋敢相敵耦
현령이 형제간의 우애⁵¹ 생각해	令感鶺鴒原
둘째 아들 그녀의 후사 삼았지.	次子爲其後
부지런히 은혜로 애써 길러서	鬵閔斯恩勤
옳은 방향 더더욱 잘 이끌었네.	義方更善誘
길쌈하고 책을 읽는 소리가 있어	紡織讀書聲
교대로 숲 밖으로 퍼져 나갔네.	交相出林藪
저 휼위(恤緯)의 마음⁵²을 탄식하노니	嗟彼恤緯情
이 힘든 손길만 수고롭구나.	勞此拮据手
시아버지 세상 뜨고 시어미 늙자	舅歿姑且老
병구완해 몸소 때를 씻어 주누나.	奉疾躬滌垢
수절한 지 스무 해 남짓이 되매	守志廿年餘
괴로움 겪은 것도 이미 오랠세.	茶苦歷已久
변치 않음 하늘이 알아보시니	靡他天鑒之
일부종사(一夫從事) 그 누가 아니라 하랴.	從一孰云否
정표(旌表) 기림 때를 기다려야 하지만	褒榮雖有待
맑은 절조 이미 썩지 아니하리라.	淸操已不朽

---

50 총부(冢婦): 적장자의 처. 여기서는 현령 왕씨의 아내를 가리킨다.
51 형제간의 우애: 원문의 "鶺鴒"은 할미새로, 형제의 우애를 뜻한다. 『시경』「상체」(常棣)에 "저 할미새 들판에서 호들갑 떨 듯, 급할 때는 형제들이 서로 돕는 법"(鶺鴒在原, 兄弟急難.)이라고 한 구절에서 왔다.
52 휼위(恤緯)의 마음: '이불휼위'(嫠不恤緯)의 고사. 길쌈하는 과부가 여공(女工)은 신경 쓰지 않고 나라가 망할까 걱정한다는 말이다. 여기서는 강씨가 휼위의 과부처럼 한눈을 팔지 않고 오직 부덕(婦德)을 잘 닦았음을 일컫는다.

『열녀전』(列女傳)에 넣어서 묶어 둔다면 編之列女傳

자정(子政)[53]의 글을 다시 이을 수 있네. 可續子政叟

듣자니 제(齊)나라와 조(趙)나라에선 側聞齊趙間

구한 시가 패옥(佩玉)처럼 가득하다지. 徵詩滿瓊玖

비유하면 수레가 늘어섬 같아[54] 得比輶軒陳

길이길이 오래도록[55] 전할 만하리. 堪登梨棗壽

내가 이군(李君) 하는 말을 전해 듣고는 我因李君言

붓 들고 스스로 못남도 잊고, 載筆自忘醜

기특한 정절을 드러내고자 爲欲表奇貞

긴말을 마침내 얽어 보았네. 長言遂紛糾

감히 조아비(曹娥碑)[56]를 흉내 내어 敢同曹娥碑

'외손제구'(外孫虀臼)[57] 네 글자를 제하여 보네. 題外孫虀臼

---

53 자정(子政): 『열녀전』(列女傳)의 저자 유향(劉向)의 자.
54 비유하면…같아: 원문의 "輶軒"은 사자(使者)가 타는 수레이다. 고대 중국에서 시·민요·방언 등을 채집하고 이를 통해 민정(民政)을 알아 위정자들이 참고하도록 한 일을 가리킨다. 후한 말 응소(應劭)의 「풍속통의서」(風俗通義序)에 "주(周)나라와 진(秦)나라는 항상 8월에 사자를 보내 이대의 방언을 취한다"(周秦常以歲八月遣輶軒之使, 求異代方言.)라고 하였다. 후대에 양웅(揚雄)이 『유헌사자절대어석별국방언』(輶軒使者絶代語釋別國方言)을 지은 바 있다.
55 길이길이 오래도록: 원문의 "梨棗"는 선약(仙藥)인 교리(交梨)와 화조(火棗)이다. 여기서는 영생을 말한다.
56 조아비(曹娥碑): 동한(東漢)의 효녀 조아(曹娥)를 칭송한 비문(碑文)이다.
57 외손제구(外孫虀臼): 여기서는 열녀를 칭송한 글을 가리킨다. 본래 동한의 채옹(蔡邕)이 조아비(曹娥碑)에 남긴 "黃絹幼婦外孫虀臼"라는 여덟 자의 은어로, 삼국시대 조조의 주부(主簿) 양수(楊脩)가 이를 파자(破字)하여 '절묘호사'(絶妙好辭), 즉 절묘한 좋은 글이란 뜻으로 풀었다. 『세설신어』 「첩오」(捷悟)에 보인다.

폭서정(暴書亭)이 중건되어 삼가 완운대(阮芸臺)[58] 학사(學使)
부자(夫子)께 지어서 드리다 2수[59]

暴書亭重建, 恭紀呈阮芸臺學使夫子. 二首

외론 정자 해내에서 명유(名儒)라 우러르니	孤亭海內仰名儒
팔만 권의 책 갖추고 저술로 즐기누나.	八萬書供著錄娛
퇴락함을 탄식함이 용사년(龍蛇年)[60]부터인데	一自龍蛇嗟冷落
오래도록 문경(門徑)이 황폐하게 되었지.	久敎門徑就荒蕪
강호에 술 실으니[61] 사조(詞藻)는 텅 비었고	江湖載酒空詞藻
안개비에 밭을 갈아 그 그림[62]만 남았다네.	煙雨歸耕賸畫圖
사군(使君)[63]께서 호사함을 능히 하지 않았다면	不有使君能好事
그 누가 옛집에서 소장로(小長蘆)[64]께 문안하리.	故居誰問小長蘆

---

58 완운대(阮芸臺): 완원(阮元, 1764~1849). 자가 백원(伯元)이고, 운대(芸臺)는 그의 호이다. 강소(江蘇) 의징(儀徵) 사람이다. 건륭 54년(1789) 진사가 되어 조정의 요직을 역임하고, 체인각대학사(體仁閣大學士)에 올랐다. 청대 고증학(考證學)을 집대성하였으며, 박제가뿐 아니라 추사 김정희(金正喜, 1786~1856)와 교유하였다. 김정희의 당호 '완당'(阮堂)이 완원의 이름에서 따온 것이다. 『호저집』 찬집에 소개되어 있다.

59 폭서정(暴書亭)이⋯2수: 폭서정은 주이준(朱彝尊, 1629~1709)이 지은 구거(舊居)와 그 일대의 원림. 절강성 가흥(嘉興)에 있다. 1696년에 처음 지었는데 화재로 소실되었다가 1796년에 완원(阮元)이 중수해 오늘에 이른다.

60 용사년(龍蛇年): 진년(辰年)과 사년(巳年). 곧 완원이 폭서정을 중수한 해의 지지이다. 폭서정의 수리는 1796년 병진(丙辰)년 7월에 시작되어, 이듬해인 1797년 정사(丁巳)년에 마무리되었다.

61 강호에 술 실으니: 원문의 '강호재주'(江湖載酒)는 주이준의 『강호재주집』(江湖載酒集)을 두고 한 말이다. 일반적으로 배에 술을 싣고 방탕하게 풍류를 즐기는 모습을 가리킨다. 두목(杜牧)의 「견회」(遣懷) 시에 "방탕하여 강호에 술 싣고 다니노라니, 가냘픈 미인들은 손안에 가볍기도 해라"(落魄江湖載酒行, 楚腰纖細掌中輕.)라고 한 데서 유래하였다.

62 안개비에⋯그림: 주이준을 그린 〈죽타선생연우귀경도소상〉(竹垞先生煙雨歸耕圖小象)이 전한다.

63 사군(使君): 왕명을 받들어 지방에 파견된 관리. 여기서는 완원을 가리킨다.

부서(部署)에서 경전 연구 앞뒤로 비추이니　室署研經映後先

사성(使星)65 수레 절강 임해 좋은 인연 일컫누나.　星軺涷浙稱良緣

예전 시편(詩編) 드러내어 시구를 구하였고　揄揚早編徵詩句

건물 지음 번거롭게 봉록을 출연(出捐)했지.　結構重煩出俸錢

> 지난 가을 가흥(嘉興)에서 과거 시험을 주관하면서 '폭서정시'(暴書亭詩)를
> 짓게 하였다. 그런 뒤에 처음으로 비용을 내어 중건하였다. 去秋按試嘉興, 命
> 題暴書亭詩. 旣而刱捐重建.

남은 책 널리 살펴 건물을 따로 짓고　　廣考遺編齋別起

> 사소담(謝蘇潭) 방백(方伯) 부자(夫子)께서 이때 『소학고』(小學考)를 엮고,
> 부서 안에 '광경의고재'(廣經義考齋)를 지었다.66 謝蘇潭方伯夫子, 時輯小
> 學考, 署中築廣經義考齋.

분본(粉本)67 새로 모사해 가지런히 놓았다네.68 新摹粉本璧還聯

> 부자께서 일찍이 〈죽타도〉(竹坨圖)69를 모사하였다. 진소현(秦小峴)70 관찰

64　소장로(小長蘆): 주이준의 별호가 소장로조어사(小長蘆釣魚師)이다.

65　사성(使星): 사군(使君)과 같은 말. 완원을 가리킨다.

66　사소담(謝蘇潭)…지었다: 사소담은 청나라 문인 사계곤(謝啓昆, 1737~1802)이다. 강서
(江西) 남강(南康) 사람으로 자는 온산(蘊山), 호는 소담(蘇潭)이다. 건륭 26년(1761) 진사가
되어 절강안찰사(浙江按察使)·산서절강포정사(山西浙江布政使)·광서순무(廣西巡撫) 등을
역임했다. 여기 언급된 『소학고』(小學考)는 주이준(朱彝尊)의 『경의고』(經義考)를 보완하는
성격을 가지고 있다. 그의 저서 『수경당시초집』(樹經堂詩初集) 권14에 수록된 「신작광경의고
재기성부시기사」(新作廣經義考齋旣成賦詩紀事)에 『소학고』의 편찬과 '광경의고재'의 건립 경
위가 자세하다.

67　분본(粉本): 초벌 그림이란 뜻이다. 그림을 그릴 때 호분(胡粉)으로 밑그림을 그리고 먹으
로 따라 그릴 때 쓰인다.

68　가지런히 놓았다네: 원문의 "璧還"은 원래 주인에게 되돌려 준다는 뜻이다. 전국시대 조
(趙)나라 혜문왕(惠文王)이 보물인 화씨벽(和氏璧)을 소장하고 있었다. 진시황이 15개의 성과
바꾸자며 구슬을 빼앗으려 했지만, 인상여(藺相如)가 기지를 발휘하여 다시 조나라로 가져가게
된 고사에서 유래하였다.

69　〈죽타도〉(竹坨圖): 현재 북경 고궁박물관에 소장되어 있는 〈주이준폭서정저서연〉(朱彝

부자와 나 또한 모사본이 있었으므로 모두 제영시를 지었다. 夫子曾摹竹坨

圖. 秦小峴觀察夫子, 予亦有摹本. 皆爲題詠.

이에 옛날 회복하여 멋진 모임 이루니　　　茲○[71]復古成嘉會

집 중수한 공로가 공북해(孔北海)와 한가질세.　修宅功同北海傳

이에 앞서 산동(山東) 시학(視學)으로 나갔을 때 일찍이 '통덕문'(通德門)을

다시 세웠다. 살펴보니 공북해가 정공의 집을 새로 지으라고 명한 「수정공택

교」(修鄭公宅敎)가 있다.[72] 先是視學山東, 嘗重立通德門. 按孔北海有修

鄭公宅敎.

尊暴書亭著書硯)으로 추정된다. 단계석(端溪石)으로 제작된 장방형 벼루로, 가로 20.5×세로
13.7×높이 2.8cm이다. 벼루 뒷면에 주이준의 소상(小像)과 자명(自銘)이, 좌우 옆면에는 송
락(宋犖, 1634~1713)의 서명(書銘)이 새겨져 있다.

70　진소현(秦小峴): 진영(秦瀛, 1743~1821)을 이른다. 자가 소현이다. 강소(江蘇) 무석(無
錫) 사람이다. 절강(浙江)·호남(湖南)·광동(廣東)의 관찰사를 역임하였다. 저서에 『소현산인
시문집』(小峴山人詩文集)이 있다.

71　○: 『호저집』 원문에 "茲" 자와 "復" 자 사이 한 자가 누락되어 있다.

72　이에 앞서…있다: 후한 말 북해의 태수 공융(孔融)이 동시대 유학자 정현(鄭玄)을 매우 존
경하여 그 고향인 고밀현(高密縣)에 통덕문(通德門)을 크게 세우고 마을의 이름을 '정공향'(鄭
公鄕)이라 부르게 한 일을 말한다. 『후한서』 「정현열전」(鄭玄列傳)과 『한위육조백삼가집』(漢魏
六朝百三家集) 「고고밀현입정공향교」(告高密縣立鄭公鄕敎), 「수정공택교」(修鄭公宅敎)에 그
내용이 전한다.

시험을 치려고 연경에 들어가면서[73] 떠남에 임하여 회포를 적다 4수

計諧入都臨行述懷. 四首

경화의 향기론 땅 십 년간 어긋나니	京華香土十年違
어이 다시 벼슬길에 부르심을 바랐으리.	豈望公車再召時
공명 함께 얘기하며 부지런히 애썼어도	共說功名須黽勉
재주와 힘 헤아리면 여전히 부족하다.[74]	自量才力尙狐疑
이별 자리 꽃 재촉하는 북소리[75] 홀연 울고	離筵忽擊催花鼓
골짝 나서 벌목(伐木) 시[76]를 가장 먼저 화답하네.	出谷先賡伐木詩
역로(驛路)의 찬 매화는 마치 약속 있는 듯해	驛路寒梅如有約
한 가지 남겨 꺾어 그리운 맘 부쳐 보네.[77]	一枝留折寄相思

---

73 시험을…들어가면서: 원문은 "計諧"로, 계해(計偕)의 뜻이다. 거인(擧人)이 상경해 회시를 치른다는 뜻이다. 각 지방에서 인재를 선발하여 계리(計吏)와 함께 조정에 올려 보내던 데서 유래했다. 진전은 43세인 가경 원년(1796) 군고생(郡庫生)으로서 효렴방정(孝廉方正)에 천거되었고, 가경 3년(1798)에는 거인이 되었다.

74 부족하다: 원문의 "狐疑"는 '호의불결'(狐疑不決)로, 여우가 의심이 많아 결정을 제대로 하지 못하는 것을 가리킨다.

75 꽃 재촉하는 북소리: 원문은 "催花鼓". 당 현종이 봄날에 상원(上苑)에서 북을 쳐 춘광호(春光好) 곡을 연주하게 하자, 금세 버들과 살구꽃이 만개했다는 고사에서 온 말이다.

76 골짝 나서 벌목(伐木) 시: 『시경』의 「벌목」(伐木)에서 가져온 말로, 학문이나 신분이 발전함을 이른다. 이런 구절이 있다. "벌목 소리 쩡쩡 울리니 새소리가 꾀꼴꾀꼴 들리도다. 깊은 골짝에서 나와 높은 나무로 옮기도다."(伐木丁丁, 鳥鳴嚶嚶. 出自幽谷, 遷于喬木.)

77 역로(驛路)의…부쳐 보네: 송나라 때 육개(陸凱)가 강남의 역참(驛站)에서 매화 한 가지를 꺾어 멀리 장안의 벗에게 부쳐 보내며, "역사를 만나 매화 가지 꺾어선 농두에 있는 이에게 부쳐 보네. 강남 땅에 가진 것 없다 보니 애오라지 한 가지 봄을 보내오"(折花逢驛使, 寄與隴頭人. 江南無所有, 聊寄一枝春.)라고 하였다는 고사가 있다. 『태평어람』 권970에 나온다.

선영과 작별하니 눈물 콧물 흐르는데	拜別先塋涕淚加
송추(松楸)⁷⁸에 바람 세차 까마귀 떼 울어 댄다.	松楸風急噪群鴉
기둥 글귀⁷⁹ 읽으려니 슬픔은 끝이 없고	楹書欲讀悲無極
바느질 자국 남았어도 보답할 길 아득하다.⁸⁰	衣線猶存報更賒
두 번 효렴(孝廉) 천거되니 내가 부끄럽지만	兩擧孝廉殊愧我
어깨에 행장 메고 또 집을 떠난다네.	一肩行李又辭家
하물며 앞길 다시 보장하기⁸¹ 어려우니	前程況復難操券
손 흔들고 곁을 보며 부질없이 자랑 마소.	搖手旁觀莫浪誇

좌사와 거주(擧主)께서 은혜로이 초대하니	座師擧主惠重邀
지기로 평생토록 변함없이 받들리라.	知己平生奉不祧
양주(楊朱)가 길 잃음을 근심함⁸²보단 낫고	差勝楊朱愁失路
사마상여 다리에 시 쓰던 일⁸³ 본뜨누나.	敢同司馬漫題橋

---

78 송추(松楸): 소나무와 가래나무로, 묘지에 많이 심는다. 분묘(墳墓)나 선영(先塋)을 뜻한다.

79 기둥 글귀: 원문은 "楹書"로, 유언이나 유서를 뜻한다. 안자(晏子)가 기둥을 파고 유서를 남긴 데서 유래하였다. 『안자춘추』(晏子春秋)에 보인다.

80 바느질…아득하다: 당나라 때의 시인 맹교(孟郊)의 「유자음」(遊子吟)에서 따온 표현이다. 원문은 다음과 같다. "인자하신 어머님의 손에 쥔 실은, 길 떠날 아들의 옷을 짓는 거라네. 떠나기에 앞서 꼼꼼히 꿰매시며, 행여 더디 돌아올까 염려하시네. 누가 한 치의 풀과 같은 마음 가져, 봄볕 같은 어머님의 사랑에 보답할꼬."(慈母手中線, 遊子身上衣. 臨行密密縫, 意恐遲遲歸. 誰言寸草心, 報得三春暉.)

81 보장하기: 원문은 "操券"으로, 보증 문건이다. 옛 계약에서는 채무자와 채권자가 문건을 둘로 나누어 가졌는데, 채권자가 가진 쪽을 '조권' 혹은 '좌권'(左券)이라 한다.

82 양주(楊朱)가…근심함: 『열자』에 나오는 고사이다. 양주(楊朱)의 이웃 사람이 양을 잃고서 찾으러 갔는데 갈림길이 너무 많아 찾지 못하였다. 양주는 그 말을 듣고 한참 동안 슬퍼하였다. 이 고사가 전해지는 과정에서 양주가 갈림길에서 눈물을 흘린 것으로 변용되었다.

83 사마상여…일: 한(漢)나라 사마상여가 과거를 보러 장안에 가면서 고향인 촉 땅 성도(成都) 승선교(昇仙橋)의 기둥에 "고관대작의 수레를 타지 못한다면 다시 이 다리를 지나지 않으리라"(不乘駟馬高車, 不復過此橋.)라고 쓰고선 과거에 급제하였다는 고사가 있다. 상거(常璩)

씨암탉 군이 잡아 아내는 자리 차려[84]　　　　　伏雌苦費山妻饌

봄술로 번거로이 이웃을 초대했지.　　　　　　春釀紛煩隣舍招

작은 정원 이제 손길 끊어질 일 생각하자니　　只念小園方斷手

새 버들 차마 잡고 가지를 당겨 보네.　　　　忍將新柳遞攀條

여러 해를 그루 지켜[85] 온갖 감회 일어나니　株守頻年感百端

경황 중에 허둥지둥[86] 말안장을 정돈하네.　蒼黃竭蹶理征鞍

가난해도 씩씩하기 어이 쉬이 말하리오　　　貧思壯往譚何易

장안에서 지내기가 곱절은 어려우리.　　　　居到長安覺倍難

벗이 묵은 걸상 매닮[87] 오히려 기뻐하니　猶喜故人懸[88]舊榻

먼 길에 밥 더 들길 권하여 주는구나.　　　免敎遠道勸加餐

행랑에는 시 읊은 종이 가득히 담아 두고　　行囊博得吟箋滿

하늘가로 가져가 곳곳마다 보리라.　　　　携向天涯處處看

의 『화양국지』(華陽國志)에 보인다.

84　씨암탉…차려: 조강지처가 벼슬길에 나서는 남편을 뒷바라지하는 것을 말한다. '복자'(伏雌)는 알을 품고 있는 씨암탉, '산처'(山妻)는 자기 아내에 대한 겸사(謙辭)이다. 춘추시대 백리해(百里奚)가 진(秦)나라 정승이 되고 나서 옛 처를 찾지 않았는데, 처가 찾아와 "씨암탉 삶아주고 빗장 쪼개 밥 지어 줬거늘, 이제 부귀해져서는 나를 잊었구나"(烹伏雌, 炊扊扅, 今富貴, 忘我爲.)라고 하여 다시 부부가 되었다는 고사가 있다.

85　그루 지켜: 원문은 "株守"로, '수주대토'(守株待兔)의 준말이다. 춘추시대 송나라 사람이 토끼가 나무 그루터기에 부딪혀 죽는 모습을 보고서는 같은 일이 다시 생길 줄 알고 농사를 관두고 그루터기만 지키고 있다가 남들의 웃음거리가 되었다는 고사에서 나왔다.

86　허둥지둥: 원문은 "竭蹶"로, 『순자』 「유효」(儒效)에서 나온 표현이다. 덕이 있는 왕의 태평한 나라를 두고, "가까이 있는 자들은 성세를 노래하며 즐기고, 멀리 있는 자들은 엎어지며 허둥지둥 달려올 것이다"(近者歌謳而樂之, 遠者竭蹶而趨之.)라고 했다.

87　묵은 걸상 매닮: 본서 351면 각주 635번 참조.

88　懸: 『호저집』 원문에는 "縣"으로 되어 있으나 문맥에 따라 수정하였다.

정유고략서

貞蕤稿畧序

가경 6년(1801) 3월, 나는 진사시에 합격하고 도성을 노닐다가 유리창 서점에서 조선 사신 수기(修其) 박 검서(朴檢書)를 만났는데, 보자마자 마치 오래전부터 알던 사람 같았다. 말은 비록 통하지 않았지만 붓을 잡아 글씨를 써서 서로 기쁘게 마음을 나누었다. 박 검서는 경전에 능통하고 옛일에 박식했으며, 시문을 짓는 솜씨가 뛰어난 데다 필법도 훌륭했다. 글씨를 구하는 사람이 있으면 즉석에서 자기 작품을 써서 응했다.

이때 나와 동갑내기 친구인 가정(嘉定) 전기근(錢旣勤) 군이 이르렀다. 전군은 가학을 계승하여 저술이 자못 많았다. 박 검서는 동료 관원 유혜풍(柳惠風)과 함께 있었는데 그 또한 식견이 매우 풍부한 선비였다. 네 사람이 기문(奇文)을 감상하고 뜻을 풀이하는데, 먹을 갈아 붓을 적시면 순식간에 여러 장의 종이가 쌓였다. 나는 『일주서』(逸周書)[89]에 나오는 재자(在子)와 전아(前兒)와 겸양(嗛羊),[90] 『관자』(管子)의 문피(文皮)와 타복(乇服),[91] 『설문해자』(說文解字)의 '면'(鮸)·'분'(魵)·'로'(鱸)·'구'(鰸)·'접'(鰈)·'패'(魳)·'국'(鮪)·'사'(魦)·'력'(鱳)·'선'(鮮)·'용'

---

89 『일주서』(逸周書): 『급총주서』(汲冢周書). 진(晉)나라 때 급군(汲郡) 사람 부준(不準)이 위(魏) 양왕(襄王) 묘의 도굴품에서 발견한 죽간(竹簡)으로, 선진(先秦)의 과두문자(蝌蚪文字)로 되어 있다.

90 재자(在子)와 전아(前兒)와 겸양(嗛羊): 『일주서』「왕회해」(王會解)에 나온다. 재자와 전아는 동이(東夷)의 일종이고, 겸양은 양과 닮은 동물로 또한 동쪽에 산다고 했다. 모두 고대 조선과 관련된 말이다.

91 문피(文皮)와 타복(乇服): 본서 377면 각주 40번 참조.

(鰦)·'옹'(鯧) 등의 글자[92]를 하나하나 물어보려고 했는데, 다 묻기도 전에 날이 저물어 헤어지고 말았다.

며칠 지나 또 만났더니, 고맙게도 조선 종이, 접부채, 삿갓, 청심환 등을 선물로 주었다. 나는 곧 시 네 수를 지어 감사의 뜻을 표하고, 주련 글씨와 비첩(碑帖) 그리고 졸저 『논어고훈』(論語古訓)으로 답례했으니, 먼 춘추시대 계찰(季札)과 정자산(鄭子産)이 비단 허리띠와 삼베옷을 주고받은 일에 가까웠다. 이윽고 박 검서가 책 한 권을 꺼내 보이는데 제목이 『정유고략』(貞蕤稿略)이었다. 모두 그가 예전에 지은 작품이었다. 첫머리에 놓인 대책(對策)들은 옛 학문을 밝혔고, 육예(六藝)에 관한 여러 책을 꿰뚫었다. 읽어 보니 물결이 넘실대고 사방이 툭 트인 게 마치 높은 산에 오르고 드넓은 바닷가에 서 있는 듯했으니, 그 높이와 깊이를 헤아리기 힘들었다. 나도 성음(聲音)과 문자와 훈고에 종사한 지 여러 해가 지나 마음에 깨닫는 바가 있으면 문득 거칠게나마 기록해 두곤 했는데, 요즘 들어 기억력이 차츰 떨어져 자신이 없어졌다. 이제 박 검서의 글을 보니 내가 생각했던 것을 먼저 얻어, 이에 나도 모르게 간개무량한 흥취가 일었다.

박 검서가 말하기를, 실린 책문은 그의 선왕(정조)이 직접 지으신 거라고 했다. 선왕은 학문을 좋아하고 견문이 넓어 공맹의 연원을 직접 접했으며 한당(漢唐) 이후의 말은 짓지 않았다고 했다. 또 공손하고 검박하여 아랫사람을 예로 대했으며 물결이 흐르듯 선(善)을 좇았다고 한다. 일찍이 초야 선비의 이름을 알아 과거의 격식에 얽매이지 않고 발탁하여

---

92 『설문해자』(說文解字)의…글자: 모두 물고기를 나타내는 글자이다. 『설문해자』에는 예맥(濊貊)이나 낙랑(樂浪) 등 고대 조선과 관련된 지역의 산물로 소개되어 있다.

등용했으며 요직을 제수했으니, 군신 간의 지우(知遇)가 고금에 드문 일이라고 하였다. 나는 이와 같은 영광이 어디 있겠냐고 찬탄하였다.

그는 일찍이 세 차례나 북경에 들어왔는데, 사귄 사람이 모두 높은 관리나 이름난 학자였다. 그의 천성이 중조(中朝)를 사모했으며, 경국제세(經國濟世)의 방법을 논하기 좋아하여 일찍이 『북학의』(北學議) 2권을 지었다. 그 나머지 지은 시문이 오히려 많은데, 여기 실린 것은 겨우 십분의 일에 지나지 않는다. 하지만 그중 옛일을 고증한 작품이나 수창한 시편은 구름이 흐르고 샘물이 솟는 듯, 비단의 무늬가 서로 어울리듯 찬연하게 갖추어졌다. 이에 동료가 교정하고 판각했는데, 내게 서문을 청했다. 나는 그럴 만한 재주가 없다며 극구 사양했다. 마침 면주(綿州) 사람 중한(中翰) 이묵장(李墨莊)이 유구국에 사신 갔다가 돌아와 자리에 있다가 흔연히 내게 권했다.

우리나라가 문교(文教)를 널리 펼쳐 동서 사방이 그 은혜를 입었으니, 말이 통하지 않는 먼 나라에서도 중역(重譯)을 내세워 조회하러 오는데, 그런 나라가 어찌 월상(越裳)과 서려(西旅)에 그치겠는가?[93] 더구나 조선은 예로부터 군자의 나라로 일컬어져 왔다. 박 검서는 황제의 나라에 사신으로 오면서 두루 자문하였으니 아홉 가지 재능[94]에 부끄러움이 없

---

93 중역(重譯)을…그치겠는가: 중역(重譯)은 너무 멀리 떨어져 있어 언어가 서로 통하지 않을 때, 사이에 다른 나라를 통해 내세우는 이중 통역을 말한다. 월상(越裳)은 교지국(交趾國) 남쪽에, 서려(西旅)는 서쪽에 있던 나라 이름으로, 모두 중역을 내세워 중국에 사신을 보낸 기록이 있다.

94 아홉 가지 재능: 훌륭한 명성이 있는 군자의 아홉 가지 덕목. 『모시주소』(毛詩注疏)에 다음과 같이 제시된 바 있다. "나라를 세움에 점을 잘 치고, 사냥함에 명령 체계를 잘 세우고, 그릇을 만듦에는 명문(銘文)을 잘 새기고, 사신 가서는 응대를 잘하고, 높은 곳에 올라 시를 잘 짓고, 장수가 되어서는 기강을 바로 세우고, 산천에서 그 형세를 잘 말하고, 상가에서는 조문을 잘하고, 제사에서는 축문을 잘 지어 말하는 것이다."(建邦能命龜, 田能施命, 作器能命, 使能造

다 하겠다. 이제 이 책이 출간되어 세상에 널리 알려지고 사람들 입에 오르내리게 된다면, 실학과 풍아를 숭상하는 풍조가 먼 이역에서도 차이가 없음을 모두가 알게 될 것이니, 어찌 성대하고 통쾌한 일이 아니겠는가? 왕사정(王士禎)이 '담운'(澹雲)과 '미우'(微雨) 두 시어를 가지고 동국 사람이 시를 안다고 속인 것[95]은 또한 너무 얄팍하지 않겠는가!

해녕(海寧) 사람 진전은 쓴다.

嘉慶六年三月, 余擧進士, 游都中, 遇朝鮮國使臣朴修其檢書于琉璃廠書肆, 一見如舊相識. 雖語言不通, 各操不律書之, 輒相說以解. 檢書通經博古, 工詩文. 又善書法, 人有求, 則信筆立書所作以應. 時余同年友嘉定錢君旣勤繼至. 旣勤克承家學, 著述甚夥. 檢書偕同官柳君惠風, 亦閎覽多聞, 卓然儒雅. 四人者, 賞奇析義, 舐墨濡毫, 頃刻盡數紙. 余欲叩以逸周書之在子前兒嗛羊, 管子之文皮毻服, 說文解字之鮸魵鱅鰸鰈魳鮈魦鱳鮮鱅鰅, 遽數之, 不能終其物, 且日已旰矣, 遂散去. 越數日, 又相見, 辱贈以東紙·摺扇·野笠·藥丸. 余卽賦詩四章志謝, 副以楹聯·碑帖及拙著論語古訓, 幾幾乎投縞獻紵之風焉. 有頃, 檢書手一編出示, 曰貞蕤稿略. 皆其舊作. 首列對策, 發明古學, 貫通六藝群書. 讀之, 洋洋灑灑如登高山·臨滄海, 驟然莫測其崇深. 蓋余從事于聲音·文字·訓詁, 已歷多年, 意有所會, 輒疏記之, 近年性漸忽忘, 未敢自信. 今閱檢書之作, 先得我心之所同然, 不覺興感交集. 檢書自言, 所列策問, 乃其先國王親製. 國王好學博聞, 直接鄒魯淵源, 不作漢唐後語. 而恭儉禮下, 從善如流. 夙知草茅之名, 振拔

命, 升高能賦, 師旅能誓, 山川能說, 喪紀能誄, 祭祀能語.)

95 왕사정(王士禎)이…속인 것: 본서 290면 각주 447번 참조.

于科學常格之外, 而登進之, 擢授要職, 君臣知遇, 古所罕覯. 余歎其何榮若此. 蓋嘗三入京師, 所交皆名公鉅儒. 其天性, 樂慕中朝, 好譚經濟, 曾著北學議二卷. 其他著作詩文尙多, 此所存者, 才十之一. 然其中考證之作, 酬唱之篇, 雲流泉湧, 綺合藻抒, 粲然具備. 同人亟爲校刻, 請余弁其端. 余固謝不敏. 適綿州李墨莊中翰, 出使琉球方歸, 亦在坐, 欣然勸余爲之. 洪惟我國家, 文敎誕敷, 東漸西被, 梯山航海, 重譯來庭, 何止越裳西旅. 而朝鮮古稱君子之國. 檢書皇華載命, 周爰諮詢, 不愧九能之目. 將見斯編一出, 流布風行, 膾炙人口, 咸知崇實學·尙風雅, 無間于絶域遐陬, 豈不盛哉, 豈不快哉. 若夫澹雲微雨二語, 遂詫爲東國解詩爲東國解詩, 抑亦淺已. 海寧陳鱣敍.

황성[96]
黃成, ?~?

신유년(1801) 4월, 예부에 응시하려고 연경에 머물다가 오류거 서점에서 조선 박수옹(朴修翁) 선생을 만났다. 좋은 글을 찾아 얻고, 이에 시[97] 2수를 써서 드리니 호저(縞紵)의 예물에 합당할 수 있겠는가
辛酉四月, 以應試禮部留京, 遇朝鮮朴修翁先生於五柳居中, 索得華翰.
爰寫折枝二種贈之, 以當縞紵可乎

하늘가서 새로운 벗 얻음 어이 뜻했으리	天涯何意得新知
한묵과 풍류가 바로 나의 스승일세.	翰墨風流是我師
압록강 물가에 구름 나무[98] 아득하니	鴨綠江邊雲樹杳
먼 꿈에 기대 그리는 맘 부쳐 볼까 하노라.	欲憑遠夢寄相思
티끌세상 말달리며 어이 이리 바쁘던가	走馬紅塵爲底忙
청춘은 눈 아래서 당당하게 떠나가네.	靑春眼下去堂堂
객지에 생화필(生花筆)[99]이 아직 남아 있으니	客間尙有生花筆
하늘가 아득한 정 기대어 의탁하리.	藉托遙情天一方

---

96 황성(黃成): ?~? 자는 향경(香涇)이니, 강소(江蘇) 오현(吳縣) 사람이다.
97 시: 원문은 "折枝". 여기서는 칠언시 2수를 가리키는 의미로 썼다.
98 구름 나무: 원문은 "雲樹". 벗을 그리워하는 마음이다. 본서 347면 각주 623번 참조.
99 생화필(生花筆): 걸출한 문학적 재능을 말한다. 이백이 어려서 붓끝에서 꽃이 피어나는 꿈을 꾸었는데 장성하여 천하에 문명(文名)을 떨쳤다는 고사에서 왔다.

수옹이 나를 위해 부채에 시와 그림으로 답례하였다. 이제껏 저잣거리에 이 같은 풍류와 아취가 있었던가? 귀국하는 일자가 이달을 넘기지 않을 줄을 아는 데다, 나 또한 장차 짐을 꾸려 남쪽으로 내려가야 하니, 만나고 헤어지는 감회가 어찌 능히 성인이 정(情)을 잊는 경지[100]를 본받을 수 있겠는가? 불가에서 같은 뽕나무 아래에 사흘을 묵지 않는다고 하는 것[101]은 대개 까닭이 있었다. 다시 율시 한 수를 이루어 바로 가락을 이어 주시기를 청한다. 신유년(1801) 4월에 내가 연경의 객사에 있었다

修翁爲我書扇, 作詩畫酬之. 從來互市, 有如許風雅否. 知歸國不出此月, 余亦將束裝南下, 聚散之感, 安能效太上忘情耶? 浮屠氏不三宿桑下, 蓋有以也. 復成一律, 卽乞繼聲. 辛酉孟夏, 時在燕臺之客舍

어인 인연 문득 만나 미칠 듯 기뻐하니	傾蓋何緣喜欲狂
더운 바람 북방 한설 한집에 함께했지.	炎風朔雪許同堂
수레와 글자 애초부터 중외(中外)의 구분 없어	車書元不分中外
운조(雲鳥)[102]는 진실로 전장(典章)에 적을 만해.	雲鳥誠堪志典章
만 리 길에 이웃 되어 한데 모여 식사하니	萬里比隣成會食

---

100 성인이…경지: 『세설신어』(世說新語) 「상서」(傷逝)에 진(晉)나라 왕연(王衍, 256~311)의 말로 나온다. 왕연이 어린 아들을 잃고 슬픔을 가누지 못하자, 조문하러 간 산간(山簡)이 지나치게 슬퍼한다며 타박했다. 그러자 왕연은 "성인은 정을 잊고, 가장 낮은 사람은 정에 미치지도 못한다. 그렇다면 정이 모이는 곳은 바로 우리에게 있다"(太上忘情, 最下不及情. 然則情之所鍾, 正在我輩.)고 대답했다.
101 불가에서…하는 것: 짧은 인연에 매여 연연하는 일을 경계한다는 말이다. 『후한서』 권30 「양해열전」(襄楷列傳)에 "승려가 뽕나무 아래에서 사흘 밤을 묵지 않음은 시간이 흘러 은애(恩愛)가 생기길 원치 않아서다"(浮屠不三宿桑下, 不欲久生恩愛.)라고 한 데서 가져왔다.
102 운조(雲鳥): 고대 헌원씨(軒轅氏) 이래로 상서(祥瑞)를 기록한 고대 문자의 일종.

석 되의 맑은 술에 이별 마음[103] 흔들리네.　　　三升淸醑動離腸

가슴속 빼어난 경개 붓을 잡아[104] 토해 내니　　　羅胸勝槩拈毫吐

참으로 옥구슬이 금낭(錦囊)에 가득하다.　　　定是珠璣滿錦囊

가경 신유년(1801) 5월 초하루, 조선 규장각의 박제가·유득공 두 검서가 귀국하는 것을 받들어 전송하다
嘉慶辛酉五月朔, 奉送朝鮮內閣朴柳二檢書歸國

동방에 나라 있어 군자국을 일컬으니　　　東方有國稱君子

모여 우는 봉황새[105]가 여기에서 나왔다네.　　　歸昌之鳥生於此

날개 떨쳐 높이 날다 덕 빛남을 살펴보고[106]　　　振羽高飛覽德輝

산 동쪽 오동 위에 함께 내려앉았지.[107]　　　朝陽合向梧桐止

삼월이라 도성 봄날 꾀꼬리 울고 꽃은 피어　　　三月鶯花帝里春

103　이별 마음: 원문의 "離腸"은 이별의 슬픔에 마음이 아픔을 일컫는다.

104　붓을 잡아: 원문의 "拈毫"는 '점호농관'(拈毫弄管)의 줄임말로, 붓을 잡고 시문을 짓거나 그림을 그리는 일을 가리킨다.

105　모여 우는 봉황새: 원문의 "歸昌之鳥"는 봉황을 말한다. '귀창'(歸昌)은 봉황이 나무에 앉아 운다(集鳴)는 뜻이다. 유향(劉向)의 『설원』(說苑) 「변물」(辨物)에 보인다.

106　날개…살펴보고: 가의(賈誼)의 「조굴원부」(弔屈原賦)에 "봉황이 천 길 높이 날아오름이여, 덕이 빛난 것을 보고 내려오도다"(鳳凰翔于千仞兮, 覽德輝而下之.)라고 한 데서 온 표현이다. 여기서는 조선의 사신이 청나라에 방문한 일을 가리킨다.

107　산…내려앉았지: 원문의 "朝陽"은 산의 동쪽으로 해가 뜨는 곳이다. 여기서 자라는 오동나무에 봉황이 깃든다. 『시경』 대아 「권아」(卷阿)에, "봉황이 훨훨 날아, 저 높은 뫼에서 울도다. 오동이 무성하게 저 산 양지쪽에서 자라도다. 무성한 오동나무에 봉황의 울음소리 평화롭도다"(鳳凰鳴矣, 于彼高岡. 梧桐生矣, 于彼朝陽. 菶菶萋萋, 雝雝喈喈.)라고 하였다.

말발굽 보드라운 홍진에 노곤하구나.	馬蹄已倦軟紅塵
빈한한 객 홀연히 청안(靑眼)[108]을 뜨게 하니	忽敎冷客開靑眼
사모(紗帽)에 판포(版袍) 차림[109] 두 사람을 알겠네.	紗○版袍識兩人
하늘가서 한데 모임 까닭 없지 않으니	天涯作合非無以
수염 날려 한바탕 웃음 마음 나눈 사귐일세.	掀髯一笑神交矣
말은 능히 안 통해도 붓으로는 통하나니	口不能通筆則通
소리 없는 이야기가 종이에 이어진다.	無聲之語條條紙
취두선(聚頭扇)에 새 시 베껴 나에게 선물하니	貽我新詩寫聚頭
구름안개[110] 날리우고 사향이 퍼지는 듯.	雲煙飛落麝香流
12명의 용빈(龍賓)들이 짝 얻음을 기뻐하고[111]	十二龍賓欣有伴
한 쌍의 호복(虎僕)[112]이 그댈 위해 수창하네.	一雙虎僕爲君酬
서로 만남 언제나 책방에서 이뤄지니	相逢踪踪由書肆
전분(典墳)[113]은 원래부터 우리네의 일이라오.	典墳原是吾曹事

108 청안(靑眼): 박제가·유득공이 청아한 고사(高士)라는 뜻. 완적(阮籍)의 고사를 사용한 표현이다. 본서 344면 각주 610번 참조.

109 사모(紗帽)에 판포(版袍) 차림:『호저집』원문은 "紗版袍"로 한 자가 없으나, 문맥상 "紗帽版袍"가 적절하다. 사모와 판포는 모두 조선 사신의 옷차림을 말한다.

110 구름안개: 자연스럽고 막힘 없는 필세(筆勢)의 비유다. 두보의 「음중팔선가」(飮中八仙歌)에, 명필(名筆) 장욱(張旭)의 글씨를 두고 "붓 휘둘러 쓰면은 구름안개 같았네"(揮毫落紙如雲煙)라고 하였다.

111 12명의…기뻐하고: 당나라 현종(玄宗)이 먹 위에 파리만 한 도사가 다니는 것을 보고 꾸짖자, 그가 자신은 먹의 정령 흑송사(黑松使)이며, 세상에 문장이 있는 자는 먹 위에 12명의 용빈(龍賓)이 있다고 했다. 당나라 풍지(馮贄)의『운선잡기』(雲仙雜記)「도가병여사」(陶家瓶餘事)에 보인다.

112 호복(虎僕): 본래 짐승의 이름인데, 털로 붓을 만들 수 있다고 한다. 전의되어 붓을 뜻하게 되었다. 장화(張華)의『박물지』(博物志)에 보인다.

113 전분(典墳): '삼분오전'(三墳五典)의 약칭으로 고서를 말한다. 삼분(三墳)은 삼황(三皇)의 글, 오전(五典)은 오제(五帝)의 글이다.

어이해 중외가 같지 않다 말하리오	何云中外不同風
수레 멈춰 기이한 글자 물음¹¹⁴을 허락했네.	儘許停車問奇字
마음으로 완호하여 마침내 형상 잊고	中心玩好遂忘形
저물녘 절집에서 자리 깔고¹¹⁵ 식사했지.	班荊同飯斜陽寺
한 달 넘게 함께 좇아 정이 한창 들었는데	匝月過從情正移
사절단 정한 기한 있음을 어이하리.	那堪使節有程期
반포한 황제 답장¹¹⁶ 동쪽을 가리키니	頒來英蕩從東指
새로 사귄 벗들과 헤어져야 할 때일세.	便是新知分袂時
이곳에서 압록강은 삼천 리 길이거니	鴨江此去路三千
구름 나무 아득해도 한 하늘 아래로다.	雲樹遙分共一天
밝은 해에 힝힝대는 연나라 말¹¹⁷ 남다르니	熙日嘶風殊燕馬
이 모임 다시 할 날 언제일지 모르겠네.	難憑此會是何年
창포 잎 푸르르고 붉은 석류꽃이 피니	菖蒲綠映紅榴吐
단지 사흘 지난 뒤엔 바로 단오절이로다.	只隔三朝是重午
굴원의 칠언시에 느낌이 일어나니¹¹⁸	觸起左徒七字詞

---

114 기이한 글자 물음: 어진 이를 찾아가 배우는 일을 말한다. 호사가가 술을 싣고 한나라 양웅을 찾아가 기자(奇字)에 대해 물어 『태현경』(太玄經)과 『법언』(法言)을 배웠다고 한다. 기자(奇字)는 양웅이 능했던 서체의 이름이기도 하다.

115 자리 깔고: 원문은 "班荊", 즉 싸리[荊]를 깐다는 말로 길에서 친구와 만나 회포를 푸는 것을 뜻한다. 춘추시대 초나라의 오거(伍擧)가 진(晉)나라로 망명하러 가다가 정(鄭)나라 교외에서 친구를 만나 형초(荊草)를 깔고 앉아서 다시 초나라로 돌아갈 일을 의논했다는 '반형도고'(班荊道故)의 고사에서 왔다.

116 황제 답장: 원문의 "英蕩"은 사명(使命)을 새긴 부신(符信)을 담은 상자를 말한다.

117 연나라 말: 조선 사신단의 말이 고향이 그리워 빨리 달린다는 뜻이다. 원문의 "燕馬"는 연(燕) 땅에서 태어나 고향을 그리워하는 말로, 무명씨(無名氏)의 「고시」(古詩)에 "호 땅의 말 북풍에 몸 의지하고, 월 땅의 새 남쪽 가지에 둥지를 트네"(胡馬依北風, 越鳥巢南枝.)라고 한 데서 왔다. 『문선』 권29에 있다.

118 굴원의…일어나니: 원문의 "左徒"는 벼슬 이름으로, 좌도를 지냈던 전국시대 초나라 굴

살아 진인(眞人) 작별하매 시의 가락 괴롭구나.	生別離眞句調苦
늘어진 수양버들 너무도 무정하여	無情最是垂楊柳
긴 가지 가는 사람 붙잡아 두질 않네.	長條不絡行人走
미처 다 펴지 못한 남은 정이 있건만	尙有餘情含未申
웅황주(雄黃酒)[119] 한 잔 술도 나눌 길이 없구나.	末由一酌雄黃酒
행장에는 바리바리 다만 책을 실어 두고	行篋層層只載書
엷은 구름 부슬비에[120] 가벼운 소매 전송하네.	淡雲微雨送輕裾
훗날 내게 그리운 맘 소식을 부치려면	他時寄我相思字
연경의 오류거(五柳居)를 기억해 주옵소서.	記取金臺五柳居

차수 선생께 올리는 글

上次修先生書

물 위의 부평초처럼 서로 만나 마침내 지기가 되어 하늘 끝에서 하나가
되었으니 진실로 기이한 인연이라 하겠습니다. 다만 헤어질 때가 가까
웠고, 다시 돌아오는 것은 기필할 수 없는 일이고 보니 구슬피 애가 녹아
오직 이별할 뿐입니다. 다만 애를 써서 식사를 많이 드시고 천만 보중하

원을 말한다. 그는 참소를 당해 조정에서 쫓겨났는데 울분을 참지 못해 5월 5일 강물에 투신하
여 죽었다. 그에게 제사를 지내던 것이 단오절의 유래이므로 쓴 표현이다.
119 웅황주(雄黃酒): 단오절에 마셨던 술이다. 5월 초하루에 웅황(雄黃)을 술에 개어서 단오
절에 마신다고 한다. 웅황은 천연 비소화합물로 주황빛을 띤다.
120 엷은 구름 부슬비에: 청나라 문인 왕사정의 「논시절구」(論詩絶句)에서 가져온 표현이다.
본서 290면 각주 447번 참조.

시기를 바랍니다. 명산에 보관할 만한 저작이 날로 풍부해져서 썩지 않을 업적이 세상에 퍼지게 한다면, 구름 산을 사이에 두고 있더라도 얼굴을 마주하는 것과 다를 바 없을 것입니다. 그대의 초상화와 그림책은 오류거 주인에게 부탁하여 받들어 올립니다. 수레에 오르는 것을 직접 전송할 수 없어서 서글픈 마음을 이기지 못하겠군요. 수옹 선생께서는 저의 스승이십니다.

향경(香涇) 황성(黃成)이 삼가 아룁니다. 유군(柳君)[121]께도 함께 작별 인사를 드립니다. 5월 9일.

萍水相逢, 遂成知己, 天涯遇合, 洵是奇緣. 特分袂在卽, 且重回亦未可必之事, 黯然銷魂, 惟別而已. 惟望努力加餐, 千萬珍重. 俾名山著作日富, 不朽之業, 流布寰區, 則雲山之隔, 不啻覿面矣. 玉照及畫冊, 藉五柳居主人奉上, 不能面送登車, 可勝悵悵. 修翁先生我師. 香涇黃成頓. 柳君處竝道別, 五月初九日.

박공(朴公)의 소조(小照) 1폭과 화첩 1권입니다. 안에 편지 한 통이 있어 모두 세 건인데 전해 주시기를 바랍니다. 감사의 뜻으로 여기에 도온휘(陶蘊輝)[122] 선생의 소조(小照)를 올립니다. 황향경(黃香涇)은 오류거 서방(書坊)에 드립니다. 만약 박공께서 조선 종이를 주신 것이 이미 도

---

121 유군(柳君): 유득공을 가리킨다.
122 도온휘(陶蘊輝): 오류거 주인 도정학(陶庭學, 1732~1797)의 아들. 1801년 박제가가 북경에 갔을 때 그가 오류거의 새 주인이었다.

착해 있거든 즉시 보낸 인편에 틀림없이 부쳐 주십시오.

朴公小照一幅, 冊頁一本. 内有一字, 共三件, 乞轉致. 爲感此上陶先生
照. 黃香涇具五柳居書坊. 若朴公以東紙見贈已到者, 卽付來手無悞.

언가초[123]
言可樵, ?~?

언가초가 박제가에게 보낸 무제 편지

귀하께서 잠깐 주무실 적에 우리들이 문을 나서는 데 급급하였기 때문에
다시 기다리지를 못했습니다. 『십삼경』(十三經)[124]에 대해서는, 마땅히
다시 다른 서점에 물어보겠습니다. 만약 가격이 얼마인지 궁금하시다면,
혹 편지를 보내 운간회관(雲間會館)[125]의 조공(曹公)[126]에게 주시면 됩

---

123 언가초(言可樵): ?~? 자가 상혼(尙焜)으로, 강소(江蘇) 상숙(常熟) 사람이다. 저서에
『우취산방시초』(雨翠山房詩鈔)가 있다.
124 『십삼경』(十三經): 『논어』·『맹자』·『효경』(孝經)·『이아』·『시경』·『서경』·『역경』(易經)·
『예기』·『춘추』·『공양전』(公羊傳)·『곡량전』(穀梁傳)·『의례』(儀禮)·『주례』(周禮)이다.
125 운간회관(雲間會館): 북경의 회관. 운간(雲間)은 강소 송강부(松江府)의 별칭이다. 건륭
24년(1759)에 세워졌다.
126 조공(曹公): 조강(曹江, 1781~1837). 『연대재유록』에 조강의 연경 내 거처가 정양문(正
陽門) 밖 장가호동(蔣家衚衕)의 운간회관이라고 하였다.

니다. 저도 힘들고 바쁜 일이 끝이 없는 데다, 또한 일간 남쪽으로 내려

가야 합니다.

　정유 선생께 가초가 글을 남깁니다.

閣下假寐甚, 緣僕等急於出門, 不及再俟. 至十三經, 當再問別舖. 如需價

幾何, 或送信與雲間會館中曹公可也. 僕亦勞人, 奔波未已, 且旦夕將南下

耳. 貞蕤先生, 可樵留字.

하문도[127]
夏文燾, ?~?

신유년 봄에 예부의 시험에 응시하였다가 떨어져서 도하(都下)에 남

아 학업에 힘쓰니, 당나라 사람이 이른바 '여름을 보낸다'[128]고 한 것과

같다. 유리창 서점에 들렀다가 조선 검서 박수기(朴修其) 선생을 알게

되었는데, 그가 돌아가므로 이 시를 지어 송별함

辛酉春, 應禮部試被黜, 留都下肄業, 如唐人所謂過夏者. 過琉璃廠書肆,

識朝鮮檢書朴修其先生, 於其歸也, 作此詩送之

127　하문도(夏文燾): ?~? 자가 방미(方米)로, 강소 오현(吳縣) 사람이다.
128　여름을 보낸다: 원문은 "過夏"로, 당나라 때 장안의 과거 응시생들이 낙방한 뒤 여름에
귀향하지 않고 도성에 머물면서 공부하던 일을 가리킨다.

내가 정유자(貞蕤子)를 사랑하노니　　　　　　我愛貞蕤子

그 문장이 봉황과 같아서일세.　　　　　　　　文章威鳳如

군자의 나라에서 살다가 보니　　　　　　　　　生當君子國

성품이 고인의 글 좋아한다네.　　　　　　　　性好古人書

방물(方物) 갖춰 연경에 찾아온 날에　　　　　方物來王日

하늘 끝서 얼굴 처음 알게 되었지.　　　　　　天涯識面初

시 한 편 직접 꺼내 선물로 주니　　　　　　　一編親見贈

감격함이 경거(瓊琚)[129]보다 훨씬 낫다네.　　感佩勝瓊琚

　　　　그가 훌륭한 시고(詩稿)를 꺼내 선물로 주었다. 君出大稿見贈.

등불 돋워 맑은 밤에 읽어 보려니　　　　　　挑鐙淸夜讀

한번 읽자 마음 한번 틔워 주누나.　　　　　　一讀一開予

박식함은 삼협(三篋)[130]을 간직하였고　　　　博識存三篋

깊은 연구 육서(六書)를 꿰뚫었다네.　　　　　精挈貫六書

이 사람 만나 봄이 너무 늦어서　　　　　　　此人見已晩

내일 아침 작별하니 어찌하리오?　　　　　　明朝別何如

이제 곧 해가 뜸을 탄식하노니　　　　　　　歎息東方近

비목어(比目魚)[131]가 되기는 어렵겠구나.　　難爲比目魚

129　경거(瓊琚): 경거(瓊琚)와 같다. 본서 88면 각주 119번 참조.

130　삼협(三篋): 세 상자의 책으로, 많은 책을 이른다.『한서』권59「장탕전」(張湯傳)에, "세 상자의 일서(逸書)를 장안세(張安世)가 기억하고 있다"(亡書三篋, 安世識之.)라고 하였다. 장안세는 전한(前漢) 선제(宣帝) 때의 인물로, 장탕(張湯)의 아들이다.

131　비목어(比目魚): 외눈박이 물고기. 눈이 하나뿐이라 한 쌍이 함께해야 앞을 바로 볼 수가 있다. 여기서는 서로 붙어 있는 정다운 벗을 말한다.

수기룡[132]
殳夔龍, ?~?

졸구를 받들어 드리며 아울러 바로잡아 주시기를 청하다

拙句奉贈, 幷請敎正

단비와 화창한 바람 폐백으로 드리니	甘雨和風納贄來
넘실넘실 약수(弱水)[133]는 봉래(蓬萊)와 가깝구나.	盈盈弱水近蓬萊
여덟 조목 가르침[134]이 앞서 풍속 이루어서	八條雅敎先成俗
천조(天朝)에 온 세 분 사신 대단한 인재일세.	三使天朝未易才
그 문장은 저절로 비각(秘閣)[135]에서 추대하니	自是文章推秘閣
큰 그릇을 춘대(春臺)[136]의 곁에서 기뻐하네.	却欣器宇傍春臺
예림(藝林)에 하고많은 옥 같은 이 모였어도	藝林多少琳琅集
그대 행차 차례차례 열리기를 기다리리.	留待卿行次第開

---

132 수기룡(殳夔龍): ?~? 절강 서령(西泠) 사람이다.
133 약수(弱水): 봉래산 둘레를 흐르는 물로, 험난하여 건너기 어렵다는 전설상의 강이다.
134 여덟 조목 가르침: 기자가 조선에 와서 전했다는 '팔조법금'(八條法禁)을 말한다. 『한서』
지리지에 세 조목이 남아 있다.
135 비각(秘閣): 왕실의 문서와 경적(經籍)을 관장하는 곳. 여기서는 조선의 규장각을 뜻한다.
136 춘대(春臺): 예부(禮部)의 별칭.

진삼[137]

陳森, ?~?

부족한 시로 정유 대인(大人) 각하(閣下)에게 삼가 드리며

俚句恭呈貞蕤大人閣下

맑고 푸른 바다 하늘 동쪽 끝에 맞닿으니   海天晴翠接東隅

예(禮) 무겁게 맞이하여 호부(虎符)[138]를 바치누나.   禮重寅賓奉虎符

사신 행차[139] 웅장한 글 많은 줄을 알아서   知是皇華多巨製

다만 연석(燕石)[140] 던져서 여주(驪珠)[141]를 끌어오네. 特抛燕石引驪珠

옥당(玉堂)[142]의 운사(韻事)가 사단(詞壇)에 기록되니 玉堂韻事記詞壇

만 길의 문장 파도 참으로 아득하다.   萬丈文濤正淼漫

학사(學士)의 정신 전함 여기[143]에 의거하니   學士傳神憑阿堵

봄바람에 소매 떨쳐 붓 적시기 부끄럽네.   春風拂袖愧濡翰

---

137 진삼(陳森): ?~? 자가 간수(簡修), 호는 일정(一亭)으로, 강남 진강(鎭江) 사람이다. 박
제가의 초상화를 그렸다.

138 호부(虎符): 동호부(銅虎符). 구리로 범 모양처럼 만든 병부(兵符)이다. 여기서는 조선
사신의 관인(官印)을 뜻한다.

139 사신 행차: 원문은 "皇華"로, 사신을 뜻한다. 군주가 사신을 전송하는 노래인 『시경』 소아
(小雅) 「황황자화」(皇皇者華)에서 온 말이다.

140 연석(燕石): 연산(燕山)에서 나온다는 가짜 옥돌. 여기서는 자기 작품에 대한 겸사로 썼다.

141 여주(驪珠): 흑룡[驪龍]의 보주(寶珠). 여룡주(驪龍珠)라고도 한다. 뛰어난 시문(詩文)
의 비유이다.

142 옥당(玉堂): 한림원(翰林院)을 가리킨다.

143 여기: 원문의 "阿堵"는 육조시대의 구어(口語)로 '이것'의 의미이다.

우형[144]

虞衡, ?~?

부족한 시를 정유 선생에게 받들어 드려 송별하다

小詩奉贈貞蕤先生, 卽以送別

동국이 시 잘한단 말을 진작 들었는데	曾聞東國解聲詩
오늘에 만나 보니 참으로 그렇구나.	今日相逢信有之
붓 내림 기운차고 재사(才思)가 민첩하니	下筆淋漓才思敏
모름지기 몇 가닥 수염 꼬아 끊지[145] 않겠구나.	不須撚斷數莖髭

정유가 수염이 많으므로[146] 농담한 것이다. 貞蕤于思, 故戲之.

해마다 사명 받듦 여정이 아득한데	頻年奉使驛程賒
떠나가는 수레 가득 도서(圖書)를 실었구려.	此去圖書載滿車
소청삼각(小淸森閣)[147] 오른 모습 가만히 생각하니	料得小淸森閣上
매양 남두(南斗) 기대어서 중국 땅 바라보리.[148]	每依南斗望中華

144 우형(虞衡): ?~? 절강 절서(浙西) 사람이다.
145 모름지기…끊지: 원문은 "撚斷數莖髭"로, 시를 짓느라 애를 쓰는 모양을 가리킨다. 당나라 노연양(盧延讓)의 「고음(苦吟)」에 "한 글자를 알맞게 읊조리느라, 몇 가닥의 수염을 꼬아 끊었네"(吟安一箇字, 撚斷數莖髭.)라고 한 데서 나왔다.
146 수염이 많으므로: 원문의 "于思"는 수염이 무성한 모양이다.
147 소청삼각(小淸森閣): 박제가의 거처를 지칭한다. 『정유각집』 시집 권4에 「여름날 소청삼각에서」(小淸森閣夏日)라는 시가 보인다. 또 유득공의 『영재집』 권5에 「박차수의 소청삼각에서 자다 깨어 지은 시에 차운하다」(次次修小淸森閣睡起)가 보인다.
148 매양…바라보리: 두보의 「추흥팔수」(秋興八首)의 제2수에 "기주의 외론 성에 저녁 해 저

곳곳에서 책을 구해 객창(客牕)에다 모아 두니	方曲求書聚客牕
펄펄 나는 글재주가 다시 쌍을 이뤘구나.	翩翩才藻更成雙

유고운(柳古芸) 군을 말한다. 謂柳君古芸.

가는 그대 맑은 흥취 거나함이 부럽구나	歸哉羨爾多淸興
도중 내내 읊조리며 압록강에 이르겠지.	一路聯吟到鴨江

최기[149]
崔琦, ?~?

시구를 정유 선생께 받들어 드리고 바로잡아 주시기를 청하다
句奉貞蕤先生斧正

아득한 패수(浿水)는 삼천 리 저편이라	迢迢浿水三千里
풍류스런 학사께서 명 받들어 여기 왔네.	學士風流奉命來
연대에서 제영시를 여기저기 얻었는데	卜得燕臺題咏遍
용사(龍蛇) 날아 춤을 추는[150] 적선(謫仙)의 재주일세.	龍蛇飛舞謫仙才

가는데, 매양 남두 의지하여 장안 바라보노라"(蘷府孤城落日斜, 每依南斗望京華.)라고 한 구절이 있다.
149 최기(崔琦): ?~? 자가 기옥(奇玉)으로, 절강 전당(錢塘) 사람이다.
150 용사(龍蛇)…추는: 뛰어난 필치를 말한다. 송나라 장뢰(張耒)의 「마애비후」(磨崖碑後)에 "태사의 붓 아래엔 용사 같은 글자로다"(太師筆下龍蛇字.)라고 하였다.

정신의 호방함이 만부(萬夫) 중에 으뜸이니 　　　精神豪邁萬夫雄

오사란(烏絲欄) 종이 안에 써서 펼쳐 보이셨네. 　　寫出烏絲阿堵中

모르겠네, 한창 젊은 박 처사 선생께서 　　　　不解當年朴處士

신라로 돌아가면 늙은이가 되실는지. 　　　　　新羅歸去已成翁

　　당나라 때 고비웅(顧非熊)의 「신라로 돌아가는 박 처사를 송별하며」[151]라는 시가 있
　　다. 唐時, 顧非熊有送朴處士歸新羅詩.

정유 선생께 한번 웃으시라고 써서 드리다
書奉貞蕤先生一哂

팔방의 이국에서 모두 조정 찾아오니 　　　　八方重譯盡來庭

보기 드문 그 풍류가 사책(史冊)[152]에 비추이리. 幾見風流映汗青

사람들은 사신 두고 참국사(國士)라 말하지만 　人謂使乎眞國士

수염 기른 문성(文星)임을 나는 알아보았다네. 我知髯也是文星

가슴속 보배 구슬 페르시아 창고 같고 　　　　胸中珠玉波斯藏

팔뚝 아래 안개구름 굽이굽이 병풍일세. 　　　腕底煙雲摺疊屛

용절(龍節)[153] 따라 멀리 와서 임무를 마치고는 　龍節遠隨聲敎訖

---

151 「신라로…송별하며」: 『전당시』(全唐詩)에 실린 고비웅(顧非熊)의 해당 시에 "어려서 본국
을 떠나와서는, 이제 가매 어느새 늙은이 됐네"(小年離本國, 今去已成翁.)라고 한 구절이 있다.
152 사책(史冊): 원문은 "汗青"으로, 사서(史書)의 별칭이다. 한(汗)은 땀이다. 옛날 죽간(竹
簡)을 만들 때 대를 불에 구워 진을 빼는데, 마치 땀방울이 맺히는 모양과 같아 이렇게 불렀다.
153 용절(龍節): 용 모양의 부절(符節)로, 왕명을 받든 사신이 지닌다.

편집

뗏목 타고 동명을 찾아감 다짐하네.　　　　　乘槎擬約訪東溟

성학도 [154]
盛學度, ?~?

신유년에 내가 회시를 치려고 연경에 들어왔다가, 오류거 서점에서 조
선 사신 박제가와 유득공 두 사람을 만났다. 시에 능하고 글씨를 잘 써
서 나를 위해 한 폭의 글을 지었는데, 글자가 지극히 날아 춤추는 듯하
면서도 속된 기운이 없었다. 이튿날 다시 백의선원(白衣禪院)에서 만
나 하루 종일 필담을 나누니 뜻이 몹시 간절하였다. 귀국할 날이 얼마
남지 않았음을 듣고 이 시를 지어 주며 아울러 작별의 뜻을 표한다

辛酉余計偕入都, 遇朝鮮使臣朴柳二君於五柳居書肆. 工詩能書, 爲余作
條幅, 字極飛舞, 無庸俗氣. 翌日, 復遇之白衣禪院, 筆譚竟日, 意甚惓惓.
聞其歸國在卽, 作此贈之, 兼以誌別

술잔 잡고 시 논하니 넘치는 먹 호방한데　　　　把酒論詩漲墨豪
동국서 온 사절들은 빼어난 재주 드높구나.　　　東來節使擅才高
나에게 선물로 황금약을 주시니　　　　　　　　刀圭惠我黃金藥
　　　선물로 청심환 한 알을 받았다. 承贈藥丸一顆.

154　성학도(盛學度): ?~? 호가 갱정(賡庭)이다.

붓 꽂고서 흰 도포[155]를 다투어 구경한다.　　　簪筆爭看白版袍
손가락 튕겨 소리 내어 이백과 만났더니　　　彈指有聲空遇李
허리 굽힌 허물 없음 도연명을 또 바라네.[156]　　折腰無累且希陶
가시는 배 압록강의 물가에서 편안하니　　　歸帆鴨綠江邊穩
애오라지 송별가로 먼 길 수고 위로하네.　　　聊抵驪歌慰遠勞

황비열[157]
黃丕烈, 1763~1825

내가 오류거 서점의 주인과 막역한 벗이 되어, 도성에 가면 매번 책을 보려고 그 서점에 가곤 하였다. 그때 박정유, 유혜풍 두 분과 만나 기이한 책을 감상하고 의심나는 것을 풀었으니, 참으로 이번에 북쪽에 온 것이 해외 군자와의 사귐을 얻기 위한 것임을 깨달았다. 떠나는 날이 가까워 글을 주고 싶은 생각이 있었지만 스스로 재주가 졸렬함이 부끄러워 그렇게 하지는 못하였다. 4월 27일에 숙소에 무료하게 있다

155　흰 도포: 원문은 "白版袍"로, 조선 사신의 복장을 가리킨다.
156　허리…바라네: 도연명이 팽택현령을 지낼 때 군에서 독우(督郵)가 내려오자, 쌀 다섯 말 때문에 허리를 굽힐 수 없다면서 고향으로 돌아간 고사가 있다.
157　황비열(黃丕烈): 1763~1825. 자가 소무(邵武) 또는 소보(邵甫)이고, 호는 요포(蕘圃)·영송주인(佞宋主人)이다. 당대의 유명한 장서가로, 송참본(宋槧本)을 중히 여겨 소장한 송판서(宋版書)가 100부 이상이었다. 그의 서재 이름인 백송일전(百宋一廛)에는 그의 만권루(萬卷樓)에 대한 자부가 드러난다.

가 점심밥을 먹은 뒤에 먹을 갈고 종이를 펼쳐 칠언고시 20운을 얻었다. 가져가서 두 분께 드리니, 마땅히 내가 너무 쉽게 내놓는 것을 웃으며 다듬지 않은 옥[158]을 보여 준다며 나를 비웃음이 있을 것이다

余與五柳居主人爲莫逆交, 至都, 每觀書至其肆. 時遇朴貞蕤柳惠風二公, 賞奇析疑, 眞覺此番北來, 獲交海外君子. 臨行之日, 思有以贈, 自愧才拙, 未能也. 四月二十七日, 在寓無聊, 午飯後磨墨伸紙, 得七言古二十韻, 持贈二公, 當笑我出之太易, 有示璞之譏已

가경 6년 신유년 새해를 맞이하여	嘉慶六年歲辛酉
관리의 수레 따라 북쪽으로 왔다네.	我隨計車適北走
연경의 바람 먼지 자욱한 가운데서	京都滾滾風塵中
홀연히 기특한 박과 유를 만났구나.	忽遇奇人朴與柳
의관과 용모가 중화와는 다르니	衣冠狀貌殊中華
말하기를 조선 사신 아무개라 하는구나.	云是朝鮮使臣某
두 분 본래 그 나라의 뛰어난 호걸로서	二公本是彼國豪
하늘이 내린 재주 참으로 풍부하다.	天畀才華眞富有
박공은 과거 통해 자취를 드러내니	朴公發跡由詞科
대책문의 만 마디 말 그 누가 짝하리오.	策對萬言孰與偶
『정유고략』이름 붙인 한 편의 원고에는	一編稿略號貞蕤
호방한 대작이 책머리에 놓였구나.	洋洋大篇冠諸首
하물며 천성이 중화 기풍 사모하여	況其天性慕華風

---

158 다듬지 않은 옥: 원문은 "璞"이다. 『전국책』진책(秦策)에 "정나라 사람은 다듬지 않은 옥을 박이라 한다"(鄭人謂玉未理者璞.)고 하였다.

명공(名公)과 거유(鉅儒)들이 벗 삼기를 기뻐하네.	名公鉅儒皆樂友
책 속에 다함없는 회인시가 실렸으니	卷中不盡懷人詩
아득한 그리움을 오래 간직하려 하네.	熙熙慕思要以久
내가 와서 사귄 것이 늦음 안타까워도	我來訂交恨已遲
잠깐 만나 서로 아니 뜻이 유독 돈독하다.	傾蓋相知意獨厚
내게 주는 영첩(楹帖)에서 멋진 글 살펴보니[159]	贈我楹帖見摛文
먹물 적셔 붓 휘둘러 손 멈추지 않는구나.	濡墨揮毫不停手
내가 그린 〈제서도〉(祭書圖)에 제시를 써 주시니[160]	題我畫圖爲祭書
일에 맞게 글을 엮어[161] 술술 흘러나오누나.	屬詞比事方脫口
해내(海內)에도 문장은 실로 인재 있겠지만	海內文章信有人
이 같은 동인(東人)에겐 기꺼이 뒤에 서리.	如此東人肯居後
유공은 시 솜씨가 몹시도 청신하여	柳公詩筆劇清新
글자마다 구슬이라 구차함 전혀 없네.	一字一珠却不苟
일찍이 부채에 쓴 장편시를 보았더니	長篇曾向扇頭窺
전각과 훌륭한 글 기운이 헌걸차다.	篆刻鴻章氣赳赳
듣자니 귀국할 날 이미 정해졌다 하니	側聞歸國已有期
몇 상자의 기이한 책 말에 싣고 가겠구나.	數簏奇書驅馬負

159 내게…살펴보니: 박제가가 황비열에게 "곡성(穀城)의 황석공(黃石公)이 나를 막 알아주니, 구루산(句漏山)의 단사는 이미 그대 것일세"(穀城黃石方知我, 句漏丹砂已屬君.)라는 영련(楹聯)을 써 준 일이 있다.

160 내가…써 주시니: 황비열은 책에 제사를 올리는 자신의 모습을 〈제서도〉(祭書圖)로 남겼다. 『연대재유록』에 의하면 그는 유득공과 박제가 두 사람에게 〈제서도〉를 보여 주며 제시를 청했다. 유득공은 행장을 꾸리기에 바빠 미처 써 주지 못하고, 박제가는 『호저집』 찬집 권3의 「황요포의 〈제서도〉 노래」(黃蕘圃祭書圖歌)를 지어 준 것으로 보인다.

161 일에…엮어: 원문은 "屬詞比事"로, '촉사'(屬詞)는 자구(字句)를 엮어 글을 짓는 것이고, '비사'(比事)는 사건을 견주어 차례로 배열하는 것이다.

편집

유리창 서점 거리 사람이 많다 해도 　　　　琉璃書肆人肩摩

그 누가 낭현(嫏嬛)[162] 향해 이따금 찾아올까. 　　誰向嫏嬛時一扣

하안(何晏)의 『논어』는 세상에 희귀한데 　　　何晏論語世所稀

동국(東國)에 전하던 것 지금은 잃었다고.[163] 　東國舊傳今失守

서긍(徐兢)의 『고려도경』(高麗圖經) 집에 소장했지만 徐兢圖經家尙藏

부본(副本)을 못 가져옴 나의 허물이로구나.[164] 副本未携我職咎

구구하게 책을 아낌 그 마음이 꼭 같으니 　區區愛書心正同

천금을 아끼잖고 낡은 빗자루 사들이네.[165] 　不惜千金買弊帚

덕행과 공업 세움 어렵다고 말하지만 　　德功之立古云難

그대들과 썩지 않을 입언(立言)하길 기약하리. 與子相期言不朽

162　낭현(嫏嬛): 서고(書庫)의 미칭. 선경(仙境)에서 천제가 서적을 보관하는 장소다. 여기
서는 유리창의 오류거 서점을 가리킨다.

163　하안(何晏)의…잃었다고: 하안(何晏)의 『논어』란 삼국시대 위(魏)나라 하안이 쓴 『논어
집해』(論語集解)를 말한다. 『연대재유록』에 황비열이 이 『논어집해』의 판본 상황에 대해 물은
일이 기록되어 있다.

164　서긍(徐兢)의…허물이로구나: 『고려도경』(高麗圖經), 곧 『선화봉사고려도경』(宣和奉使
高麗圖經)은 송나라 서긍이 1124년 고려에 사신으로 왔다가 남긴 견문록이다. 유득공의 『연대
재유록』에 관련 일화가 보인다. 황비열은 오류거 주인을 통해 유득공이 『고려도경』을 찾는다는
사실을 알고, 당대 세간에 유행하던 지부족재(知不足齋) 판각본보다 자신이 소장하고 있던 영
송본(影宋本)이 선본에 가까워 보여 주고 싶으나 애석하게도 가져오지 않았다며, 훗날 다시 만
날 기회가 있다면 가져와 보여 주겠다 제안했다.

165　천금을…사들이네: 위(魏) 문제(文帝) 조비(曹丕)의 「전론」(典論)에 "집의 낡은 빗자루
를 천금인 양 모시고 산다"(家有弊帚, 享之千金.)라는 말이 보인다. 하찮은 물건을 귀하게 여긴
다는 뜻으로, 박제가를 비롯한 조선 사신과 황비열이 모두 책에 돈을 아끼지 않았음을 말한다.

반욱[166]

潘煜, ?~?

소사 2수를 써서 정유 사백께 드리며 웃고 바로잡아 주시기를 청하다

小詞二闋, 書贈貞蕤詞伯莞正

완화사

浣花紗

바다 위의 신선이 푸른 산에 기대니　　　　海上神仙倚碧巒

시를 쓰면 모두 다 구성단(九成丹)[167]이로구나.　吐詞都是九成丹

큰 붓을 많이 받아 파란이 웅장하여　　　　多承椽筆壯波瀾

하늘가에 떨어져서 영해(瀛海)를 시이헀네.　各在天涯隔瀛海

생각하니 그 누가 멋진 글씨 보았던가　　　　憶來誰把妙書看

세시 맞춰 나란히 장안에 이르렀지.　　　　歲時聯袂到長安

166　반욱(潘煜): ?~? 자가 광문(廣文), 호는 춘애(春崖)이다.

167　구성단(九成丹): 영약(靈藥)으로, 아홉 번 정련하여 만든 선단(仙丹)이다.

하성조

賀聖朝

필묵으로 공의 거처 머물고자 하노니	欲將筆墨留公住
바쁘게 서둘러 가지는 마옵소서.	莫悤悤歸去
시와 술이 삼분의 일, 근심이 또 하나요	三分詩酒二分愁
다시금 비바람이 삼분의 일이로다.	更一分風雨
꽃이 피고 시드는 것	花開花謝
눈앞에 몇 번인가.	眼前幾許
깊은 정 붙들고서 호소하노니	把衷情漫訴
모르겠네, 내년에 작약 향기를	不知來歲芍花香
어디서 다시금 만나게 될까?	再相逢何處

구용[168]
裘鏽, ?~?

「금조상사인」(琴調相思引) 가락으로 1수를 지어 4월[169]에 정유 사장께
적어 드리며 웃고 바로잡아 주시기를 청하다
調琴調相思引一闋. 淸和月題贈貞蕤詞丈雅敎莞政

서까래 붓 성대하여 먹물 흔적 알아보고	椽筆淋漓認墨痕
조선 학사 우연히 수레를 멈추었지.	朝鮮學士偶停轅
구름안개 종이 위로 떨어지더니	雲煙落紙
오묘한 생각 의론 논하기가 어렵구나.	思議妙難論
원컨대 채찍 얻어 말을 묶어 두고는	願得游鞭來繫馬
사모(紗帽)에 판포(版袍) 입고 도성문에 이르러서,	版袍鳥帽到都門
길고 짧은 구절 보며	長章短句
한바탕 껄껄 웃고 금준(琴尊) 함께하십시다.	一笑共琴尊

---

168 구용(裘鏽): ?~? 호가 위전(葦田)으로, 절강 전당 사람이다.
169 4월: 원문은 "淸和月"로, 음력 4월의 별칭이다. 남조시대 송나라 사영운의 「유적석진범
해」(游赤石進帆海) 시에 "4월이라 맑고도 온화하니, 향그런 풀잎들 가득 돋았네"(首夏猶淸和,
芳草亦未歇.)라고 한 데서 유래했다.

주호[170]

朱鎬, ?~?

가경 6년(1801) 4월 23일, 우연히 절구 2수를 지어 고운과 정
유 두 분 사백께 적어 올리고 바로잡아 주시기를 청하다

嘉慶六年四月廿三日, 偶成二絶, 錄奉古芸貞蕤兩詞伯斧正

바다 밖 선산(仙山)에 뛰어난 인재 나와	海外仙山啓逸才
훨훨 어깨동무하고 먼지 떨쳐[171] 오셨구나.	翩然聯袂拂塵來
이로부터 시단(詩壇)에서 시를 논한 뒤에는	自從壇坫論詩後
끝없는 푸른 갈대 거슬러 감 탄식하네.[172]	不盡蒼葭歎溯洄

하늘 끝서 한데 모여 서로 기약 못거니	天涯聚首不相期
사귄 정 금란(金蘭) 견줘 더더욱 훌륭하다.	誼比金蘭更過之
여린 팔로 구원(九畹)에 심은 난초[173] 그리노니	弱腕寫生滋九畹

---

170 주호(朱鎬): ?~? 자가 이경(二京)으로, 절강 전당 사람이다. 주자(朱子)의 18세손이다.
171 먼지 떨쳐: 원문의 "불진"(拂塵)은 '먼지를 떤다'는 뜻으로, 먼 곳에서 방문한 사람에게
위로연을 베푸는 일을 가리킨다. 여기서는 박제가와 유득공 두 조선 사신의 방문을 가리킨다.
172 끝없는…탄식하네: 원문은 "蒼葭歎溯洄"로, 푸른 갈대가 핀 강물을 거슬러 올라가며 탄
식한다는 말이다. 이별의 슬픔을 상징한다. 『시경』 「겸가」(蒹葭)에, "갈대가 푸르르니, 흰 이슬
서리 되도다. 저기 저 사람이, 물 저편에 있도다. 물길 거슬러 오르려 하나, 그 길 험하고도 멀어
라"(蒹葭蒼蒼, 白露爲霜. 所謂伊人, 在水一方. 遡洄從之, 道阻且長.)라고 한 데서 왔다.
173 구원(九畹)에 심은 난초: 원문은 "滋九畹"으로, 난초를 심은 꽃밭 혹은 난초를 가리키는
표현이다. '원'(畹)은 토지의 단위이다. 굴원의 『이소』에, "내가 구원의 땅에 난초를 심어 놓고,
다시 백묘의 땅에 혜초를 심었노라"(余旣滋蘭之九畹兮, 又樹蕙之百畝.)라고 한 구절에서 왔다.

원컨대 그대는 시를 많이 지어 주소.　　　　　　願君題贈幾多詩

모조승[174]
毛祖勝, ?~?

소조 2수를 도성의 서점에서 지었으니, 때는 신유년 4월 하순이다. 정
유·고운 두 사장께 받들어 드리다[175]

小調二闋, 作於都門書舍, 時辛酉淸和月下浣. 奉贈貞蕤古芸二詞丈

취태평
醉太平

글씨 좋고 뜻 청신해　　　　　　　　　　　　筆奇意淸
시구 높고 놀라워라.　　　　　　　　　　　　詞高句驚
길고 짧은 작품은 거침이 없어　　　　　　　　長篇短草縱橫
몇 마디 소리로 마음을 적네.　　　　　　　　寫心聲數聲

174　모조승(毛祖勝): ?~? 호가 향천(薌泉)으로, 절강 전당 사람이다.
175　소조…드리다: 이 시는 유득공의 『연대재유록』에도 실려 있다. 세 사람이 취영당(聚瀛
堂) 서사(書肆)에서 만났다고 나온다.

그리는 맘 진실하여	思誠憶誠
아침저녁 떠올리네.[176]	朝牽暮縈
고인은 봉래 영주 막혀 있으니	高人隔蓬瀛
외론 곡조 그 누구와 주고받을까.	獨調與誰賡

장상사
長相思

황하는 흘러가고	黃河流
벽해도 흘러가니	碧海流
흘러흘러 봉래 영주 몇 번째 섬 이르려나	流到蓬瀛第幾洲
선산(仙山)은 점점이 떠서 있건만.	仙山點點浮
가는 길 아득하고	路悠悠
생각도 아득해라	思悠悠
오실 때가 되어야만 그리움 그치리니	思到來時方始休
바람맞으며 사람은 누대에 기대었네.	天風人倚樓

---

176 아침저녁 떠올리네: 원문의 "牽縈"은 이리저리 얽힌 모양으로, 정이 매우 깊음을 나타낸다.

손기[177]
孫琪, ?~?

고운과 정유 두 선생께 받들어 올리다
奉贈古芸貞蕤二先生

오래전 옛날부터 조선국에선	自古朝鮮國
수레 문자 통일하여 법도 지켰네.	車書裏典常
바닷가에 전례(典禮)와 문물을 갖춰	海隅修禮物
성덕(聖德)이 먼 변방까지 미쳤지.	聖德遍遐荒
어디고 기걸(奇杰)한 이 없으랴마는	何地無奇杰
이 사람 간직한 것 오묘하도다.	伊人妙蘊藏
서책을 이유(二酉)[178]에서 뒤져 보았고	簡編搜二酉
사부(詞賦)는 인재 중에 으뜸이라네.[179]	詞賦擅千章
장한 기상 교룡도 피하여 가고	豪氣蛟龍避
웅장한 글 봉황조차 높이 난다네.	雄文鶡鳳翔
말만 하면 모두 다 웅장하여서	有辭皆磊落

---

177 손기(孫琪): ?~? 청나라 화용(華容) 사람으로, 자가 소백(少白)이고, 호는 요포(瑤圃)다. 건륭 연간의 감생(監生)으로 시와 글씨에 능했다.
178 이유(二酉): 지금의 호남(湖南) 원릉현(沅陵縣) 북서쪽에 위치한 대유산(大酉山)과 소유산(小酉山)을 아울러 이르는 말. 이곳에 많은 장서(藏書)가 있었다고 한다.
179 인재 중에 으뜸이라네: 원문의 "千章"은 천 그루의 나무로, 여기서는 인재를 가리킨다. 『사기』 「화식열전」(貨殖列傳)에 "물에는 천 석의 어피가 있고, 산에는 천 그루의 재목(材木)이 있다"(水居千石魚陂, 山居千章之材.)라고 한 바 있다.

글자마다 해맑고 힘이 있도다.	無字不淸蒼
시 지으니 정신에 옛것 갖췄고	作賦神具古
글씨 쓰면 팔뚝 힘이 또한 굳세다.	揮毫腕亦强
여기 오기 참으로 쉽지 않으니	此來良不易
마주하매 흥이 이리 거나하도다.	相對興何長
아집(雅集)에서 글을 논함 간략하였고	雅集論文約
시단(詩壇)에선 깃발을 늘어세웠네.	詩壇列幟張
다시금 호해(湖海)의 기상 보태니	轉添湖海氣
물과 구름 빛깔이 따로 있구나.	別有水雲光
하늘 끝서 한데 모여 즐거워하니	聚首天涯樂
이별 자취 세월은 바쁘기만 해.	離踪日月忙
홍두(紅豆)의 그리움은 시로 남았고	詩存紅豆想
사람은 백운향(白雲鄕)[180] 저 멀리 있네.	人在白雲鄕
지역이 수천 리 떨어졌어도	地越數千里
먼 곳에서 친구가 찾아왔다네.	朋來自遠方
긴 하늘 원래부터 간격 없으니	長天原不隔
밝은 달빛 어이해 서로 잊으랴.	明月詎相忘
두 분의 선객(仙客)께 말을 하노니	爲語二仙客
돌아가 금낭(錦囊)[181] 가득 읊조리소서.	歸吟一錦囊
훗날에 멀다 하여 버리지 않고[182]	他年不遐棄

---

180 백운향(白雲鄕): 신선이 사는 하늘나라. 여기는 벗이 서로 떨어져 천애(天涯)에 있음을 의미한다.

181 금낭(錦囊): 시초(詩草)를 담는 비단 주머니. '해낭'(奚囊)과 같다.

182 멀다 하여 버리지 않고: 원문은 "不遐棄"이다. 『시경』 「여분」(汝墳)에 "이미 군자를 만나

온종일 돛대만 바라보겠네.　　　　　　　　　終日望帆檣

조강[183]

曹江, 1781~1837

부(附) 우재(愚齋)[184]에게 드리다 남척로(南陟老)

附 贈愚齋 南陟老

손잡고 만나 보니 마음 배나 애틋한데　　　握手相逢倍藹如

봄바람 붓 아래서 실컷 얘기 나누었지.　　春風筆底劇談餘

십 년 전 옛 벗과 마음 쓰던 일들을　　　　十年舊雨關心事

평안(平安)하단 두 글자의 편지로 전해 보네.　憑達平安二字書

옛 벗은 박제가와 유득공 두 사람을 말한다. 舊雨謂朴柳二君.

보니, 날 멀리해 버리지 않았도다"(既見君子, 不我遐棄.)라고 하였다.

183　조강(曹江): 1781~1837. 자가 옥수(玉水)·백천(百川)이고, 호는 석계(石谿)이다. 강소
오현(吳縣) 사람이다.

184　우재(愚齋): 조선의 문인 남척로(南陟老)를 이른다. 자가 백역(伯墿), 호는 우재(愚齋)
이다. 1804년 동지겸사은사(冬至兼謝恩使) 부사(副使) 송전(宋銓)의 군관으로 연행하였다. 서
장관으로 연행했던 원재명(元在明)의 『지정연기』(芝汀燕記) 「일행총록」(一行摠錄)에 그 이름
이 보인다. 정사 반당으로 연행하였던 김선민(金善民)의 『관연록』(觀燕錄)에 의하면, 김선민과
남척로, 이의성(李義聲)은 1805년 정월 초5일에 오류거 서점에서 조강과 처음 만났다. 이후 같
은 달 28일에 전별하였다.

부(附) 소동파의 초상화에 제하여, 과산 홍만섭에게 드리다
附 題坡公像, 贈顆山

십 년 전 옛 벗 중에 몇 사람이 남았던가　　　　十年舊雨幾人存

당시에 정유 영재 함께 술을 나누었지.　朴貞蕤柳泠齋當時共一尊

그대는 두 사람의 고제자(高弟子)라고 하니　　　君是兩家高弟子

지난 일 얘기하매 넋이 다 녹는 듯해.　　　　　話來往事可銷魂

정유 선생께
貞蕤先生

조강은 정유 선생 족하께 글을 올립니다. 오늘의 약속은 실로 신의를 잃은 것이 아닙니다. 집에 보모(保母)[185]가 계신데 병을 앓아 장차 위태로운지라, 제가 이 때문에 의원을 청해 치료하게 하느라 여러 일이 경황이 없어 몸이 집을 떠날 수가 없었을 뿐입니다. 아마 그대는 틀림없이 유리창에 있으면서 저를 기다리셨겠지요. 기다려도 오지 않았다 하여 저를 소원하게 여기거나 저를 무정한 사람으로 여기지는 말아 주십시오. 이 때문에 걱정하는 마음을 전합니다. 인장은 바쁘게 새긴 것이라 모양새가 좋지는 않습니다. '소산'(疎山)과 '묵원'(墨園)의 대련(對聯)은 보냈습니다. 제가 그래도 시를 지어 작별의 자리에 올리고 싶었는데, 마음이 편치

---

185 보모(保母): 조강은 첩의 소생으로, 여기서 보모는 큰집의 어머니를 말하는 듯하다.

않아서 여태 짓지 못하고 있습니다. 떠나는 날짜가 아직 남았으니 모레 까지 혹 짓게 되면 사람을 시켜서 보내 드리겠습니다. 아아! 박군과도 작 별이니 어찌한단 말입니까. 마땅히 사신의 수레가 와서 다시 만나 보기 를 도모하렵니다. 젊은 유군[186]이 왔는데 제가 또한 능히 오래 앉아 작별 의 인사를 나눌 수가 없다 보니 한 줄의 글을 그대에게 보내, 그대로 하 여금 내가 신의를 잃은 사람이 아니라는 것을 알게 하고자 합니다. 다만 이렇게 드려 잘 지내시기를 빕니다. 이만 줄입니다.

　정유 인형(仁兄) 선생께 조강이 절합니다.

曹江致書貞蕤先生足下. 今日之約, 非失信也. 家有保母, 患病將危, 弟爲 之請醫調治. 諸事鹿鹿, 身不能離家耳. 知君必在廠中候我, 候而不來得, 勿以我爲疎之. 且以我爲無情之輩乎. 故以其憂慮之衷達之. 印章恩恩刻 就, 殊不佳也. 疎山墨園二聯致去. 弟尙欲爲小詩奉別, 心緖不寧, 尙未果 也. 知行期尙在, 再明之間, 或作就送佯致之耳. 嗟乎! 朴君別矣奈何. 當 聘使車來, 再圖會矣. 小柳來, 我亦不能久坐話別, 以一行致君, 俾知我非 失信者云. 耑此奉問日佳, 不備. 貞蕤仁兄先生, 曹江拜.

오(吳) 땅의 조옥수는 정유 인형(仁兄) 선생 집사께 글을 드립니다. 이 택당(麗澤堂)에서 한차례 대화했던 것은 어제 일일 뿐입니다. 눈 돌리는 사이에 다섯 해가 지나, 한 조각 마음으로 서로를 새겨 함께 이를 서글퍼 합니다. 작별한 뒤에 저는 어머니께서 돌아가시는 아픔이 있었습니다. 망망(茫茫)한 동해에 알려드릴 길이 없었으니, 그대가 이를 듣는다면 그

186　젊은 유군: 유정엽(柳廷燁)을 가리키는 것으로 보인다. 본서 367면 각주 13번 참조.

마음을 어찌 견디시겠습니까. 영구(靈柩)를 오산(吳山)에 직접 묻고서 고향으로 돌아간 것이 일 년이 되었습니다. 이제 이미 복을 마치고 관직에 제수되어 성은(聖恩)을 입어 외람되이 서궐(西闕)에서 교서(校書)의 직임을 맡았습니다. 스스로 부족하여 수고로움이 적으니 직무를 감당하지 못하는 것을 알아 무슨 말을 하겠습니까. 그대는 성명(性命)을 나눈 벗이니 반드시 편지로 저의 부족한 점을 바로잡아 주신다면 다행이겠습니다.

백역(伯翬) 남척로와 오류거 서점에서 서로 얘기를 나누었는데, 예스런 모습과 유자의 풍모가 얼굴과 등에 가득하여 저로 하여금 그대의 그때 모습을 다시금 떠올리게 하였습니다. 급히 근황을 묻고 각자 잘 계시는 줄을 알았습니다. 아울러 들으니 벼슬을 그만두고 문을 닫아건 채 손자를 가르치는 것으로 일을 삼는다 하니, 특별히 저로 하여금 흠모함을 그치지 못하게 하시는군요. 근래에 지으신 회인시에 틀림없이 제 이야기도 들어 있겠지요. 지금 저의 새 거처는 오류거 서점에서 수십 보 떨어져 있는데, 지명은 선무문(宣武門) 밖 향로영(香爐營) 아래 사조호동(四條胡衕)입니다. 동해의 소식을 어떻게든 꼭 바라오니 저에게 좋은 소식을 주십시오. 남백역은 행색이 경황이 없는지라 다시 근래 지은 작품은 드리지 못하고 다만 편지 한 통을 부쳐 잘 지내고 있다는 소식만 알립니다. 그대를 그리는 마음은 모두 남백역에게 준 시구 가운데 있으니, 찾아보실 수 있을 겝니다. 중어(仲魚) 진전(陳鱣)과 평계(苹溪) 왕조가(王肇嘉)는 오 땅에서 별 탈 없이 지내고 있고, 기산(起山) 강개(康愷)는 이미 세상을 떠났는데 이를 듣고 마음이 서글펐습니다. 소류(小柳)[187]의 근황

187 소류(小柳): 유득공의 아들 유본학(柳本學)을 가리키는 듯하다.

은 어떠한지요? 마음을 담아 서둘러 써서 근래의 안부를 여쭙니다. 붓을 들고 경황이 없어 다 적지 못합니다.

옥수 조강은 절하며 올립니다. 을축년(1805) 정월 28일.[188]

吳下曹玉水致書貞蕤仁兄先生執事. 麗澤堂一話, 昨日事耳. 轉眼五稔, 寸心相印亮, 同此悵悵也. 別後弟有喪母之痛, 茫茫東海, 無從呼告. 閣下聞之, 情何以堪. 自埋櫬吳山, 歸里一載, 今已服除補官, 荷蒙聖恩, 忝職校書西闕. 自知待罪寡勞, 感何言訴. 閣下爲性命交, 必有書來, 匪我不及, 幸幸. 南伯罦相晤五柳居, 古貌儒丰, 盎于顔背, 令人還憶閣下當年光景. 急詢近況, 知各平善, 竝聞解組杜門, 課孫爲事, 殊使我欣羨不已. 懷人近作, 必及下走. 今弟新居, 距五柳居數十武, 地名宣武門外香爐營下四條胡衕. 東海信通, 人雁必望, 惠我好音. 伯罦行色恩恩, 不復以近作呈鑒, 只付一書, 報云平適. 思君之忱, 盡在贈伯罦句中, 可索觀也. 中魚萃溪在吳無恙, 起山已歸道山, 聞之愴然. 小柳近狀如何? 念念艸泐, 卽問邇佳. 臨筆惘惘, 不盡. 玉水弟曹江拜啓. 乙丑正月廿八日.

---

188 을축년(1805) 정월 28일: 조강이 당시 조선 사신 일행을 전별한 날이다.

엄익[189]

嚴翼, ?~?

예전에 지은 「송연시」(送燕詩) 네 수 중 한 수를 적어 수기(修其) 성사(星使)[190] 대인께 바로잡아 주시기를 청하다

舊作送燕詩四首之一錄, 請修其星使大人粲正

강북과 강남에 소식 전함 드무니	江北江南消息稀
가을 와서 이별 임해 오히려 서글프다.	秋來臨別尙依依
지난날 꽃 앞의 길 괜스레 찾아가고	漫尋昔日花前路
내년의 대숲 사립 모름지기 적어 보네.	須記明年竹裏扉
고향 땅엔 몇 사람이 백사(白社)를 열었을까	故國幾人開白社
옛집 어느 곳에서 오의(烏衣)[191]를 찾겠는가.	舊家何處覓烏衣
화서(華胥)의 약속[192]을 저버리지 않는다면	懸知不負華胥約
서풍 좇아 느릿느릿 돌아감을 알게 되리.	好趁西風緩緩歸

---

189 엄익(嚴翼): ?~? 호가 유당(有堂)으로, 강소 사람이다. 박제가와 직접 만나 교유하지는 못하였다.

190 성사(星使): 사신의 별칭이다. 본서 349면 각주 629번 참조.

191 오의(烏衣): 검은 옷이란 뜻으로, 한미한 사람이나 하급 관리의 의복을 이른다.

192 화서(華胥)의 약속: 황제(黃帝)가 꿈에 이상향인 화서씨(華胥氏)의 나라를 보았다는 이야기가 『열자』「황제」(黃帝)에 보인다.

찾아보기

—